Maxelon · Stresemann und Frankreich

Geschichtliche Studien zu Politik und Gesellschaft

Band 5

D1532316

Herausgegeben von
Arno Borst, Wolfram Fischer, Andreas Hillgruber, Richard Löwenthal,
Erich Matthias, Christian Meier, Rudolf Morsey, Hermann Weber

Michael-Olaf Maxelon

Stresemann und Frankreich

1914—1929

Deutsche Politik der Ost-West-Balance

Droste Verlag Düsseldorf

© 1972 Droste Verlag GmbH, Düsseldorf
Umschlagentwurf: Helmut Schwanen, Düsseldorf
Gesamtherstellung: Rheinisch-Bergische Druckerei- und
Verlagsgesellschaft mbH, Düsseldorf
ISBN 3 7700 0318 7, Buch-Nr. K 1100318

Inhalt

Vorwort

Die hier vorgelegte Monographie, eine Dissertation an der Albert-Ludwigs-Universität Freiburg im Breisgau, entstand in den Jahren zwischen 1966 und (September) 1971. Die lange Zeitspanne, ursprünglich nicht entfernt so vorausgesehen, wurde primär durch meine Schultätigkeit verursacht, die mir immer wieder Unterbrechungen der Forschungsarbeit auferlegte. Das Ergebnis möchte jedoch vergessen machen, welche Hindernisse insgesamt zu überwinden waren. Meine wissenschaftliche Ausbildung verdanke ich vielen, den Impuls zur Anfertigung dieser Studie vor allem Herrn Dr. Helmke aus Kassel — die Möglichkeit, sie tatsächlich zu schreiben, allein Herrn Professor Dr. Andreas Hillgruber. Ohne dessen persönliche Ermutigung, kritische Toleranz und außergewöhnliche Unterstützung (für mich zugleich ein ständiger qualitativer Anspruch) hätte ich sie weder beginnen noch zu einem positiven Abschluß bringen können.

Zu großem Dank bin ich darüber hinaus all denen verpflichtet, die mir — in Koblenz (Bundesarchiv), Bonn (Politisches Archiv des Auswärtigen Amtes, Bibliothek des Deutschen Bundestages) und Kassel (Bibliothek des Bundessozialgerichts, Murhardsche Bibliothek und Landesbibliothek, Buchhandlung Freyschmidt) — bei der Beschaffung der erforderlichen Materialien behilflich waren. Dem Droste Verlag — insonderheit Herrn Dr. Lotsch — danke ich für die Bereitschaft, meine Dissertation zu veröffentlichen, den Lehrern und Studierenden des Hessenkollegs Kassel für das Verständnis, das sie mir in den vergangenen Jahren erwiesen haben, meiner Frau für die Teilnahme und unermüdliche Mitarbeit, auf die ich jederzeit bauen durfte.

Die Studie widme ich den Politikern der Gegenwart, die darum bemüht sind, in den zwischenstaatlichen Beziehungen der praktischen Vernunft zum Siege zu verhelfen.

Kassel, im April 1972   Michael-Olaf Maxelon

Einleitung

Inhalt und Absicht bzw. Ursache und Folgen der Politik Stresemanns sind heute — zweiundvierzig Jahre nach seinem Tode — ähnlich umstritten wie in der Optik der Zeitgenossen. War Stresemann der bedeutendste Staatsmann der Weimarer Republik oder nur ein »finassierender« Opportunist? War er der Verfechter einer ungehemmten Machtpolitik oder ein verständigungsbereiter Anwalt des Deutschen Reiches? Europäer aus Überzeugung oder doktrinärer Nationalist? Demokrat in der 48er-Tradition oder Interessenvertreter des »imperialistischen Monopolkapitalismus«? Schließlich: War Stresemann der einzige relevante Gegner, oder war er (außenpolitisch) ein Vorläufer Hitlers? Alle diese und weitere — weniger alternativ zugespitzte — Fragen werden sowohl in der Geschichtswissenschaft als auch in der politischen Publizistik ständig neu gestellt und fast immer verschieden, vielfach widersprüchlich beantwortet. Daß bei diesen Antworten, von einigen Ausnahmen abgesehen, primär subjektiv gefärbte Wertungen dem historischen Befund eine bewußt akzentuierte (mitunter kraß einseitige) Tendenz auferlegen, wird jede unvoreingenommene Prüfung der bisherigen Veröffentlichungen unschwer nachweisen können. Erforderlich ist daher, und zwar vorrangig, eine methodische Reflexion über die Voraussetzungen und Maßstäbe der eigenen Urteilsfindung. [1]

Einer umfassenden, differenzierten, die Komplexität des historischen Handlungs- und Wirkungszusammenhangs überzeugend erklärenden Darstellung der Politik Stresemanns stehen jedoch zweifellos auch objektive Schwierigkeiten entgegen: Wie kaum ein anderer verkörperte dieser als Parlamentarier und Parteiführer, als Reichskanzler und Außenminister in seiner persönlichen Entwicklung die Zeit des Übergangs von der Monarchie zur Republik, vom Wilhelminischen Reich, das sich als »Weltmacht« begriff, zum Staat von Weimar, der durch die Folgen des Krieges einer dauernden Belastung unterworfen war. Nach seinen eigenen Worten (März 1929) wollte Stresemann »die Brücke sein zwischen dem alten und dem neuen Deutschland«, zwischen Schwarz-Weiß-Rot und Schwarz-Rot-Gold, d. h. aber auch zwischen dem konservativen Bürgertum und der sozialdemokratischen Arbeiterschaft. Ein solches Selbstverständnis, dazu die epochalen Ereignisse und politisch-gesell-

---

1 Ausführlich zu diesem Problem D. Junker, Über die Legitimität von Werturteilen in den Sozialwissenschaften und der Geschichtswissenschaft, in: Hist. Zeitschrift, Bd. 211 (1970), S. 1 ff.

schaftlichen Veränderungen seit 1917, endlich die Tatsache, daß Stresemann im wesentlichen nur vorbereitete, was nach ihm erreicht und zwischen 1933 und 1945 dann unwiderruflich verloren wurde — alles das läßt Raum, auch unabhängig »von der Parteien Gunst und Haß«, für unterschiedliche Stellungnahmen, für ein politisches Bild mit vielfach dissonanten Konturen.

Ein Jahrhundert nach Errichtung des Bismarckschen Deutschen Reiches, das im Bewußtsein der jüngeren Generation mehr und mehr eine ferne Vergangenheit bezeichnet, sollte es indessen möglich sein, unter Beachtung des in der zeitgeschichtlichen Forschung inzwischen weithin erkannten Kontinuitätsproblems [2] die Kontroverse über Stresemann von der Ebene der apologetischen Legende oder des polemischen Angriffs auf den einzig tragfähigen Boden der quellenmäßig belegbaren Analyse zu verlagern und damit eine empirisch gesicherte (intersubjektiv nachprüfbare) Modifizierung, vielleicht sogar Korrektur der gegensätzlichen Deutungen vorzunehmen, die erwarten darf, in ihrer Aussage auch zukünftig bestehen zu können. Für die bisherige (biographisch orientierte) Stresemann-Literatur läßt sich das jedenfalls nur sehr begrenzt sagen: entweder fehlt es an der notwendigen Quellenbasis oder an dem ebenso notwendigen ideologiekritischen Ansatz — häufig genug an beidem. [3]

War es bis 1933 die Rechtsopposition, die Stresemann gleichermaßen der Erfolglosigkeit wie des nationalen Ausverkaufs bezichtigte (Graf Reventlow), so kamen nach dem Zweiten Weltkrieg die Vorwürfe fast ausschließlich von der (liberalen bis orthodox-marxistischen) Linken, die nun umgekehrt Stresemann als skrupellosen, höchstens taktisch versierten Nationalisten (fern jeder inneren Wandlung) politisch-moralisch verurteilte (H. W. Gatzke, Annelise Thimme, Wolfgang Ruge). [4] Die gleichzeitigen Versuche, ihn zum großen Europäer emporzustilisieren (Walter Görlitz, H. L. Bretton, Martin Göhring) [5], hatten andererseits noch weniger Substanz und zielten eher auf eine (antikommunistisch motivierte) Rehabilitierung (West-) Deutschlands als auf eine genaue

2 Vgl. die Arbeiten von Fritz Fischer, Andreas Hillgruber, Michael Stürmer und Hans-Ulrich Wehler; genauere Angaben — auch nachfolgend — s. Literaturverzeichnis.
3 Über die ältere Stresemann-Literatur informiert G. Zwoch, Gustav-Stresemann-Bibliographie, Düsseldorf 1953; zur Sachproblematik vgl. L. Zimmermann, Das Stresemann-Bild in der Wandlung, in: Studien zur Geschichte der Weimarer Republik, Erlangen 1956, und H. W. Gatzke, Gustav Stresemann: A bibliographical article, in: The Journal of Modern History, Bd. 36, 1964, Nr. 1, S. 1 ff.
4 Als kritische Stimmen unmittelbar nach 1945 vgl. G. Scheele, The Weimar Republic. Overture to the Third Reich, London 1946, und P. Rain, L'Europe de Versailles (1919—1939), Paris 1946.
5 Beispielhaft dafür auch der Stresemann-Film der 50er Jahre mit Ernst Schröder in der Hauptrolle und die Stresemann-Gedenktafel in der Eingangshalle des Auswärtigen Amtes in Bonn.

Bestimmung der Politik Stremanns. Auch die Biographien von Theodor Eschenburg, Felix Hirsch und Ernst Deuerlein sind nicht geeignet, die Lücken in der Stresemann-Forschung zu schließen: die erste nicht, obwohl abgewogen im Urteil und derzeit immer noch die beste Gesamtdarstellung, weil sie sich nur auf veröffentlichtes (teilweise problematisches) Material stützt; die anderen nicht, weil sie darüber hinaus im traditionellen Rahmen rein deskriptiver (und dazu harmonisierender) Geschichtsschreibung verhaftet bleiben.

Positiv ist dagegen die Studie von H. A. Turner zu beurteilen, die — vor allem den Nachlaß auswertend [6] — der Persönlichkeit Stresemanns von der Innenpolitik her gerecht zu werden versucht. Für den weitgespannten Bereich der Außenpolitik steht eine ähnlich zusammenfassende Abhandlung immer noch aus; sie dürfte — zumindest vorläufig — von einem einzelnen auch kaum zu bewältigen sein. In dieser Situation bietet sich als Ausweg und als unerläßliche Vorarbeit die Detailuntersuchung an, die thematisch auf eine spezielle Fragestellung konzentriert ist, inhaltlich die gründliche Erforschung der einschlägigen Akten und Dokumente zur selbstverständlichen Voraussetzung hat und wissenschaftstheoretisch eine Position kritischer Distanz durchzuhalten vermag. Daß auf diesem Wege eine Versachlichung der Diskussion um die Außenpolitik Stresemanns erreichbar ist, bestätigen die Monographien von Robert Gottwald, Werner Link und Martin Walsdorff. Ihnen weiß sich der Verfasser besonders verpflichtet.[7]

Die ebenso einfache wie zentrale Frage nach der Außenpolitik Stresemanns lautet: Was hat er tatsächlich gewollt? Anders formuliert: Wann sprach bei seinen so weit differierenden Äußerungen aus ihm Überzeugung, wann taktisch bedingte Anpassung? Diese Äußerungen sind jedenfalls nicht leicht — wenn überhaupt — auf einen gemeinsamen, klar erkennbaren Nenner zu bringen. Das mag an ihm, das mag aber auch an den politischen »Umständen« gelegen haben, die es einem »Mann der Mitte« (nach damaliger Lesart), einem national-liberalen »Vernunftrepublikaner« schwermachten, sich auf bestimmte Partei- und Gesellschaftsgruppierungen festzulegen. Grundsätzlich besteht heute in der deutschen und internationalen Forschung ein weitgehender Konsens darüber, daß Stresemann nach 1918 den Weimarer Staat (mit dem er sich — im Unterschied zu den Militärs und der Rechten — seit 1921/22 politisch identifizierte) wieder in den Kreis (mindestens) der europäi-

6 Zur Charakterisierung des Stresemann-Nachlasses vgl. H. W. Gatzke, The Stresemann Papers, in: The Journal of Modern History, Bd. 26, 1954, S. 49 ff.
7 Das Buch von Werner Weidenfeld, Die Englandpolitik Gustav Stresemanns, Theoretische und praktische Aspekte der Außenpolitik, Mainz 1972, konnte aus drucktechnischen Gründen (mit einer Ausnahme) leider nicht mehr berücksichtigt werden. Es bestätigt in vielen Einzelurteilen die vorliegende Studie, müßte aber in seinem problematischen (inneren) Aufbau bzw. methodischen Ansatz einer genauen und kritischen Prüfung unterzogen werden.

schen Großmächte zurückzubringen beabsichtigte, daß er nicht bereit war, die Ostgrenzen des Reiches anzuerkennen, und daß er insgesamt eine umfassende Revision des Versailler »Systems« anstrebte. So wichtig diese mühsam errungene Übereinstimmung auch ist — sie bezeichnet letztlich nur allgemeine Fakten. Die entscheidende Frage nach der außenpolitischen Perspektive, nach den Prämissen und eigentlichen Zielen Stresemanns bleibt meistens ausgespart oder wird durch spekulative Kombinationen überdeckt. Gerade an diesem Punkt setzt nun die vorliegende Studie an: ihr Thema ist die Untersuchung bzw. Erörterung dessen, was Stresemann, ausgehend von den vorgegebenen (internationalen) Machtstrukturen, außenpolitisch intendiert hat und wie er seine Intentionen aufgrund der jeweiligen Konstellationsanalyse praktisch zu erreichen gedachte — genauer: welchen »Stellenwert« Frankreich in der Begründung und Anwendung seiner außenpolitischen Gesamtstrategie einnahm. Die einzelnen Kapitel der Arbeit beschreiben also nicht eine historische Ereigniskette, zeichnen auch kein politisches Porträt Stresemanns auf dem Hintergrund seiner Zeit, sondern bemühen sich vorrangig um den Nachweis sowie die sachgerechte Beurteilung der Frankreich-Konzeption Stresemanns, die, langfristig von ihm vorbereitet und schrittweise verwirklicht, qualitativ im Spannungsverhältnis zwischen »objektiver« Realität und »subjektiver« Einschätzung bzw. Zielvorstellung zu bestimmen ist.

In seiner »Geschichte der Weimarer Republik« hat schon Arthur Rosenberg darauf hingewiesen, daß Stresemann seit Bismarck der erste deutsche Staatsmann gewesen sei, der einen umfassenden Plan der Außenpolitik entwickelt und ihn »im wesentlichen konsequent« durchgeführt habe. Es ist an der Zeit, diese These unwiderruflich zu erhärten oder endgültig fallen zu lassen. Daß sich der Blick dabei auf Frankreich richtet, hängt primär mit dessen politisch-militärischem Gewicht nach dem Ersten Weltkrieg zusammen, als es — in der vorherrschenden Sicht der »Erbfeind« Deutschlands — im westlichen und mittleren Teil des europäischen Kontinents eine halbhegemoniale Machtposition gewonnen hatte und nicht zuletzt deshalb in der Gefühls- und Vorstellungswelt der meisten Deutschen ähnlich negativ »verankert« war wie die Sowjetunion nach 1945. Geht man von der Formel aus, daß sich infolge des Versailler Vertrages die auswärtige Politik in Europa während der zwanziger Jahre im Grunde in der Geschichte der deutsch-französischen Beziehungen verdichtete (Heinz-Otto Sieburg), so erscheint es legitim, zu sagen, daß man mit der Frankreich-Konzeption Stresemanns auch die übrigen Markierungen seines außenpolitischen Koordinatensystems wie kaum sonst feststellen und bemessen kann, ebenso die von ihm ins Auge gefaßte Kombination von Wirtschafts- und originärer Machtpolitik.

12

Das Untersuchungsfeld der Studie erstreckt sich — der entscheidenden Phase im politischen Leben Stresemanns entsprechend — auf den Zeitraum von 1914 bis 1929, doch ist, soweit es das vorhandene Quellenmaterial erlaubt, ein Zurückgreifen auch auf die Entwicklung bis zum Ausbruch des Ersten Weltkrieges erforderlich, will man nicht der Gefahr vorschnellen Urteilens erliegen. Darüber hinaus stellt sich von Anfang an das methodisch schwierig zu lösende Problem, gegen jedes Apriori-Schema einerseits die Denkfiguren und Motive der außenpolitischen Orientierung Stresemanns präzise herauszuarbeiten, andererseits den internationalen Kontext, mehr noch: die Totalität des historischen Geschehens, d. h. den dialektischen Zusammenhang von Theorie (= Konzept) und Praxis (= Situation), Innen- und Außenpolitik, Alternativchancen und politisch-ökonomischen Abhängigkeiten genügend zu berücksichtigen. [8]

Es ist eine wesentliche Aufgabe der Geschichtswissenschaft (sofern sie als Mittel kritischer Aufklärung fungieren soll), gegen alle Verabsolutierungstendenzen die Kausalität politischer Entscheidungsprozesse aus der jeweils dominierenden »Mischung von konstanten und variablen Faktoren« (Theodor Schieder) zu erklären, folglich — neben anderen Interpretationsansätzen — die strukturanalytische mit der biographischen Methode zu verbinden. [9] Stresemann jedenfalls war nicht einfach Exponent oder gar (austauschbarer) Spielball von Interessen anderer, sondern handelndes Subjekt — zwar gesellschaftlich und außenpolitisch vielfach gebunden, aber nicht durch »systemimmanente Gesetzmäßigkeiten« eindimensional determiniert. Solange er lebte, war sein politischer Wille allgemeines Programm der von ihm geführten Partei, bestimmte er (wenngleich häufig als Antwort auf »Herausforderungen« von außen, als Reaktion auf konkurrierende nationale Machtzentren) von 1923 an die Richtlinien der deutschen Außenpolitik. Konkret heißt das: Es war nichts Besonderes daran, daß Stresemann Revisionspolitik zu betreiben versuchte; besonders war »allein« (aber gerade darauf kam es an) die spezifische Variante, die er entwickelte: von ihr hingen nicht nur

8 Vgl. hierzu H.-P. Schwarz, Vom Reich zur Bundesrepublik. Deutschland im Widerstreit der außenpolitischen Konzeptionen in den Jahren der Besatzungsherrschaft 1945—1949, Neuwied und Berlin 1966, S. XXXI ff. und S. 3 ff.; ebenso W. Link, Die amerikanische Stabilisierungspolitik in Deutschland 1921—32, Düsseldorf 1970, S. 13 ff., und K. Hildebrand, Deutsche Außenpolitik 1933—1945. Kalkül oder Dogma?, Stuttgart u. a. 1971, S. 9 ff.
9 Konzentriert dazu A. Hillgruber, Kontinuität und Diskontinuität in der deutschen Außenpolitik von Bismarck bis Hitler, Düsseldorf 1969, bes. S. 5 f.; vgl. auch H. Böhme, Politik und Ökonomie in der Reichsgründungs- und späten Bismarckzeit, in: Das kaiserliche Deutschland. Politik und Gesellschaft 1870—1918, hrsg. von M. Stürmer, Düsseldorf 1970, S. 26 ff. Ähnlich wie H.-U. Wehler (beispielhaft dafür: Bismarck und der Imperialismus, Köln – Berlin ²1970) vertritt Böhme allerdings die — in der Umkehrung der traditionellen Auffassung ebenso problematische — These vom »Primat der Innenpolitik«.

Erfolg oder Mißerfolg der gesamten deutschen Außenpolitik ab, sondern ebenso Stabilisierung oder Gefährdung der Weimarer Republik. Wenn der (durch persönliche Erfahrungen und Assoziationen zweifellos mitgeprägten) Urteilsbildung eine genaue Bestandsaufnahme bzw. ein geschichtliches »Verstehen« vorausgehen soll — und alles andere wäre pure Parteilichkeit, die im nachhinein nur bestätigt, was sie ohnehin zu wissen meint —, so wird das nicht zuletzt an der Auswahl und der Auswertung der historischen Quellen zu demonstrieren sein. Nichts darf übersehen werden, was eine (vorgefaßte) These falsifizieren könnte; nichts dazu veranlassen, irgendein Forschungsergebnis der Loyalität gegenüber Personen unterzuordnen. Das verlangt keineswegs, die Quantität zur obersten Maxime zu erheben: Wer Geschichte erhellen, d. h. methodisch fundiert interpretieren will, muß zwar möglichst viele Quellen kennen, braucht sie aber nicht alle in seiner Darstellung und Deutung anzuführen; vielmehr gilt es, die charakteristischen herauszuheben. Welche das sind, ergibt sich entscheidend aus den Bedingungen der Fragestellung.

Stresemann ist in der Proklamierung seiner außenpolitischen Intentionen — im Vergleich zu anderen — ungewöhnlich offen und konsequent gewesen. Auf den öffentlichen Erfolg angewiesen, konnte ihm an einem Versteckspiel auch gar nicht gelegen sein. Da er gerade die Außenpolitik völlig selbstverständlich als nationale Interessenpolitik begriff, scheute er sich nicht, auch die Interessen Deuschlands (wie er sie sah) bei aller gebotenen taktischen Rücksichtnahme freimütig zu bekennen. Seine Ziele sind also nicht nur in geheimen Aufzeichnungen und Direktiven nachweisbar, gesammelt in den amtlichen Akten des Auswärtigen Amtes, im Nachlaß und den Partei-Dokumenten des Bundesarchivs, sondern ebenso — wenngleich bisweilen verklausuliert — in seinen Reichstagsreden, öffentlichen Kundgebungen, Buch- und Zeitungsartikeln, Interviews und Verlautbarungen des diplomatischen Verkehrs. Alle diese Quellen müssen kritisch geprüft, miteinander verglichen und gegebenenfalls ausführlich analysiert werden, um dem näherzukommen, was so schwer zu erreichen ist: der historischen Wahrheit.

1. Kapitel

Prolog im Frieden

Gustav Stresemann wurde in eine Epoche der Weltgeschichte hineingeboren, deren entscheidendes Kennzeichen die imperiale Machtpolitik der europäischen Großstaaten war. [1] Der rasche Aufschwung von Wissenschaft, Technik und Industrie besonders auf dem europäischen und nordamerikanischen Kontinent bewirkte eine gewaltige Steigerung und Intensivierung der (kapitalistischen) Weltwirtschaft und des Welthandels. Dennoch wurden die Völker damals eher getrennt als miteinander verbunden: ökonomische Konkurrenz, koloniale Expansion, innen- wie außenpolitisch motiviertes Streben nach Herrschaft, Unabhängigkeit und Autarkie — alles das schuf eine Atmosphäre potentieller Feindschaft. Der Gedanke einer internationalen Kooperation, einer den Frieden sichernden Solidarität war den imperialistischen Staaten (genauer: deren Führungsgruppen) gleichermaßen fremd. In Politik und Wirtschaft hatte Europa den Gipfel seiner Macht erreicht — aber es war nicht so groß, wie es zu sein vermeinte. [2]

Als Bismarck die Einigung Deutschlands unter der Hegemonie Preußens gelungen war, meinte die überwiegende Mehrzahl der Deutschen, ein glänzendes Zeitalter eigener Geschichte sei angebrochen. Nationale Hochstimmung und optimistischer Glaube an einen ungestörten wirtschaftlichen und politischen Aufstieg des Reiches erwiesen sich jedoch als ein gefährlicher Irrtum. Noch war kein halbes Jahrhundert vergangen, da lag die preußisch-deutsche Großmacht in Trümmern. Jeder unvoreingenommenen und kritischen Analyse dieser Entwicklung ist die Erkenntnis gemeinsam, daß von Anfang an Deutschlands Lage nicht so

---

1 Zur Theorie und Geschichte des modernen Imperialismus vgl. H.-U. Wehler (Hrsg.), Imperialismus (Neue Wissenschaftliche Bibliothek, Bd. 37), Köln — Berlin 1970, G. W. F. Hallgarten, Imperialismus vor 1914. Die soziologischen Grundlagen der Außenpolitik europäischer Großmächte vor dem ersten Weltkrieg, 2 Bde., München ²1963, und W. J. Mommsen, Das Zeitalter des Imperialismus, 1885—1914 (Fischer-Weltgeschichte, Bd. 28), Frankfurt/M. 1969; als Literatur- und (kritischer) Forschungsbericht aufschlußreich W. Baumgart, Zur Theorie des Imperialismus, in: Aus Politik und Zeitgeschichte, Beilage zur Wochenzeitung »Das Parlament«, B 23/1971, S. 3 ff.
2 Dazu ausführlich Handbuch der europäischen Geschichte, hrsg. von Th. Schieder, Bd. 6, Stuttgart 1968 (bes. der Beitrag von Th. Schieder: Europa im Zeitalter der Nationalstaaten und europäische Weltpolitik bis zum I. Weltkrieg (1870—1918), S. 1 ff.), und H. Herzfeld, Die moderne Welt. 1789— 1945, II. Teil: Weltmächte und Weltkriege, Braunschweig ⁴1970.

günstig war, wie es den Anschein hatte. [3] Darüber hinaus versagte die deutsche auswärtige Politik in der Zeit nach Bismarck vor der ihr gestellten schwierigen Aufgabe: Weder war sie darin erfolgreich, bisherige Bündnispartner zu halten bzw. neue zu gewinnen, noch konnte sie ehemalige Gegner durch entschiedenes Entgegenkommen versöhnen. Unter den Nachbarn mußte Frankreich von vornherein als der härteste Gegner angesehen werden. Durch die Niederlage von 1870/71 war das empfindliche Selbstbewußtsein der französischen Nation tief verletzt worden. Seit langem gewohnt, nur mit einem relativ schwachen Nachbarn im Osten zu rechnen, empfand man das Vorhandensein einer deutschen Großmacht als stete Bedrohung; auch erwies sich das elsaßlothringische Problem als eine Hypothek, die auf absehbare Zeit nicht abgetragen werden konnte. Der Gedanke an die Rückgewinnung der verlorenen Gebiete nährte — vor allem in bürgerlichen Kreisen — nationalistische Strömungen und das Verlangen nach Vergeltung. [4] Diese Absichten hatten wenig politisch-militärische Relevanz, solange Frankreich keine Bundesgenossen fand. Nach 1890 tat die deutsche auswärtige Politik viel, ihm diese Bundesgenossen in Rußland und England zu verschaffen. Dadurch bekam die europäische Gesamtlage eine ganz neue Dimension. [5]

Die deutsche politische Führung der Wilhelminischen Ära verkannte aufgrund der eigenen wirtschaftlichen und imperialen Erfolge die Gefährdung des Reiches in Europa. Die Hochkonjunktur, die die Welt erfaßt hatte, brachte Deutschland einen Aufschwung, der alle Erwartungen übertraf. Das rasche Anwachsen der Bevölkerung, die gewaltige Steigerung der industriellen Produktion, der Ausbau des Eisenbahnnetzes, die stürmische Ausdehnung des Handels, verbunden mit dem for-

---

3 Als wichtigste weiterführende Literatur: H. Böhme, Deutschlands Weg zur Großmacht. Studien zum Verhältnis von Wirtschaft und Staat während der Reichsgründungszeit 1848—1881, Köln — Berlin 1966; ders. (Hrsg.), Probleme der Reichsgründungszeit, 1848—1879 (Neue Wissenschaftliche Bibliothek, Bd. 26), Köln — Berlin 1968; Reichsgründung 1870/71. Tatsachen-Kontroversen-Interpretationen, hrsg. von Th. Schieder und E. Deuerlein, Stuttgart 1970; Das kaiserliche Deutschland, a. a. O. (bes. die Beiträge von M. Stürmer, A. Hillgruber, H.-U. Wehler und V. R. Berghahn); Moderne deutsche Sozialgeschichte, hrsg. von H.-U. Wehler (Neue Wissenschaftliche Bibliothek, Bd. 10), Köln — Berlin ²1968; ders., Krisenherde des Kaiserreichs 1871—1918. Studien zur deutschen Sozial- und Verfassungsgeschichte, Göttingen 1970; K. E. Born, Deutschland als Kaiserreich (1871—1918), in: Handbuch der europäischen Geschichte, Bd. 6, a. a. O., S. 197 ff.
4 Vgl. dazu R. von Albertini, Frankreich: Die Dritte Republik bis zum Ende des I. Weltkriegs (1870—1918), in: Handbuch der europäischen Geschichte, Bd. 6, a. a. O., S. 232 ff.
5 Über die Grundzüge der deutschen Außenpolitik nach 1890 informiert am besten A. Hillgruber, Kontinuität und Diskontinuität, a. a. O., S. 8 ff.; ders., Zwischen Hegemonie und Weltpolitik. Das Problem der Kontinuität von Bismarck bis Bethmann Hollweg, in: Das kaiserliche Deutschland, a. a. O., S. 187 ff.

cierten Bau einer großen Handelsflotte — alles das erhob Deutschland, auf dem europäischen Kontinent ohnehin der militärisch stärkste Faktor, in den Rang einer wirtschaftlichen Weltmacht. [6] Durch den Erwerb von überseeischen Besitzungen als Rohstoffquellen und die Beherrschung fremder Märkte als Absatzgebiete für die aufstrebende deutsche Industrie, durch die Erweiterung von Interessensphären [7] und den Aufbau einer modernen Kriegsflotte sollte auch die politische Weltgeltung erreicht und die machtvolle Zukunft des Deutschen Reiches ein für allemal gesichert werden. Weltpolitik als Aufgabe, Weltmacht als Ziel und Flottenbau als Instrument, das waren die Schlagworte, die vor allem Wilhelm II. laut verkündete. [8] Deutschland, das im weltumspannenden englischen Empire Vorbild, Herausforderung und Ärgernis zugleich erblickte, forderte — als »verspätete Nation« — nun seinen »Platz an der Sonne«. Die Überzeugung, zur »Weltmacht« berufen zu sein, wurde dabei nicht nur von den Vertretern des »Neuen Kurses« (im vollen Sinne erst von Tirpitz und Bülow) verbreitet. Sie war Gemeingut des deutschen Bildungsbürgertums, ja fast des ganzen deutschen Volkes. [9] Imperiale Machtpolitik in Europa und Übersee galt damals als ein Gebot der Stunde, nicht nur in Deutschland.

In dieser politischen Atmosphäre des Wilhelminischen Deutschland, in diesen Vorstellungen von deutscher Macht und Größe wuchs Gustav Stresemann auf. In seinem Empfinden und in seinen Absichten wurde er von Jugend an von seiner Zeit und ihren Gegebenheiten in starkem Maße beeinflußt. Stresemann kam aus dem unteren Mittelstand. Er wurde am 10. Mai 1878 in Berlin geboren. Das Haus in der Köpenicker Straße 66 war kalt, grau und einförmig wie die meisten Mietshäuser des Berliner Südostens zu jener Zeit. [10] Sein Vater unterhielt in diesem Fabrik- und Arbeiterviertel ein Weißbiergeschäft. Gustav Stresemann war von Natur aus schüchtern und verträumt und neigte als Kind zum Alleinsein. Er las sehr viel, vor allem Goethe und deutsche Literatur aus der ersten Hälfte des 19. Jahrhunderts. Auch beschäftigte er sich intensiv mit der

6 Vgl. dazu F. Fischer, Krieg der Illusionen. Die deutsche Politik von 1911 bis 1914, Düsseldorf 1969, S. 17 ff.
7 Zur Entwicklung der »Mitteleuropa«-Konzeptionen in der Wilhelminischen Ära vgl. ebda., S. 23 ff., S. 368 ff. u. ö.
8 Dazu A. Hillgruber, Zwischen Hegemonie und Weltpolitik, a. a. O., bes. S. 197 f.; ebenso V. R. Berghahn, Zu den Zielen des deutschen Flottenbaus unter Wilhelm II., in: Hist. Zeitschrift, Bd. 210 (1970), S. 34 ff.; ders., Flottenrüstung und Machtgefüge, in: Das kaiserliche Deutschland, a. a. O., S. 378 ff. Über Wilhelm II. vgl. in diesem Zusammenhang M. Balfour, Der Kaiser. Wilhelm II. und seine Zeit, Berlin 1967 (engl. Originalausgabe »The Kaiser and his Times«, London 1964), S. 175 ff.
9 Vgl. F. Fischer, Krieg der Illusionen, a. a. O., S. 62 ff., und L. Dehio, Gedanken über die deutsche Sendung. 1900—1918, in: ders., Deutschland und die Weltpolitik im 20. Jahrhundert, Frankfurt/M. 1961, S. 63 ff.
10 Vgl. dazu F. Hirsch, Gustav Stresemann — Patriot und Europäer, Göttingen — Frankfurt — Zürich 1964, S. 18.

deutschen Geschichte dieser Epoche. Was immer er jetzt und später las, verarbeitete er primär unter politischen Aspekten. »Stresemanns Bildungsdrang beruhte auf der damals weit verbreiteten kleinbürgerlichen Bewunderung für die gebildete Oberschicht; er entsprang aber auch einem echten geistig-musischen Bedürfnis, das sich mit romantisierenden Neigungen verband. Diese Neigungen mit einem leichten Stich ins Kitschige und einem Anflug von Spießbürgerlichkeit, die er nicht verbarg, blieben nicht auf die Jugendzeit beschränkt. Sie begleiteten ihn vielmehr sein ganzes Leben. Je mehr er in eigener Verantwortung handeln durfte und mußte, desto stärker zwang er sich zur Nüchternheit. Aber die Nüchternheit konnte er nur aufbringen und ertragen, wenn er sich in seine romantische Welt zurückziehen konnte, um neue Kraft zu schöpfen und nach Ideen zu suchen. Er lebte und wirkte in einer Spannung zwischen Romantik und Nüchternheit.« [11]

Die Literatur, mit der sich Stresemann als Schüler und Student beschäftigte, weckte in ihm früh ein Gefühl der Abneigung gegen die satte Selbstzufriedenheit jener Generation, die das neue Kaiserreich geschaffen hatte. Dem entsprach seine Vorliebe für den idealistischen Schwung des deutschen Liberalismus der Revolution von 1848. Herweghs Verse vom großen Hoffnungsvolk der Erde bestimmten noch lange sein politisches Weltbild, nicht immer zum Vorteil für die Erkenntnis der Realität. »Im Grunde ward so der Anfang zu einer Diskrepanz in seinen Anschauungen gelegt, die ihm selbst lange nicht zu Bewußtsein kam und die er erst nach schmerzlichen Irrtümern überwinden sollte. Zwischen der Verehrung für Gestalter der Macht wie Napoleon und Bismarck und der Schwärmerei für den Geist der Freiheit und des Fortschrittes, wie er die Gemüter der Generation von 1848 erfüllt hatte, bestand im Grunde eine tiefe Kluft. Aber es blieb für lange Zeit eines seiner hauptsächlichsten Kennzeichen, daß er den Glanz des neuen Kaiserreiches bewunderte, daß er ein überschwengliches und ungerechtfertigtes Vertrauen auf die Gaben des eigenen Volkes hegte, daß sich diese Vorstellungen von der Macht des Reiches nach außen jedoch in ihm mit der Hoffnung auf eine freiheitliche Ausgestaltung der Verfassung des Reiches im Inneren verknüpften.« [12]

Zunächst überwog bei Stresemann das Erlebnis der Machtentfaltung des Deutschen Reiches. Seine Gedanken waren auf das Meer, die Kolonien und den Glanz der Nation gerichtet. [13] »Mit dem Gefühl militärischer Überlegenheit wuchs auch der nicht angebrachte Dünkel einer allgemeinen geistigen und moralischen deutschen Überlegenheit, von der

11 Th. Eschenburg, Gustav Stresemann, in: Die improvisierte Demokratie. München 1964, S. 145.
12 W. Görlitz, Gustav Stresemann, Heidelberg 1947, S. 12 f.
13 Vgl. R. Olden, Stresemann, Berlin 1929, S. 16.

Stresemann ganz durchdrungen war.«[14] Unter diesen Voraussetzungen ist eine Abweichung vom herrschenden deutschen Frankreichbild dieser Jahre, das die Vormachtstellung des Reiches gegenüber dem ›Erbfeind‹ im Recht meinte, beim jungen Stresemann weder anzunehmen noch quellenmäßig nachzuweisen. Frankreich stand auch gar nicht im Vordergrund seiner Interessen. Die Verehrung für Napoleon, die weniger dem Feldherrn als dem Staatsmann galt und wohl einfach aus der Bewunderung der Macht resultierte[15], hatte auf Stresemanns Vorstellung vom Frankreich seiner Zeit keine unmittelbare Rückwirkung. Immerhin ist ein kleines Ereignis aus seiner Studentenzeit bemerkenswert. Bei dem Kommers aus Anlaß des Vierzehnten Bundestages der Reform-Burschenschaften sprach unter anderem ein Franzose über den Gedanken der Völkerversöhnung, und Stresemann war es, der sich heftig und erfolgreich gegen diejenigen Kommilitonen gewandt hatte, die mit der Einladung eines Franzosen nicht einverstanden gewesen waren.[16] Dieser persönliche Einsatz für einen scheinbar selbstverständlichen Akt der Höflichkeit und der Toleranz war zu dieser Zeit durchaus nicht in der Mode. Vielleicht war jene Begebenheit nur ein Zufall. Sie kann aber auch als ein Symptom dafür gewertet werden, daß sich Stresemann gegenüber Frankreich nicht von Vorurteilen oder Aversionen leiten ließ.

In seinem Berufsleben fand Stresemann schnell und sicher den Übergang von jugendlicher Romantik zur Nüchternheit: er machte seinen Weg in der Industrie. 1906 Delegierter auf dem Parteitag der National-Liberalen in Goslar, benutzte er die erste Möglichkeit in der politischen Arena zu einem Angriff auf die »gouvernementale« Praxis der Partei.[17] Politik und Wirtschaft verhalfen Stresemann zu einer realistischen Einschätzung seiner sozialen Umwelt. In dem Ringen um die Mitarbeit der Sozialdemokratie im Staat des kaiserlichen Deutschland erwies er sich schon damals als Verfechter einer Politik des Ausgleichs im Innern.[18] Unbestreitbar bleibt jedoch, daß Stresemann in der Frühzeit seiner politischen Tätigkeit eine betont nationalistische Haltung zeigte und Gedanken vertrat, wie sie — wenngleich zumeist vergröbert — auch der Alldeutsche Verband propagierte.[19] — Die Motive seiner im-

---

14 A. Thimme, Gustav Stresemann — Eine politische Biographie zur Geschichte der Weimarer Republik, Hannover und Frankfurt 1957, S. 12. Vgl. auch F. Stern, Die politischen Folgen des unpolitischen Deutschen, in: Das kaiserliche Deutschland, a. a. O., bes. S. 176 ff.
15 Vgl. Th. Eschenburg, a. a. O., S. 144.
16 Nach W. Görlitz, a. a. O., S. 20.
17 Vgl. dazu R. Olden, a. a. O., S. 46 f.
18 Vgl. F. Hirsch, a. a. O., S. 25; ebenso Th. Eschenburg, a. a. O., S. 150 f.
19 Eine gute politisch-psychologische Skizzierung der Alldeutschen gibt O. Graf zu Stolberg-Wernigerode, Die unentschiedene Generation. Deutschlands konservative Führungsschichten am Vorabend des Ersten Weltkrieges, München und Wien 1968, S. 61 ff.; vgl. auch F. Fischer, Krieg der Illusionen, a. a. O., passim.

perialistischen Gesinnung sollen nachfolgend genauer untersucht und kritisch beleuchtet werden. Dabei wird allerdings zu berücksichtigen sein, daß Stresemann in den Jahren vor dem Ersten Weltkrieg als Wirtschaftler und als Parlamentarier die Fragen, die um die auswärtige Situation des Reiches kreisen, zwar durchaus reflektierte, daß er aber über interne Vorgänge der deutschen Diplomatie wie über die deutsche auswärtige Politik im ganzen nicht genügend informiert war. Das war systembedingt, insofern die Verfassung des Deutschen Reiches dem Parlament wohl das Recht der politischen Debatte gab, jedoch keine Möglichkeit bot, auf die Konzeption und Handhabung der auswärtigen Politik effektiv Einfluß zu nehmen. Es kommt hinzu, daß Stresemann in der nationalliberalen Tradition stand und daß ihn die Freundschaft mit Bassermann in dem Wunsch bestärkte, das Reich Bismarcks durch den Ausbau der wirtschaftlichen und militärischen Stärke weltpolitisch zu sichern.

Die politischen Zielsetzungen Stresemanns waren, von ideologischen Prämissen abgesehen, schon frühzeitig eine Schlußfolgerung aus seiner Analyse der wirtschaftlichen und sozialen Situation Deutschlands. Am 14. März 1907 sagte er im Reichstag: »Wenn es irgendwelche Bedenken gegen unsere rasche Entwicklung zum Industriestaat gibt, so ist es wohl die eine Frage: Was wird mit unserem Export in Deutschland? Wir sind heute darauf angewiesen, für viele Milliarden Waren an fremde Völker zu verkaufen, um selbst zu bestehen. Diesen Export garantiert uns kein Mensch, den müssen wir jedes Jahr aufs neue erwerben, den müssen wir versuchen, regelmäßig wieder zu erringen, und, meine Herrn, wir sind dabei nicht in der glänzenden Lage wie England. Wir haben heute noch keine Kolonien, die uns mit wichtigen Rohstoffen versehen, die als Abnehmer unserer Produkte so in Betracht kämen wie die englischen Kolonien. Wir sind auch geographisch nicht so glänzend gelegen, daß wir sagen könnten, wir haben durch diese geographische Lage die Überzeugung, daß es immer so bleiben muß.« [20]

Diese Ausführungen geben einen ersten Hinweis auf das fundamentale Problem, das sich Stresemann stellte. Für ihn kam es entscheidend darauf an, zu überlegen, wie der für Deutschland lebensnotwendige Export erreicht und für die Zukunft verbürgt werden konnte. Es ist aufschlußreich, daß er sich in diesem Zusammenhang der ungünstigen strategischen Lage Deutschlands voll bewußt war. Auch hatte er die Achillesferse des deutschen Exports, die relativ schmale Rohstoffbasis, klar erkannt. Beide Momente veranlaßten ihn, um so nachdrücklicher eine imperialistische Weltpolitik des Deutschen Reiches zu fordern, die somit — in seinem Sinne — mehr eine vorhandene Schwäche überwinden als

---

20 Verhandlungen des Reichstags, Bd. 227, Stenographische Berichte, Berlin 1907, S. 486.

vermeintliche Stärke repräsentieren sollte. Diese Perspektive mag auch erklären, warum Stresemann später, während des Krieges, so expansive Kriegsziele propagierte. Damals, 1907, überwog die Besorgnis um die wirtschaftspolitische Zukunft des Reiches, verstärkt durch die Tatsache, daß sich Deutschland zu diesem Zeitpunkt mit einigen Staaten, etwa mit Kanada, noch im Stadium des Zollkrieges befand. Eine solche Gefährdung der deutschen Exportchancen konnte bei Stresemann leicht zu einer aggressiven Sprache führen. Denn die Notwendigkeit wachsender Exporte blieb auch für den Fall bestehen, daß es gelang, den deutschen Binnenmarkt, wie Stresemann immer wieder anregte, zu verbessern. Aus der vorhandenen Situation ergab sich für ihn folgende umkehrbare Gleichung: Imperialistische Politik ist gleich unumgängliche Ausweitung von Industrie und Handel.

Die Sicherung der Existenz von Nation und Staat durch einen ausreichenden Export hatte bei Stresemann noch einen anderen Aspekt. Je besser die wirtschaftlichen Bedingungen waren, desto größer waren auch die Möglichkeiten einer umfassenden Sozialpolitik im Innern. [21] Für Stresemann war es eine selbstverständliche Maxime, daß das Wachstum der Industrie auch im Interesse des deutschen Arbeiters liegen mußte. »Denn dieselbe wirtschaftliche Welle, die den Industriellen in die Höhe trägt, ermöglicht es auch dem Arbeiter, seine Lebenshaltung zu verbessern und Forderungen zu stellen, deren Erfüllung unmöglich ist, wenn wir uns in einer Zeit des Niedergangs befinden.« [22]

Stresemann war in den ersten Jahren seiner politischen Laufbahn vor allem Wirtschafts- und Sozialpolitiker. Auch seine außenpolitischen Vorstellungen und Zielsetzungen resultierten aus volkswirtschaftlichen und handelspolitischen Fakten und entsprechenden Schlußfolgerungen. Das läßt sich mehreren Reden entnehmen, die er als Parlamentarier im Reichstag hielt. So erklärte Stresemann am 3. März 1908: »Wir sehen heute vor uns eine Entwicklung in der Zukunft, die eigentlich zu gewissen Bedenken Anlaß gibt; wir sehen, wie große Ländergebiete, die bisher bloß als Abnehmer in Betracht kamen, in verhältnismäßig kurzer Zeit zur Produktion übergehen, wie aus Märchenländern, wie Japan, solche werden, die heute ihre Kriegsschiffe auf eigenen Werften herstellen, die heute zum Beispiel schon unserer sächsischen Musikinstrumentenindustrie auf dem Markte in den Vereinigten Staaten eine zum Teil vernichtende Konkurrenz machen; wir sehen, wie die Völker ringen,

---

21 Zugleich wurde damit ein »Damm gegen den Sozialismus« errichtet. Stresemann in einem Vortrag am 16. Mai 1908. Vgl. H. Kaelble, Industrielle Interessenpolitik in der Wilhelminischen Gesellschaft, Centralverband Deutscher Industrieller 1895—1914 (Veröffentlichungen der Historischen Kommission zu Berlin, Bd. 27), Berlin 1967, S. 75 f.
22 Aus der Reichstagsrede vom 12. April 1907. Verhandlungen des Reichstags, Bd. 227, a. a. O., S. 710.

um den Weltmarkt unter sich zu verteilen, um die Wirtschaftsgebiete zu erobern, ja, wie selbst heute nationale Zusammenstöße eigentlich geboren werden aus diesem Widerstreit der wirtschaftlichen Interessen.«[23]

Mit diesen und vergleichbaren Ausführungen diagnostizierte Stresemann klar und zutreffend den Grundcharakter imperialistischer Politik; die Therapie, die er vorschlug, entsprach jedoch der Mentalität seiner Zeit. Zu dieser Therapie gehörte die Forderung nach vermehrtem Kolonialbesitz, der sowohl die Großmachtstellung Deutschlands als auch — und beides hängt zusammen — dessen volkswirtschaftliche Zukunft garantieren sollte. Kolonien erschienen Stresemann als eine macht- und handelspolitische Notwendigkeit. Deutschland war dabei England und Frankreich gegenüber im Nachteil, die über weit ergiebigere Besitzungen in Übersee verfügten. Für Stresemann war es daher selbstverständlich, daß er alle Bemühungen der deutschen politischen Führung unterstützte, die darauf abzielten, Deutschlands kolonialen Besitz zu erweitern und die Flotte zu verstärken.

Eine Politik, die letztlich eine Neuaufteilung der Welt erstrebte, mußte internationale Krisen hervorrufen und verstärkte die Gefahr militärischer Auseinandersetzungen. Zu dieser Problematik führte Stresemann am 13. November 1908 im Reichstag aus: »Über die Zeiten des Kabinettskrieges sind wir hinweg, aber nicht hinweg über die Zusammenstöße, die sich aus dem sich ewig gleichbleibenden Problem ergeben, daß wir auf diesem Gebiete der Erde unseren Überschuß an Produkten ebenso müssen versuchen abzusetzen im Interesse unseres Volkes wie andere Länder und daß sich da Reibungsflächen bilden und vermehren, an die wir früher nicht gedacht haben. Wenn wir Jahrzehnte hindurch eine friedliche volkswirtschaftliche Entwicklung gehabt haben, so danken wir das nur unserer starken Rüstung.«[24]

Obwohl Stresemann die starke Rüstung als Rückhalt und als Sicherung betonte, besteht dennoch kein Zweifel, daß er insgesamt für eine »friedliche« Wirtschaftsexpansion plädierte. Er wußte, daß Deutschland davon nur profitieren konnte. Ein Krieg dagegen mußte viele Positionen gefährden. Kriegerische Töne finden sich deshalb bei Stresemann in diesen Jahren nicht. In einer Rede im Deutschen Flotten-Verein in Köln am 12. Mai 1907 (»Flotte, Weltwirtschaft und Volk«) erklärte er: »Wir haben gar keinen Grund, nicht diejenigen Bestrebungen freudig und von Herzen zu begrüßen, die auf eine Annäherung des englischen und deutschen Volkes hinzielen.«[25] Dieselben Friedensabsichten, die allerdings die wirtschaftliche Konkurrenz weder verschleiern konnten noch

23 Verhandlungen des Reichstags, Bd. 231, Stenographische Berichte, Berlin 1908, S. 3578.
24 Verhandlungen des Reichstags, Bd. 233, Stenographische Berichte, Berlin 1909, S. 5493.
25 G. Stresemann, Reden und Schriften, 1. Bd., Dresden 1926, S. 69.

verschleiern wollten, sprechen aus seiner Reichstagsrede vom 6. Februar 1909: »Je größer die Ausfuhrinteressen unseres Deutschen Reiches anwachsen, um so größere Bedeutung hat auch für uns die Frage der Erhaltung unseres Auslandsmarktes. Jedes Mittel, den friedlichen Güteraustausch zu fördern, wird von uns begrüßt werden müssen, und aus diesem Grunde freuen wir uns der Beteiligung des Deutschen Reiches an der Weltausstellung in Brüssel und möchten der Hoffnung Ausdruck geben, daß es der deutschen Industrie gelingen möge, durch diese Beteiligung ihren eigenen Absatzmarkt zu verstärken.«[26] Mehr als eine politische Isolierung des Reiches fürchtete Stresemann dessen wirtschaftliche Isolierung beim Kampf um den Weltmarkt. Ihn beunruhigten vor allem die negativen handelspolitischen Konsequenzen, die sich für Deutschland aus der Propagierung und Praktizierung des »Greater Britain« ergaben.

Wenn Stresemann an die Zukunft der deutschen Wirtschaft und an deren Konkurrenten dachte, hatte er vornehmlich England im Auge. Von Frankreich ist in jenen Jahren wenig die Rede. Stresemann brachte für dieses Nachbarland kein ursprüngliches Interesse auf. Politisch, wirtschaftlich und militärisch war es für ihn eine Macht zweiten Ranges und stand daher nicht im Vordergrund seiner Überlegungen. Persönlich sah er in Frankreich weder ein Vorbild noch einen Feind. In einer Rede am 15. April 1908 im Nationalen Arbeiterverein des sächsischen Kreises Werdau wehrte sich Stresemann gegen die Agitation der Sozialdemokraten, die dem vorgeblich unsozialen und reaktionären Deutschland die Französische Republik als Muster fortschrittlicher Entwicklung gegenüberstellten. Er argumentierte, daß gerade Frankreich mit seinen indirekten Steuern besonders die breite Masse treffe, die großen Einkommen jedoch nicht besteuere.[27] Wenn in diesen Äußerungen auch Wahltaktik mitschwang, so war ihm doch Frankreich keineswegs gegenüber Deutschland besonders ausgezeichnet — weder hinsichtlich seiner republikanischen Staatsform noch in seiner Innen- oder Außenpolitik. Grundsatzfragen und allgemeine Spekulationen über die Gegebenheiten Frankreichs standen für Stresemann nicht zur Debatte. Dabei barg das deutsch-französische Verhältnis genügend politischen Zündstoff. »Seit der Marokkokrise von 1904/6 fühlte sich Frankreich wieder von Deutschland bedroht — und das hatte einen völligen Umschlag seiner öffentlichen Meinung, ein sofortiges Absinken antimilitaristischer Stimmungen zur Folge. Die französische Rüstungspolitik aber wurde nun immer mehr zum Wettlauf mit der deutschen.«[28]

26 Verhandlungen des Reichstags, Bd. 234, Stenographische Berichte, Berlin 1909, S. 6742.
27 Nach H. Bauer, Stresemann, ein deutscher Staatsmann, Berlin 1930, S. 19 f.
28 G. Ritter, Staatskunst und Kriegshandwerk, 2. Band: Die Hauptmächte Europas und das Wilhelminische Reich (1890—1914), München 1960, S. 29 f.

Mochte auch Stresemann in den Jahren bis 1914 seine Aufmerksamkeit entscheidend England zuwenden, so registrierte er im Zusammenhang mit Frankreich doch all das, was den volkswirtschaftlichen Nerv Deutschlands betraf: seine Stellung auf dem Weltmarkt. Als Anfang des Jahres 1910 in Frankreich ein neuer Zolltarif bevorstand, stellte Stresemann in der Reichstagsdebatte am 23. Februar eine Reihe von Forderungen auf, die ihn als Vertreter deutscher Wirtschaftsinteressen auswiesen. So sagte er damals unter anderem: »Wir wünschen von unserer Regierung, daß sie gegenüber jener Schutzzollbewegung anderer Länder, die in ihrem Maße weit über das hinausgeht, was wir durchgesetzt haben auf dem Gebiete des Schutzes unserer Erzeugnisse, — daß sie dieser Bewegung gegenüber diese Konsumtionskraft des deutschen Volkes anspielt, daß sie darauf hinweist, daß ein Übertreiben, eine Überspannung des Hochschutzzollgedankens gegenüber den deutschen Waren auch dazu führen kann, daß wir einmal Gegenmaßregeln ergreifen auf demjenigen Gebiete, das uns zu regeln noch freisteht, und das ist der Fall auch gegenüber Frankreich. Gewiß haben wir die sogenannte ewige Meistbegünstigung. Aber wie sie uns nicht schützt gegenüber dem neuen französischen Zolltarif, der gerade gegen deutsche Waren sich insonderheit richtet, so schützt sie auch Frankreich nicht gegen eine Gesetzgebung, die wir in Szene setzen können, wenn man auf seiten Frankreichs nicht den berechtigten Vorstellungen der eigenen Interessenten und auch den Vorstellungen der deutschen Regierung Gewähr gibt.« [29]

In dieser Rede, die in dem Ruf nach handelspolitischen Repressalien kulminiert, schlägt Stresemann sehr deutliche und sehr harte Töne an. Man wird jedoch nicht übersehen dürfen, daß seine Forderungen eine Antwort darstellten auf vorausgegangene Bestrebungen in Frankreich. Nichtsdestoweniger machen sie einen Geist deutlich, der als neomerkantilistisch bezeichnet werden kann. [30] Gedanken dieser Art zeigten sich ebenso in seiner Einschätzung des wirtschaftlichen Gegensatzes zwischen Deutschland und England. Während Stresemann im Verhältnis zu England, wirtschafts- und machtpolitisch gesehen, Deutschland aus der Rolle des Juniorpartners herauslösen und in den Rang einer ökonomisch, politisch und militärisch gleichwertigen Weltmacht erheben wollte, war er umgekehrt nicht bereit, die Vormachtstellung des Deutschen Reiches auf dem europäischen Kontinent in Frage stellen zu lassen — sie war ja seiner Auffassung nach Voraussetzung einer erfolgversprechenden deut-

---

29 Verhandlungen des Reichstags, Bd. 259, Stenographische Berichte, Berlin 1910, S. 1458.
30 Hier war zugleich der Ansatz für den Gedanken einer von Deutschland beherrschten mitteleuropäischen Zollunion gegeben, doch stand Stresemann — freihändlerisch orientiert — entsprechenden Plänen grundsätzlich ablehnend gegenüber. Anders F. Fischer, Krieg der Illusionen, a. a. O., S. 34 f., der allerdings die Position Stresemanns nicht näher bestimmt.

schen Weltpolitik. Frankreich mußte sich bei diesem Konzept mit einer untergeordneten Stellung begnügen, die ihm auferlegte, so jedenfalls verstand es Stresemann, gegenüber Deutschland ein handelspolitisches Wohlverhalten zu beweisen. Drohte sich nun die für Deutschland günstige Situation zu verschlechtern, so ergab sich für ihn als Konsequenz die drängende Aufforderung an die eigene Regierung, die deutschen Vorstellungen und Interessen in Paris massiv geltend zu machen, d. h. aber Frankreichs Abhängigkeit andauern zu lassen.

Dennoch war Stresemann weiterhin Frankreich wie England gegenüber zur Überbrückung der Meinungsunterschiede und zum Ausgleich der gegensätzlichen Interessen bereit, da in seinem politischen Weltbild Handelsbilanzen, Kaufkraft und Lebensstandard gewichtiger waren als machtpolitische Rivalitäten oder nationalistisches Sendungsbewußtsein. So erklärte er mit dem Blick auf England am 15. März 1910 im Reichstag: »Würde nicht sowohl der Weltfriede als auch die wirtschaftliche Entwicklung beider Länder am besten dadurch gesichert, daß sie beide Schulter an Schulter und Hand in Hand als unter denselben Bedingungen für die Zukunft kämpfend sich über dasjenige verständigen, was uns die nächsten Jahrzehnte an Möglichkeiten des Güteraustausches mit der Welt geben? Meine Herren, es ist schon früher bei Erörterung dieser Frage mit Recht die Auffassung vertreten worden, daß eine wirtschaftspolitische Entente zwischen diesen beiden Ländern viel wichtiger wäre als eine Verständigung über das Maß der Rüstungen ... Eine derartige Entente in der gegenseitigen Weltwirtschaftspolitik würde von selber zu einer Detente in der Völkerpolitik führen, und wir würden damit auch, wenn wir dasjenige aus den Beziehungen beider Länder herausschaffen, was von Exaltados auf dem einen oder anderen Gebiete geleistet wird, den Grund für eine nationalpolitische Verständigung legen.« [31]

Hinsichtlich des Verhältnisses zu Frankreich formulierte Stresemann in derselben Rede: »Wir finden hier im Verkehr mit Frankreich wenig Entgegenkommen, weder wirtschaftlich noch national. Ich will nur darauf hinweisen, mit welcher Liebe, mit welcher Empfehlung, mit welcher Anerkennung französischer Kultur und französischen Wesens z. B. hier die deutsch-französische Kunstausstellung von uns ohne jeden Chauvinismus begrüßt worden ist, und wie eigentümliche Klänge von der Seine herüberkamen, als es sich um die Feier des Universitätsjubiläums, um die Pflege der internationalen Wissenschaft handelte.« [32] Worte dieser Art widerlegen die Auffassung, daß Stresemann ein doktrinärer Nationalist gewesen sei, der ausschließlich in den Kategorien deutscher Macht habe

31 Verhandlungen des Reichstags, Bd. 260, Stenographische Berichte, Berlin 1910, S. 2135.
32 Ebda., S. 2138.

denken können. Gewiß war er in seiner handels- und außenpolitischen Argumentation ein betonter Imperialist, aber in der Sprache und Denkweise unterschied er sich doch auffällig vom Schlagwortarsenal alldeutscher Provenienz. Sein liberaler Imperialismus, der »eine gesunde Wirtschaftspolitik des Deutschlands von 1950, des Deutschlands mit 80 bis 100 Millionen Einwohnern«[33], d. h. aber die Lebensmöglichkeit der künftigen Generation sichern wollte, hatte mit völkischen Eroberungstendenzen kaum etwas gemein.

Ausschlaggebend für ein Gesamturteil bleibt, daß Stresemann gerade als ein Mann der (Export-) Wirtschaft ein Vertreter »friedlicher« Weltwirtschaftspolitik war. Wenn Annelise Thimme und andere Kritiker in Stresemanns politischer Haltung eine konsequente Linie von 1914 bis 1929 sehen, so muß, bevor die Frage entschieden werden kann, ob und wieweit diese These zutreffend ist, zunächst geklärt werden, welche Haltung Stresemann *vor* 1914 einahm. Denn hier liegen — darauf ist nachdrücklich zu verweisen — die Wurzeln für seine Politik nach dem Ersten Weltkrieg. Stresemanns damalige Grundkonzeption läßt sich folgendermaßen umreißen: Er erstrebte auf liberaler Basis zwischen den souveränen Staaten enge wirtschaftliche Beziehungen; in diesen sah er die besten Voraussetzungen und Bedingungen für eine politische Zusammenarbeit der Nationen (besonders der industriellen Großmächte) und damit für den allgemeinen Frieden. Man kann — vorgreifend — hier schon hinzufügen: Was Stresemann in dieser Reichstagsrede vom 15. März 1910 über das Verhältnis zu England ausführte (das ja damals seine Überlegungen primär bestimmte), sollte später in den Jahren nach 1918/21 in gleicher Weise seine Konzeption gegenüber Frankreich begründen. Insofern läßt sich durchaus eine durchgängige Linie in der politischen Einstellung Stresemanns von der Frühzeit bis zu den zwanziger Jahren ziehen. —

Das Jahr 1911 war ein europäisches und zugleich ein weltpolitisches Krisenjahr.[34] Am 11. August 1911 notierte Stresemann: »Ernste, bewegte Zeiten. Innere und äußere Politik drängen zu Entscheidungen. Mein Auge ist aufs hohe Meer gezogen (sic!).«[35] Mit den außenpolitischen Entscheidungen war die Marokkofrage angesprochen, die das deutsch-französische Verhältnis schwer belastete. Zu ihrer Lösung schlug Stresemann vor: »1. Franzosen 'raus. 2. Gleichberechtigung. 3. Teilung.«[36] Diese Forderungen, so lapidar sie klingen, mochten aus deut-

33 Ebda., S. 2140.
34 Vgl. dazu H. Herzfeld, a. a. O., S. 85 ff., F. Fischer, Krieg der Illusionen, a. a. O., S. 117 ff., und K. Wernecke, Der Wille zur Weltgeltung. Außenpolitik und Öffentlichkeit im Kaiserreich am Vorabend des Ersten Weltkrieges, Düsseldorf 1970, S. 26 ff.
35 Nachlaß (NL) Bd. 128: Politische und wirtschaftliche Reden und Aufsätze 1907—1913.
36 Ebenda.

scher Sicht, fern vom Schuß, durchaus verständlich und überzeugend sein; in die politische Wirklichkeit konnten sie nicht umgesetzt werden. Hier war bei Stresemann also mehr der Wunsch (und eine gewisse moralische Entrüstung) der Vater des Gedankens als das rationale politische Kalkül. Denn einen praktikablen Weg, wie denn diese Ziele erreicht werden sollten, wußte Stresemann nicht anzugeben.

Eingehender äußerte er sich zum selben Problem am 13. Oktober 1911 in der »Königsberger Allgemeinen Zeitung«. Stresemann ging in seinem Beitrag (»Die deutsche Industrie und Marokko«) zunächst auf die wirtschaftliche Bedeutung deutschen Kolonialbesitzes ein und formulierte dann: »Unter dem vorstehenden Gesichtspunkt haben sich weite Teile der deutschen Industrie auch schon früher mit dem Marokko-Problem beschäftigt. Auch hierbei geht man nicht von politischen, sondern von wirtschaftlichen Erwägungen aus. Die deutsche Industrie und mit ihr wohl das ganze deutsche Volk würde Marokko gern seine volle Selbständigkeit gönnen, wenn damit nur die volle Freiheit des wirtschaftlichen Wettbewerbes und der Kulturfortschritt in Marokko gewährleistet würden... Als sich daher die deutsche Flagge vor dem Hafen von Agadir zeigte und man darin logisch den Anfang einer aktiven Marokkopolitik zur Sicherung der deutschen wirtschaftlichen Interessen erblickte, ist diese Aktion der deutschen Regierung auch in unseren industriellen Kreisen mit Genugtuung begrüßt worden. Um so tiefer bedauert man das jetzige Zurückweichen... Darüber ist sich aber die ganze deutsche Industrie klar, daß die sogenannte offene Tür in Marokko uns gar nichts bietet, wenn die politische Macht an Frankreich übergeht.«

Mit dem letzten Satz spielte Stresemann auf den französischen Protektionismus an, von dem er fürchtete, daß er die deutschen Wirtschaftsinteressen empfindlich schädigen würde. Mehr noch fürchtete er aber die weltweite Wirkung des Ausgangs dieser Marokkokrise, falls sie mit dem politischen Rückzug Deutschlands enden sollte. Negative Wirkungen würden sich, so meinte Stresemann, in der gesamten islamischen Welt ergeben, und England wäre dann mit Sicherheit der politische und wirtschaftliche Nutznießer dieser Entwicklung. Daher kam Stresemann zu folgender Quintessenz: »Die deutsche Industrie weiß, was sie der friedlichen Entwicklung zu verdanken hat. Sie ist aber auch davon überzeugt, daß dieser Friede am besten gewährleistet wird durch eine energische deutsche Politik in Marokko, die sich letzten Endes doch durchsetzen würde, und sie hofft in diesem Sinne immer noch, daß es der deutschen Regierung möglich sein wird, dem französischen Streben auf Alleinherrschaft in Marokko entgegenzutreten.«

Eine kritische Analyse des vorliegenden Artikels kommt zu mehreren Schlußfolgerungen: Erstens läßt sich nicht übersehen, wie sehr

Stresemann zugunsten handfester kapitalistischer Interessen [37] eigene, differenziertere Überlegungen zurückstellen konnte. Offensichtlich sprach da aus ihm ganz der Syndikus und das Vorstandsmitglied des Bundes der Industriellen. [38] Zum anderen zeigte es sich erneut, daß Stresemann nicht eigentlich außenpolitisch, sondern wirtschaftspolitisch dachte und argumentierte. Schließlich muß festgehalten werden, daß er keinerlei Zweifel kannte, wenn er zur Durchsetzung der deutschen Marktstellung in Nordafrika und im Vorderen Orient eine Politik der Stärke befürwortete: die politisch-militärische Macht des Reiches sollte einer wirtschaftlichen Expansion dienstbar gemacht werden. Daß eine solche Forderung eine Politik des Risikos (und nicht einmal eines kalkulierten Risikos) beinhaltete, war für Stresemann und viele seiner Zeitgenossen kein Grund, sie in Frage zu stellen. Sie alle müssen — dieser Schluß drängt sich auf — von der Stärke Deutschlands so überzeugt gewesen sein, daß — zumindest nach außen — grenzenloser Optimismus als einzig angemessene Haltung erschien.

Am 14. Oktober 1911 notierte Stresemann für einen Vortrag in Konstanz: »Wir brauchen Kolonien und brauchen mehr Kolonien. Wir brauchen weiter weltpolitisches Ansehen. Demokratie und Nationalbewußtsein.«[39] Mit diesen Worten konnte Stresemann sein außen- und innenpolitisches Programm auf eine knappe Formel bringen. Entscheidend waren für ihn — und das erinnert ein wenig an die Ideale von 1848 — die Begriffe Einheit, Freiheit und Größe Deutschlands. Daß es Stresemann um die Freiheit ernst war, zeigt seine Forderung in denselben Notizen: »Dreiklassenwahlrecht beseitigen.« Seine Intentionen faßte er in den beiden folgenden Zeilen zusammen: »Deutsches Reich groß nach außen, frei im Innern. Das ist das Ziel unseres Kampfes.« [40] Dieses Ziel teilte Stresemann mit vielen seiner Zeit, so etwa mit Max Weber, Hans Delbrück und Ernst Bassermann — überhaupt mit zahlreichen Parteifreunden der nationalliberalen Fraktion. Es machte ihn zu einem der mutigsten Vertreter innenpolitischer Reformen, die wesentlich auf eine Parlamentarisierung des Reiches und Demokratisierung Preußens zielten; es machte ihn aber auch zu einem beredten Verfechter weltpolitischer Ambitionen Deutschlands. Insofern läßt sich Stresemann insgesamt als ein liberaler Imperialist bestimmen. Seine außenpolitischen

---

37 Damit sind vor allem die Erzminenkonzessionen der Firma Mannesmann angesprochen. Vgl. auch K. Wernecke, a. a. O., S. 110 f.
38 Über den Bund der Industriellen und die von ihm verfochtene Interessenpolitik vgl. H. Kaelble, a. a. O., bes. S. 164 ff., und H.-J. Puhle, Parlament, Parteien und Interessenverbände 1890—1914, in: Das kaiserliche Deutschland, a. a. O., bes. S. 345 und S. 359 f.; ebenso Fischer, Krieg der Illusionen, a. a. O., S. 56 ff.
39 NL Bd. 128.
40 Ebenda.

Hauptthesen lauteten im Jahre 1911: »Wir müssen mehr Kolonien haben. Wer hindert uns daran? England. Daher Flotte. Weltwirtschaft ist Weltpolitik. Märkte öffnen.« [41] Diese Thesen geben einen weiteren Hinweis darauf, daß Stresemann das militärische Potential des Reiches funktional begriff, d. h. den imperialistischen Wirtschaftsinteressen unterordnete. Dabei war ihm die Gefahr einer kriegerischen Auseinandersetzung, wie sie durch die gespannten Beziehungen der europäischen Mächte gegeben war, durchaus bewußt. Schon im Zusammenhang mit der 2. Marokkokrise hatte er notiert: »Wir stehen vor dem Krieg.« Am 4. Januar 1912 skizzierte er: »Weltpolitik. Ernste Zeiten. Neuverteilung der Welt. Marokko, Tripolis, Persien, China. Englands kluge Politik... Sollen wir in der Ecke stehen? Wir müssen unser Schwert scharf geschliffen haben. Rüstung. Sozialdemokratische Utopien... Verhindert Proletariat den Krieg?« [42] Nach Stresemanns Meinung war Deutschland bei der bisherigen Neuverteilung der Welt, und darauf bezieht sich die Aufzählung der einzelnen Länder, zu kurz gekommen. Das sollte künftig geändert werden — mit Hilfe militärischen Druckes. War ein Krieg die Folge, so erschien dieser unvermeidlich, mußte nach aller bisherigen Erfahrung ohnehin einmal erwartet werden. Auf das Mittel der Macht jedenfalls wollte Stresemann nicht verzichten. »Weltpolitik ohne Weltwirtschaft ist nicht denkbar. Beides gehört zusammen. Der Kaufmann folgt der Macht. Ein Volk, das nicht mächtig und groß in der Welt steht, steht auch nicht wirtschaftlich groß in der Welt. Man muß Achtung haben vor dem Deutschen Reiche, dessen Kaufleute die ganze Welt erobern. Die ganze Situation in der Welt ist nicht eine weltpolitische als vielmehr eine weltwirtschaftliche... Was da vor sich gegangen ist in den letzten Monaten, was wir heute noch gar nicht überblicken in seinem ganzen Zusammenhang, das läßt sich zusammenfassen in dem einen Satz, daß da draußen in der Welt um die letzte Phase der Weltpolitik gekämpft wird, um die Frage: Unter welche Kulturvölker soll der Teil der Erde verteilt werden, der noch nicht im Besitz der Kulturvölker ist?« [43]

Am 9. Februar 1913 formulierte der Zentralvorstand der nationalliberalen Partei: »Der Ernst der Zeit erfordert mehr als je zum Schutze unserer nationalen und wirtschaftlichen Interessen eine kraftvolle, stetige und zielbewußte auswärtige Politik... Vor allem ist eine schleunige

---

41 Ebenda.
42 Ebenda.
43 Aus einem Vortrag Stresemanns am 10. März 1912 auf der Jahreshauptversammlung des Landesverbandes der Evangelisch-nationalen Arbeitervereine im Königreich Sachsen. NL Bd. 128.

und gründliche Verstärkung unserer Wehr unumgänglich notwendig.« [44] Solche Vorstellungen entsprachen durchaus den Absichten Stresemanns. Bezeichnend ist, daß sie allgemeine Forderungen enthielten, nicht jedoch konkrete politische Schritte vorschlugen. Die Verstärkung der Wehrkraft besagte da wenig — oder auch viel. Entscheidend war, welche politische Intention mit ihr verbunden wurde, ob sie nur ein diplomatisches Mittel zur Friedenssicherung sein sollte oder ob geplant war, sie zum passenden Zeitpunkt offensiv einzusetzen.

»England-Deutschland. Frankreich ohne Bündnis Macht zweiten Ranges. Im Welthandel die drei germanischen Nationen führend.« Diese Aufzeichnung Stresemanns vom 14. Februar 1913 [45] zeigt, daß sein Blick auf England (und die USA) geradezu fixiert war. [46] Was konnte zudem der Ausspruch über Frankreich bedeuten, das sich doch zu diesem Zeitpunkt mit England und Rußland in der Triple-Entente befand? Es ist auffallend, daß sich bei Stresemann keine bestimmten Überlegungen finden, was nun außenpolitisch im einzelnen getan werden sollte. Das mag zunächst seine Erklärung darin finden, daß er als Parlamentarier, und Stresemann war zu diesem Zeitpunkt nicht einmal mehr im Reichstag, nur einen begrenzten Einblick in die genaue außenpolitische Lage des Reiches hatte. Eine zweite Antwort wird man darin suchen müssen, daß Stresemann — wie andere auch — sein Urteil zu sehr aus deutscher Sicht zu fällen gewohnt war. Überdies erblickte er im Imperialismus mit Recht keine auf das deutsche Kaiserreich beschränkte Grundtendenz seiner Zeit [47], und über die politisch-moralische Problematik des Imperialismus philosophierte er nicht. Das alles läßt den Schluß zu, daß Stresemann in dieser ganzen Zeit gerade auf außenpolitischem Sektor keine originalen Gedanken entwickelt hat, die imstande gewesen wären, eine realistische Ausgleichspolitik zu begründen. [48]

Es gibt allerdings auf der anderen Seite Belege dafür, daß Stresemann die Lage des Deutschen Reiches als nicht so günstig ansah, wie sie vielen seiner Zeitgenossen erschien. Er gewann diese Einsicht im Vergleich der Außenpolitik der Wilhelminischen Ära mit der Bismarcks. Sorge bereitete ihm vor allem der Wandel im Verhältnis zu England. Dennoch

---

44 Altnationalliberale Reichs-Korrespondenz vom 14. 2. 1913. Zur deutschen Heeresvorlage von 1913 vgl. H. Herzfeld, a. a. O., S. 98 f., und F. Fischer, Krieg der Illusionen, a. a. O., S. 251 ff.
45 NL Bd. 128.
46 Von Rußland ist bemerkenswerterweise überhaupt nicht die Rede.
47 Vgl. seine Notiz vom 9. April 1913 im Zusammenhang mit der positiven Einstellung Bassermanns zum Imperialismus. NL Bd. 128.
48 Vgl. A. Thimme, a. a. O., S. 17; ergänzend dazu F. Fischer, Krieg der Illusionen, a. a. O., S. 325 f., S. 328 ff. und S. 333 f. Die von Fischer zitierten Aussagen Stresemanns können jedoch umgekehrt auch nicht als Nachweis dafür gelten, daß dieser — eines erweiterten »Mitteleuropa« oder der deutschen »Weltmacht« wegen — auf einen Krieg gedrängt bzw. hingearbeitet habe; eher trifft das Gegenteil zu. Vgl. auch K. Wernecke, a. a. O., S. 299.

hoffte er auch jetzt noch und trotz aller wirtschaftlichen Rivalität (Deutschland war andererseits der beste Abnehmer der englischen Industrie und umgekehrt) auf eine Verständigung, die die gefährdete deutsche Position grundlegend verbessern sollte: »Deutschlands Stellung gegenüber Mächtebündnissen. Dreibund schwächer als Triple-Entente. Verschlechterung unserer weltpolitischen Stellung seit Gegensatz zu England. Bismarck hatte mit diesem Gegensatz nicht zu rechnen. Besserung unserer Beziehungen zu England würde von Industrie allseits begrüßt werden. Ob Flottenvereinbarung möglich? Bündnis England— Deutsches Reich.«

Diese Aufzeichnungen vom 15. April 1913 [49] lassen immerhin ein Ziel erkennen, aber ein Ziel, das nur als Ergebnis eines Wunschdenkens gedeutet werden kann. Es blieb ganz und gar ungeklärt, wie dieses Ziel konkret erreicht werden sollte. [50] Und es scheint, daß Stresemann an die Erreichung dieses Zieles selber nicht recht geglaubt hat. Denn er kam bei seiner außenpolitischen Analyse zu dem Schluß [51], daß Deutschland von Osten, Westen und von der See her bedroht und daher im Endeffekt auf sich allein angewiesen sei. Stresemann folgerte daraus, daß in Deutschland alle Kräfte zusammengefaßt werden müßten. Seine letzte politische Maxime war also die militärische Stärke des Reiches. In ihr meinte Stresemann das Heil Deutschlands in einer Epoche imperialer Politik gesichert, zu der er keine Alternative sah. Seine Aufrufe, die militärische Stärke des Reiches zu vermehren, resultierten jedoch aus der Erkenntnis der Schwäche der deutschen Position, nicht aus der Absicht, sie aggressiv einzusetzen. Allerdings glaubte er nicht an einen dauernden Frieden, im Gegenteil. Am 20. April 1913 skizzierte er: »Ewiger Friede Utopie. Über Lebensfragen Nationen wird immer das Schwert entscheiden. Verteilung der Welt erfolgt nicht durch Paragraphen in Konferenzen.« [52]

Es erscheint widersprüchlich, trifft aber die Realität, daß Stresemann in den letzten Friedensjahren geradezu in der fatalistischen Erwartung eines kommenden Krieges lebte, andererseits aber — und dem entsprachen seine eigentlichen politischen Intentionen — das Bemühen nicht aufgab, Chancen des friedlichen Ausgleichs der vorhandenen weltwirtschaftlichen und weltpolitischen Gegensätze zu überdenken. Damals wie später mischten sich in Stresemann rationales Kalkül und irrationale Ambitionen. Was er in all diesen Jahren nicht sah, das war die Möglichkeit, daß Deutschland außenpolitische Zugeständnisse machte, eine Möglichkeit, die bei der gegebenen Lage eigentlich eine Notwendig-

---

49 NL Bd. 128.
50 Tatsächlich wußte das selbst die Reichsleitung nicht zu sagen: Vgl. A. Hillgruber, Zwischen Hegemonie und Weltpolitik, a. a. O., S. 195 ff.
51 So in seiner Niederschrift vom 9. April 1913. A. a. O.
52 NL Bd. 128.

keit war. Stellt man die Frage, warum er das nicht gesehen hat, so wird man auf die politisch-ideologische Atmosphäre dieser Epoche verweisen müssen. Stresemann teilte weithin die kollektiven Auffassungen seiner Zeit und ist insofern als eine typische Erscheinung der Wilhelminischen Ära zu begreifen. [53] Solange er eine deutsche Weltmachtstellung wünschte, konnte er wesentliche Zugeständnisse auf deutscher Seite nicht bejahen. Denn zu dieser Weltmachtrolle gehörte nicht nur der weitere Ausbau der deutschen Kriegsflotte, der das von Stresemann gewollte deutsch-englische Bündnis verhinderte, sondern auch eine aktive Kolonialpolitik, die ihrerseits Konfliktsituationen verursachte. [54]

Für Stresemann war das deutsch-englische Verhältnis ausschlaggebend. Über die Beziehungen zu Frankreich reflektierte er nur sehr am Rande. [55] Das hatte seinen Grund darin, daß er die Zukunft des Deutschen Reiches nicht so sehr durch Frankreich gefährdet glaubte, überdies keine Hoffnung sehen mochte, die Gegensätze, die zwischen diesen beiden Ländern bestanden, aus dem Wege zu räumen. Für den militärischen Ernstfall vertraute Stresemann auf die Stärke des Deutschen Reiches. Trotz der außenpolitischen Gefahren war er überzeugt, daß Deutschland im 20. Jahrhundert »zum ersten Industrieland und ersten Welthandelsstaat der Erde« [56] sich entwickeln würde. Bei einer solchen Perspektive erschien ihm eine aktive deutsche Weltpolitik als zwar risikoreich, aber unumgänglich. Am 20. April 1913 resümierte Stresemann: »Als wachsendes Volk können wir nicht mehr zurück. Nicht Politik des Entsagens, zu der kein Grund vorliegt.« [57] Ein Jahr später, am 28. April 1914, bekannte er: »Krieg oder Frieden. Unser Platz an der Sonne.« [58]

---

53 Vgl. Th. Eschenburg, a. a. O., S. 154.
54 Wie unbeirrt Stresemann an einer forcierten Kolonialpolitik festhielt, zeigt u. a. seine vernichtende Kritik am Werk des Engländers Norman Angell »Die falsche Rechnung«, das damals in vielen Sprachen, auch in Deutschland, erschienen war. Die entscheidende These Angells, daß Reichtum und Wohlfahrt einer Nation keineswegs von ihrer politischen Macht abhängen, lehnte Stresemann scharf ab, und er konnte dabei auf die volkswirtschaftliche Bedeutung der englischen und französischen Kolonien für den Export ihrer Mutterländer (die englischen Kolonien nahmen im Jahre 1911 mehr als 25% des Exports Großbritanniens auf) hinweisen. Stresemanns Kritik findet sich in einem Aufsatz mit der Überschrift: »Norman Angells falsche Rechnung«, erschienen in der »Wiesbadener Zeitung« am 7. 5. 1913, modifiziert in der »Sächsischen Umschau« vom 15. 5. 1913.
55 Frankreich zählte für Stresemann insofern zu den wirtschaftlichen Hauptmächten, als es durch seinen Kapitalbesitz einen Vorrang gegenüber Deutschland hatte. Vgl. seine Notiz vom 15. Januar 1914. NL Bd. 140: Politische Reden und Schriften 1914; vgl. auch F. Fischer, Krieg der Illusionen, a. a. O., S. 17 f.
56 Aufzeichnung vom 2. Oktober 1913. NL Bd. 128.
57 NL Bd. 128.
58 NL Bd. 140.

32

2. Kapitel

Erster Weltkrieg

Am 1. August 1914 begann — als Vorstufe des Weltkrieges — der europäische Krieg, »an dem infolge des deutschen Operationsplans von Anfang an alle fünf Großmächte beteiligt wurden« [1]. Er hatte vielfältige Ursachen, deren jeweiliges Gewicht die zeitgeschichtliche Forschung seit der Veröffentlichung von Fritz Fischers Werk »Griff nach der Weltmacht« in teilweise heftiger Diskussion neu und kritisch zu bestimmen sucht. [2] Immerhin kann (bei aller Problematik, die mit dem Begriff »Präventivkrieg« verbunden ist) inzwischen als sicher angenommen werden, daß dieser Krieg nicht das Ergebnis einer von langer Hand geplanten und globalen expansionistischen Strategie der Reichsleitung war. Auch wäre es verfehlt, ihn primär durch die wirtschaftliche Entfaltung Deutschlands begründet zu sehen. »Im Gegenteil, die brachte es in engere Verbindung mit Rußland, mit England und vor allem mit Frankreich. Nie waren die Kontakte zwischen den deutschen und französischen Montanindustrien so eng wie in den letzten Jahren vor 1914. Optimistische Leute sahen darin eine Garantie für den Frieden. Eine Kriegsgefahr war es ganz bestimmt nicht. Diese kam von der Politik.« [3]

---

1 A. Hillgruber, Deutschlands Rolle in der Vorgeschichte der beiden Weltkriege, Göttingen 1967, S. 54.
2 Dazu (neben der schon genannten Literatur) vor allem: F. Fischer, Griff nach der Weltmacht. Die Kriegszielpolitik des kaiserlichen Deutschland 1914/18, Düsseldorf ³1964; ders., Weltmacht oder Niedergang. Deutschland im ersten Weltkrieg (Hamburger Studien zur neueren Geschichte, Bd. 1), Frankfurt/M. 1965; Kriegsausbruch 1914, hrsg. von W. Laqueur und G. L. Mosse, München 1967 (Deutsche Buchausgabe des Journal of Contemporary History, Heft 3, London 1966); A. Gasser, Deutschlands Entschluß zum Präventivkrieg 1913/14, Sonderdruck aus: Discordia Concors, Festschrift für Edgar Bonjour, Basel 1968; Erster Weltkrieg — Ursachen, Entstehung und Kriegsziele, hrsg. von W. Schieder (mit den wichtigsten Beiträgen von F. Fischer, E. Zechlin, G. Ritter, K. D. Erdmann, A. Hillgruber u. a.), Köln — Berlin 1969; als Gesamtdarstellungen zum Ersten Weltkrieg vgl. P. Graf Kielmannsegg, Deutschland und der Erste Weltkrieg, Frankfurt/M. 1968, und (aus marxistischer Sicht) Deutschland im ersten Weltkrieg, hrsg. von einem Autorenkollektiv unter Leitung von F. Klein, 3 Bde., Berlin 1968/69 (Bd. 2 inzwischen in einer zweiten, durchgesehenen Aufl. von 1970).
3 G. Mann, Deutsche Geschichte des 19. und 20. Jahrhunderts, Frankfurt/M. 1966, S. 563. Vgl. auch F. Fischer, Krieg der Illusionen, a. a. O., S. 459 ff. (gestützt auf die umfassende Studie von R. Poidevin, Les relations économiques et financières entre la France et l'Allemagne de 1898 à 1914, Paris 1969), und G. W. F. Hallgarten, Das Schicksal des Imperialismus im 20. Jahrhundert, Drei Abhandlungen über Kriegsursachen in Vergangenheit und Gegenwart, Frankfurt/M. 1969, bes. S. 18.

Ausschlaggebend waren also nicht wirtschaftliche Überlegungen. »Tatsächlich erwies sich ... in der Julikrise 1914 der angesichts der wirtschaftsimperialistischen Grundtendenz des Zeitalters schon antiquierte kontinentale Präventivkriegsgedanke des Generalstabes als maßgebend für die Entscheidung der Reichsleitung ... Im wesentlichen nur indirekt (indem sie bestimmte außenpolitische Möglichkeiten ausschlossen), nicht aber richtungsweisend haben wirtschaftspolitische Gesichtspunkte bis 1914 die Außenpolitik der Reichsleitung mitgelenkt. Erst nach Kriegsbeginn wurde die bisher abgelehnte, auf die Wirtschaftsinteressen einer deutschen Hegemonialmacht zugeschnittene Konzeption eines nach West und Ost erweiterten ›Mitteleuropa‹ zu einem dann allerdings zäh verfolgten Programm der Reichsleitung, die sich damit einem Teilziel der ›Rechtsopposition‹ annäherte.«[4] Die Zeit, da Konflikte nach den Regeln der Kabinettspolitik im rationalen Ausgleich der gegensätzlichen Interessen gelöst werden konnten, war jedenfalls vorüber. Ideologisch unterbauter Imperialismus, rivalisierender Nationalismus und ein betonter Sozialdarwinismus — dazu auf deutscher Seite das Bemühen, die »halbhegemoniale« Stellung des Reiches auf dem Kontinent (Ludwig Dehio) machtpolitisch zu sichern — hatten eine Situation und Atmosphäre geschaffen, in der ein regionaler Konflikt sich schnell zu einem allgemeinen Krieg ausweiten konnte, sobald die eine oder andere Bündniskoalition einen solchen Konflikt zur Durchsetzung expansiver Ziele zu nutzen versuchte. Für die auf dem Balkan von Deutschland, Österreich-Ungarn und Rußland gewünschte Machtdemonstration schuf das Attentat von Sarajevo (28. Juni 1914) den Anlaß und die Gelegenheit zugleich.

Mit unbegrenzter Siegeszuversicht, im Wissen um die eigene Stärke, ja in einem Taumel von Begeisterung zog Deutschland, politisch durch den »Burgfrieden« geeint, in den Krieg.[5] Kaum jemand ahnte, daß es — mehr als vier Jahre — ein mörderischer Weltkrieg sein würde. »Die Erregung der begeisterten Massen, die auf Straßen und Plätzen patriotische Lieder sangen, wurzelte in dem subjektiv ehrlichen Gefühl, Opfer einer jahrelangen ›Einkreisung‹ und eines wohlgeplanten Überfalls mißgünstiger Feinde geworden zu sein, so wie es der Reichskanzler spä-

4 A. Hillgruber, Kontinuität und Diskontinuität, a. a. O., S. 13. Vgl. auch ders., Deutschlands Rolle, a. a. O., S. 56, E. Zechlin, Deutschland zwischen Kabinettskrieg und Wirtschaftskrieg. Politik und Kriegführung in den ersten Monaten des Weltkrieges 1914, in: Hist. Zeitschrift, Bd. 199 (1964), S. 347 ff. (dazu seine Beiträge in dem von W. Schieder hrsg. Sammelband Erster Weltkrieg, a. a. O., S. 149 ff.), und F. Stern, Bethmann Hollweg und der Krieg: Die Grenzen der Verantwortung, Tübingen 1968, S. 27 ff. Zusammenfassend über Bethmann Hollweg K. Hildebrand, Bethmann Hollweg — der Kanzler ohne Eigenschaften? Urteile der Geschichtsschreibung, Eine kritische Bibliographie, Düsseldorf 1970.
5 Zur »Verwirrung der öffentlichen Meinung« vgl. K. Koszyk, Deutsche Pressepolitik im Ersten Weltkrieg, Düsseldorf 1968, S. 112 ff.

ter oft genug aussprach. Im Empfinden der Bevölkerung wie in den offiziellen Erklärungen der Regierung überwog eindeutig die Betonung des defensiven Charakters des Krieges.«[6]

Die Erklärung des Kaisers vor dem Reichstag: »Uns treibt nicht Eroberungslust« entsprach ohne Zweifel der Vorstellung und Absicht der überwältigenden Mehrheit des deutschen Volkes. Diese Auffassung schlug aber auf Grund der raschen eigenen militärischen Erfolge bald um. »Mit dem Vormarsch der deutschen Truppen in Frankreich und der gleichzeitigen Bewährung der deutschen Kriegskunst im Osten entwickelte sich aus dem nationalen Enthusiasmus der Mobilmachungstage ein Mythos deutscher Unbesiegbarkeit und das Bewußtsein einer Kraft und Macht der Nation — und damit der Anspruch, ihr auch für die Zukunft den Platz zu sichern, der ihrer Größe und ihrer Kultur gebühre.«[7] Unter diesen Umständen erwuchs aus der anfänglich herrschenden Anschauung einer Machtverteidigung sehr schnell die Zielsetzung einer Machtsicherung und Machterweiterung des Deutschen Reiches. In der Konsequenz bedeutete das die Forderung nach einer gewaltsamen Änderung des Status quo im europäischen Mächtesystem.[8] Dabei war — was nur wenige sahen oder sich eingestanden — die außenpolitische und militärische Situation Deutschlands nach der Marneschlacht denkbar ungünstig und gefährlich.[9] Die meisten Parteien und Interessengruppen sowie die in der Presse sich spiegelnde öffentliche Meinung konnten und wollten jedoch diese Wende nicht wahrhaben. Nationale Emotionen, ökonomisch-politische Interessen und Prestigebedürfnis triumphierten gegenüber der Notwendigkeit, die Lage unvoreingenommen zu analysieren und kritisch zu beurteilen. Da »der Glaube an das sittliche Recht des Krieges und die Überzeugung verbreitet war, für eine gute Sache zu kämpfen, gewannen materielle und machtpolitische Ziele unschwer den Schein moralischer Berechtigung«.[10]

Stresemann und seine Frau hatten im Juni 1914 als Gäste Ballins an der Kieler Woche teilgenommen. Als die Nachricht vom Mord in Sarajevo eintraf, fand das festliche Ereignis ein plötzliches Ende. Man packte die Koffer, schrieb er später, »in der Empfindung, man müsse nach Hause eilen, um zur Stelle zu sein, wenn der Strahl aus einer Wolke zuckte, den man erwartete, ohne eigentlich zu wissen, weshalb er kommen mußte«.[11] Diese Worte wurden post festum geschrieben. Damals,

6 F. Fischer, Griff nach der Weltmacht, a. a. O., S. 110.
7 E. Zechlin, Friedensbestrebungen und Revolutionierungsversuche, in: Aus Politik und Zeitgeschichte, Beilage zur Wochenzeitung »Das Parlament«, B 20/1961, S. 271.
8 Vgl. dazu F. Fischer, Krieg der Illusionen, a. a. O., S. 739 ff.
9 Ebda., S. 775 ff.
10 E. Zechlin, Friedensbestrebungen und Revolutionierungsversuche, a. a. O., S. 271.
11 Zitiert nach F. Hirsch, a. a. O., S. 32.

im Juni und Juli 1914, dachte Stresemann nicht, daß ein Weltkrieg bevorstand. Wäre es anders, so hätte er nicht noch am 21. Juli an Bassermann schreiben können:»Ich gedenke Anfang September nach den Vereinigten Staaten von Amerika zu gehen und werde die Vorbereitungen für diese Reise nunmehr in die Hand nehmen.«[12] Von einer eventuellen militärischen Auseinandersetzung enthält dieser Brief kein Wort. Man kann daher sagen, daß Stresemann, obwohl er der fatalistischen Kriegserwartung jener Jahre verhaftet war, von dem Krieg zu diesem Zeitpunkt überrascht wurde.[13]

Nachdem er aber »ausgebrochen« war, gab es für Stresemann keinen Zweifel, Kaiser und Reich in diesem Kampf voll und ganz zu unterstützen. Während der sechzigjährige Ernst Bassermann sofort als Rittmeister der Reserve ins Feld ging, mußte Stresemann als Zivilist daheim bleiben. Er war aus gesundheitlichen Gründen dem Militärdienst nicht gewachsen. So suchte er in der Heimat durch das politische Wort und die politische Tat die unerschütterliche Zuversicht in die militärische Führung zu fördern. Von wesentlicher Bedeutung war dabei seine Wiederwahl in den Reichstag im Dezember 1914. Bassermann hatte ihn dringend gebeten, bei der notwendig gewordenen Nachwahl im Wahlkreis Wittmund-Aurich zu kandidieren. Diese Rückkehr in den Reichstag bedeutete für Stresemann einen unerwarteten Aufstieg. In der nationalliberalen Reichstagsfraktion war er in den ersten drei Kriegsjahren nun der wirkliche »Kronprinz«, faktisch Bassermanns Stellvertreter. Beide stimmten in ihren Maximen und Zielvorstellungen weitgehend überein. Vor allem hatten sie kein Vertrauen zu Bethmann Hollweg, den sie für einen politischen Schwächling und diplomatischen Versager[14] hielten. Beide hofften jedoch auf die Stärke des Heeres, wobei Stresemann mit seinem ungebrochenen Optimismus und seiner fast naiven Autoritätsgläubigkeit in der Überzeugung nicht zu erschüttern war, daß das Militär die Fehler der deutschen Diplomatie wieder wettmachen werde.[15]

Für einen Vortrag in Chemnitz am 28. August 1914 skizzierte Stresemann: »Erster Monat eines Weltkrieges. Gigantisches Völkerringen. Er

---

12 NL Bd. 135: Bassermann 1913—1914.
13 Ähnlich urteilt M. L. Edwards, Stresemann and the Greater Germany 1914—1918, New York 1963, S. 20 f.
14 Das bezog sich insbesondere auf Bethmanns Äußerungen gegenüber dem englischen Botschafter Sir Edward Goschen und auf seine öffentliche Feststellung vom Unrecht an Belgien. Vgl. dazu E. v. Vietsch, Bethmann Hollweg. Staatsmann zwischen Macht und Ethos (Schriften des Bundesarchivs 18), Boppard am Rhein 1969, S. 192 ff.
15 Vgl. dazu F. Hirsch, a. a. O., S. 33 f. Hirsch zitiert eine Erinnerung des Abgeordneten von Richthofen, daß Stresemann auch nach dem Durchsickern der Nachrichten vom tatsächlichen Ergebnis der Marneschlacht nicht zu denen gehört habe, »die irgendeinen Zweifel an einem siegreichen Ende des Krieges zu tolerieren bereit waren«.

entscheidet über unsere Zukunft. ›Es geht ums Ganze‹. Nicht nur Deutsches Reich. Kolonien. Politische und wirtschaftliche Machtstellung . . . In dieser Zeit kommt alles darauf an, im Innern Volkswirtschaft aufrechtzuerhalten. Der Krieg wird nicht nur auf dem Schlachtfeld, sondern (auch) im Innern entschieden.« [16] Die wenigen Stichworte lassen erkennen, daß Stresemann von Anfang an nicht im Zweifel war, was in diesem Krieg für das Deutsche Reich auf dem Spiele stand. »Es geht ums Ganze« war eine Formulierung Bassermanns, die die kritische Situation knapp, aber treffend kennzeichnete und dabei einen defensiven Akzent besaß. Das hatte sie zu diesem Zeitpunkt auch für Stresemann, der zudem wußte, wie wenig die deutsche Volkswirtschaft auf den militärischen Ernstfall vorbereitet war. Dennoch glaubte er sich des deutschen Sieges vollkommen sicher: »Im übrigen (gemeint sind die wirtschaftlichen Anstrengungen im Innern — Anm. d. Verf.) alles abhängig vom Erfolg unserer Waffen. Schwere, aber große Zeit. Mobilmachung. Unerschütterliches Vertrauen. Sieg im Westen, Grenzwacht im Osten . . . England kann uns beunruhigen, aber nicht wirtschaftlich vernichten.« [17]

Wenn Stresemann auch vom deutschen Sieg fest überzeugt war, so verkannte er doch keineswegs die Gefahren, die Deutschland wirtschaftlich und handelspolitisch drohten. Die Problematik von Export und Import war offensichtlich. In einem Kriege dieses Ausmaßes kam aber der industriellen Leistungsfähigkeit und finanziellen Durchhaltekraft eine mitentscheidende Bedeutung zu. In diesem Zusammenhang findet sich in den genannten Aufzeichnungen die Zeile: »Größeres Deutschland = auch wirtschaftlich größer.« Mit dem Begriff »größeres Deutschland« war der Weg vorgezeichnet, den Stresemann in der Folgezeit immer ungestümer beschritt. Er endete in ebenso exzessiven wie illusionären Kriegszielforderungen, die zwar »eigentlich« nur die Weltmachtposition Deutschlands und dessen künftige Unangreifbarkeit sichern sollten [18], in ihrer Konsequenz jedoch gerade eine solche Sicherung verhindern mußten und darüber hinaus bloßem Eroberungswillen Tür und Tor öffneten.

Am 28. September 1914 veröffentlichte Stresemann im »Hannoverschen Kurier« einen Artikel, der die Überschrift trug: »Krieg und Wirtschaftsleben«. Als Sachkenner setzte er sich eingehend mit der wirtschaftlichen Situation Deutschlands und seiner Gegner auseinander. Die Zukunft der deutschen Wirtschaft sah er dabei durchaus positiv. Stresemann wußte, daß auf dieser Ebene die grundlegende Auseinandersetzung zwischen Deutschland und England ausgefochten wurde. Überhaupt war ihm von Anfang an England Deutschlands »Feind Nr. 1«. So leitete er seinen Artikel mit den Worten ein: »Es kann aber wohl kei-

---

16 NL Bd. 140.
17 Ebenda.
18 Vgl. Th. Eschenburg, a. a. O., S. 155.

nem Zweifel unterliegen, daß der Sitz der Deutschland feindlichen Mächte nicht Petersburg und Paris, sondern London gewesen ist.« Grund zu dieser These waren ihm gewisse Kriegsvorbereitungen Englands, etwa die Zusammenfassung seiner Flotte in der Nordsee (27. Juli 1914), und mehr noch die von England bald nach Kriegsbeginn (August/ September 1914) getroffenen Maßnahmen zur Führung eines Wirtschaftskrieges gegen Deutschland. Daß vielleicht auch die deutsche politische Führung in irgendeiner Weise Anteil an der Verantwortung für diesen Krieg tragen könnte, wäre Stresemann niemals in den Sinn gekommen. Damals wie auch später in den zwanziger Jahren war er überzeugt, daß sich Deutschland 1914/18 in einem Verteidigungskrieg befand bzw. befunden hatte und daher eine Untersuchung der Kriegsschuldfrage nicht zu fürchten brauchte. [19]

Da Stresemann in England den Hauptschuldigen am Ausbruch des Krieges erblickte, entwickelte er ihm gegenüber prononcierte Haßgefühle, die er ethisch gerechtfertigt glaubte. Darüber hinaus wurde ihm die Hoffnung auf einen deutschen militärischen Sieg gegenüber England zum dauernden Impetus. »Wenn die Dreigewalt der deutschen Panzerschiffe, der deutschen Luftkreuzer und der bereits bewährten Unterseeboote dazu beiträgt, die englische Flottenmacht entscheidend zu schwächen, dann stürzt das ganze Gebäude der englischen Berechnung zusammen, dann stürzt allerdings auch Englands Weltherrschaft überhaupt. Es gibt wohl keinen Deutschen, der diesen Tag nicht erhoffte und ersehnte.«

Stresemann beschloß seinen Artikel mit Worten voller Siegeszuversicht: »Am Montag versammeln sich in Berlin die Vertreter der Industrie, des Handels, des Gewerbes und der Landwirtschaft, um einen Appell an die maßgebenden und verantwortlichen Stellen des Deutschen Reiches dahin zu richten, diesen Kampf, der Deutschland aufgezwungen ist, durchzuhalten bis zum letzten Ende. Sie tun dies nicht nur aus patriotischen, sondern auch aus kaufmännischen Erwägungen. Wir kämpfen nur für den Frieden, aber wir verlangen einen dauernden Frieden, der die Grundlage schafft für einen Wiederaufbau und für eine mächtige Weiterentwicklung des deutschen Wirtschaftslebens. Die deutschen Erwerbsstände geben durch diese Kundgebung vor der ganzen Welt das Zeugnis ab, daß sie gewillt und in der Lage sind, den Deutschland aufgezwungenen Weltkrieg wirtschaftlich durchzuhalten und zum Siege zu führen, wie wir nicht zweifeln, ihn zu Wasser und zu Lande gegen alle unsere Gegner militärisch siegreich zu beenden.«

Das Wort vom »aufgezwungenen Krieg« war bei Stresemann ehrlich gemeint. Es zeigt, daß er das politisch-militärische Selbstverständnis der deutschen Nation unkritisch teilte. Die Forderung nach einem dauern-

---

19 Ausführlich dazu M. L. Edwards, a. a. O., S. 21 ff.

den Frieden (im Unterschied zu einem »faulen Frieden«) mochte von daher gerechtfertigt erscheinen, inhaltlich bedeutete das jedoch die Erzwingung des »größeren Deutschland«. Daß Stresemann England gegenüber affektiv und aggressiv reagierte, geht mit unüberbietbarer Deutlichkeit aus folgenden Zeilen hervor, die er bei weihnachtlichen Reminiszenzen am 1. Adventssonntag (29. November) 1914 England und den Engländern zudachte: »Als einzelne oft ehrenwert, als Ganzes Sinnbild der Heuchelei zur Verdeckung des mit brutaler Rücksichtslosigkeit erstrebten Eigennutzes ... Der ganze Haß Deutschlands lastet auf England. Lebewohl, Gott strafe England.« [20]

Gegenüber Frankreich schlug Stresemann in der ersten Phase des Krieges sehr viel freundlichere Töne an. Vielleicht lag das daran, daß er Deutschland nicht eigentlich von Frankreich gefährdet und herausgefordert sah, vielleicht war aber auch das ungleich größere Verständnis ausschlaggebend, das er der politischen und militärischen Zielsetzung Frankreichs entgegenbrachte. Möglicherweise kam beides zusammen. In denselben Notizen vom 29. November finden sich die Stichworte: »Wovon träumt Franzose am Weihnachtstag? Von alter gloire. Zauberbild Napoleons. Adler der Legionen. Straßburg und Metz. Revanche! Ehre seinen Träumen.« Wenn Stresemann auch bereit war, den französischen Wünschen und der Tapferkeit der französischen Soldaten Achtung zu bezeugen, so kann doch nicht übersehen werden, daß er bezüglich jener französischen Intentionen nur von »Träumen« sprach. Dagegen setzte er die Wirklichkeit des Krieges, und diese sah in seinen Augen für Deutschland ausgesprochen vorteilhaft aus. Für Frankreich war da nichts zu gewinnen. Dennoch bleibt bemerkenswert, daß in einer Zeit, als an der Westfront erbittert gekämpft wurde und in Deutschland zahlreiche Publikationen erschienen, die die jahrhundertelangen Expansionsbemühungen Frankreichs nach Osten anprangerten [21], Stresemann dieses Nachbarland nicht verdammte, ja geradezu versöhnliche Worte fand, die für einen extremen Nationalisten ungewöhnlich klangen.

Am 4. Dezember 1914 hielt Stresemann in Aurich eine großangelegte Rede (»Deutsches Ringen, deutsches Hoffen«) [22], in der er die Motive darzulegen versuchte, die die Feinde Deutschlands zum Kriegseintritt bewogen hatten. Im Hinblick auf Frankreich sagte er: »Achtung und Ehre auch dem achtungswerten Gegner! Wenn wir nach Westen sehen, dann werden wir verstehen können, was dort ein Volk in den Kampf getrieben hat. Es war einmal der Wunsch, verlorengegangenes Land wie-

---

20 NL Bd. 140.
21 Vgl. etwa P. Darmstädter, Die Machtpolitik Frankreichs, in: Deutschland und der Weltkrieg, 1. Bd., Leipzig und Berlin ²1916, S. 361—386.
22 Abgedruckt in: G. Stresemann, Michel horch, der Seewind pfeift ..!, Berlin 1916, S. 7 ff.

derzugewinnen, es war der nicht ausgeträumte Traum, daß die Menschen in Elsaß-Lothringen Franzosen seien und sich nach Frankreich zurücksehnten.«[23] Fast klingt es im folgenden wie leichtes Bedauern, daß Frankreich seinen Mut und seine Kraft an einem dafür untauglichen, weil unbesiegbaren Objekt versuche. Ein anderes Motiv Frankreichs sah Stresemann in der Rückerinnerung an napoleonische Siegestaten, deren Glanz — wie er glaubte — 1870 endgültig erloschen wäre. Den Bund mit England bezeichnete er jedoch als Bruch mit aller französischen und napoleonischen Tradition. [24]

Konnte England bei Stresemann nur mit Haß rechnen, so äußerte er demgegenüber zum deutsch-französischen Verhältnis: »Wir hoffen wohl alle, daß nach dem Kriege wieder eine Ära der Versöhnung mit Frankreich ... kommen wird, daß hier die Jahre und Jahrzehnte wirken werden, um eine Verständigung und Versöhnung herbeizuführen.«[25] Mit diesen Worten, von denen man annehmen darf, daß sie ernst gemeint waren, zeigte Stresemann Vernunft und guten Willen. Wie aber paßte dazu seine gleichzeitige ausgedehnte Kriegszielpolitik? Es scheint, daß einmal mehr die grundsätzliche Widersprüchlichkeit im Denken und Tun Stresemanns dafür geltend gemacht werden muß. »Die merkwürdige Mischung von nüchternem Common sense und praktischer Vernunft auf der einen und romantischen Zielen und Wünschen, die jeglicher Unterlage entbehrten, auf der anderen Seite ist bei Stresemann während des Krieges besonders auffällig.«[26]

Die entscheidende Bedeutung des deutschen Rückzuges an der Marne hatte Stresemann zu diesem Zeitpunkt nicht erkannt. Das lag nicht allein an seinem überschwenglichen, aber kurzsichtigen Optimismus. Denn obgleich der politischen und militärischen Führung des Reiches der Ernst der Lage Deutschlands seit Mitte November 1914 bewußt war, tat sie nichts, um die deutsche Öffentlichkeit auf die veränderten Gegebenheiten vorzubereiten. [27] Diese berauschte sich daher weiterhin an den vordergründig glänzenden militärischen Erfolgen, gab sich einem unbegründeten Kriegsenthusiasmus hin und wog sich in gefährlichen Illusionen. [28] Zu den größten Illusionisten dieser Monate gehörte Stresemann. Hatte ursprünglich seiner Vorstellung vom »größeren Deutschland« die territoriale Angliederung »nur« Belgiens und der russischen Ostseeprovinzen zugrunde gelegen, so nahm sein imperialistischer Nationalismus

23 A. a. O., S. 7.
24 Ebda., S. 8.
25 Ebda., S. 19.
26 A. Thimme, a. a. O., S. 22.
27 Vgl. dazu G. Ritter, Staatskunst und Kriegshandwerk, 3. Bd.: Die Tragödie der Staatskunst. Bethmann Hollweg als Kriegskanzler (1914—1917), München 1964, S. 51 ff.
28 Vgl. dazu E. Zechlin, Friedensbestrebungen und Revolutionierungsversuche, a. a. O., S. 280.

nunmehr extreme Züge an. [29] Schon vom Oktober 1914 ist ein Dokument überliefert, das Stresemann gerade auch bezüglich seiner Haltung zum deutsch-französischen Verhältnis ins Zwielicht bringen muß. Es handelt sich dabei um ein umfangreiches, von ihm überarbeitetes und mit Randbemerkungen versehenes Kriegsziel-Memorandum des Bonner Nationalökonomen Professor Schumacher, das dieser für leitende Männer der Industrie angefertigt hatte. [30] Die redigierte Fassung dieses Memorandums [31] läßt zweifellos Rückschlüsse auf die außen- und wirtschaftspolitischen Perspektiven zu, von denen sich Stresemann bei einem deutschen »Siegfrieden« leiten lassen wollte. Von Interesse ist im Rahmen dieser Studie allein das beabsichtigte Verhalten gegenüber Frankreich.

Stresemann hatte an folgenden Kriegszielen nichts auszusetzen: »Alles, was von den Franzosen zur Verbesserung unserer politisch-militärischen und wirtschaftlichen Lage dem englischen Weltreich gegenüber zu erlangen ist, übertrifft an Dringlichkeit alle anderen Forderungen.« Diese umfaßten im einzelnen: 1. die Seehäfen zwischen der Somme und der holländischen Grenze (in einer Randbemerkung zählt Stresemann die Städte Antwerpen, Calais und Boulogne auf); 2. die Übernahme der französischen Rechte in Marokko und möglichst unter gleichzeitigem Verzicht Englands auf seine Rechte aus den Marokkoverträgen festen Fuß in Tanger (von Stresemann unterstrichen) oder Ceuta; 3. Französisch-Somaliland (ebenfalls unterstrichen), um den Zugang zum Roten Meer und nach Abessinien zu erhalten; 4. eine nicht näher bestimmte Zollbegünstigung in Frankreich (und Rußland) gegenüber England; 5. eine Kriegsentschädigung, die Deutschland die Wiederherstellung und den Ausbau seiner Kriegsflotte »auf erweiterter Grundlage« gestatten würde. Gewichtiger noch als die einzelnen Forderungen erscheint das allgemeine Prinzip, dem sie entstammten: »Frankreich, auf dessen Kosten diese für England aufgestellten Forderungen Befriedigung finden müssen, gilt es, da ein haltbares und entwicklungsfähiges Freundschaftsverhältnis höchstens aus einem starken Bewußtsein dauernder Schwäche bei ihm allmählich erwachsen kann, für uns unschädlich zu machen mit allen Mitteln, welche die Rücksicht auf die gesunde Entwicklung unserer inneren Verhältnisse gestattet.«

Diese Zeilen, die einer geradezu brutalen Machtpolitik, genauer: einer Gewaltpolitik das Wort redeten, waren zwar nicht von Stresemann verfaßt; aber daß er sich mit ihnen gleichsam identifizierte, da er ja an ihnen nichts auszusetzen hatte, vielmehr zusätzlich noch eine Westverschiebung der deutsch-französischen Grenze entsprechend den militäri-

29 Vgl. auch M. L. Edwards, a. a. O., S. 35 ff.
30 Vgl. F. Fischer, Griff nach der Weltmacht, a. a. O., S. 197. Ebenso E. Zechlin, Friedensbestrebungen und Revolutionierungsversuche, a. a. O., S. 271.
31 NL Bd. 138: Politischer Schriftwechsel 1914/I.

schen Bedürfnissen verlangte, — all das macht eine historische Wertung unmöglich, welche über das »Verstehen« (aus dem »Zeitgeist«) hinaus als eine inhaltliche Zustimmung gedeutet werden könnte. Das gilt um so mehr, wenn man sich die folgenden Sätze vor Augen hält: »Frankreich muß sodann in seiner weltpolitischen und weltwirtschaftlichen Geltung geschwächt werden. Das geschieht bereits durch die mit Rücksicht auf England geforderte Minderung seines territorialen Bestandes an der Nordsee, am Mittelmeer und am Roten Meer sowie durch die Auferlegung einer schweren Kriegsentschädigung. Es sind ihm aber außerdem möglichst die Grundlagen zu nehmen für die Entwicklung einer lebensstarken ›schweren‹ Industrie, welche die Voraussetzung für eine große Rüstungsindustrie bildet.«

Mochten solche Thesen vordergründig auch wegen der von Deutschland gebrachten Opfer als berechtigt angesehen werden und als notwendig, um einen »deutschen« Frieden zu sichern, so offenbarte sich in ihnen in Wahrheit nichts anderes als ein uneingeschränkter Machtwille. Alles übrige war ideologische Verbrämung, und man wird deshalb dem Urteil nicht vorbehaltlos zustimmen können, daß »Stresemanns Wünschen hinsichtlich der Machterweiterung des Deutschen Reiches und der Erringung der deutschen Hegemonie in Europa ... naiv nationalistisch-idealistische Vorstellungen« zugrunde gelegen hätten. [32] Romantische Vorstellungen von deutscher Reichsherrlichkeit haben bei Stresemann zwar eine auffallende Rolle gespielt, aber er war viel zu sehr Wirtschafts- und Machtpolitiker, als daß nicht handfeste Interessen volkswirtschaftlicher und handelspolitisch-strategischer Art seine Zielsetzungen mitbestimmt hätten. Wohl war Stresemann gefühlsbetont, aber er war keineswegs naiv. [33]

Am 8. Dezember 1914, vier Tage nach der Auricher Rede, wurde Stresemann vom Reichskanzler Bethmann Hollweg empfangen. Er erschien bei ihm als Abgesandter und Wortführer des »Bundes der Industriellen«, dessen zweiter Vorsitzender er war. In seiner Begleitung befand sich der Landrat a. D. Roetger, der Syndikus des »Centralverbandes deutscher Industrieller«. Roetger vertrat die Organisation der deutschen Schwerindustrie, Stresemann die der verarbeitenden Industrie. In diesem Augenblick vergaßen die beiden Männer, was sie sonst

---

32 A. Thimme, a. a. O., S. 22.
33 In diesem Zusammenhang sei nur auf Stresemanns Mitgliedschaft im Unterausschuß des Kriegsausschusses der deutschen Industrie verwiesen. Wenn er in der Sitzung vom 7. November 1914 bezüglich der Annexion von Belgien ausführte, »daß diese Frage doch nicht so stände, daß lediglich eine Annektierung als Reichsland oder Provinz in Betracht komme; es sei doch auch möglich, Belgien als deutsche Kolonie zu behandeln, ihm möglichst viele Freiheiten zu gewähren, sein Militärwesen usw. aber unter deutsche Oberhoheit zu stellen«, so wird man von Naivität und bloßem Idealismus nicht mehr reden können.

trennte, denn es galt, die politische Führung des Reiches, vor allem den Reichskanzler selbst, für ein umfangreiches Annexionsprogramm zu gewinnen. Der Niederschrift, die Stresemann über diese Unterredung anfertigte [34], ist zu entnehmen, daß die im Kriegsausschuß vereinigte deutsche Industrie für den Fall eines Sieges, der als selbstverständlich und unbezweifelbar angenommen wurde, im Westen folgende Kriegsziele erstrebte (Vortragender war Roetger): »Abtretung des Striches der Nordküste Frankreichs bis Calais, sodann Berichtigung unserer Grenzen und namentlich Einbeziehung der Kohlen- und Erzgruben bei Longwy und Briey sowie derjenigen Vogesen-Festungen, die unsere militärischen Sachverständigen für notwendig hielten, endlich Abtretung aller Rechte, die Frankreich in Marokko erworben habe. Belgien müsse Deutschland angegliedert werden, etwa in der Form wie die englischen Kolonien mit dem Mutterlande verbunden sind ... Sodann hielten wir es für wünschenswert, ein näheres wirtschaftliches Verhältnis zwischen Deutschland, Österreich, Frankreich, der Schweiz, Belgien und den skandinavischen Ländern herzustellen.«

Stresemann stand voll und ganz hinter diesem Programm [35], das, sollte es überhaupt Aussicht auf Verwirklichung haben, die entscheidende militärische Niederwerfung Rußlands und Frankreichs voraussetzte. Selbst dann noch blieb ungewiß, wie die Einbeziehung der skandinavischen Länder in eine von Deutschland geführte bzw. beherrschte mitteleuropäische Zoll- und Wirtschaftsunion erreicht werden sollte. In Wahrheit entsprangen alle diese Pläne einer maßlos übersteigerten Selbsteinschätzung, die den Bezug zur Realität verlassen hatte.

Aufgrund einer detaillierten Kenntnis der militärischen Lage war Bethmann Hollweg die Fragwürdigkeit dieser Ambitionen bewußt, und er fand in der Unterredung, wie Stresemann berichtete, sehr wohlwollende Worte gerade auch für Frankreich. [36] Stresemann dagegen gab ihm darin keine Unterstützung, widersprach allerdings auch nicht. Zwar bezeichnete auch er Frankreich als den achtbarsten und anständigsten Gegner, aber das hinderte ihn keineswegs, gerade dieses Land als ergiebiges Beuteobjekt zu betrachten. Denn zu den territorialen und damit wirtschaftlichen sowie strategischen Verlusten kam ja noch die Forderung hinzu, an Deutschland eine hohe Milliardensumme [37] Kriegsentschädigung zu entrichten. Berücksichtigt man überdies die Stellung,

34 NL Bd. 139: Politischer Schriftwechsel 1914/II.
35 Vgl. auch Deutschland im ersten Weltkrieg, Bd. 1, a. a. O., S. 392: Protokoll über die Sitzung des Kriegsausschusses der sächsischen Industrie vom 15. Dezember 1914. Wichtig in diesem Zusammenhang die Forderung Stresemanns, den deutschen Kolonialbesitz in Zentralafrika durch die Eingliederung des Kongostaates und Dahomeys »abzurunden«.
36 Vgl. dazu F. Fischer, Krieg der Illusionen, a. a. O., S. 758 ff.
37 In der öffentlichen Diskussion war damals von rund 30 Milliarden Goldmark die Rede.

die Frankreich im mitteleuropäischen Wirtschaftsverband einnehmen sollte, so wird deutlich, daß Stresemann in seinem außen- und weltpolitischen Konzept, solange ihm die Kriegslage hoffnungsvoll erschien, Frankreich nicht mehr als nur eine politisch, wirtschaftlich und militärisch zweitrangige Stellung in Abhängigkeit von Deutschland zuzugestehen bereit war. Für das Deutsche Reich aber glaubte Stresemann den »großen Moment der Weltgeschichte« gekommen, nun endlich ans Weltmeer vorrücken und damit eigentlich erst Weltmacht werden zu können. [38]

Angesichts der ungeklärten Kriegslage im Spätherbst 1914 verbot die zivile Reichsleitung die öffentliche Kriegszieldiskussion. Bethmann Hollweg tat das — von innenpolitischen Gesichtspunkten abgesehen [39] — vor allem mit Rücksicht auf das gegnerische und neutrale Ausland und mit dem Blick auf mögliche Friedenssondierungen. Die großen deutschen Wirtschaftsverbände waren mit diesem Verhalten jedoch keineswegs einverstanden — im Gegenteil, sie erarbeiteten Anfang 1915 eine neue Denkschrift zur Kriegszielfrage, die Reichstag und Reichsregierung übergeben werden sollte. [40] In diesem Zusammenhang hielt Stresemann am 9. Januar 1915 im Sonderausschuß des Kriegsausschusses der deutschen Industrie [41] einen Vortrag mit dem Titel: »Die durch den Krieg geschaffene handels- und wirtschaftspolitische Lage«. [42]

Das große Problem für Stresemann war, wie der Vortrag mehrfach dokumentiert, die Zukunft des deutschen und auswärtigen Handels nach Beendigung des Krieges. Er ging dabei von der Überzeugung aus, daß Deutschland im Osten und Westen militärisch siegen würde, daß es dagegen ungewiß sei, ob ein Sieg gegen England erreicht werden könnte. »Wenn wir uns auf diesen Standpunkt stellen, dann kommt die Frage, ob wir in den Friedensbedingungen, die wir zu stellen haben und bei denen wir entscheidend mitzuwirken haben, handelspolitische Forderungen mit aussprechen können.« Erneut attackierte Stresemann in scharfen Worten Englands Politik und Kriegführung, die — wie er meinte — von der Absicht getragen waren, Deutschlands wirtschaftliche Macht zu brechen. »Gelingt es England nicht, uns niederzuringen, muß es erleben, was es ja wohl erleben wird, daß seine Verbündeten

38 Vgl. seinen Brief an Bassermann vom 31. Dezember 1914. NL Bd. 135.
39 Vgl. dazu F. Fischer, Krieg der Illusionen, a. a. O., S. 779 ff., und Deutschland im ersten Weltkrieg, Bd. 1, a. a. O., S. 412 ff.; allg. W. J. Mommsen, Die Regierung Bethmann Hollweg und die öffentliche Meinung 1914—1917, in: Vierteljahrshefte für Zeitgeschichte, 17. Jg. (1969), S. 117 ff.
40 Deutschland im ersten Weltkrieg, Bd. 2, a. a. O., S. 166.
41 Dieser Kriegsausschuß war bei Beginn des Krieges vom »Centralverband deutscher Industrieller« und vom »Bund der Industriellen« gegründet worden, um eine Übereinstimmung in wirtschaftspolitischen Fragen zu erzielen.
42 Gedruckt als vertraulicher Bericht. NL. Bd. 150: Politische Reden und Schriften 1915/I.

zum Frieden drängen werden, dann wird es den Kampf gegen uns nicht aufgeben, der Kampf wird weitergeführt werden und wird mindestens zu einem wirtschaftlichen Ringen zwischen England und seinem großen Kolonialreich auf der einen Seite und Deutschland auf der anderen Seite werden.«

In dieser Persepktive bestimmte Stresemann auch die deutsch-französischen Beziehungen der Zukunft, die er durch den im Kriege geweckten und geschürten Haß der Nationen zusätzlich kompliziert sah. Er befürchtete daher in Frankreich wie in den anderen feindlichen Ländern nach Kriegsende einen weitgehenden Boykott deutscher Waren. Hinsichtlich des künftigen Verhältnisses zu Frankreich erklärte Stresemann in seinem Vortrag: »Anscheinend würde der Reichskanzler und würden weite führende Kreise des deutschen Volkes sich freuen, wenn dieses Verhältnis ein freundlicheres werden könnte, wie ja überhaupt doch kein Mensch daran zweifeln kann, daß bei uns irgendeine Abneigung gegen Frankreich und französisches Wesen nicht bestanden hat, vielleicht eher das Gegenteil davon, eine Nachäffung französischen Wesens, daß wir jedenfalls niemals, um unsere Grenzen nach Westen zu erweitern, einen Krieg mit Frankreich begonnen hätten. Aber es fragt sich, wenn man wirklich jemanden liebt, ob der andere sich lieben lassen will, ob dort nicht die Erregung über die zum zweiten Mal mißlungenen Versuche, die deutsche Hegemonie in Mitteleuropa zu brechen, doch zu Ausbrüchen führen wird, die uns mindestens Schwierigkeiten in Zukunft machen, die uns nur den Weg übriglassen, wenn wir diktieren, auch *handelspolitisch* (zu) *diktieren*, die uns aber nicht davor schützen, daß wir mit starken Boykottbestrebungen zu rechnen haben.«

Aus diesen Worten geht einmal mehr hervor, daß damals Stresemann zwar nicht logisch, aber doch — und das war entscheidend — politisch Widersprüchliches auf einen Nenner bringen wollte: ein handelspolitisches Diktat gegenüber Frankreich und dennoch freundlichere Beziehungen, Deutschlands Hegemonie in Mitteleuropa und dennoch ein friedliches Nebeneinander. In seiner Sicht waren das keine Gegensätze, wenn nur Deutschlands Führungsanspruch auf dem Festland und damit seine Weltmachtstellung anerkannt wurde. Diese Anerkennung mit allen ihren Konsequenzen war aber für Stresemann eine wirtschaftliche und politische Conditio sine qua non. Die damit verbundene Herausforderung der anderen Großmächte scheint ihm nicht — oder doch nicht genügend — bewußt gewesen zu sein. Der auch moralisch verstandene Nationalismus stand wohl einer solchen Einsicht hemmend im Wege.

Immerhin ist aufschlußreich, daß Stresemann die Situation nach dem Kriege bei weitem nicht so sorgenfrei einschätzte, wie sie der Phantasie vieler anderer in Deutschland erscheinen mochte: »Schwieriger werden die Verhältnisse auf dem Weltmarkt für die deutsche Ausfuhrindustrie unter allen Umständen, und schwieriger werden sie vor allen Dingen auch aus dem Grunde, weil wir, glaube ich, nicht so optimistisch sein können, zu behaupten, wir werden diesen Krieg so beenden, daß weite Generationen hindurch Frieden sein wird. Denn dadurch entsteht ein weiteres Moment, das diese Weltbeziehungen stören wird. Wenn wir nicht, was wir ja alle gemeinschaftlich hoffen, derartig siegen, daß wir Frankreich und Rußland für alle Zeiten niederwerfen, wird jeder Kaufmann kalkulieren, es kann in zehn Jahren ein neuer Krieg entstehen. Ein kolossales Wettrüsten wird entstehen, Mißtrauen wird bestehen, und das wird auch dazu führen, daß neue Investierungen deutschen Kapitals in Übersee erschwert werden.«

Handelspolitische Überlegungen, weltwirtschaftliche Zukunftsperspektiven bestimmten offensichtlich Stresemanns expansive Kriegszielforderungen. Einer Pax Britannica wollte er Deutschland niemals unterwerfen, einer für ihn dagegen wünschenswerten Pax Germanica würde sich umgekehrt England nicht unterordnen — also blieb in Stresemanns Sicht deutscherseits nur die Vorsorge, die kommenden Auseinandersetzungen mit besseren Voraussetzungen erwarten (nicht allerdings vorbereiten oder gar herbeiführen) zu können. Mittel dazu sollte neben den als notwendig erachteten territorialen Annexionen in Ost und West ein relativ geschlossenes mitteleuropäisches Wirtschaftsgebiet sein. Stresemann dachte dabei im wesentlichen an eine Zollunion zwischen Deutschland, Österreich und Frankreich; weitergehende Pläne (»von Antwerpen bis Bagdad«) hielt er für wenig realistisch. [43]

In dieser Zollunion, das erklärte Stresemann ausdrücklich, würde »unzweifelhaft die deutsche Industrie die alleinherrschende« sein. Allerdings erschienen ihm, besonders was Frankreich betraf, die Aussichten für ein Zustandekommen dieses Planes recht vage: »Aber, meine Herren, eine andere Frage ist die, ob ein einheitlicher Außen-Zolltarif überhaupt durchzusetzen ist, einmal politisch, zweitens wirtschaftlich und drittens verwaltungstechnisch. Ob wir Frankreich zwingen können, mit uns eine Zollunion einzugehen mit einem Außensperrfort von Zöllen gegenüber der übrigen Welt oder gar ohne Zwischenzollinie zwischen Frankreich und Deutschland, erscheint mir zweifelhaft. Vom französischen Interesse aus wird man sicherlich sich dagegen wehren. Es würde doch nach außen gedeutet werden als wirtschaftliche Hegemonie Deutschlands über Frankreich.« Die französische Interpretation einer solchen Zollunion wäre nicht nur eine Deutung nach außen gewesen, sie hätte vielmehr die volle Wahrheit getroffen.

---

43 Belgien wurde von Stresemann Deutschland schon zugerechnet! Allgemein dazu F. Wende, Die belgische Frage in der deutschen Politik des ersten Weltkrieges, Hamburg 1969.

Daß Stresemann die französische Argumentation reflektierte, beweist sein politisches Verständnis; daß er Frankreich diese Zollunion im Friedensvertrag dennoch aufzwingen wollte, bezeugt einen an Sicherheitsvorstellungen orientierten Wirtschaftsimperialismus. An sich war der Plan einer europäischen Wirtschaftsunion durchaus revolutionär und zukunftsträchtig, auch für Frankreich. Wenn man aber die Voraussetzungen berücksichtigt, unter denen er verwirklicht werden sollte, so wird deutlich, daß nicht nur die freie Entscheidung aller Beteiligten fehlte (was von vornherein ein starkes Unsicherheitsmoment beinhaltete), sondern auch ein solches wirtschaftliches und politisches Ungleichgewicht vorhanden war, daß von Frankreichs Souveränität und Großmachtposition kaum etwas übriggeblieben wäre. Zu einer solchen Selbstabdankung konnte Frankreich unter den gegebenen Umständen nicht bereit sein. Chancen boten Pläne dieser Art in gewandelter Situation bei einer politischen Gleichberechtigung der jeweiligen Wirtschaftspartner. Ökonomische Zusammenarbeit mochte dann auch politische Zusammenarbeit herbeiführen. In der Situation des Krieges oder des erzwungenen Friedens zeigte sich jedoch kein dauerhafter Weg zum Ausgleich der Interessen.

Wenn Stresemann eine mitteleuropäische Zollunion bejahte, so tat er das im wesentlichen mit dem Blick auf die Möglichkeiten Englands (sowie der USA) und die Gefahren, die er bei einer Boykottierung deutscher Waren fürchtete. England blieb der Hauptgegner: »Dieser Krieg ist meiner Ansicht nach kein Kampf um irgendwelche nationale oder kulturelle Ideale, sondern lediglich ein Konkurrenzkampf, den England uns aufgezwungen hat und zu dessen Durchführung es Frankreich und all die übrigen Staaten in den Krieg gehetzt und Italien und Rumänien gleich noch hineinhetzen wird.« [44] Für Stresemann war Englands Kriegsziel die Vernichtung Deutschlands, »um ungehindert in alter Saturiertheit den Welthandel monopolisieren zu können«. [45]

Stresemann war alles andere als ein Anhänger Bethmann Hollwegs. Er warf ihm diplomatisches Versagen in der Vorkriegszeit und in der Juli-Krise vor, mißtraute seiner politischen Führungskunst und war vor allem mit seiner »schwächlichen« Haltung in bezug auf Deutschlands Kriegsziele nicht einverstanden. Letztlich richtete sich seine Polemik gegen den auch von Bassermann gehegten Verdacht, daß Deutschland

---

44 Stresemann am 11. 1. 1915 in einem Brief an den Fabrikanten Stollwerck, Köln. NL Bd. 145: Politischer Schriftwechsel 1915/I.
45 Ebenda. Die englische Seeblockade und die Forderung im Fachblatt der englischen Ingenieure (von Stresemann nicht näher gekennzeichnet), bei einem Sieg über Deutschland die industriellen Unternehmungen in Rheinland und Westfalen derart zu zerstören, daß an einen Aufbau nicht mehr zu denken sei, waren Stresemann Beweis für Englands abgrundtiefen Handelsneid.

unter Bethmann Hollweg niemals ein »Weltreich« werden würde. [46] Auch dessen Frankreich-Konzeption konnte Stresemann nicht überzeugen. In einem Brief an den Fabrikbesitzer Friedrich Uebel, Plauen, schrieb er am 16. Januar 1915, Bethmann Hollweg sehe »in einer Verständigung mit Frankreich das Ziel seiner Politik, da er hierdurch die Entente zu sprengen hofft und Frankreich für spätere Zeiten an unsere Seite zu fesseln gedenkt, was ich für völlig utopisch halte«. [47] Die Möglichkeit, Frankreich als Ersatz für die an Deutschland abzutretenden Gebiete (Kanalküste und Festungsgebiet) einen Teil Südbelgiens zu überlassen, hielt allerdings auch Stresemann für erwägenswert.

Am 5. März 1915 referierte Stresemann auf der 2. Sitzung der vom »Bund der Industriellen« eingesetzten »Sonderkommission zur Beratung der durch den Krieg geschaffenen wirtschafts- und handelspolitischen Fragen« erneut über die geplanten deutsch-französischen Vereinbarungen. [48] Einleitend erklärte er: »Die gegenwärtigen handelspolitischen Beziehungen zwischen Frankreich und dem Deutschen Reiche sind durch den Frankfurter Frieden geregelt. Man hat durch diese gegenseitige Meistbegünstigung die Interessen Deutschlands Frankreich gegenüber in allen Fällen gewahrt gesehen. Wir sind aber in der Industrie der Überzeugung geworden, daß wir mit diesem System der Meistbegünstigung schlecht gefahren sind. Frankreich braucht nur die Zölle für gewisse Waren in die Höhe zu setzen und wird Deutschland hierdurch sehr schaden. Die Meistbegünstigung schützt auch nicht vor der Boykottierung deutscher Waren in Frankreich.«

Um diesen Gefahren zu entgehen, schlug Stresemann den Abschluß eines langjährigen Handelsvertrages vor. [49] Es war ihm klar, daß ein solcher Handelsvertrag, der Deutschland Sicherheiten gegen einen etwaigen Zollkampf bot, nur in Friedensverhandlungen erzwungen werden konnte — aber auch erzwungen werden mußte. Nach Stresemanns Meinung sollte von Frankreich eine 50%ige Zollermäßigung der Waren verlangt werden, die es auf dem Landwege importierte. »Diese Bestimmung würde, falls Frankreich darauf eingeht, gleichzeitig eine

46 In einem Brief vom 24. 12. 1914 an Stresemann nannte Bassermann Bethmann Hollweg einen »Unglücksmann« und »Schwächling«, charakterisiert durch »Harmoniedusel« und »Illusionspolitik«. G. Stresemann, NL Bd. 135. Vgl. in diesem Zusammenhang die Darlegungen von Fritz Stern zum Urteil, das Kurt Riezler in den ersten Kriegsjahren über Bethmann Hollweg fällte. Bethmann Hollweg und der Krieg, a. a. O., S. 43. Folgende Sätze entsprechen ganz der Einschätzung und Absicht Stresemanns: »Er (Riezler) sehnte sich nach etwas Dynamischerem, Mitreißenderem — er sehnte sich nach nichts anderem als dem charismatischen Führer, den Weber nach dem Kriege beschrieb. Er wünschte, daß der Kanzler aufhöre, den advocatus diaboli zu spielen, daß er seinen Machtwillen stärke, jene Leidenschaft und jenen Magnetismus gewinne, der das Volk begeistert hätte.«
47 NL Bd. 145.
48 Niederschrift seines Referates in: NL Bd. 145.
49 Die Dauer des Handelsvertrages sollte etwa 18 Jahre betragen.

starke Tendenz gegen England in sich tragen. England muß seine Waren auf dem Seeweg einführen, und England ist heute der Hauptlieferant für Frankreich.«

Stresemann zielte mit seinen Forderungen auf die Vergrößerung und Intensivierung des mitteleuropäischen Marktes, natürlich unter deutschem Vorzeichen. Bei diesem wirtschaftspolitischen Konzept blieb Frankreich nur die Rolle des (unfreiwilligen) »Entwicklungshelfers« — zwar geehrt, vielleicht sogar geachtet, aber letztlich doch nur ein Juniorpartner minderen Ranges: »Gelingt es uns, mit Österreich-Ungarn in einen engeren wirtschaftlichen Zusammenschluß in handelspolitischer Hinsicht zu kommen, so ist ferner in einem Tarifvertrag mit Frankreich dahin zu wirken, daß Frankreich einem solchen engeren Zusammenschluß auch seinerseits beitritt. Dann kann schließlich der überseeische Export nicht so wichtig sein wie die Erstarkung unserer handelspolitischen Situation auf dem europäischen Markte. Wir müssen also auch in dieser Hinsicht auf Frankreich den nötigen Druck auszuüben suchen.« [50]

Will man verstehen, was Stresemann bewog, diese Sprache zu reden, so wird man die schon vor dem Kriege ungünstige handelspolitische Lage Deutschlands berücksichtigen müssen. Zur Knappheit an Rohstoffen und zur Notwendigkeit wachsender Exporte, für die Märkte im Konkurrenzkampf erst noch erschlossen werden mußten, kamen nicht unbedeutende Gefahren eines Warenboykotts, prohibitiver Zollerhöhungen und gegen Deutschland gerichteter Vorzugsbündnisse. Es fehlte ein großes geschlossenes Wirtschaftsgebiet, das dem Rußlands, mehr noch aber dem der USA und des englischen Imperiums vergleichbar gewesen wäre. Stresemann hatte diese wirtschaftspolitische Schwäche des Reiches schon früh erkannt. Im Krieg glaubte er das (besonders bei England) forcierte Bemühen der Gegner Deutschlands zu erblicken, dieses Deutschland nicht in den Rang einer ökonomisch gesicherten Weltmacht aufsteigen zu lassen.

Stresemann hielt eine solche Weltmachtrolle jedoch angesichts der rapide steigenden Bevölkerung des Reiches für eine Existenzfrage — dazu aus der nationalen Hochstimmung heraus für politisch erstrebenswert und moralisch gerechtfertigt. Entscheidend waren aber seine volkswirtschaftlichen Überlegungen. Sie erst machen verständlich, warum Stresemann in einem Friedensvertrag eine grundlegende Verbesserung

---

50 Die offiziellen Eingaben der deutschen Wirtschaftsverbände an den Reichskanzler Bethmann Hollweg erfolgten am 10. März und am 20. Mai 1915. Vgl. dazu auch F. Fischer, Griff nach der Weltmacht, a. a. O., S. 199 f., und M. L. Edwards, a. a. O., S. 59 ff. »Gemeinsame Vorschläge für die Neuregelung der handelspolitischen Beziehungen zu Frankreich, Rußland und Österreich-Ungarn« wurden von den Wirtschaftsverbänden am 16. August 1915 beschlossen. Text NL Bd. 152: Politischer Schriftwechsel und Politische Akten 1915/IV.

der deutschen handelspolitischen Stellung erreichen wollte. Er meinte sie erreichen zu müssen. Die Frage also, ob die von Stresemann propagierten Kriegsziele mehr offensiver oder mehr defensiver Natur waren, muß bei gründlicher und unvoreingenommener Quellenanalyse, die das Selbstverständnis der damaligen Zeit und die persönliche Überzeugung Stresemanns berücksichtigt, im zweiten Sinne beantwortet werden. Der Annexionist Stresemann und Verfechter des »Siegfriedens« wurde mehr von der Angst vor der wirtschaftspolitischen Zukunft Deutschlands bestimmt als von alldeutsch-imperialistischem Eroberungsdrang.

Wie ist dann aber die bei Stresemann häufig konstatierbare Leidenschaftlichkeit, ja bisweilen Aggressivität der Sprache zu beurteilen? Sie könnte psychologisch als Ausdruck vorhandener, aber nicht eingestandener Unsicherheit und Verletzlichkeit (nicht Stresemanns persönlich, sondern bezogen auf Deutschlands Stellung in der Welt) gedeutet werden. Inhaltlich resultierten jedenfalls Stresemanns Forderungen im wesentlichen aus der Absicht, die wirtschaftliche Verwundbarkeit des Reiches ein für allemal zu beseitigen und damit den lebensnotwendigen Industrieexport endgültig zu sichern. Es ist selbstverständlich, daß die Gegner Deutschlands diese für sie negative Umwälzung der weltpolitischen Konstellation nicht billigen konnten. Etwas anderes ist es, über die politische Legitimität der jeweiligen Zielsetzungen rechten zu wollen.

Sind die Motive Stresemanns auch aus heutiger Sicht durchaus begreifbar, so gilt das nicht in gleicher Weise für das Ausmaß seiner Annexionswünsche und handelspolitischen Forderungen. Auch damals schon hätte Stresemann wissen können, wissen müssen, daß die Sprache der Macht nicht ausreicht, vielleicht sogar verhindert, den notwendigen und für alle ertragreichen internationalen Güteraustausch zu bewirken und zu erhalten. Wenn Stresemann am 18. Juli 1915 in einer parteiinternen Sitzung der Führungsgremien der Rheinprovinz und Westfalens feststellte: »Wir müssen so stark werden und unsere Gegner so rücksichtslos schwächen, daß uns kein Feind mehr anzugreifen wagt: dazu ist unbedingt eine Grenzveränderung im Westen wie im Osten erforderlich...«[51], so war eine solche politische Doktrin entweder völlig illusionär oder in ihrer Konsequenz so brutal und dehnbar, so fern jeder politischen Vernünftigkeit und Weitsicht, daß kein Anlaß besteht, sie zu entschuldigen oder zu beschönigen.

Persönlich sehr entgegenkommend, ja sentimental gestimmt, konnte Stresemann volkswirtschaftlich und politisch unerbittlich sein. »Traumjörg« und Syndikus wollten sich schwerlich zu einer Einheit finden. Im Verhältnis zu Frankreich dominierte bei Stresemann trotz einiger Zeichen des Entgegenkommens eindeutig der Syndikus und machtbewußte

---

51 Zitiert nach F. Fischer, Griff nach der Weltmacht, a. a. O., S. 211. Vgl. auch Deutschland im ersten Weltkrieg, Bd. 2, a. a. O., S. 171 f.

Nationalist: »Ist Frankreich militärisch niedergezwungen, dann würde schwächliche Schonung ein nicht wiedergutzumachender Fehler sein, dann müssen wir das Land nehmen, das uns bessere Grenzen bringt und unsere Bodenschätze an Erz und Kohle vermehrt. Die Grenze im Süden ist eine so ungünstige für Deutschland, daß wir darnach trachten müssen, Belfort und die Vogesen ganz in unsere Hand zu bekommen, die Mosel-Marne-Grenze zu gewinnen und die französische Küste im Norden bis zu einem Punkte, von wo uns der freie, von England unverwehrte Zugang zum Atlantik gewährleistet ist. Dieser blutigste aller Kriege muß uns diese besseren Grenzen bringen und uns damit schützen, soweit dies menschenmöglich ist, vor künftigem Überfall.« [52]

Die Vorstellung von einem unangreifbaren Deutschland mochte Stresemann beruhigen, die Möglichkeit, bei eigener Stärke eine Politik der Verständigung mit den Besiegten zu suchen, ihm utopisch erscheinen — in Wahrheit hätte diese zwar nicht die Unangreifbarkeit verbürgen, dafür aber mit weit mehr Wahrscheinlichkeit einen kommenden Krieg verhindern können. Ein erzwungenes »größeres Deutschland« mußte ihn dagegen beinahe gewiß machen, und es scheint, daß Stresemann, da er aus ökonomischen und strategischen Gründen auf wesentliche Positionsverbesserungen des Reiches nicht verzichten zu können glaubte, deshalb um so mehr seine damaligen Kriegsziele mit dem Blick auf eine künftige Auseinandersetzung entwickelte. —

In den folgenden drei Jahren (bis Sommer 1918) hat Stresemann seine außen-, wirtschafts- und militärpolitischen Zielvorstellungen aufs Ganze gesehen nicht revidiert. [53] Für lange schienen die Ereignisse an der Front und in Deutschland zu bestätigen, was von eigenen Hoffnungen in ein illusionäres Gesamtbild eingegangen war. Stresemann weigerte sich — gewiß ungewollt, aber eben doch in der Konsequenz seiner politischen Kategorien, in denen zu denken und zu handeln er gewohnt war —, die Tatsache anzuerkennen, daß das ursprüngliche Programm der Mittelmächte trotz aller militärischen Einzelerfolge sich als unerreichbar erwiesen hatte. Die politische Reichsleitung urteilte anders, aber sie tat weiterhin nichts, um die in der öffentlichen Meinung

52 Niedergeschrieben am 28. Juli 1915. NL Bd. 147: Politischer Schriftwechsel 1915/III. — Hinzu kam bei Stresemann noch die für ihn selbstverständliche Pflicht Frankreichs, im Friedensschluß mit Deutschland eine hohe Kriegsentschädigung auf sich zu nehmen.
53 Im Nachlaß Stresemanns und in den übrigen Quellen findet sich für die Jahre 1915 (Ende) — 1918 vergleichsweise wenig Material, das Aufschlüsse über dessen Frankreich-Konzeption zu geben vermag. Diese Quellenlage ist weder zufällig noch bedeutungslos. Es wird daher darauf ankommen, einerseits den »Stellenwert« zu bestimmen, den Frankreich in der außen- und wirtschaftspolitischen Zielsetzung Stresemanns einnahm, andererseits aber auch jene symptomatischen Äußerungen und Handlungen zu berücksichtigen, die über die spezielle Thematik hinaus auf dessen gesamtpolitisches Koordinatensystem verweisen.

Deutschlands grassierende Fehleinschätzung der eigenen Position und derjenigen der anderen Mächte zu korrigieren. Die von Bethmann verfolgte »Politik der Diagonale« [54] verlor damit, gerade weil er es mit niemandem verderben wollte, ihre beabsichtigte Wirkung.

Stresemann war bis in die Schlußphase des Krieges einer der vehementesten Vertreter eines deutschen »Siegfriedens«. Die Stellung, die er in Wirtschaft und Politik einnahm, gab seinem Votum eine starkes Gewicht; seine rhetorischen Fähigkeiten verschafften ihm lebhafte Zustimmung in bürgerlichen Kreisen. In der Reichstagsfraktion der Nationalliberalen war er allerdings nicht ohne Gegner. [55] Das lag ebenso am Interessenspektrum innerhalb dieser Partei wie an Stresemann selbst, der verfassungspolitisch zum linken Flügel tendierte (d. h. den Übergang von der konstitutionellen zur parlamentarischen Monarchie anstrebte) [56], außenpolitisch jedoch (entsprechend seinem Kriegszielprogramm) den reaktionären Elementen des rechten Flügels verbunden war. [57]

In gewollter Nachfolge Bismarcks verstand sich Stresemann als Real- und Machtpolitiker. Dennoch waren seine kriegspolitischen Intentionen mehr von Wünschen als von Tatsachen bestimmt. So wußte er zwar, daß seine Ziele den militärischen Sieg Deutschlands voraussetzten [58], aber bis zum eklatanten Beweis des Gegenteils sperrte er sich gegen alle, die diesen Sieg bezweifelten. Zudem mußte nach seiner Meinung *möglich* sein, was *notwendig* schien: das Ende der »Einkreisung« des Reiches, der Diskriminierung des deutschen Exports, der »Weltherrschaft« Englands. Wirtschaftliche und militärische Sicherheit Deutschlands zuerst —

---

54 Dieser Terminus bei Th. v. Bethmann Hollweg, Betrachtungen zum Weltkriege, Teil II, Berlin 1922, S. 35.
55 Vgl. dazu K.-P. Reiß, Von Bassermann zu Stresemann. Die Sitzungen des nationalliberalen Zentralvorstandes 1912—1917 (Quellen zur Geschichte des Parlamentarismus und der politischen Parteien, Erste Reihe, Bd. 5), Düsseldorf 1967, S. 31 ff. (Einleitung), und E. Matthias — R. Morsey, Der Interfraktionelle Ausschuß 1917/18, Erster Teil (Quellen zur Geschichte des Parlamentarismus und der politischen Parteien, Erste Reihe, Bd. 1/I), Düsseldorf 1959, S. XX f. (Einl.), bes. auch Anm. 43 und 44.
56 Eine andere Forderung war die Aufhebung des preußischen Dreiklassenwahlrechts.
57 Vgl. dazu auch F. Hirsch, a. a. O., S. 34, und F. Fischer, Griff nach der Weltmacht, a. a. O., S. 211 f. In der Kriegszielfrage befand sich Stresemann in Übereinstimmung mit fast allen Mitgliedern des nationalliberalen Zentralvorstandes. Vgl. dessen Resolution vom 15. August 1915, die u. a. die Erklärung enthielt, »daß das Ergebnis des jetzigen Krieges nur ein Friede sein kann, der unter Erweiterung unserer Grenzen in Ost und West und Übersee uns militärisch, politisch und wirtschaftlich gegen neuen Überfall sichert und die ungeheuren Opfer lohnt, die das deutsche Volk bisher gebracht hat und bis zum siegreichen Ende weiter zu bringen entschlossen ist«. K.-P. Reiß, a. a. O., S. 203 (Quelle III b). Am 21. Mai 1916 bestätigte der Zentralvorstand dieses Kriegszielprogramm. Vgl. ebda., S. 281 (Q. IV).
58 Vgl. seinen Brief vom 11. Januar 1915 an Dr. Westenberger, Schriftleiter des »Leipziger Tageblatts«. NL Bd. 145.

das war die Quintessenz der außenpolitischen Konzeption Stresemanns in den Kriegsjahren; sie sollte darüber hinaus eine Garantie für künftigen Frieden bieten. Am 6. April 1916 erklärte er im Reichstag: »Gerade nach den Erfahrungen dieses Krieges sehen wir die Sicherheit unserer Zukunft nur gewährleistet durch eine Stärkung Deutschlands nach Ost und West. Wir sehen — ich glaube, in voller Übereinstimmung mit dem Herrn Reichskanzler [59] — in einem unangreifbaren Deutschland die stärkste Friedensbürgschaft für Europa und für die Welt.« [60]

Ökonomisch orientierter Imperialismus und quasi-idealistischer Nationalismus blieben in Stresemanns überkommenem politisch-ideologischem Weltbild bis 1918 noch ungebrochen. Während er jedoch in der Periode vor dem Kriege bereit gewesen war, den wirtschaftlichen Interessen der Großmächte mehr Vertrauen entgegenzubringen als den Generalstäblern, verstärkten sich nun mit fortschreitender Kriegsdauer seine machtpolitischen Ambitionen, die allerdings weiterhin im ökonomischen und militärischen Sicherheitsbedürfnis ihren Bezugsrahmen hatten. Da allein der volle Sieg an den Fronten die Abwehr der Kriegsziele der Ententestaaten und zugleich die Erfüllung der deutschen »Weltmacht«-Hoffnungen zu verbürgen schien, wird verständlich, warum Stresemann, der das System der internationalen Beziehungen nicht ohne Wilhelminische Klischeevorstellungen zu interpretieren vermochte, zum »jungen Mann Ludendorffs« werden konnte. Dennoch bleibt es erstaunlich, wie wenig er die Interessenlage der Deutschland benachbarten Großmächte reflektiert hat. [61]

Mit der Absicht, in dem als »aufgezwungen« angesehenen Krieg die Hegemonie des Reiches in Europa ein für allemal durchzusetzen — denn auf nichts anderes lief die Vorstellung vom größeren und unangreifbaren Deutschland hinaus —, befand sich Stresemann in unmittelbarer Nachbarschaft der Alldeutschen. Andererseits schwenkte er jedoch insofern nicht endgültig auf die Linie der Ultra-Annexionisten ein, als er deren politisches Weltbild nur partiell teilte. Insgesamt läßt sich Stresemanns Position daher auch während des Krieges, wenngleich stärker als in den Jahren davor machtpolitisch bzw. nationalistisch akzentuiert, als die eines liberalen Imperialisten bezeichnen — näherhin bestimmbar zwischen der Position Bethmanns, der (trotz seines Mitteleuropaprojekts seit 1914 / 15) [62] eine ältere Form der »Staatsräson«

---

59 Stresemann konnte sich hier u. a. auf Bethmanns Reichstagsrede am 9. Dez. 1915 beziehen. Verhandlungen des Reichstags, Bd. 306, Stenogr. Berichte, Berlin 1916, bes. S. 437. Vgl. auch F. Fischer, Krieg der Illusionen, a. a. O., S. 781 ff.
60 Verhandlungen des Reichstags, Bd. 307, Stenogr. Berichte, Berlin 1916, S. 868.
61 Vgl. dazu A. Thimme, a. a. O., S. 24 f. (»Es fehlte jegliches Vorstellungsvermögen für das Sicherheitsbedürfnis der anderen Länder.«)
62 Vgl. dazu F. Stern, Bethmann Hollweg und der Krieg, a. a. O., S. 27 ff., und F. Fischer, Krieg der Illusionen, a. a. O., bes. S. 771 f.

vertrat, und derjenigen Ludendorffs, der einer auf Eroberungen abzielenden, völkisch betonten Großraum-Politik huldigte. [63]

In Kenntnis der weltweiten Konkurrenz der Großmächte um Kolonialbesitz, Absatzmärkte und Einflußsphären lehnte Stresemann bis in die letzten Kriegsmonate hinein eine Politik der bewußten Konfliktverminderung und Kooperation auf der Basis des Status quo ante ab, da er im Ausbruch und Fortgang des Krieges den Beweis zu sehen glaubte, daß dieser Status beides eben nicht hatte gewährleisten können. Zu dieser Überzeugung bekannte er sich mit aller Deutlichkeit in seiner — schon zitierten — Reichstagsrede vom 6. April 1916: »Einen solchen Standpunkt (gemeint ist eine Politik des Interessenausgleichs — Anm. d. Verf.) würde ich vor diesem Kriege für diskutierbar gehalten haben, aber nicht mehr nach den Erfahrungen dieses Weltkrieges. Denn haben wir schließlich nicht diese Politik weltpolitischer Resignation um des Friedens willen Jahrzehnte hindurch getrieben? ... Wo ist der Dank, den wir dafür geerntet haben? ... Wenn man so aus einem noch so schönen Traum aufwacht, dann darf man ihn nicht wieder träumen. Nicht darf man — wenigstens für die Zukunft nicht — glauben, daß Verzicht auf Weltgeltung, Entgegenkommen und Verständigung eine Bürgschaft für dauernden Frieden sein wird.« [64] Stresemanns Argumentation bedeutete gewiß eine Beschönigung der Reichspolitik in den Jahren vor dem Kriege, aber sie war auch nicht ganz ohne Berechtigung, so daß — berücksichtigt man alle Faktoren — sein politisches Denkschema zwischen den damaligen Extrempositionen anzusetzen ist; insgesamt jedoch zu eindimensional, als daß es der Komplexität der politischen Wirklichkeit hätte gerecht werden können.

Seit 1916 war sich Stresemann darüber im klaren, daß die ursprüngliche Kriegsbegeisterung bei großen Teilen des Volkes in eine drängende Friedenssehnsucht umgeschlagen war — mit der Breitschaft, auch einen »faulen Frieden« zu akzeptieren, wenn es dadurch gelang, den Krieg zu beenden. Für ihn war das jedoch unannehmbar, »weil ein solcher Friede nichts anderes sein würde als ein Waffenstillstand von einem halben oder ganzen Jahrzehnt, nach dessen Ablauf sich unsere Feinde mit doppelter Wucht auf uns stürzen würden«. [65] Stresemann sah die bloße Durchhalteparole der Regierung als zu wenig an. [66] Bei fehlender deutscher Siegespropaganda befürchtete er in den Feindstaaten einen für Deutschland negativen Eindruck. Er hatte erkannt, daß ein moderner Massenkrieg weder als traditioneller Kabinettskrieg noch allein als generalstabsmäßig organisierter Materialkrieg geführt werden konnte,

---

63 Vgl. dazu A. Hillgruber, Deutschlands Rolle, a. a. O., S. 60 f.
64 A. a. O., S. 868.
65 In einem Memorandum Anfang 1916. NL Bd. 159: Politische Reden 1916/I.
66 Ebenda.

vielmehr — wollte man ihn durchstehen — die Mobilisierung der politischen Leidenschaften verlangte.

Seiner Kriegszielpolitik vermochte Stresemann keine annehmbare Alternative gegenüberzustellen. [67] Ein Friede des Status quo ante erschien ihm zwar als durchaus erreichbar, galt ihm aber wegen der deutschen Interessenlage [68] als unannehmbar: »Es ist ja kein Zweifel vorhanden, daß wir jeden Tag mit England Frieden schließen können, wenn wir uns ruhmlos aus Belgien zurückziehen.« [69] Politische Mentalität und wirtschaftlich-strategische Gesichtspunkte schlossen für Stresemann eine solche Möglichkeit aus. Dann aber war geboten, einen Stimmungsumschwung des deutschen Volkes zu verhindern. Von einer forcierten Politik demonstrativer Stärke erwartete er zudem die Bereitschaft Frankreichs, in Friedensverhandlungen einzutreten. [70] Gelang das, war ein Ende des Krieges auch mit England abzusehen, dem — nach Stresemanns Meinung — entscheidenden Gegner Deutschlands. Unklar mußte jedoch bleiben, wie dieses Ende herbeigeführt werden sollte, wenn Frankreich den Hoffnungen nicht entsprach. Wie sollten die unabdingbaren Verhandlungen mit England erreicht werden, wenn deutscherseits ein Frieden mit »realen Garantien« — und zu ihnen zählte für Stresemann der Besitz der flandrischen Küste — verlangt wurde? Bei solchen Vorzeichen mußte der militärische Sieg als der politischen Weisheit letzter Schluß erscheinen.

Stresemann war entschieden gegen eine Verständigung mit England bei gleichzeitiger Schonung Frankreichs zuungunsten allein Rußlands. [71] Dessen Menschenüberzahl fürchtete er nicht, dessen »natürlichen« politischen Antagonismus gegenüber England bewertete er dagegen positiv. »Wenn Rußland erkennt, daß sein Ansturm gegen Deutschland vergeblich gewesen ist, wird es weniger geneigt sein, erneut gegen uns loszugehen wie England, das stets seine Kämpfe zäh und lange durchgeführt hat. Nach meiner Auffassung sollten wir, sobald sich in Rußland eine Geneigtheit zum Frieden zeigt, mit beiden Händen zugreifen und uns auf die Annexion von Kurland beschränken — die polnische Frage liegt mir aus eigener Anschauung zu fern, um sie beurteilen zu können —, uns dann mit aller Wucht auf Frankreich werfen, um Frankreich zu demütigen, damit es erkennen muß, besiegt zu sein, und

---

67 Vgl. auch M. L. Edwards, a. a. O., S. 71 ff.
68 Vgl. das im ersten Teil dieses Kapitels skizzierte Problem der Sicherstellung der weltwirtschaftlichen Position Deutschlands, ein Gedanke, der das politische Denken Stresemanns zentral bestimmte.
69 Memorandum Anfang 1916, a. a. O.
70 Ebenda.
71 Ebenda. Solche Vorstellungen wurden damals in Teilen der deutschen Publizistik vertreten, so im »Berliner Tageblatt« und in der »Frankfurter Zeitung«.

es durch eine starke Kriegsentschädigung sowie die notwendige Grenzberichtigung für alle Zeiten sehr zu schwächen, so daß es sich einer späteren Koalition unserer Gegner nicht anzuschließen vermag.«[72]

Für Stresemann war das, was er hier propagierte, keine Eroberungspolitik, sondern die zwar offensiv sich auswirkende, aber defensiv zu deutende Herbeiführung des »größeren Deutschland« in der Tradition der von ihm stets bejahten imperialistischen Politik Bassermanns — defensiv insofern, als dadurch die wirtschaftliche und politische Entfaltung des Deutschen Reiches (ab)gesichert werden sollte, wie sie in den beiden Jahrzehnten vor dem Kriege begonnen hatte, jedoch wegen ihrer Konsequenzen für das internationale Kräfteverhältnis ständig gefährdet gewesen war. Von Frankreich aus gesehen mußte es dagegen gleichgültig sein, wie Stresemann diese Strategie bezeichnete. Im Endeffekt lief sie auf eine dauernde Schwächung der Stellung Frankreichs in Europa und damit in der Welt hinaus, eine Schwächung, die, solange man sich eine Chance für den eigenen militärischen Erfolg ausrechnete, den Franzosen schlechthin unannehmbar sein mußte.

Auf eine besondere Rücksicht durfte Frankreich bei Stresemann also nicht hoffen. Das Gegenteil war der Fall: Es sollte für alle Zukunft politisch, wirtschaftlich und militärisch »unschädlich« gemacht werden. Ließ sich bei Stresemann in der Anfangsphase des Krieges noch ein gewisses Verständnis für den westlichen Nachbarn des Reiches feststellen, so wuchs nun mit dem weiteren Verlauf der erbitterten Kämpfe die Aversion auch gegen Frankreich. In dem Aufsatz »Deutschlands Siegeswille« (22. 6. 1916) erklärte er, das deutsche Volk habe »namentlich in der ersten Zeit eine Art von Sympathie für die Franzosen« empfunden, »die allerdings gerade in diesem Weltkriege gezeigt haben, wie weit sie von Ritterlichkeit entfernt sind«.[73] Eine Begründung für seinen Vorwurf gab Stresemann nicht, so daß die Vermutung erlaubt ist, daß sich hier persönlicher Ärger über den unerwartet hartnäckigen militärischen Widerstand Frankreichs Luft machte.

Dennoch blieb Stresemanns politische Einstellung zu Frankreich nicht eigentlich gefühlsbetont. Möglichkeiten des Friedens sah er allerdings nicht. Einer zufriedenstellenden Lösung standen nicht nur die eigenen Annexions- und Reparationsziele entgegen, sondern ebenso die fran-

---

72 Memorandum Anfang 1916, a. a. O. — Stresemann argumentierte also nicht ideologisch, d. h. zugunsten etwa der Länder des parlamentarischen Systems, das er ja — wenngleich mit Einschränkungen — befürwortete, sondern entscheidend machtpolitisch. Aufschlußreich auch seine Notizen für einen Vortrag in Kassel am 17. April 1916: »Politisches Ziel? . . Flamen/Balten. Freiheit der Meere. Deutsche Kolonialpolitik . . . Dem Volke vertrauen. Politisch reif . . . Imperium et libertas.« NL Bd. 159.
73 Michel horch, a. a. O., S. 143.

zösischen Ansprüche in bezug auf Elsaß-Lothringen. [74] Stresemann war keinesfalls geneigt, sie als politisch notwendig oder gar als historisch berechtigt zu diskutieren. [75] Insgesamt teilte er die Absicht der »nationalen Kreise«, beim Kanzler dagegen Einspruch zu erheben, »als wenn hinter der Auffassung einer Versöhnungspolitik mit Frankreich oder England, hinter der Forderung des sogenannten Kulturfriedens irgendwelche nennenswerte Teile des deutschen Volkes stünden«. [76]

Im Sommer 1916 hoffte Stresemann, daß die Kämpfe um Verdun Frankreich die besten militärischen Kräfte gekostet hätten. Mittelbar schien so eine Niederlage dieses Gegners absehbar zu sein. Dennoch schrieb er am 21. August: »Jetzt rechnet man wieder mit dem militärischen Niederbruch Frankreichs im Herbst, weil keine Reserven mehr da sind . . . Aber ich denke mir, daß England aus seinem großen Menschenreservoir doch noch die Mannschaften stellen wird, deren Frankreich bedarf, und daß wir deshalb mit der Niederwerfung Frankreichs sobald noch nicht zu rechnen haben werden«. [77] Überhaupt beurteilte Stresemann in diesen Monaten die Lage skeptischer als je zuvor — und als er öffentlich zuzugestehen bereit war. In mehreren Briefen lassen sich Ansätze kritischer Reflexion verfolgen. Während er sich nach außen überaus siegessicher gab, schrieb er z. B. am 5. Mai 1916 an den Kölner Fabrikanten Stollwerck: »Bei allen Bedenken, die eine Verstärkung unserer Gegner durch den Hinzutritt der Vereinigten Staaten (Stresemann spielt hier auf die wahrscheinlichen Folgen des geforderten uneingeschränkten U-Boot-Krieges an — Anm. d. Verf.) mit sich bringt und die ich gewiß nicht gering einschätze, drückt mich andrerseits die schwere Sorge, daß wir bei einem Erschöpfungskrieg untergehen, weil

---

74 Elsaß-Lothringen war jedoch nur das Minimalziel. Viele — so auch Poincaré — verbanden mit ihrer Absicht, Deutschland den Frieden unter französischen Bedingungen zu diktieren, darüber hinaus die Forderung nach der Rheingrenze u. a. m. Dazu bes. P. Renouvin, Die Kriegsziele der französischen Regierung 1914—1918, in: Geschichte in Wissenschaft und Unterricht, 17. Jg. (1966), S. 129 ff. (ebenso: Erster Weltkrieg — Ursachen, Entstehung und Kriegsziele, hrsg. von W. Schieder, a. a. O., S. 443 ff.); vgl. auch ders., Die öffentliche Meinung in Frankreich während des Krieges 1914—1918, in: Vierteljahrshefte für Zeitgeschichte, 18. Jg. (1970), S. 239 ff., J. Droz, Die politischen Kräfte in Frankreich während des Ersten Weltkrieges, in: Geschichte in Wissenschaft und Unterricht, 17. Jg. (1966), S. 159 ff., und (die wesentlichen Aspekte zusammenfassend) R. v. Albertini, a. a. O., S. 267 f.
75 So eine undatierte Aufzeichnung aus dem Jahre 1916. NL Bd. 160: Politische Akten 1916.
76 Niederschrift über eine Erörterung der Kriegsziele am 21. April 1916 in Berlin zusammen mit Graf von Westarp, Bassermann, Erzberger, Syndikus Hirsch, Hugenberg, Stinnes und Bankdirektor Dr. August Weber. NL Bd. 153: Politische Akten 1916/III.
77 NL Bd. 164: Politische Akten 1916/V.

wir wirtschaftlich nicht durchzuhalten vermögen.«[78] Und am 12. September 1916 äußerte er in einem Schreiben an Professor Schilling, Bremen, zu derselben Problematik:»Wenn unsere militärische Lage zu Lande eine glänzende wäre, so würde ich mich nicht auf die Ergreifung einer Waffe versteifen, mit der die Gefahr eines weiteren Eingreifens von neutralen Mächten verbunden ist.«[79]

Beide Briefstellen machen deutlich, daß der in öffentlichen Reden bei Stresemann immer wieder anzutreffende Kriegselan und Hurrapatriotismus mehr der Sorge und dem Abwägen der Risiken als einer ideologisch unterbauten Siegeszuversicht entsprang. Zu beachten bleibt allerdings sein Vertrauen in die stets günstigen Aussagen der militärischen Fachleute.[80] Dennoch erschien Stresemann in der zweiten Jahreshälfte 1916 die tatsächliche Lage als so ernst, daß er nur noch die Möglichkeit einer »Flucht nach vorn« sah, wenn vermieden werden sollte, daß bei einem Verzicht auf Kriegsgewinne in Deutschland Enttäuschung, Unruhe, ja revolutionäre Umwälzungen die Folge waren und bei der Entente der Eindruck sich festsetzte, das Deutsche Reich sei am Ende seiner Kraft. Der Scheidemannschen Vorstellung von einem Verzicht auf Annexionen hielt Stresemann bei einer nationalliberalen Kundgebung in Hannover am 7. Januar 1917[81] entgegen:»Hat etwa die Entente bereits erklärt, was deutsch ist, soll deutsch bleiben?«[82]

Das Dilemma war in der Tat gegenseitig: Die politisch und militärisch bestimmenden Kräfte in den kriegführenden Ländern waren nicht bereit, zur Ausgangssituation zurückzukehren, sondern forderten vom Gegner, was dieser freiwillig niemals hergeben konnte. Da jeder beanspruchte, dem anderen den eigenen Willen aufzuzwingen, erschien allen das siegreiche Ende des Krieges als die einzige »Lösung« des Konflikts. Infolgedessen bestanden für politisch-diplomatische Verhandlungen, so wie die gesellschaftlichen Machtverhältnisse und jeweiligen

78 NL Bd. 153. In der Sitzung des Zentralvorstandes der Nationalliberalen Partei am 21. Mai 1916 wurde für den Fall, daß die USA England nicht zu einer Einschränkung der Blockade bewegen würden, die Aufnahme des uneingeschränkten U-Boot-Krieges gefordert. Text der Resolution bei K.-P. Reiß, a. a. O., S. 281 (Q. IV). Vgl. auch S. 32 (Einl.). Stresemann hatte sich in einer Rede betont für den Einsatz dieser Waffe ausgesprochen, die England friedenswillig machen sollte. Ebda., S. 277 ff. (Q. IV).
79 NL Bd. 169: Politische Akten 1916/VI.
80 Über das Verhältnis Stresemann — Ludendorff vgl. Th. Eschenburg, a. a. O., S. 157, und A. Thimme, a. a. O., S. 23 f.; vgl. aber auch die differenziertere Darstellung bei M. L. Edwards, a. a. O., S. 99 ff.
81 Diese Rede war konzipiert als Antwort auf das gescheiterte deutsche Friedensangebot vom Dezember 1916. Vgl. dazu W. Steglich, Bündnissicherung oder Verständigungsfrieden. Untersuchungen zu dem Friedensangebot der Mittelmächte vom 12. Dezember 1916, Göttingen — Berlin — Frankfurt 1958, S. 72 ff.; F. Fischer, Griff nach der Weltmacht, a. a. O., S. 381 ff.; G. Ritter, Staatskunst und Kriegshandwerk, 3. Bd., a. a. O., S. 319 ff.; W. J. Mommsen, Die Regierung Bethmann Hollweg, a. a. O., S. 154 ff.
82 NL Bd. 167: Politische Reden 1917/I.

Zielvorstellungen waren, keine konkreten Aussichten. Denn die, die auf eine Verständigung drängten, blieben in Deutschland wie in Frankreich (und in den übrigen Ländern der beiden Kriegskoalitionen) von der entscheidenden Willensbildung ausgeschlossen.

Gewiß war der Status quo ante im Westen wie im Osten unerreichbar, auch aus objektiven Gründen. Aber Stresemann, der das auf der schon erwähnten Kundgebung in Hannover am Beispiel Belgiens erläuterte, übersah, daß die Unmöglichkeit, die Ausgangslage vom Sommer 1914 wiederherzustellen, nicht gleichbedeutend sein mußte mit der Forderung, nun die für Deutschland denkbar beste Regelung zu propagieren. Es fehlte gänzlich die Bereitschaft zu eigenen Zugeständnissen. Eine politische Strategie, die die Gegner Deutschlands vor der Weltöffentlichkeit ins Unrecht setzte, wenn sie auf effektive Angebote nicht eingingen, d. h. also eine gezielte Kombination von militärischen und diplomatischen Mitteln blieb Stresemann in diesen Jahren fremd. Er dachte in der Alternative des Entweder-Oder. Letztlich bedeutete das die Abdankung der Politik gegenüber der Kriegführung. Das nicht erkannt zu haben, ist, wie immer man es wenden mag, als das entscheidende Versagen Stresemanns während des Krieges zu bezeichnen. Dennoch erlaubt es die Unterschiedlichkeit, ja bisweilen Widersprüchlichkeit der politischen Argumentation nicht, sein schillerndes Verhalten auf einen einheitlichen Nenner zu bringen, seine Position endgültig zu klassifizieren. [83]

Zu Beginn des Jahres 1917 war sich Stresemann darüber im klaren, daß der Weltkrieg auf jeden Fall die Groß- und Weltmachtstellung Japans und der Vereinigten Staaten mit sich bringen, diejenige Großbritanniens bestätigen würde. Er war mit dieser Entwicklung einverstanden, wenn es nur gelang, Deutschland eine vergleichbare Basis zu verschaffen. Konsequent gedacht, verlangte das die Herbeiführung der kontinentaleuropäischen Hegemonie des Deutschen Reiches. Das Problem war, auf welche Weise es erreicht werden sollte, Deutschland in den Rang einer »Weltmacht« — entsprechend dem wirtschaftlich, handelspolitisch und strategisch überlegenen England — aufsteigen zu lassen. Offensichtlich zielte Stresemanns Konzeption darauf ab, den in den Voraussetzungen schwächeren Teil im Rahmen der Mächtekonstellation der Großstaaten dadurch für die Zukunft als gleichwertig und unangreifbar zu sichern, daß er sich auf Kosten des anderen, in dem er seinen Rivalen sah und wohl auch sehen mußte, vergrößerte.

Stresemann wollte die Position des Deutschen Reiches vor allem auf Kosten Belgiens und Frankreichs festigen: Erstens legten die bisherigen

---

83 Vgl. z. B. die von ihm geforderte Verbindung von »Idealismus und Realpolitik, Bismarck und Paulskirche, Goethe und Hindenburg«. Notiert am 12. Januar 1917. NL Bd. 167.

militärischen Erfolge das nahe; zweitens wurde dadurch die wirtschaftliche und strategische Lage am deutlichsten verbessert; drittens waren vom Hauptgegner England Zugeständnisse, die das eigene Imperium betrafen, nicht zu erwarten. So entstand die eigentümliche Situation, daß Stresemanns Ambitionen gegenüber Frankreich wesentlich im Blick auf England entwickelt wurden, welches auf diese Weise mittelbar geschwächt werden sollte. Voraussetzung dafür war allerdings, daß England sich zur Beendigung des Krieges bereit fand — und damit zur Hinnahme dessen, was Deutschland auf dem europäischen Kontinent für sich beanspruchte. Stresemann erhoffte gegenüber England ein Arrangement auf gleichberechtigter Grundlage; gegenüber Frankreich jedoch zählte für ihn nur der volle »Sieg«.

Dieser »Sieg« blieb trotz aller Verluste der Franzosen an Menschen und Material unerreichbar, solange England den Krieg weiterzuführen willens und fähig war. Daher reduzierte sich, sollten die eigenen Ziele nicht aufgegeben werden, für Stresemann das Kriegsgeschehen auf die zentrale Frage, wie es möglich gemacht werden könnte, England zum Frieden zu zwingen. Persönliches Wunschdenken und die weit übertriebenen Versprechungen der deutschen Marineführung (vor allem Admiral von Capelle, Chef des Reichsmarineamtes seit März 1916) ließen ihn den uneingeschränkten U-Boot-Krieg ebenso uneingeschränkt bejahen. So rief er in einer Rede in Hannover am 27. Januar 1917 pathetisch aus: »Wir haben das Schwert, um England ins Herz zu treffen, und wir hoffen, daß unser Kaiser es gebrauchen wird.«[84]

Pathos war Stresemann gewiß nicht fremd, aber es diente — wie im ersten Halbjahr 1917 häufig — auch als Mittel zum Zweck. Stresemann war bemüht, die Stimmung des Volkes (d. h. die öffentliche Meinung) als gewichtigen Machtfaktor in die politische Rechnung mit einzubeziehen.[85] Nur so meinte er gesichert, was er eine »Zwangsvorstellung« nannte: »Wir müssen dem Aushungerungskrieg der Gegner das wirtschaftlich unangreifbare Deutschland der Zukunft entgegenstellen, wir müssen dem politischen Vernichtungskrieg das militärisch

---

84 NL Bd. 167. Vgl. darüber hinaus W. Ruge, Stresemann, Ein Lebensbild, Berlin 1966, S. 30 f., und G. Ritter, Staatskunst und Kriegshandwerk, 3. Bd., a. a. O., bes. S. 368 ff.
85 Vgl. auch W. Görlitz, a. a. O., S. 71 und S. 74. Hier Hinweis auf Stresemanns Mitgliedschaft im »Unabhängigen Ausschuß für einen Deutschen Frieden«. Dazu K.-H. Schädlich, Der »Unabhängige Ausschuß für einen Deutschen Frieden« als ein Zentrum der Annexionspropaganda des deutschen Imperialismus im ersten Weltkrieg, in: Politik im Krieg 1914—1918, Studien zur Politik der deutschen herrschenden Klassen im ersten Weltkrieg, hrsg. von der Arbeitsgruppe »Erster Weltkrieg« im Institut für Geschichte an der Deutschen Akademie der Wissenschaften zu Berlin unter Leitung von F. Klein, Berlin 1964, S. 50 ff.; ebenso Deutschland im ersten Weltkrieg, Bd. 2, a. a. O., S. 406.

unangreifbare Deutschland gegenüberstellen.«[86] Vom uneingeschränkten Einsatz der deutschen Unterseeboote versprach sich Stresemann — ohne sich allerdings auf einen genauen Termin festzulegen — die entscheidende Schwächung der Wirtschaftskraft und Kriegsfähigkeit Englands. Für ihn und viele andere gab es für diese Entscheidung keine Alternative.[87]

Es kennzeichnet den Menschen und Politiker Stresemann, daß er bei aller Feindschaft gegenüber England und trotz seiner Absicht, Frankreich militärisch zu »demütigen«, zu keiner Zeit die Achtung vor den Leistungen dieser beiden Gegner leugnete. Was die von ihm geforderte Stärkung der Parlamentsrechte betrifft[88], so hielt er Kritikern Frankreich als Beispiel entgegen, das gerade im Kriege Großes leiste.[89] Insgeheim bedauerte er, daß Deutschland ein Lloyd George oder Briand fehlte, der — gestützt auf eine breite Mehrheit im Reichstag — die Massen in der Siegeszuversicht hätte halten können. Unter diesem Aspekt mußte Bethmann Hollweg als Versager erscheinen. Dessen Sturz in Zusammenarbeit besonders mit Erzberger und der Obersten Heeresleitung herbeizuführen (Bethmann wurde am 13. 7. entlassen)[90], erschien Stresemann ebenso konsequent wie die Ablehnung der von den Mehrheitsparteien (SPD, Freisinn, Zentrum) im Reichstag eingebrachten und am 19. Juli 1917 verabschiedeten Friedensresolution. Er blieb bestimmt von dem Wunsch, »daß wir bei einem Frieden für Deutschland an Sicherung herausholen, was herauszuholen ist im Westen und im Osten — und an Sicherung auch herausholen für unsere Kolonialmacht und unsere Seegeltung, was wir erhalten können«.[91]

---

86 Undatierte Notiz im Januar 1917. NL Bd. 167.
87 Vgl. dazu B. Kaulisch, Die Auseinandersetzungen über den uneingeschränkten U-Boot-Krieg innerhalb der herrschenden Klassen im zweiten Halbjahr 1916 und seine Eröffnung im Februar 1917, in: Politik im Krieg 1914—1918, a. a. O., S. 90 ff.
88 Vgl. dazu u. a. Stresemanns Äußerungen in der Sitzung des Interfraktionellen Ausschusses am 9. 7. 1917. IA 1/I, S. 24 (Q. 5a).
89 Reden und Schriften, 1. Bd., a. a. O., S. 183. Vgl. auch Th. Eschenburg, a. a. O., S. 155 f.
90 Über die Rolle Stresemanns in diesem Zusammenhang vgl. K. Epstein, Matthias Erzberger und das Dilemma der deutschen Demokratie, Berlin — Frankfurt/M. 1962 (Originalausgabe: Matthias Erzberger and the Dilemma of German Democracy, Princeton 1959), S. 215 ff., M. L. Edwards, a. a. O., S. 139 ff., und F. Hirsch, a. a. O., S. 36 ff.; allg. K. D. Erdmann, Die Zeit der Weltkriege (B. Gebhardt, Handbuch der deutschen Geschichte, Achte, völlig neubearbeitete Aufl., hrsg. von H. Grundmann, Bd. 4), Stuttgart 1959 (Fünfter verbesserter Nachdruck 1967), S. 58 ff., G. Ritter, Staatskunst und Kriegshandwerk, 3. Bd., a. a. O., S. 551 ff., und W. J. Mommsen, Die deutsche öffentliche Meinung und der Zusammenbruch des Regierungssystems Bethmann Hollweg im Juli 1917, in: Geschichte in Wissenschaft und Unterricht, 19. Jg. (1968), S. 656 ff. — Die entscheidende Attacke Stresemanns gegen Bethmann erfolgte im Hauptausschuß am 9. 7. 1917. Aufschlußreich auch Stresemanns Brief an Bassermann vom 14. 7. 1917. NL Bd. 133.
91 Niederschrift Ende Juli 1917. NL Bd. 165: Politische Reden 1917/III.

Trotz seiner »negativen« Haltung gegenüber der Friedensresolution
— sie erschien ihm sachlich falsch und psychologisch unklug — war Stresemann damals und späterhin gewillt, an den Sitzungen des Interfraktionellen Ausschusses (sie hatten am 6. Juli 1917 begonnen) teilzunehmen. Auf diese Weise sollte eine verfassungspolitische »Neuorientierung« gefördert und die Willensbildung bezüglich der deutschen Kriegsziele durch den Einfluß der Nationalliberalen modifiziert (aus taktischen Gründen wohl auch kontrolliert) werden. [92] Stresemann war bereit, ein Friedensangebot der Gegner Deutschlands nicht a limine abzulehnen. Er war auch bereit, bei Berücksichtigung der gegebenen militärischen Lage (als sehr hoffnungsvoll erschien ihm die Februarrevolution
in Rußland) [93] über einen Ausgleich der Interessen zu verhandeln. Jedoch sollte die angestrebte »dauernde Versöhnung der Völker« (Stresemann dachte hierbei gerade auch an die künftigen deutsch-französischen
Beziehungen) nicht durch einen »Verzichtfrieden« erkauft, sondern auf
der Basis der eigenen Stärke herbeigeführt werden. [94]

Machtkalkül und die ehrlich gemeinte Überzeugung, daß eine Politik
der Verständigung dem wirtschaftlichen und kulturellen Fortschritt der
Völker am dienlichsten sei, gingen bei Stresemann eine widersprüchliche,
aber für ihn bezeichnende Symbiose ein. Er wollte den Kampf nicht um
bestimmter Eroberungen willen fortsetzen, selbst die Annexion Belgiens war für ihn zu diesem Zeitpunkt kein Dogma mehr [95], aber er

---

92 Daß die Nationalliberalen für ihre Mitarbeit außenpolitische Vorbehalte
   geltend machten (vgl. ihre Erklärung vom 21. 8. 1917. IA 1/I, S. 133, Anm.
   2), war bei der imperialistischen Orientierung ihrer großen Mehrheit zu erwarten. Wie schwer es aber ist, Stresemann eindeutig zu beurteilen, geht aus
   folgenden Sätzen hervor, mit denen er in der ersten Sitzung des Interfraktionellen Ausschusses zur Formel »Keine Eroberungen, keine Entschädigungen«
   überraschte: »Entscheidung der Fraktion vorbehalten. Grundsätzlich hatte(!)
   ich einen anderen Standpunkt. Wenn wir in der Lage wären, den Frieden zu
   diktieren, dann hätten wir Land genommen und uns nicht aus doktrinären
   Bedenken abhalten lassen. Ich bin heute der Auffassung, daß wir Verständigungsfrieden haben müssen.« IA 1/I, S. 9 f. (Q. 1a). Und in der Sitzung am 9. Juli 1917 gab er bekannt: »Wir weisen Fortsetzung des Krieges
   zurück zum Zwecke zwangsweiser Gebietserwerbung.« IA 1/I, S. 24 (Q. 5a).
   Gewiß waren Begriffe wie »Verständigungsfrieden« und »zwangsweise Gebietserwerbung« unklar und dehnbar, aber gerade weil sie es waren, gaben
   sie Stresemann die von ihm gewünschte politische Manövrierfähigkeit (vgl.
   auch seine Zustimmung zur Antwortnote der Reichsregierung an den Papst
   vom 19. September 1917).
93 Vgl. seinen Brief vom 26. März 1917 an seinen Freund Rudolph Schneider:
   »Jetzt muß man die Geschichte der französischen Revolution lesen; es
   scheint, als wenn die Weltgeschichte sich wiederholt. Ich erhoffe bestimmt
   baldigen Frieden. Suche dir einen schönen Ort aus, wo wir im August die
   erste Friedensreise machen . . .« Zit. nach F. Hirsch, a. a. O., S. 35.
94 So in einem Brief an Prof. Meyersahm, Kiel, (Mitglied des nationalliberalen
   Zentralvorstandes) vom 26. 8. 1917. NL Bd. 174: Politische Akten 1917/X.
95 Vgl. bes. Stresemanns Rede zur politischen Lage auf der Sitzung des Zentralvorstandes der Nationalliberalen Partei am 23. 9. 1917. Die entscheidende
   Passage bei K.-P. Reiß, a. a. O., S. 333 (Q. V). Allerdings bekannte er sich

wollte dennoch, als »reale Sicherungen« verstanden, das Bestmögliche unter den gegebenen Verhältnissen (einerseits Longwy-Briey, andererseits die russischen Ostseeprovinzen) herausholen.[96] Wegen des Kriegseintritts der Vereinigten Staaten (6. 4. 1917) war das allerdings unwahrscheinlicher als je zuvor. Immerhin muß ein Gesamturteil berücksichtigen, daß sich auch die Gegner Deutschlands nicht dazu verstehen wollten, die Grundgedanken der Friedensresolution zur eigenen Richtschnur zu machen, woran sie sowohl ihre erstarkte militärische Position im Westen als auch ihr Kriegszielprogramm hinderte. [97]

Für Stresemann waren Friedensverhandlungen nicht nur eine Frage der Macht, sondern auch der »besseren Nerven«. Diese aber wollte er Deutschland vorbehalten. So rief er am 12. September in Berlin anläßlich einer nationalliberalen Kundgebung aus: »Wir haben niemals weniger Veranlassung gehabt, Friedensangebote zu machen und noch weniger einen Verzichtfrieden zu erklären als gegenwärtig.« [98] Auf der für das Verhalten der Partei zukunftsweisenden Sitzung des nationalliberalen Zentralvorstandes am 23. September 1917 [99] erklärte Stresemann in seiner politischen Situationsanalyse: »Wir haben die eine feste Überzeugung trotz der schwierigen Lage, in der wir uns unzweifelhaft in

---

weiterhin zu einer Autonomie des flandrischen Teils als Garantie gegen ein französisch orientiertes Wallonien. Vgl. seine Ausführungen im Siebenerausschuß am 28. 8. 1917. IA 1/I, S. 171 ff. (Q. 40a—c). Wichtig auch Anm. 12 und 17.

96 Vgl. die Notizen für seine Rede bei der Sitzung des Zentralvorstandes der Nationalliberalen Partei am 23. 9. 1917. NL Bd. 165. Dort sagte er: »Ich will nur darauf hinweisen, daß nach allem, was ich nicht nur aus unseren, sondern auch aus militärischen Kreisen gehört habe, unser Vordringen nach der Richtung des französischen Erzgebietes eine absolute Notwendigkeit ist, wenn es erreichbar ist, und daß meiner Auffassung nach England seinerseits dieser Forderung gar nicht einmal den Widerstand entgegensetzen würde, den es anderen Forderungen entgegensetzt, weil es sehr gut versteht, seine Bundesgenossen in Fragen, die nicht direkt englische Lebensinteressen betreffen, in dem Augenblick fallenzulassen, wo es seinerseits in der Lage ist, für sich etwas herauszuholen.« K.-P. Reiß, a. a. O., S. 334 (Q. V). Vgl. auch Anm. 140.

97 Über die Kriegsziele der Alliierten vgl. Th. Schieder, Europa im Zeitalter der Nationalstaaten, a. a. O., S. 172 ff., P. Renouvin, Die Kriegsziele der französischen Regierung 1914—1918, a. a. O., S. 129 ff., und E. Hölzle, Das Experiment des Friedens im Ersten Weltkrieg 1914—1917, in: Geschichte in Wissenschaft und Unterricht, 13. Jg. (1962), S. 465 ff.

98 Abgedruckt in: »Nationalliberale Correspondenz« Nr. 179 vom 13. September 1917. Stresemann war bei dieser Formulierung stark von den Erfolgen der Unterseeboote und des deutschen Ostheeres bestimmt. Vgl. auch seine Reichstagsrede vom 10. Oktober 1917. Verhandlungen des Reichstags, Bd. 310, Stenogr. Berichte, Berlin 1917, bes. S. 3836 f.

99 Stresemann präsentierte sich hier als der eigentliche neue Parteiführer (am 24. Juli war Bassermann gestorben), wenn er auch formal nur die Position des Zweiten Vorsitzenden übernahm (am 25. 9. 1917 wurde er zum Fraktionsvorsitzenden gewählt). Wichtiger als die Frage der Nachfolge war allerdings die politische Willensbildung aufgrund der veränderten inneren und äußern Verhältnisse. Vgl. dazu K.-P. Reiß, a. a. O., S. 32 ff. (Einl.).

Flandern, bei Verdun und an anderen Stellen befinden, daß ein Durchbruch dieser Front unmöglich ist. Das aber ist das Entscheidende . . .« [100] Nicht nur die deutschen Erfolge an der Ostfront inspirierten ihn zu großen Erwartungen; auch gegenüber England gab er sich zuversichtlich: »Ich bin der festen Überzeugung, daß wir durch den unbeschränkten U-Boot-Krieg überhaupt nur die Möglichkeit uns geschaffen haben, zu einem für uns guten Frieden zu gelangen.« [101] Was Stresemann bei solcher Zuversicht nicht beachtete, das waren die ökonomischen und militärischen Anstrengungen der USA. Er unterschätzte die Leistungskraft dieses neuen Gegners und wollte nicht wahrhaben, daß die Zeit gegen Deutschland arbeitete. Alles auf dem Wege über militärische Erfolge erhoffen, hieß alles verlieren, wenn sich ein militärischer Zusammenbruch ankündigte.

Zunächst aber blieb Stresemann überzeugt, daß eine Niederlage Deutschlands ausgeschlossen, weitere Erfolge dagegen noch durchaus möglich waren. Nichts mußte diese Auffassung mehr bestärken als die Ereignisse in Rußland um die Wende 1917/18. Für eine kurze Zeitspanne konnte man annehmen, der Sieg im Osten werde das Deutsche Reich auf die Höhe einer »Weltmacht« heben. Die Gefahr, von der Entente wirtschaftlich niedergerungen zu werden, schien beseitigt. In England verschärften sich die sozialen Konflikte, und gegenüber Frankreich glaubte sich Stresemann zu folgender Voraussage berechtigt: »Langsam, durch Krisen hindurch, wenn auch jetzt noch der größte Kriegsmann an der Spitze der französischen Regierung steht, kehrt die französische Erkenntnis ein, daß es diesen Kampf zum mindesten umsonst gekämpft hat.« [102]

In diesen Wintermonaten, die Deutschland erneut große Entbehrungen aufluden, aber auch eine allgemeine Siegeszuversicht schenkten, erschien Stresemann ein Frieden auf der Grundlage des Status quo ante, gemessen an den bisherigen Erfolgen, aber auch Opfern, mehr denn je ungerechtfertigt. [103] Daß Lenin aus der Position der Schwäche heraus einen Frieden ohne Annexionen anbot (Friedensdekret vom 8. 11. 1917), kam für Stresemann nicht überraschend. Aber er hielt ein solches Angebot aus deutscher Sicht für unannehmbar. »Wie wäre es, wenn die Dinge anders lägen, wenn die Russen in Breslau und die Franzosen in Aachen ständen? Glauben Sie, daß irgendein russischer oder französischer Sozialist sagen würde: ›Es entspricht nicht dem Weltbund der Völker der Zukunft, dieses Deutschland zu schwächen, zu schädigen und zu

100 Ebda., S. 310.
101 Ebda., S. 317.
102 So am 11. November 1917 in einer Rede in Stuttgart. NL Bd. 168: Politische Reden 1917/IV.
103 Vgl. ebenda.

erniedrigen.‹? Ich kann mir die deutsche Zukunft nicht allein auf internationalen Völkerverträgen begründet denken.« [104]

Bei solchen Prämissen war Stresemann der Meinung, Hindenburg und Ludendorff sollten entscheiden, was zur eigenen »Sicherheit« nötig sei (so auch die offizielle Erklärung der nationalliberalen Reichstagsfraktion vom 8. 1. 1918). [105] Diese aber entschieden in einer Weise, daß Kritiker in Deutschland und mehr noch außerhalb der Mittelmächte im Diktatfrieden von Brest-Litowsk (unterzeichnet am 3. März 1918) [106] nichts anderes sehen konnten als den brutalen Ausweis eines ungezügelten deutschen Imperialismus. Stresemann war davon weder moralisch noch politisch ernsthaft berührt. Entscheidend war ihm der »Platz an der Sonne«. [107] Die Auffassung, daß allein das Schwert Deutschland den gewünschten Frieden bringen könne [108], schien durch die Ereignisse bestätigt.

Vom Beginn der Friedensverhandlungen an war Stresemann überzeugt gewesen, daß die wirtschaftlichen und strategischen Interessen des Deutschen Reiches die Herauslösung der baltischen Provinzen aus dem russischen Staatsverband verlangten. [109] Was den möglichen Anschluß dieser Gebiete an Deutschland betraf, so konnte er wegen der Zustimmung der jeweiligen Landtage (die allerdings nicht demokratisch legitimiert waren) argumentieren, hier liege keine »gewaltsame« Annexion vor, vielmehr werde nur das russischerseits verkündete Selbstbestimmungsrecht praktiziert. Umgekehrt sträubte er sich heftig gegen den Gedanken einer austro-polnischen Lösung. Am 2. Januar 1918 erklärte er im Interfraktionellen Ausschuß: »Ein selbständiges Königreich Polen wird dazu führen, daß unsere Polen irredentistisch werden. Wenn dann einmal ein Krieg kommt, dann marschiert Polen gegen uns! Dann verteidigen wir das nächste Mal das Deutsche Reich an der Oder! Deshalb wäre mir eine Lösung, daß Polen bei Rußland geblieben wäre, das liebste. Das ist aber leider Vergangenheit. Wenn die polnische Sache fest ist, dann liegt es so: Dann müssen wir nur Sicherungen schaffen. Wir müs-

---

104 Ebenda. Vgl. auch Stresemanns Brief an Staatssekretär von Kühlmann vom 14. 11. 1917. NL Bd. 178: Politische Akten 1917/XIV.
105 IA 1/II, S. 68, Anm. 33.
106 Über die Verhandlungen vgl. W. Baumgart, Deutsche Ostpolitik 1918. Von Brest-Litowsk bis zum Ende des Ersten Weltkrieges, Wien und München 1966, S. 13 ff., und G. Ritter, Staatskunst und Kriegshandwerk, 4. Bd.: Die Herrschaft des deutschen Militarismus und die Katastrophe von 1918, München 1968, S. 109 ff.
107 Vgl. Stresemanns Reichstagsrede vom 19. 3. 1918. Verhandlungen des Reichstags, Bd. 311, Stenograph. Berichte, Berlin 1918, S. 4456 ff. Es ist allerdings aufschlußreich, daß Stresemann am 11. März mit fünf anderen Fraktionskollegen aus dem Alldeutschen Verband austrat, da er dessen reaktionär-völkische Polemik nicht länger zu tolerieren bereit war. NL Bd. 198: Politische Akten 1918/IV.
108 Vgl. dazu Stresemann in den »Düsseldorfer Nachrichten« vom 9. 3. 1918.
109 Vgl. auch M. L. Edwards, a. a. O., S. 153 f.

sen in Litauen militärische Sicherheiten haben. Aus diesem Gesichtspunkt heraus kann ich mich nicht darauf einlassen, daß wir einfach zusehen, wie sich die kleinen Völker selbständig entscheiden. Diese Lösung geht nämlich nicht für Kurland und für Riga. Wenn Rußland dasitzt, schadet es nicht. Aber selbständige Staaten stehen unter dem Einfluß von England! Solche Staaten können ja zum Beispiel England eine Flottenstation geben! Dann hätten wir die Engländer an beiden Seiten von Deutschland. Wenn in Rußland über die Sozialrevolutionäre hinweg der Imperialismus wieder zur Herrschaft kommt, dann haben wir im Osten alles gegen uns.« [110]

In diesen Sätzen war erneut das Sicherheitsdilemma, das Stresemanns politisches Denken so zentral bestimmte, angesprochen. Während die Oberste Heeresleitung (im Gegensatz zu Kühlmann) [111] umfangreiche Gebietsannexionen anstrebte [112], wollte sich Stresemann gegebenenfalls mit Militärkonventionen, Eisenbahnrechten u. ä. zufriedengeben, ohne damit territoriale Erwerbungen auszuschließen. [113] »Realpolitische« Überlegungen (es ging vor allem um die Einbringung der wirtschaftlichen Ernte im Osten) ließen ihn im Frühjahr 1918 dennoch nach Wegen suchen, wie das gespannte Verhältnis zwischen Deutschland und Rußland trotz der militärischen Operationen der Mittelmächte jenseits der in Brest gezogenen Grenzen [114] verbessert werden könnte. Da sowohl die kaiserliche als auch die bolschewistische Regierung an einer Regelung der beiderseitigen Beziehungen interessiert waren, kam es im Sommer 1918 zu Verhandlungen in Berlin, an denen Stresemann als einziger Parlamentarier beteiligt wurde. [115]

Von einem deutsch-russischen Abkommen erwartete Stresemann das Ende der Bindungen (Rest-)Rußlands an die Ententestaaten und den Beginn einer Zusammenarbeit mit dem Deutschen Reich, so daß —

---

110 IA 1/II, S. 58 (Q. 131a). Vgl. auch Stresemanns Bericht (»Streng vertraulich«, »Nur zur persönlichen Information«) zur »augenblicklichen politischen Lage« vom 9. Januar 1918. NL Bd. 200: Politische Akten 1918/II. Hier Hinweis auf die Forderungen der OHL (Kurland, Litauen, Riga) »zur militärischen Sicherung unserer Grenzen nach Osten«.
111 Über dessen Ostpolitik vgl. W. Baumgart, a. a. O., S. 60 ff.
112 Vgl. Hindenburgs Ausführungen am 10. 3. 1918 im Großen Hauptquartier. IA 1/II, S. 328 (Q. 174), Anm. 17; allg. F. Fischer, Griff nach der Weltmacht, a. a. O., S. 634 ff.
113 Vgl. auch die Vorwürfe des SPD-Abgeordneten David in der Sitzung des Interfraktionellen Ausschusses am 22. 4. 1918. IA 1/II, S. 363 f. (Q. 182a).
114 Über die deutschen militärischen Unternehmungen besonders im Süden Rußlands vgl. W. Baumgart, a. a. O., S. 93 ff., und F. Fischer, Griff nach der Weltmacht, a. a. O., S. 715 ff.
115 Am 27. 8. 1918 wurden die Ergänzungsverträge zum Brester Frieden in Berlin unterzeichnet. Über die Verhandlungen vgl. W. Baumgart, a. a. O., S. 258 ff., H. M. Gatzke, Zu den deutsch-russischen Beziehungen im Sommer 1918 (Dokumentation mit Einleitung des Hrsg.), in: Vierteljahrshefte für Zeitgeschichte, 3. Jg. (1955), S. 67 ff. (Zur Rolle Stresemanns S. 71 f.), und F. Fischer, Griff nach der Weltmacht, a. a. O., S. 772 ff.

trotz der ideologischen Gegensätze — sogar ein künftiges Bündnis (bei allerdings höchst ungleichen Bedingungen) nicht auszuschließen war. Über das detaillierte Gespräch, das er am 7. Juli 1918 mit den beiden russischen Verhandlungspartnern Joffe und Krassin geführt hatte, resümierte Stresemann in einer (undatierten) Aufzeichnung: »Jedenfalls scheint der Gedanke einer deutsch-russischen Verständigung, die von größtem Einfluß auf unsere inner- und außenpolitischen Verhältnisse . . . sein könnte, in der Luft zu liegen, wenn sie mit Geschick angefaßt wird, wobei die Wahrung unserer berechtigten Interessen uns durchaus möglich wäre.«[116] Spätestens seit diesem 7. Juli war Stresemann fest entschlossen, alles zu tun, um das günstige Angebot der russischen Regierung zu nutzen [117], das Deutschland ökonomisch stärken und militärisch im Westen unbesiegbar machen sollte. [118] Tatsächlich hätten die Verträge von Brest-Litowsk, Bukarest und Berlin auf die Dauer für Rußland (zumindest) die wirtschaftliche Vasallität und für Frankreich, den politisch-militärischen Status quo vorausgesetzt, letztlich die Abdankung als souveräne Großmacht bedeutet. Beides zusammen wäre der Vision Stresemanns von einer — teils direkten, teils indirekten — Hegemonie des Reiches in Europa (als Basis imperialer »Weltmacht«-Politik) sehr nahe gekommen; beides zusammen schien zwischen Frühjahr und Sommer 1918 fast schon erreicht.

Im Westen hatte am 21. März 1918 die militärische Großoffensive Deutschlands begonnen. Das »Unternehmen Michael« war von der Obersten Heeresleitung, die zu diesem Zeitpunkt faktisch auch die politische Führung des Reiches beanspruchte, dazu ausersehen, das eigene Maximalprogramm in letzter Stunde dem Gegner aufzuzwingen. Eine »Politik der freien Hand«, wie sie vor allem gegenüber Frankreich erneut möglich schien, mußte Stresemann in den ersten Wochen und Monaten nach Beginn der Operationen mit großem Optimismus erfüllen. Am 26. März 1918 beschwor er in einer Rede in Wilhelmshaven seine Zuhörer: »Jetzt geht es um Englands Weltansehen und den Rest der Großmachtstellung Frankreichs. Nie wird sich dieses Land, das an seiner einen Front mehr Tote hat als wir an allen zusammen, gänzlich wieder erholen können. In großen Teilen verwüstet, fehlt ihm die Industrie, die gleich der unsrigen dem Land erneut zu wirtschaftlicher Blüte ver-

---

116 H. W. Gatzke, a. a. O., S. 83.
117 Am 31. Juli 1918 schrieb er: »In der Frage Rußlandpolitik stehen wir wohl am Abschluß eines Vertrages mit Rußland, von dem ich eine gute Wirkung auf die Außen- und Innenpolitik erhoffe. Hoffentlich scheitert er nicht noch im letzten Augenblick an unsinnigen deutschen Forderungen.« Zit. nach W. Baumgart, a. a. O., S. 282, Anm. 100; vgl. auch S. 284.
118 Brief Stresemanns an Oberstleutnant Bauer vom 8. August 1918. H. W. Gatzke, a. a. O., S. 94. Zu den damaligen Erwartungen Stresemanns bezüglich der Konsequenzen des Ergänzungsvertrages vgl. auch W. Baumgart, a. a. O., S. 146 f.

helfen könnte. Schon fallen unsere Geschosse in die Hauptstadt, und alle Phrasen Clemenceaus zu dem im Keller tagenden Pariser Gemeinderate werden vielleicht nicht imstande sein, politische Umwälzungen in den nächsten Wochen zu verhindern. Wirtschaftlich wird Frankreich durch den russischen Staatsbankrott am schwersten getroffen, hat es doch ebenso wie England 24 Milliarden dort stehen. Im übrigen ähnelt jetzt seine Lage wieder der Ende August 1914, wo Caillaux für einen sofortigen Sonderfrieden eintrat. Wir haben ein Recht, an den Sieg zu glauben.«[119]

Nach der Absicht Stresemanns sollte nun endlich England auf dem Wege über Frankreich geschlagen und zum Frieden gezwungen werden. Frankreich war dann für alle voraussehbare Zukunft kein ernstzunehmender Gegner mehr. Ohnehin nahm es ja im politischen Koordinatensystem Stresemanns während des Krieges nur einen untergeordneten Rang ein — allein schon deshalb, weil er es für unfähig hielt, eine eigene, von England unabhängige Politik zu führen. Daß Frankreich, sollte es seinerseits siegreich sein, verlangen würde, die erwähnten Verluste von Deutschland ersetzt zu bekommen, kam ihm nicht in den Sinn. Auch nach dem Mißerfolg der deutschen Offensive beurteilte Stresemann die allgemeine Situation kaum realistischer als zuvor. Im Reichstag entrüstete er sich über den Hinweis des Staatssekretärs von Kühlmann (am 24. 6. 1918), der Krieg sei mit militärischen Mitteln allein nicht siegreich zu Ende zu führen: »Wir stehen herrlich da, und Aufgabe der Diplomatie ist es, das zu verkünden.«[120] Noch am 19. Juli notierte er: »Wir können Entwicklung der Dinge mit Ruhe entgegensehen.« [121] Die Wende, genauer: das Erwachen aus fixierten Träumen kam im September/Oktober.

Schon am 20. August war Stresemann in einer Konferenz der Fraktionsvorsitzenden vom Staatssekretär von Hintze auf die prekäre Lage aufmerksam gemacht worden. [122] Trotz der düsteren Prognosen glaubte er in den Wochen danach, mit einem dringenden Appell zum Durchhalten die Lage meistern zu können. Entscheidend wurde dann die Nachricht, die Major von dem Bussche aus dem Hauptquartier der OHL den beim Vizekanzler von Payer versammelten Parteiführern (am 2. Oktober) mitbrachte: Ludendorff forderte den sofortigen Waffenstillstand. Stresemann konnte diesen Zusammenbruch aller Hoffnungen kaum

---

119 »Wilhelmshavener Tageblatt« vom 27. 3. 1918.
120 Zitiert nach A. Thimme, a. a. O., S. 30; vgl. auch F. Fischer, Griff nach der Weltmacht, a. a. O., S. 840 f. Über Stresemanns Einstellung zu Kühlmann vgl. seine Tagebucheintragung vom 25. 6. 1918. NL Bd. 201: Tagebuch 1918.
121 NL Bd. 185: Politische Reden 1918/II.
122 Vgl. dazu Stresemanns vertrauliches Rundschreiben vom 26. August 1918 an die Mitglieder der nationalliberalen Reichstagsfraktion. NL. Bd. 185.

fassen. [123] Ihn erschütterte »nicht nur die Nachricht als solche, sondern eben die Konsequenz, die ihn selbst, seine eigene Urteilskraft betraf«.[124] Immerhin schien noch eine Aussicht möglich: die Verteidigung der Grenze im Westen und als Ergebnis des vergeblichen Bemühens der Alliierten, die deutsche Front zu durchbrechen, Friedensverhandlungen auf folgender Grundlage: »Desinteressement der Feinde im Osten, dafür Desinteressement Deutschlands im Westen. Unter Umständen würde vielleicht auch eine in irgendeiner Form hinzugebende Summe für den Wiederaufbau Belgiens in Betracht kommen.«[125] Aber diese Hoffnung erfüllte sich nicht. Stresemann blieb es lange unfaßbar, daß deutscherseits nicht eine letzte Anstrengung unternommen wurde, eine Art levée en masse (wie von Rathenau gefordert), um die Niederlage zu verhindern. Der politisch-psychologische Schock, der aus dieser Erfahrung resultierte, wirkte lange nach.

An jenem 2. Oktoker 1918 wurde Stresemann durch ein anderes Ereignis tief getroffen. Als er Prinz Max von Baden seine politische Mitarbeit anbot, wurde er von diesem kühl abgewiesen. [126] »In dem Augenblick, da die von ihm lang ersehnte parlamentarische Regierung endlich Wirklichkeit wurde, war er (aufgrund seiner Kriegszielpolitik — Anm. d. Verf.) so diskreditiert, daß seine Mitarbeit nicht nur dem neuen Kanzler, sondern auch vielen Politikern der Mittelparteien undenkbar schien.«[127] Während andere die umwälzenden Ereignisse überhaupt nicht begriffen bzw. nicht begreifen wollten, verzweifelte Stresemann an der plötzlich deutlich gewordenen politisch-militärischen Aussichtslosigkeit. Am 13. Oktober gestand er ein: »Verkennung der tatsäch-

123 Vgl. dazu F. Hirsch, a. a. O., S. 40, und G. Mann, a. a. O., S. 644; ebenso E. Matthias — R. Morsey, Die Regierung des Prinzen Max von Baden (Quellen zur Geschichte des Parlamentarismus und der politischen Parteien, Erste Reihe, Bd. 2), Düsseldorf 1962, S. XV (Einl.) und S. 44, Anm. 3.
124 Th. Eschenburg, a. a. O., S. 159.
125 Brief vom 3. September 1918 an den Regierungsassessor Dingeldey, Worms. NL Bd. 195: Politische Akten 1918/VIII. Vgl. auch F. Fischer, Griff nach der Weltmacht, a. a. O., S. 858.
126 Vgl. Prinz Max von Baden, Erinnerungen und Dokumente, Stuttgart — Berlin — Leipzig 1927, S. 343; ebenso E. Matthias — R. Morsey, Die Regierung des Prinzen Max von Baden, a. a. O., S. XI (Einl.) und S. 38 (Q. 8). Aufschlußreich auch Stresemanns Schreiben an den Abgeordneten Fischbeck vom 2. 10. 1918. NL Bd. 194: Politische Akten 1918/IX.
127 F. Hirsch, a. a. O., S. 40. Für Erzberger war Stresemann, der Mitte September den Wunsch geäußert hatte, an den Sitzungen des Interfraktionellen Ausschusses wieder teilzunehmen (die Nationalliberalen hatten Anfang Februar ihre Mitarbeit aufgekündigt), trotz oder gerade wegen seiner Beteuerungen, daß er »heute unbedingt für eine Verständigung mit England eintrete« und auch bereit sei, »Gebietsteile von Elsaß-Lothringen preiszugeben und über die meisten Punkte des Ostfriedens mit den Gegnern zu sprechen«, nichts anderes als ein »politischer Laubfrosch«. So in der Sitzung des Interfraktionellen Ausschusses am 16. 9. 1918. IA 1/II, S. 609 f. (Q. 224b). Scheidemann nannte ihn in derselben Sitzung einen »politischen Bankrotteur«. Ebda., S. 611. Vgl. auch K. Epstein, a. a. O., S. 290.

lichen Macht unserer Feinde war unser größter Fehler, auch der der OHL... Der größte Versager war das Reichsmarineamt... Das Kunststück, England und Rußland, diese gegebenen Gegner, unter einen Hut zu bringen und mit Frankreich zusammenzuschmieden, bringt auf der Welt niemand fertig — außer unserem Kaiser.« [128]

---

[128] Vertrauliche Mitteilungen an die Delegierten der Provinzialverbände der Nationalliberalen Partei in Berlin. NL Bd. 180: Politische Akten 1918/X. Vgl. auch E. Matthias — R. Morsey, Die Regierung des Prinzen Max von Baden, a. a. O., S. 178 ff. (Q. 54).

3. Kapitel

Von »Versailles« zur »Erfüllungspolitik«

Am 9. November 1918 erreichte die deutsche Revolution Berlin; sie beendete die Monarchie. Am 11. November 1918 wurde in Compiègne der Waffenstillstand unterzeichnet; er beendete den Krieg. Der Sturz der Monarchie vertiefte die Spaltung der deutschen Nation: den einen war er nicht genug, den anderen unvorstellbar. Die harten Waffenstillstandsbedingungen »präjudizierten nicht nur den späteren Friedensvertrag, sondern bedeuteten auch eine schwere innenpolitische Hypothek für die Revolutionsregierung«. [1] Das kaiserliche Deutsche Reich, das »Weltmacht« hatte sein wollen, war nun eine geschlagene Republik: die parlamentarische Demokratie kam mit der Niederlage. »Aufstieg, Gipfel und Absturz Deutschlands waren das Erlebnis nur einer einzigen Generation, die dies alles mit sich geschehen lassen mußte, aber doch wohl nur begrenzt dazu in der Lage war, zweimal den raschen Wechsel zum Gipfel hin und vom Gipfel herunter begreifend mitzuvollziehen.« [2]

Nach dem — allerdings atypischen — zeitgenössischen Urteil von Max Weber war es mit der weltpolitischen Rolle Deutschlands endgültig vorbei. Er hielt Amerikas Weltherrschaft, die nur ein starkes Rußland gefährden könnte, für unabwendbar. [3] Vier Jahre lang war von dem größten Teil der deutschen Führungsschicht die Kraftprobe des »Alles oder nichts« bejaht und bis zuletzt ein »Siegfrieden« propagiert worden; jetzt aber wollten sich viele mit der Niederlage nicht abfinden. [4]

»Es begann die deutsche Flucht vor der neuen Lage oder der deutsche Trotz, ›im Unglück nun erst recht‹ es wagen zu müssen, in Zukunft nicht ›1918‹ anzuerkennen, sondern ›1914‹ als eigentlich angemessene Ausgangsstellung Deutschlands in der Welt anzusehen. So ergab sich, stärker als je zuvor, eine Kluft zwischen der wirklichen politischen Lage und dem Bewußtsein von der deutschen Situation inmitten einer gewandelten Welt.« [5] Tatsächlich war jedoch durch den Zusammenbruch des

---

1 G. A. Ritter — S. Miller (Hrsg.), Die deutsche Revolution 1918—1919, Dokumente, Frankfurt/M. 1968, S. 22.
2 W. Conze, Deutschlands weltpolitische Sonderstellung in den zwanziger Jahren, in: Vierteljahrshefte für Zeitgeschichte, 9. Jg. (1961), S. 166.
3 So am 24. November 1918. Gesammelte Schriften, Tübingen ²1958, S. 23.
4 Über die Bedeutung der Tatsache, daß zum Zeitpunkt des Waffenstillstandes deutsche Truppen als »Sieger« noch immer große Teile Rußlands fest in der Hand hielten, vgl. A. Hillgruber, Deutschlands Rolle, a. a. O., S. 65 ff. Vgl. auch F. Fischer, Griff nach der Weltmacht, a. a. O., S. 860 f.
5 W. Conze, a. a. O., S. 169 f.

Deutschen Reiches, die Auflösung Österreich-Ungarns, das Eingreifen der USA in den Weltkrieg und die Oktoberrevolution in Rußland die weltpolitische Konstellation grundlegend verändert. [6]

Was sich in den Monaten Oktober und November 1918 ereignete, mußte den Politiker und Menschen Stresemann zutiefst erschüttern. [7] Militärische Niederlage, Sturz der Monarchie, Revolution, Waffenstillstand, Auseinanderfallen der Nationalliberalen Partei — alles das kam, zumindest in dieser Kombination und Eile, unerwartet und erschien unbegreifbar. Für Stresemann brachen Welten zusammen. [8] Die Ideale der 48er-Revolution hatten sich endgültig nicht in die politische Wirklichkeit umsetzen lassen. Der Traum vom größeren Deutschland und von einer liberalen Monarchie war ausgeträumt, besser: er mußte beendet werden. Wenigen fiel das leicht, Stresemann aber besonders schwer. Nur mühsam war er in der Lage, sich den raschen außen- und innenpolitischen Szenenwechsel bewußt zu machen; nur zum Teil konnte er ihn verstehen. Die Urteile, die er in dieser Zeit fällte, bestätigen das in aller Deutlichkeit.

Noch Mitte Oktober 1918 meinte Stresemann Grund zur Annahme zu haben, daß es möglich sein würde, das Deutsche Reich in seinem territorialen Umfang weitestgehend zu erhalten. Allenfalls Elsaß-Lothringen mochte da, eine entsprechende Entscheidung des Landtages vorausgesetzt, eine Ausnahme bilden. [9] Was war der realistische Hintergrund dieser Hoffnung? Gewiß waren es nicht die Erwartungen, die in Deutschland damals vielfach einem Wilson-Frieden entgegengebracht wurden. Im Gegenteil: Der deutsch-amerikanische Notenwechsel gab Stresemann Anlaß zu tiefer Skepsis. [10] Die offenkundige Siegeszuversicht der Alliierten, häufig emotional gesteigert [11], erweckte sein politi-

---

6 Vgl. auch W. Link, a. a. O., S. 14.
7 Vgl. G. Stresemann, »Der Umsturz«, Artikel in der von ihm hrsg. Wochenschrift »Deutsche Stimmen« vom 12. 11. 1918. Wichtig auch sein Aufsatz »Zum Jahrestag der Revolution« vom 5. 11. 1919, in: Von der Revolution bis zum Frieden von Versailles, Berlin 1919, S. 186 ff.
8 Vgl. W. Ruge, a. a. O., S. 40, und besonders H. A. Turner, Stresemann — Republikaner aus Vernunft, Berlin — Frankfurt/M. 1968, S. 16. (Turner bringt die beste Darstellung über den partei- und innenpolitischen Werdegang Stresemanns nach 1918.)
9 Vgl. Brief an den Berliner Stadtrat Berndt (16. 10. 1918) und Brief an Dr. Friedberg vom 21. 10. 1918. NL Bd. 180.
10 Dazu jetzt vor allem K. Schwabe, Die amerikanische und die deutsche Geheimdiplomatie und das Problem eines Verständigungsfriedens im Jahre 1918, in: Vierteljahreshefte für Zeitgeschichte, 19. Jg. (1971), S. 1 ff., und ders., Deutsche Revolution und Wilson-Frieden. Die amerikanische und deutsche Friedensstrategie zwischen Ideologie und Machtpolitik 1918/19, Düsseldorf 1971, S. 17 ff. Vgl. auch Michaelis — Schraepler, Ursachen und Folgen, Bd. II, S. 373 ff. bzw. S. 471 ff., und E. Matthias — R. Morsey, Die Regierung des Prinzen Max von Baden, a. a. O., S. 397 ff.
11 Vgl. dazu K. Buchheim, Die Weimarer Republik. Grundlagen und politische Entwicklung, München 1960, S. 16 f.

Anliegend senden wir Ihnen aufgrund Ihres Schr. v. 2.7.74

Anzahl Titelnummer Titel

1	11o 318	Stresemann u.Frankreich	DM 42.—
		Review	
		Zur Rezension in European Studies	

als Beleg-/Rezensions-/Freiexemplar
= = = = = =

den   16.7.74   wg.

DROSTE VERLAG GMBH
ABTEILUNG BUCHVERLAG
4 DÜSSELDORF, PRESSEHAUS

4 DÜSSELDORF, PRESSEHAUS

DROSTE VERLAG GMBH

EVANGELISCHE BUCHHILFE

den

je.1.41.   am.

als Beleg- Rezensions- Freiexemplar

Anzahl	Titelnummer	Titel		
1	110 318	staresemm n.trägkrierch		DM 42.-
		Review		
		Vsr. Regierohn in Eriobean Stteers		

Anbei senden wir Ihnen beiliegend

auftrags 5.7.41

v. Thos serni bujrägig

sches Mißtrauen und verletzte sein nationales Selbstverständnis. Trotz- dem — oder vielleicht eben deshalb — glaubte er an die Chance eines Kompromisses, wenn es gelingen würde, woran er zu diesem Zeitpunkt nicht zweifelte, während der folgenden sechs Wochen die Front im Westen zu stabilisieren und auf diese Weise die Gegner Deutschlands — insbesondere die Öffentlichkeit in Frankreich — zu ernüchtern. [12]

Stresemann gab der Durchhalteparole, d. h. der letzten militärischen Kraftanstrengung der deutschen Truppen so viel Gewicht — und zwar wegen der Furcht, Deutschland möchte andernfalls Schritt für Schritt an den Rand der bedingungslosen Kapitulation geraten —, daß er am 26. Oktober 1918 Dr. Friedberg (Vorsitzender der Nationalliberalen Partei und preußischer Staatsminister) mitteilte: »Wir dürfen unter keinen Umständen vor der Geschichte damit behaftet sein, Hindenburg ge- stürzt zu haben. Ich bin der Meinung, daß von unserem Standpunkte aus die Abdankung des Kaisers eher zu ertragen sein würde als das Gehen von Hindenburg.« [13] Aufschlußreich ist dieser Brief auch wegen der all- gemeinen politischen Überlegungen, die Stresemann im Hinblick auf den propagierten Waffenstillstand entwickelte. Bei der Lage der Dinge machten ihm vor allem die Kriegsziele der Alliierten Sorge. Darüber schrieb er: »Schon jetzt bieten meiner Meinung nach Wilsons 14 Punkte die Möglichkeit des Verlustes von Elsaß-Lothringen, Oberschlesien, Po- sen und Teilen von Westpreußen und dazu eine nach oben gar nicht limitierte Summe von Entschädigungen, die man sehr leicht in eine Kriegsentschädigung umwandeln kann, auch wenn sie anders frisiert ist.«

In den Eisenwerken in Elsaß-Lothringen und den Kohlengruben in Oberschlesien erblickte Stresemann jedoch »Herzadern« der deutschen Wirtschaft. Würden sie verlorengehen und sollte zudem eine Kriegsent- schädigung »von einem vielleicht Zehnfachen von Milliarden« verlangt werden, so fürchtete er die Lähmung des Deutschen Reiches »auf das nächste Jahrhundert«. Stresemann fügte hinzu: »Das allein ist schon möglich bei dem jetzigen Stande von Wilsons Forderungen. Legt er und die Alliierten sich hierauf aber nicht fest, so kann Deutschland in den Zustand völliger politischer Ohnmacht und Auseinanderlassung hinein- geführt werden, in dem es zur Zeit des Rheinbundes bestand. Ist dies das Ergebnis einer völligen Niederlage, so ist es nicht zu vermeiden; das aber hinzunehmen, während unsere Heere noch in Belgien und in Frankreich stehen, würde das deutsche Volk für alle Zeiten zu einem

---

12 Vgl. Brief an Görcke vom 21. 10. 1918. NL Bd. 180. Stresemann bedachte dabei kaum die Situation im Südosten Europas.
13 NL Bd. 180. Andererseits wußte Stresemann, daß, wenn es jetzt nicht gelang, zu einem »Wilsonfrieden« zu kommen, im folgenden Frühjahr ein »Clemen- ceaufrieden« Deutschland auferlegt werden würde. So Ballin in einem Schreiben vom 23. 10. 1918. Ebenda.

Volke ehrloser Feiglinge brandmarken. Das muß unter allen Umständen verhindert werden, und deshalb handelt es sich darum, mit Annahme irgendwelcher Waffenstillstandsbedingungen auch die Zustimmung der Alliierten dazu zu erreichen, daß über die Wilsonschen 14 Punkte nicht hinausgegangen wird.« [14]

Diese Sätze machen deutlich, daß Stresemann zwar bereit war, die Aussichtslosigkeit eines deutschen Sieges und damit einer deutschen »Weltmachtsellung« voll anzuerkennen, daß aber der Begriff »Niederlage« für ihn eine breite Skala von Möglichkeiten umfaßte, die ausgeschöpft werden mußte, um die Voraussetzungen für eine deutsche Großmachtstellung der Zukunft weitestgehend zu erhalten. [15] Die weltpolitische und militärische Gesamtlage erwies eine solche Hoffnung jedoch als illusorisch. Darüber hinaus glückte die Fortsetzung der deutschen militärischen Operationen auch aus innenpolitischen — stark psychologisch und sozial bedingten — Gründen nicht. Hunderttausende, die vorher geschwiegen oder gar einem Annexionsfrieden zugestimmt hatten, bekundeten nun eine Mentalität bzw. politische Verhaltensweise, die darauf hinauslief, alles aufzugeben und den sofortigen Frieden um jeden Preis zu bejahen. Für Stresemann war eine solche Reaktion unfaßbar.

Das muß berücksichtigt werden, wenn man verstehen will, warum Stresemann — vom Sturz der Monarchie einmal ganz abgesehen — die Vorgänge um den 9. November so scharf kritisiert hat: er war fest davon überzeugt, daß die revolutionären Ereignisse den militärischen Zusammenbruch Deutschlands zumindest gefördert, wenn nicht sogar bedingt hatten. Verantwortlich dafür erschienen ihm jene, die sich darauf berufen konnten, den deutschen Siegeswillen während des Krieges nicht, jedenfalls nicht im Sinne der politischen und mehr noch der militärischen Führung des Reiches gefördert zu haben. [16] Daß Stresemann in dieser Weise argumentierte, kann gewiß als Rechtfertigungsabsicht beurteilt werden, ändert aber nichts daran, daß er für wahr hielt, was sich ihm subjektiv so darstellte. Diese von preußisch-wilhelminischer Ideologie nicht freie Analyse historisch viel komplexerer Prozesse machte ihn zwar für die spätere Dolchstoßlegende nicht anfällig — dafür wußte er zu viel von der militärisch unabwendbaren Niederlage —, ließ ihn aber das Ineinandergreifen der innen- und außenpolitischen Ereignisfolge an der Wende vom Kaiserreich zur Republik bei weitem überbewerten. Denn das erschien ihm sicher: Der Krieg war militärisch,

---

14 Erläuternd dazu K. Schwabe, Deutsche Revolution und Wilson-Frieden, a. a. O., S. 220 f.
15 Vgl. auch sein Schreiben an Major Kilburger vom 4. 11. 1918. NL Bd. 180.
16 Vgl. H. A. Turner, a. a. O., S. 23 f. Dort sein Ausspruch zitiert (S. 24): »Nicht der 2. Oktober, an dem Deutschlands Waffenstillstand beschlossen wurde, sondern der 9. November war der Todestag der deutschen Größe nach außen.«

der Waffenstillstand vom 11. November aber innenpolitisch verloren worden.

Dem politischen Weltbild von Stresemann entsprach, daß er damals und später als folgenschweres Unglück deutscher Geschichte empfand, was doch — historisch-strukturell gesehen — das Ergebnis der Kluft zwischen der ökonomisch-gesellschaftlichen und staatlich-politischen Verfassung des Kaiserreiches war: das (weitverbreitete) Unvermögen der politischen Linken, den Mittelweg zwischen militärischer Notwendigkeit und nationaler Interessenlage zu gehen. Von der Rechten glaubte er das erwarten zu können. Er täuschte sich darin [17], erkannte das aber erst Jahre danach. Im November 1918 fürchtete Stresemann mehr die — gerade auch außenpolitisch relevanten — Gefahren von links, die er unter nationalem Aspekt darin begründet sah, daß man eher den Versprechungen des Auslandes, vor allem Wilsons, als den Absichten der eigenen — seit dem 28. Oktober endgültig parlamentarisch legitimierten [18] — Regierung Vertrauen entgegenbrachte. Ob eine Fortsetzung des Krieges im November 1918 die deutsche Verhandlungsposition gestärkt oder — wegen der materiellen und zahlenmäßigen Überlegenheit der Gegner — im Endeffekt noch mehr geschwächt haben würde, läßt sich selbst heute kaum entscheiden. Aus der Perspektive von damals war das noch weniger möglich.

Von Anfang an war klar gewesen, daß Frankreich nach über vier Jahren härtester militärischer und wirtschaftlicher Anstrengungen nichts sehnlicher als das Ende des Krieges herbeiwünschte, daß es aber auch darauf achten würde, den wenige Monate zuvor noch gefährdeten Sieg voll zu nutzen. Auch Stresemann war sich dessen bewußt. [19] Bei der kommenden Friedenskonferenz konnte unter den gegebenen Verhältnissen allenfalls ein deutscher Talleyrand retten, was möglicher-, aber nicht wahrscheinlicherweise zu retten war. [20] Schon die Bestimmungen und Begleitumstände des Waffenstillstandes [21] gaben für eine solche Hoffnung wenig Anlaß. Im Gegenteil: Stresemann mußte erkennen, daß es Foch gelungen war, einen Waffenstillstand durchzusetzen, der — zumindest in der politisch-militärischen Konsequenz — einer bedingungslosen Kapitulation Deutschlands sehr nahe kam. [22]

17 Vgl. A. Thimme, Flucht in den Mythos. Die Deutschnationale Volkspartei und die Niederlage von 1918, Göttingen 1969.
18 Erlaß des Kaisers und Gesetze vom 28. 10. 1918 zur Abänderung der Reichsverfassung bei Michaelis — Schraepler, Ursachen und Folgen, Bd. II, S. 366 ff.
19 Vgl. seinen Brief an Stollwerck vom 4. 11. 1918. NL Bd. 180.
20 Vgl. Niederschrift Stresemanns gleichfalls vom 4. 11. 1918. Ebenda.
21 Dazu bes. M. Erzberger, Erlebnisse im Weltkrieg, Stuttgart und Berlin 1920, S. 331 f.
22 Vgl. auch K. Schwabe, Deutsche Revolution und Wilson-Frieden, a. a. O., S. 323. Kennzeichnend für Foch seine Note vom 10. Januar 1919 über die Bedeutung der Rheingrenze. Michaelis — Schraepler, Ursachen und Folgen, Bd. III, S. 333 ff.

Am 14. November 1918 veröffentlichte Stresemann in der »Kölnischen Zeitung« einen Artikel (»Wer wird die Besatzungstruppen stellen?«), der Auskunft darüber gibt, wie er zu diesem Zeitpunkt die Zielvorstellungen der politischen und militärischen Führung Frankreichs einschätzte. Von besonderer Wichtigkeit war ihm die Praxis und Intention der alliierten Besatzungstruppen in den linksrheinischen Gebieten und den Brückenköpfen rechts des Rheins. Das deutsche Interesse verlangte vor allem eine genaue Beobachtung des Verhaltens der französischen Besatzungsmacht. [23] Und da argwöhnte Stresemann: »Die französischen Pläne sind uns wiederholt enthüllt worden, und sie gingen dahin, das ganze linke Rheinufer an Frankreich anzugliedern.« Aufgrund des allseits propagierten Selbstbestimmungsrechtes erwartete er keine offene militärische Annexion, aber den Versuch, durch eine gezielte und langdauernde Besatzungspolitik die Bevölkerung der linksrheinischen Gebiete zu einem Votum im Sinne Frankreichs zu veranlassen, d. h. nichts anderes, als sie politisch auf die Dauer mürbe zu machen.

»Frankreich ist im Rheinland Selbstinteressent; um diese Tatsache ist nicht herumzukommen.« Diese Feststellung ließ Stresemann fordern, daß die Alliierten Frankreich dazu bewegen sollten, keine Besatzungstruppen zu stellen, um so jeden Anschein einer Annexion zu vermeiden. Entweder war das aber von ihm nicht ernsthaft gemeint, was wahrscheinlich ist, oder es ging gänzlich an den Realitäten vorbei, die das Kriegsende gerade bezüglich der Position Frankreichs gebracht hatte. Da konnte auch das Zitieren Wilsonscher Formulierungen wenig helfen. Die waren spätestens in diesem Moment bloße Sentenzen, nicht aber Maxime der praktischen Politik, jedenfalls nicht bei der politischen und militärischen Führung Frankreichs. Wilson mußte erst noch beweisen, was sie im Konfliktfalle wert waren.

Daß gerade Stresemann ihm das anriet, mußte Zeitgenossen schon damals — bedenkt man, welche Kriegsziele er selber jahrelang verfochten hatte — als paradoxe Ironie erscheinen, auch wenn er nun — nicht ohne hinreichende Verdachtsgründe — an den amerikanischen Präsidenten appellierte, darauf zu achten, »daß französischer Imperialismus, französische Ländergier gar nicht erst in die Lage kommen, sich weiter zu entwickeln, indem sich Frankreich in einem Gebiete festsetzt, das es auf der Landkarte der Zukunft sich schon zugeschrieben hat«. Diskrepanzen zwischen Wilson und den französischen Militärs bzw. Politikern festzustellen, mochte in den nachfolgenden Wochen und Monaten eine interessante Aufgabe sein, die der politischen Polemik einige Munition liefern konnte; ein Hebel zur praktischen Politik, zur Einflußnahme auf

---

23 Vgl. etwa die vom französischen General Mangin unterstützte separatistische Aktivität von Dorten. Dazu Michaelis — Schraepler, Ursachen und Folgen, Bd. III, S. 148 ff.

die Entscheidungen der Siegermächte war damit jedoch nicht gewonnen. Von einem Programm zur Lösung der entstandenen Fragen mußte Stresemann so lange weit entfernt bleiben, als er nicht realistisch genug die Folgen der Niederlage Deutschlands in sein und der Umwelt Bewußtsein zu heben vermochte. Aber auch wenn er dieses Programm gehabt hätte, es hätte wenig genutzt, einem auferlegten, vom französischen Interesse akzentuierten Frieden vorzubeugen. Denn daran gab es bald keinen Zweifel: Deutschland war nicht mehr Subjekt, sondern im wesentlichen nur noch Objekt der Weltpolitik.

Um die Jahreswende 1918/19 mußte sich Stresemann mehr mit innen- als mit außenpolitischen Problemen beschäftigen. Die Frage der republikanischen Staatsform, die Gründung der Deutschen Volkspartei und die Vorbereitung des Wahlkampfes für die Nationalversammlung waren entscheidende Markierungen auf dem Wege zu einer neuen politischen Aktivität. [24] Dennoch vergaß er in keiner Phase der Entwicklung die auswärtigen Pressionen, denen das besiegte, im Innern zudem zerstrittene und durch vielfache Konflikte geschwächte Deutschland ausgeliefert war. Die Einheit des Reiches nach innen und nach außen erschien Stresemann ebenso gefährdet wie notwendig. Für dieses Ziel glaubte er alle Kräfte anstrengen, alle Potenzen des deutschen Volkes mobilisieren zu müssen. Monarchischer und nationaler Gedanke sollten dafür die Basis und die Klammer bilden, und es spricht viel dafür, daß Stresemann dem Hohenzollernhaus nicht so sehr aus sentimentaler Anhänglichkeit verbunden war, sondern wegen des Kalküls, daß nur die Erinnerung an die Großtaten der preußisch-deutschen Geschichte die Bereitschaft zur Fortsetzung des Bismarckreiches und seiner außenpolitischen Tradition in breiten Teilen des deutschen Volkes neu beleben würde. Entscheidend war ihm die Zukunft Deutschlands, nicht die Restauration der Monarchie. [25]

Insofern Stresemann darum bemüht war und blieb, innerhalb Deutschlands den politischen und gesellschaftlich-ökonomischen Liberalismus (allerdings — wie schon in der Vorkriegszeit — mit einem deutlichen sozialen Impetus) und für die Außenpolitik des Reiches das nationale Selbstinteresse (wie er es begriff) zur Richtschnur seiner Politik zu

24 Vgl. die sehr abgewogene Darstellung von H. A. Turner, a. a. O., S. 24 ff.; allgemein W. Hartenstein, Die Anfänge der Deutschen Volkpartei 1918-1920, Düsseldorf 1962, und L. Döhn, Politik und Interesse. Die Interessenstruktur der Deutschen Volkspartei (Marburger Abhandlungen zur Politischen Wissenschaft, hrsg. von W. Abendroth, Bd. 16), Meisenheim am Glan 1970, S. 49 ff.
25 Vgl. u. a. seine Erklärung vor dem Zentralvorstand der DVP am 12. April 1919: »Das Kaisertum hat das Reich wie ein Reif zusammengehalten. Herr Ebert hält nichts zusammen, weder das Reich noch Preußen.« NL Bd. 203: Politische Reden 1919/I. Vgl. auch seinen Brief vom 6. 1. 1919 an Dr. Behm, Berlin: »... erst kommt das Reich und dann die Monarchie«. NL Bd. 182: Politische Akten 1918/XIII.

machen, bewies er in eigener Person am eindringlichsten die national-liberale Kontinuität in Theorie und Praxis. [26] Von daher ist verständlich, daß er sich der Monarchie innerlich verbunden fühlte, jedoch zum »Vernunftrepublikaner« werden konnte, wenn das die Belange des Deutschen Reiches verlangten. [27] Diese Schlußfolgerung findet ihre Begründung vor allem in den Ausführungen Stresemanns auf dem 1. Parteitag der DVP am 13. April 1919 in Jena. Bezüglich des Anschlusses Deutsch-Österreichs an das Deutsche Reich formulierte er: »Der Weg zu Großdeutschland und der Weg zu innerer Ruhe kann nur gehen auf dem Boden republikanischer Staatsform. Deshalb arbeiten wir an ihr mit.« [28]

In der Situation des Jahres 1919 war eine solche Verbindung jedoch nicht in die Tat umzusetzen. Sie widersprach völlig den machtpolitischen Zielvorstellungen der Alliierten, insonderheit Frankreichs. Daher kam es in der Sicht Stresemanns vor allen Dingen darauf an, durch nationale Geschlossenheit des deutschen Volkes und durch eine propagandistische Gegenoffensive, die nicht damit rechnen durfte, daß jedes gesagte oder geschriebene Wort auf die Goldwaage späterer Geschichtsschreibung gelegt werden könnte, die politische Willensbildung der Regierungen der Siegermächte — und wiederum besonders Frankreichs — zu beeinflussen. So schrieb Stresemann zum Beispiel schon am 12. November 1918: »Die Waffenstillstandsverhandlungen liefern Deutschland wehrlos dem Feinde aus.« [29] Und er fügte hinzu: »Wo sind bei diesen Waffenstillstandsbedingungen irgendwelche Gesichtspunkte, die an einen Verständnisfrieden, Völkerbund und andere hohe Ideale erinnern?« Die Antwort war für Stresemann klar. Er verwies auf das »Bestreben der Deutschen nach abwägender Objektivität«, das der »berechnenden, kalten Realpolitik Englands und dem aufschäumenden Chauvinismus Frankreichs« hoffnungslos unterlegen wäre. [30] Für Deutschland mußte das nach seiner Definition einen Gewaltfrieden zur Folge haben.

Bei der Auseinandersetzung mit innenpolitischen Gegnern, die ihm seine Annexionspolitik während des Krieges vorwarfen, hatte Stresemann in der Frühphase der Weimarer Republik immer wieder diese drei Argumente auf seiner Seite: erstens habe er an den deutschen Sieg geglaubt, worüber er sich ja wohl nicht zu schämen brauche, und ihn für nötig gehalten, um die deutsche Macht als Voraussetzung

26 Vgl. H. A. Turner, a. a. O., S. 38; ebenso die Ausführungen Stresemanns über Bassermann und die Deutsche Volkspartei, geschrieben am 27. 7. 1925. NL Bd. 127: Briefwechsel mit der Witwe Julie Bassermann und betr. Ernst Bassermann 1919—1929.
27 Vgl. dazu Th. Eschenburg, a. a. O., S. 161 f.
28 NL Bd. 203. Vgl. auch A. Thimme, Gustav Stresemann, a. a. O., S. 46.
29 Reden und Schriften, 1. Bd., a. a. O., S. 205.
30 Ebda., S. 206.

künftiger Friedenssicherung zu stärken; zweitens wären auch die Gegner Deutschlands nicht bereit gewesen, einen Frieden des Status quo ante zu schließen, vielmehr hätten sie von Anfang an das Ziel verfolgt, Deutschland zu »vernichten«; drittens seien jene erst recht Illusionisten zu nennen, die nicht zugeben wollten, von den politischen Absichten der Westmächte getäuscht worden zu sein. [31]

Mochte das alles wie Spiegelfechterei erscheinen — es war, vergleicht man alle Faktoren, nicht ohne einen Teil von Wahrheit, der dadurch an Gewicht gewann, daß Stresemann immer forcierter auf die Besatzungspolitik, die Völkerbundskonstruktion und die Interessenvielfalt der alliierten Mächte verweisen konnte. [32] Dennoch war Stresemann nicht geneigt, den Dingen ihren Lauf zu lassen und einem allgemeinen Pessimismus zu verfallen. Das hätte ebenso seinem politischen Selbstverständnis wie seinem optimistischen Aktivismus widersprochen. Am 28. Dezember 1918 schrieb er für die »Düsseldorfer Nachrichten«: »Unsere Lebensarbeit muß in Zukunft restlos der Wiederaufrichtung unseres Vaterlandes dienen. An der Möglichkeit einer wirtschaftlichen Wiederaufrichtung Deutschlands brauchen wir trotz allem nicht zu zweifeln.« [33] Noch viel deutlicher wurde Stresemann, wenn er auf dem Parteitag der DVP in Jena (13. April 1919) der Versammlung zurief: »Wir wollen aus dieser Zeit der nationalen Schmach und Würdelosigkeit unser Volk zurückführen zu dem alten Stolz auf Deutschland, Deutschlands Größe und Deutschlands Weltbestimmung.« [34]

Aus solchen Worten sprach gewiß mehr Erinnerung als Zielprojektion; bedenkt man aber, daß Stresemann in derselben Rede auch ein künftiges »Großdeutschland« in den Blick rückte, so läßt sich aufgrund des Quellenbefundes sagen, daß Stresemann nach dem verlorenen Weltkrieg außenpolitisch von Anfang an von der Intention bestimmt war, Deutschland wieder in das internationale System der Großmächte einzubringen. An militärische Operationen, also an einen Revanchekrieg, dachte er dabei zu keinem Zeitpunkt, wohl aber an den wirtschaftlichen und damit auch politischen Wiederaufstieg Deutschlands, des Deutschen Reiches, das ihm als politische »Qualität« — gleichrangig den übrigen »großen« Nationalstaaten — nie zweifelhaft war. Damit setzte Stresemann auch auf dieser Ebene eine Linie fort, die ihren Ursprung in der Zeit *vor* dem Weltkrieg hatte und damals — trotz aller imperialistischen Deformation — prinzipiell von der Absicht getragen

---

31 Vgl. die Rede Stresemanns am 28. 12. 1918 in Osnabrück, abgedruckt in: »Osnabrücker Zeitung« vom 29. 12. 1918; ebenso den Aufruf Stresemanns vom 17. 1. 1919 an die Wähler des Wahlkreises Aurich-Wittmund. NL Bd. 203.
32 Vgl. seine Rede in der Nationalversammlung am 4. März 1919. NL Bd. 203.
33 NL Bd. 186: Politische Reden 1918/III.
34 NL Bd. 203.

gewesen war, die deutsche Großmacht militärisch zu sichern, wirtschaftlich aber durch freien Welthandel, der den Frieden voraussetzt, auszubauen, so daß der Aufstieg zur »Weltmacht« über kurz oder lang als Konsequenz sich hätte ergeben müssen. Ein solches Maximalprogramm war *nach* 1918 natürlich in die weiteste Ferne gerückt, und Stresemann wußte das. Aber er war fest entschlossen, dieselbe Richtung der Außenpolitik wieder einzuschlagen, und seine Hoffnung ruhte wie früher auf der wirtschaftlichen Kapazität, dem territorialen Umfang und der Bevölkerungszahl Deutschlands. Jede Aktivität mit dieser Perspektive verlangte indessen, die drei Hauptkomponenten für eine künftige Großmachtposition des Reiches dem Zugriff der Alliierten soweit wie irgend möglich zu entziehen. Denn darauf kam es zunächst an: Sollte eine Politik der Revision des Status quo 1918/19 je erreichbar sein, so mußte, wo immer eine Chance sich bot, diese genutzt werden, damit Deutschland nicht auf Dauer geschwächt wurde. In dieser Absicht hatte die — bisweilen etwas hemdsärmelige — Polemik Stresemanns gegenüber dem Versailler Vertrag ihre objektive Motivation; sie erklärt auch, warum er nur ein Jahr später (endgültig dann 1921) — überzeugt, daß bloße rhetorische Attacken unter den gegebenen Umständen unfruchtbar bleiben mußten — darauf drängte (und am liebsten hätte er es selbst getan), durch praktische und praktikable Maßnahmen den Wagen der Außenpolitik endlich auf das Gleis zu bringen, das in die Zukunft führte.

Zwei Beispiele aus dem Frühjahr 1919 mögen diese These erhärten. Am 25. März schrieb Stresemann ein Geleitwort für das »Niedersächsische Wochenblatt«, das folgende Passage enthält: »Jetzt kommt es darauf an, wenigstens moralisch zu widerstehen und einheitlich den Willen der Nation dahin kundzugeben, daß wir unserer Regierung zustimmen, wenn sie ablehnt, einen Friedensvertrag zu unterzeichnen, der durch Abtretung rein deutscher Gebiete Danzig zu einer polnischen Stadt, Oberschlesien zum Rückgrat polnischer Volkswirtschaft, das Saargebiet zur Quelle französischen Wirtschaftslebens machen und uns durch Fesseln in unseren Wirtschaftsbeziehungen, durch Auflegung unerträglicher Entschädigungen hilflos für alle Zeiten machen würde.« [35] Jede Aufteilung Preußens (Hannover, Rheinland) nannte Stresemann einen Weg »zur völligen politischen Ohnmacht Deutschlands«, und er setzte hinzu: »In einer Zeit, in der uns von Wien und von Innsbruck, von Graz und von Salzburg die deutschen Brüder winken, um mit uns Großdeutschland zu begründen, die 70 Millionen Deutsche innerhalb Mitteleuropas zu einer großen, mächtigen politischen Einheit zusammenzuschweißen, da steht es uns wirklich schlecht an, nach neuen Staaten zu rufen, die gleichzeitig auch die Erinnerung an die Zeiten

---

35 Ebenda.

der Rheinbundschmach unter französischem Protektorat und an die Zeiten hervorrufen, in denen England noch Hannover als eine Art englischer Provinz ansehen konnte.«[36]

Für Stresemann war es eine ausgemachte Sache, daß nur die staatenbildende Kraft Preußens in der Lage sein würde, »ein Großdeutschland der Zukunft« zu schaffen. Im Kern erklärt eine solche Aussage sein Verhalten bis in das Krisenjahr 1923 hinein. Deutsches Land, von Deutschen bewohnt und durch deutsche Kultur geprägt (das galt besonders für Österreich, aber auch für das Saargebiet und die Rheinlande; etwas ungewiß blieb das Problem Elsaß-Lothringen), war nach Meinung Stresemanns eben wegen der nationalen Zukunft des Deutschen Reiches ebenso unverzichtbar wie der Besitz von Kolonien.[37] Gefühlsmäßige Bindungen kamen gewiß hinzu, aber sie waren für Stresemann mehr Bestandteil jener Imponderabilien (von denen Bismarck gesprochen hatte), die das politische Bewußtsein der Menschen in starkem Maße mitbestimmen, als Grundlage einer außenpolitischen Konzeption. Diese hing von den wirtschaftlichen und politischen Interessen »Gesamtdeutschlands« ab, die Stresemann mit den Interessen aller Bevölkerungsgruppen identifizierte, ohne jemals voll zu durchschauen, warum weder die Mehrheit der gesellschaftlichen Oberschicht (vgl. innerhalb der DVP etwa die Rolle von Stinnes) noch die revolutionären Teile der Arbeiterschaft ihm bei dieser Harmonisierungsideologie zu folgen bereit waren. In Wahrheit steuerte Stresemann auch in diesem Fall einen Kurs konservativ-liberaler Mitte.[38]

Am 18. Januar 1919 traten die Staatsmänner der Alliierten in Paris zur Friedenskonferenz zusammen. Monatelange Beratungen folgten.[39] Die Lösung, die schließlich zustande kam, befriedigte im Grunde niemanden. Am 7. Mai überreichte Clemenceau der nach Versailles geladenen deutschen Delegation unter Reichsaußenminister Graf Brockdorff-Rantzau die Friedensbedingungen.[40] Innerhalb von 15 Tagen

---

36 Ebenda.
37 Vgl. seine Rede auf dem Parteitag der DVP in Jena, a. a. O.
38 Vgl. dazu L. Döhn, a. a. O., bes. S. 58 ff. und S. 378 ff.
39 Zu den Friedensgesprächen vgl. K. Schwabe, Deutsche Revolution und Wilson-Frieden, a. a. O., S. 327 ff.; H. Rößler (Hrsg.), Ideologie und Machtpolitik 1919. Plan und Werk der Pariser Friedenskonferenzen 1919, Göttingen — Zürich — Frankfurt 1966; P. Mantoux (damals französischer Chefdolmetscher), Les Déliberations du Conseil des Quatre (24 mars — 28 juin 1919), Bd. I und II, Paris 1955, bes. Bd. I, S. 41 ff.; G. Schulz, Revolutionen und Friedensschlüsse 1917—1920, München 1967, S. 160 ff.; H. Herzfeld, a. a. O., S. 199 ff.; A. Schickel, Der Friedensvertrag von Versailles, in: Aus Politik und Zeitgeschichte, Beilage zur Wochenzeitung »Das Parlament«, B 26/1969; W. Baumgart, Brest-Litovsk und Versailles, Ein Vergleich zweier Friedensschlüsse, in: Hist. Zeitschrift, Bd. 210 (1970), S. 583 ff.; F. Dickmann, Die Kriegsschuldfrage auf der Friedenskonferenz von Paris 1919, München 1964.
40 Vgl. dazu Michaelis — Schraepler, Ursachen und Folgen, Bd. III, S. 346 ff.

konnten die deutschen Vertreter schriftlich ihre Alternativvorschläge und Fragen vorbringen; Verhandlungen darüber hinaus gab es nicht. [41] Als die Bedingungen in Deutschland bekannt wurden, war Entrüstung die allgemeine Reaktion. [42] Das teils echte, teils vorgegebene Vertrauen auf die 14 Punkte Wilsons fühlte sich getäuscht; viele gaben sich jedoch emotionaler, als das bei vorurteilsloser Selbsteinschätzung und nüchterner Beobachtung der Versailler Friedensgespräche hätte eintreten dürfen. [43] Zudem war bei einigem Gerechtigkeitssinn zu erkennen, daß die Franzosen bei weitem nicht alle Wünsche (so besonders die Rheingrenze bzw. die Bildung eines selbständigen linksrheinischen Pufferstaates) hatten durchsetzen können.

In Deutschland siegte damals jedoch das Ressentiment über die politische Vernunft, die Unrecht verurteilt, aber nicht darin verharrt, sondern in Anerkennung der jeweiligen Realitäten unter Beachtung der vorhandenen Möglichkeiten darauf hinarbeitet, durch politische Aktionen allmählich zu verändern, was als unhaltbarer, jedenfalls nicht befriedigender Zustand betrachtet bzw. erfahren wird. Stresemann wäre 1919 wohl noch nicht fähig gewesen, den Aufgaben eines Außenministers, der Fortune haben will, genügend zu entsprechen. Aufschlußreich ist in diesem Zusammenhang insbesondere seine Rede in der Nationalversammlung am 12. Mai 1919. Die Nachrichten aus Versailles apostrophierte er mit einem alles entscheidenden Satz: »Meine Herren, wenn man den Friedensvertrag auf sich wirken läßt in denjenigen Grundsätzen, die seinen ganzen Inhalt kennzeichnen, dann sieht man, daß er dreierlei beabsichtigt: unsere politische, unsere wirtschaftliche Vernichtung und unsere Entehrung.« [44]

Das war lapidar formuliert, aber umfassend im Urteil. Stresemann empfand den Vertrag nicht nur als moralisch diskriminierend, sondern als illegitim, insofern er in ihm die im Oktober/November 1918 proklamierten und allseits auch akzeptierten Waffenstillstandsbedingungen grundlegend verletzt sah. Die Artikel, in denen er eine Demütigung Deutschlands erblickte, schrieb Stresemann Frankreich, die wirtschaft-

41 Vgl. L. Zimmermann, Deutsche Außenpolitik in der Ära der Weimarer Republik, Göttingen — Berlin — Frankfurt/M. 1958, S. 59 f.
42 Vgl. K. Buchheim, a. a. O., S. 37 ff., und G. Schulz, a. a. O., S. 267. Über die Reaktion in der Nationalversammlung vgl. A. Schickel, Die Nationalversammlung von Weimar. Personen, Ziele, Illusionen vor fünfzig Jahren, Aus Politik und Zeitgeschichte, Beilage zur Wochenzeitung »Das Parlament«, B 6/1969, S. 22 ff.
43 Vgl. dazu H. Heiber, Die Republik von Weimar, München 1966, S. 52; ebenso F. Fischer, Griff nach der Weltmacht, a. a. O., S. 861, und G. Mann, a. a. O., S. 677 f. Vgl. auch E. J. Passant, A Short History of Germany 1815—1945, Cambridge University Press 1966, S. 152 f.
44 Verhandlungen der verfassunggebenden Deutschen Nationalversammlung, Bd. 327, Stenogr. Berichte, Berlin 1920, S. 1100.

lichen Forderungen dagegen England zu. [45] Unter diesen Umständen kam für ihn eine Zustimmung zum Vertragswerk nicht in Frage: »Was dieser Vertrag aus Deutschland macht, das ist ein zerstückeltes Reich, machtlos, rechtlos, ehrlos, auf ewige Zeit zur Fronarbeit verurteilt, von Fremdvölkern wie von Sklavenhaltern regiert. Es ist möglich, daß wir zugrunde gehen, wenn wir den Vertrag nicht unterzeichnen. Aber wir alle haben die Empfindung: es ist sicher, daß wir zugrunde gehen, wenn wir ihn unterzeichnen.« [46] Streseman hat diese Entscheidung, deren Pathos nicht ohne Wirkung war, die aber doch politisch, militärisch und wirtschaftlich in die Sackgasse führen mußte, auch bei der Schlußabstimmung am 22. Juni 1919 nicht revidiert. [47] Er manövrierte sich damit selber innen- und außenpolitisch in die totale Opposition. Einem kritischen Beobachter der politischen Szenerie mochte allerdings schon damals der Gedanke kommen, daß Stresemann eine solche Rolle nicht lange würde spielen können.

Vor dem Versailler Vertrag hätte ein Freund der europäischen Völker vielleicht noch den Ruf gewagt: La guerre est morte, vive la paix! Nach dem Vertrag hätte selbst er zugestehen müssen, daß vier Jahre mörderischen Kampfes auch den Frieden getötet hatten. Von einem ausgewogenen europäischen Staatensystem konnte nun erst recht keine Rede mehr sein. [48] Frankreich hatte im westlichen und mittleren Teil des europäischen Kontinents eine halbhegemoniale Stellung errungen. Für das Deutsche Reich brachte der »Diktatfrieden« dagegen die militärische Degradierung und die politische Entmachtung; darüber hinaus drohte er den wirtschaftlichen Ruin des Landes vollends zu besiegeln. Das deutsche Volk fühlte sich durch den Artikel 231 moralisch verurteilt. [49] Diese Festlegung machte es möglich, das Mittel der Reparationen (Art. 232 VV) so zu gebrauchen (eine feste Summe wurde ja nicht bestimmt), daß es für Deutschland zum dauernden finanziellen Aderlaß wurde. Der auf Wilsons Prinzipien gegründete Völkerbund galt, da die Besiegten

---

45 Ebda., S. 1102.
46 Ebenda. Zu den wichtigsten Konsequenzen des Vertrages für Deutschland vgl. A. Schwarz, Die Weimarer Republik, Konstanz 1958, S. 14 ff., und K. Mielcke, Geschichte der Weimarer Republik, Braunschweig 1956, S. 22 ff.
47 Vgl. dazu W. Ruge, a. a. O., S. 54 f., und H. A. Turner, a. a. O., S. 47 ff.
48 Vgl. L. Zimmermann, a. a. O., S. 67.
49 Zu diesem Problem vgl. den kritischen, dem historischen Kontext aber nicht ganz gerecht werdenden Beitrag »Die falsche Schmach«, verfaßt von A. Thimme, in: »Die Zeit« Nr. 51 vom 20. 12. 1968. Entscheidend war doch, daß der Artikel 231 nicht nur eine juristische Haftung fixieren wollte, sondern — mit dem Anspruch auf Wahrheit — als politisches Mittel gehandhabt wurde und dabei fast eine Blankovollmacht darstellte — sei es auch nur für die öffentliche Meinung. Vgl. dazu E. Wüest, Der Vertrag von Versailles in Licht und Schatten der Kritik. Die Kontroverse um seine wirtschaftlichen Auswirkungen, Zürich 1962, S. 32 ff; ebenso F. A. Krummacher und A. Wucher, Die Weimarer Republik. Ihre Geschichte in Texten, Bildern und Dokumenten, München — Wien — Basel 1965, S. 76 f.

von ihm ausgeschlossen waren, in deren Augen als ein Instrument der Sieger zur Behauptung ihres Sieges. [50]

Von Beginn an hatte Clemenceau nicht daran gezweifelt, daß in einiger Zukunft der Gedanke der Revanche Deutschland beherrschen würde. Sicherheit Frankreichs gegen diese für ihn unausbleibliche Gefahr war also die oberste Forderung, mit der Clemenceau, darin ganz wesentlich von Foch unterstützt, in die Friedensverhandlungen hineinging. [51] Am selben Tage der Unterzeichnung des Vertrages von Versailles (28. 6. 1919) wurden die Beistandsverträge zwischen Frankreich und England sowie Frankreich und den USA paraphiert. »Es ist für das Verständnis der späteren Entwicklung des deutsch-französischen Verhältnisses von entscheidender Bedeutung, sich klarzumachen, daß von Frankreich aus gesehen der Vertrag mit Deutschland und die Verträge mit England und Amerika eine Einheit bilden.« [52]

In diesen Verträgen mit seinen Kriegsverbündeten versuchte Frankreich das an zusätzlicher Sicherheit zu erlangen, was Versailles ihm nicht zu bieten schien, nachdem sich die ständige militärische Rheingrenze als unerreichbar erwiesen hatte. Deutschland blieb zahlenmäßig und seinem Industriepotential nach Frankreich überlegen, und die Rheinlandbesetzung war zeitlich befristet; auch die Zukunft des Saargebietes war nicht geklärt. Versailler Vertrag und Beistandspakt wurden jedoch vom amerikanischen Senat abgelehnt. [53] Diese für Frankreich überraschende und bestürzende Entscheidung machte — aufgrund eines vereinbarten Junktims [54] — auch die britische Beistandsverpflichtung hinfällig. »Damit war von Frankreich aus gesehen das vielleicht wichtigste Stück aus dem System von Versailles herausgebrochen. Frankreich suchte nach anderen Möglichkeiten, sein Sicherheitsbedürfnis zu befriedigen.« [55]

Aus der historischen Distanz läßt sich mit einiger Gewißheit die These formulieren: Deutschland hatte zwar den Krieg unbezweifelbar verloren, Frankreich ihn aber nicht so unbezweifelbar gewonnen. Die europäische Führungsposition, die es sich in Versailles erkämpfte, stand und blieb in einem erkennbaren Mißverhältnis zu seinen effektiven Kräften und Möglichkeiten. [56] Die Stärkung Frankreichs war zum gro-

50 Vgl. M. Göhring, Stresemann. Mensch — Staatsmann — Europäer, Wiesbaden 1956, S. 11; ebenso W. Conze, a. a. O., S. 173.
51 E. Eyck, Geschichte der Weimarer Republik, Bd. 1, Erlenbach — Zürich — Stuttgart ³1959, S. 116.
52 K. D. Erdmann, Die Zeit der Weltkriege, a. a. O., S. 112.
53 Vgl. dazu W. Link, a. a. O., S. 34 ff.
54 Vgl. E. Eyck, Bd. 1, a. a. O., S. 119 f.
55 K. D. Erdmann, Die Zeit der Weltkriege, a. a. O., S. 112; vgl. auch E. Wüest, a. a. O., S. 48 f.
56 Vgl. auch das Urteil von L. Rühl, Skeptischer Abschied von Paris (und von »Versailles«), in: »Monat«, H. 245, Februar 1969, S. 29: »Der tragische Denkfehler der französischen Staatsmänner jener Zeit des Sieges, die eine große Chance zur Befriedung Europas und zur Sicherung Frankreichs mittels

ßen Teil abhängig von der Schwächung Deutschlands. Dessen weitgehende Abrüstung und zunächst nicht begrenzte Reparationsverpflichtung waren für den Quai d'Orsay wesentlich ein Mittel, um den wirtschaftlichen und politischen Wiederaufstieg des besiegten, potentiell jedoch überlegenen Gegners zu verhindern. Diese objektive Problematik mußte, was immer die persönliche Absicht des jeweiligen Außenministers sein mochte, die deutsch-französischen Beziehungen nach 1919 ständig belasten. »Die verzweifelte Suche nach Sécurité und die Unsicherheit der französischen Deutschlandpolitik sind vorwiegend auf diese Ausgangslage (gemeint ist die bevölkerungsmäßige und materielle Überlegenheit Deutschlands — Anm. d. Verf.) zurückzuführen.« [57]

Zunächst waren jedoch die nationalistischen Strömungen vorherrschend. Die Kritik vor allem der Sozialisten gegen die wichtigsten Vertragsbestimmungen und die Gegenkritik der Ultranationalisten hielten einander die Waage. Louis Barthou, Aristide Briand und Maurice Barrès waren die herausragenden Persönlichkeiten, die, mit dem Erreichten unzufrieden, eine Ausweitung des Vertrages forderten. [58] Was damals vielen Franzosen als nicht genügend erschien, war für die meisten Deutschen jenseits des Zumutbaren. Die aus dem Versailler Vertrag sich ergebenden Konsequenzen territorialer, militärischer, politischer, wirtschaftlicher und finanzieller Art waren dazu angetan, einen ursprünglich mehr psychologischen Schock in eine permanente gesellschaftliche Krise mit entsprechender außenpolitischer Relevanz zu verwandeln. Reichsregierung und öffentliche Meinung hielten den Vertrag (bes. Artikel 231) für ungerecht und undurchführbar. Austen Chamberlain hat später in seinen Memoiren zugegeben: »Einige der von den Siegern den Besiegten auferlegten Bedingungen waren unausführbar und blieben unerfüllt.« [59]

Die außenpolitischen Implikationen waren mitentscheidend für die Atmosphäre der politischen Arena in Deutschland. Sie bestimmten die Verhaltensmuster der Mehrheit der Bevölkerung und vieler Parlamentarier; sie beeinflußten auch die Frankreich-Analyse Stresemanns. Immer noch schwankte er, ob er — wie früher — England seiner ökonomi-

einer neuen Politik gegenüber dem besiegten Deutschland wissentlich nicht nutzten, lag in der Verwechslung einer notwendigerweise flüchtigen internationalen Konstellation — der großen Koalition der Westmächte, Frankreich im Zentrum — mit dem natürlichen Kräfteverhältnis zwischen den Nationen Europas.«

57 R. von Albertini, Die Dritte Republik. Ihre Leistungen und ihr Versagen, in: Geschichte in Wissenschaft und Unterricht, 6. Jg. (1955), S. 499 f. Vgl. auch H.-O. Sieburg, Grundzüge der französischen Geschichte, Darmstadt 1966, S. 171.
58 Vgl. A. Schwarz, a. a. O., S. 18; s. auch L. Zimmermann a. a. O., S. 72.
59 A. Chamberlain, Englische Politik. Erinnerungen aus fünfzig Jahren, Essen 1938, S. 663. Zur Kritik vor allem von Keynes vgl. E. Wüest, a. a. O., passim, G. Schulz, a. a. O., S. 269 f., und E. Eyck, Bd. 1, a. a. O., S. 171 ff.

schen Interessen wegen oder nunmehr Frankreich aufgrund seiner militärischen Macht und der kaum verhüllten Ambitionen, dadurch größer zu werden, daß es Deutschland (territorial) kleiner machte, als den Hauptgegner für die Gegenwart und Zukunft des Reiches betrachten sollte. Doch war — aufs Ganze gesehen — Stresemann geneigt, eher Frankreich als England mit dem Schicksal Deutschlands in Beziehung zu setzen. So erklärte er am 8. Oktober 1919 in der Nationalversammlung: »England — das ist meine feste Überzeugung — steht mindestens wirtschaftlich auf dem Standpunkt des ›Germaniam esse delendam‹, Deutschland soll wirtschaftlich vernichtet werden. Frankreich aber weiß das eine, daß unser wirtschaftlicher Untergang auch der wirtschaftliche Untergang Frankreichs sein würde. Es hat das größte Interesse daran, uns wirtschaftlich nicht zu solchen zerrütteten Verhältnissen kommen zu lassen.« [60]

Was England betrifft, so entsprach das Verdikt Stresemanns eher seinem überkommenen Freund-Feind-Bild als einer realpolitischen Diagnose. Der Hinweis zur deutsch-französischen Interdependenz könnte als geniale Einsicht interpretiert werden, ging aber, so formuliert, an den Realitäten von damals fast gänzlich vorbei. Die französischen Militärs und nationalen Politiker dachten entscheidend in machtpolitischen Kategorien, nicht aber in Begriffen wirtschaftlicher Vernunft. Das muß auch Stresemann gewußt haben, denn in derselben Rede machte er klar, daß Deutschland nicht anders könne, als den Vertrag zu erfüllen. Allerdings kritisierte er alle diejenigen, die nicht den Vorbehalt machten, daß die Erfüllung des Geforderten an der wirtschaftlichen und finanziellen Leistungsfähigkeit des Reiches ihre Grenze haben müsse. [61]

Insofern Frankreich die dominierende Macht war, die ständig forderte, wozu sich Deutschland verpflichtet hatte, hielt es Stresemann für notwendig, dem deutsch-französischen Verhältnis wachsende Aufmerksamkeit entgegenzubringen. Dabei ging er von zwei Prämissen aus: Erstens war es ihm ein Zeichen von politischem Pessimismus, »anzunehmen, der Versailler Frieden sei eine Epoche, und der Ausweg aus dem jetzigen Verhältnis sei überhaupt unmöglich«. [62] Zweitens blieb er davon überzeugt, daß nur bei einer entsprechenden deutschen Wirtschaftskraft, die also zu erhalten, ja eigentlich zu verstärken war, Frankreichs »Fortbestehen als wirtschaftliche und politische Großmacht« garantiert werden konnte. [63] Stresemann erläuterte diese These auf folgende Weise: »Frankreich wird in dem Augenblick trotz Clemenceau

60 Verhandlungen der verfassunggebenden Deutschen Nationalversammlung, Bd. 330, Stenogr. Berichte, Berlin 1920, S. 2911.
61 Ebda., S. 2917.
62 Ebda., S. 2918. Vgl. auch seinen Brief an den Regierungspräsidenten Grashoff vom 11. Juni 1919. NL Bd. 205: Politische Akten 1919/III.
63 Verhandlungen, Bd. 330, a. a. O., S. 2917.

die Notwendigkeit einsehen müssen, sich mit uns wirtschaftlich zu verständigen, wo die Lüge des Schlagwortes erkannt wird: ›L'Allemagne payera tout‹ (›Deutschland wird alles bezahlen‹). Wenn Frankreich einsieht, daß es seinen 30-Milliarden-Etat zum größten Teil selbst aufzubringen hat, wenn es einsieht, wie es selber von seinen Ententegenossen abhängig ist, dann wird es heute eine engere wirtschaftliche Annäherung mit Deutschland machen müssen, als es diese im Frieden besessen hat. Ich glaube, der Haß wird dann der wirtschaftlichen Vernunft weichen. Heute gibt es nur einen großen wirtschaftlichen Sieger: das sind die Vereinigten Staaten von Amerika.« [64]

Mit dieser Analyse der weltpolitischen Lage zeigte Stresemann, obschon die französische Regierung zunächst andere Wege zu gehen versuchte, daß er — gerade als Wirtschaftsfachmann — erkannt hatte, welche gravierenden Änderungen der Weltkrieg für alle beteiligten Nationen mit sich gebracht hatte. Zwar machte Stresemann einerseits nie ein Hehl daraus, daß er sich gegenüber der Republik und dem Versailler Vertrag in Opposition befand, aber das hieß andererseits nicht, daß er nicht bereit gewesen wäre, um der Zukunft des Deutschen Reiches willen die Kritik an beiden hintanzustellen und nach praktikablen Kompromißlösungen Ausschau zu halten. Noch erlaubten die inneren und äußeren Umstände nicht, sie zu erproben; noch sperrten sich Regierung und öffentliche Meinung in Frankreich, sie zu diskutieren. Aber Stresemann hatte die fundamentale Schwäche Frankreichs erkannt: »Schon hört man zwischen all den Triumphreden der französischen Kammer deutlich den Angstschrei vor der Gefahr des wirtschaftlichen Niederbruchs heraus.« [65]

Niemand könne sagen, so fügte er hinzu, wie die Stimmung des französischen Volkes sein werde, wenn es erfahren müsse, »daß Deutschland nicht alle Schulden Frankreichs zahlen kann«. [66] Bei solcher Perspektive fühlte Stresemann beinahe instinktiv eine Ansatzmöglichkeit künftiger deutscher Außenpolitik, die Erfolge nur dort erwarten konnte, wo der Gegner Schwächen zeigte. Für das deutsch-französische Verhältnis hatte er jedenfalls den Punkt des Archimedes herausgefunden. Der sollte dazu beitragen, den Wiederaufstieg Deutschlands im Rahmen der neuen Mächtekonstellation vorzubereiten, so wie Stresemann das in einer streng vertraulichen Sitzung des Geschäftsführenden Ausschusses der preußischen Landtagsfraktion der DVP am 24. August 1919 angekündigt hatte: »Schon sehen wir den Dreibund England, Amerika, Frankreich; man baut Flotten — was ist das denn anderes als die Rückkehr zum alten System! Wir haben jetzt schon mit unserem Standpunkt

---

64 Ebda., S. 2918.
65 Aufsatz vom 9. 11. 1919. Reden und Schriften, 1. Bd., a. a. O., S. 312.
66 Ebda., S. 314.

mehr recht, als wir ahnten. So wird es auch in Zukunft wieder Mächtegruppierungen geben, und die Aufgabe für uns ist, wieder bündnisfähig zu werden.«[67]

Am 10. Januar 1920 trat der Versailler Vertrag in Kraft. Seine Konsequenzen wurden erst jetzt von vielen Deutschen konkret erfahren. [68] Im Bürgertum, ebenso beim Militär, nahm die nationalistische Stimmung zu. Man wollte den Siegern eine mildernde Revision des Friedensvertrages abtrotzen. Aber das war nicht die Methode, die zum Erfolg führen konnte. [69] Auch die offizielle deutsche Außenpolitik war schwerlich als befriedigend zu bezeichnen. [70] Sie erschien Stresemann unfruchtbar [71] und diplomatisch ungeschickt entwickelt. [72] Als oppositioneller Politiker hatte er jedoch keine Möglichkeit, dies zu ändern. Alle politische Aktivität konnte nicht darüber hinwegtäuschen, daß er in einem Zustand vergeblicher Spannung verharrte. Nach dem Urteil von Annelise Thimme waren die Jahre bis 1923 für Stresemann »politische Orientierungsjahre«. [73] Das ist richtig, bleibt aber andererseits zu unbestimmt, denn offensichtlich stellte er bereits im Jahre 1920 die Weichen für die Zukunft. [74]

Innenpolitisch entschied sich Stresemann nach seinem zwielichtigen Verhalten beim Kapp-Putsch [75] und nach den Juni-Wahlen [76], die die DVP in die Reichsregierung brachten, deutlich und faktisch endgültig (bei einem Rest von monarchischer Hoffnung) für die parlamentarisch-demokratische Republik; außenpolitisch wäre er schon zu diesem Zeitpunkt bereit gewesen, sich an der Regierung zu beteiligen, um bei geschickter Taktik und angemessener »Realpolitik« ein Doppeltes zu vollbringen: die Anerkennung (als notwendige Konsequenz des verlorenen

---

67 NL Bd. 207: Politische Akten 1919/IV.
68 Das gilt zum Beispiel für die Tätigkeit der Interalliierten Rheinlandkommission.
69 Vgl. K. Buchheim, a. a. O., S. 70.
70 Vgl. A. Schwarz, a. a. O., S. 68.
71 Dazu eine Textstelle in seinem Brief an den Reichsrat von Buhl, geschrieben am 8. Januar 1920: »Eine offizielle deutsche Außenpolitik besteht im Augenblick überhaupt nicht, weil der derzeitige Staatssekretär des Auswärtigen auf dem Standpunkt steht, daß Deutschland eine aktive Außenpolitik nicht treiben kann, und sich allein auf eine wirtschaftliche Außenpolitik beschränkt.« NL Bd. 220: Politische Akten 1920/I.
72 Vgl. seine Kritik an der Politik von Simons. Dazu H. A. Turner, a. a. O., S. 88 ff.
73 Gustav Stresemann, a. a. O., S. 40.
74 Vgl. auch F. Hirsch, a. a. O., S. 52 und S. 55 f., sowie W. Ruge, a. a. O., S. 56.
75 Vgl. dazu H. A. Turner, a. a. O., S. 56 ff., W. Hartenstein, a. a. O., S. 149 ff., und W. Ruge, a. a. O., S. 57 ff.; allg. J. Erger, Der Kapp-Lüttwitz-Putsch, Düsseldorf 1967, H. Heiber, a. a. O., S. 70 ff., und H. J. Gordon, Die Reichswehr und die Weimarer Republik 1919—1926, Frankfurt/M. 1959 (amerikanische Originalausgabe: The Reichswehr and the German Republic 1919—1926, Princeton 1956), S. 96 ff.
76 Ergebnisse s. K. D. Erdmann, Die Zeit der Weltkriege, a. a. O., S. 122.

Krieges) *und* die Revision (als wünschenswertes Ziel jeder nationalen deutschen Außenpolitik) des Vertrages von Versailles. Eine solche Strategie spiegelte weniger eine innere Wandlung als eine national-liberal geprägte Anpassung an die gesellschaftlichen und außenpolitischen Realitäten. Von einem »Damaskus« läßt sich keineswegs reden. [77] Gewaltpolitik war faktisch unmöglich und unverantwortlich dazu. In einer Zeit globaler politischer und vor allem wirtschaftlicher Verflechtung bedurfte es neuer Methoden, neuer Wege, um gerade in der Außenpolitik dauerhafte Erfolge zu erzielen. Über die politische und militärische Ohnmacht des Reiches gab sich Stresemann keinen Illusionen hin (das unterschied ihn von den meisten lernunfähigen »Rechten«), aber er hatte die deutschen Möglichkeiten auf wirtschaftlichem und finanziellem Gebiet erkannt.

Ebenfalls vom Jahre 1920 datiert, was sich nachfolgend als sehr bedeutsam herausstellte, die Bekanntschaft Stresemanns mit einflußreichen Persönlichkeiten von internationalem Ansehen. [78] Professor Haguenins Auffassung von der Notwendigkeit einer Stabilisierung der deutschen Währung, von der Lösung des Reparationsproblems und von der Befriedigung des französischen Sicherheitsbedürfnisses als den entscheidenden Fragen des europäischen Schicksals fand bei Stresemann Interesse und grundsätzliche Zustimmung. [79] Haguenin (Chef der französischen Handelsmission in Berlin) war überzeugter Verfechter einer deutsch-französischen Verständigung, d. h. einer Lösung der bilateralen Konflikte durch Verhandlungen. [80] Solche Zielvorstellungen wurden von Stresemann durchaus geteilt. Denn das stand ihm klar vor Augen: Bei den gegebenen Machtverhältnissen war, wenn die deutsche Außenpolitik wieder manövrierfähig werden sollte, eine Verbesserung des Verhältnisses zwischen Deutschland und Frankreich unabdingbare Voraussetzung. An dieser Kernfrage entschied sich im Grunde die auswärtige Politik in ganz Europa. [81]

Jede deutsche Regierung mußte im Jahre 1920 darauf sehen, vor allem das Reparationsproblem einer Lösung zuzuführen, in dem Zu-

---

77 Gegen die These von W. Görlitz u. a. Verändert hatte sich nicht Stresemanns politische Überzeugung bzw. seine ideologische Grundposition, sondern sein Verhältnis zur (Außen-)Politik, d. h. er hatte gelernt, daß keine Autorität ihm die Aufgabe abnehmen konnte, die eigenen Ziele — sollten sie nicht zur gefährlichen Utopie werden, sondern Aussicht auf Verwirklichung haben — an den tatsächlichen Gegebenheiten zu orientieren. Vgl. auch L. Döhn, a. a. O., S. 387 ff.
78 So etwa Lord d'Abernon, die Professoren Stein und Haguenin, die Mitglieder der »Mittwoch-Gesellschaft« und andere. Kritisch dazu W. Ruge, a. a. O., S. 60 f.
79 Vgl. auch W. Görlitz, a. a. O., S. 118.
80 Vgl. K. Mielcke, a. a. O., S. 63.
81 Dazu H.-O. Sieburg, a. a. O., S. 171.

sammenhang aber auch die Position und politische Strategie zu bestimmen, auf die Deutschland nicht verzichten konnte, wollte es sich in seiner nationalen und internationalen Bedeutung nicht selber aufgeben. Da Stresemann zum Völkerbund, den er als »Welttrust zur Beherrschung der Welt« apostrophierte [82], keinerlei Vertrauen hatte, war nach seiner Meinung Deutschland gehalten, selber Einfluß auf die politische Willensbildung der Siegerstaaten zu nehmen. Vier Komponenten wollte er dabei beachtet sehen: 1. die direkten deutsch-französischen Beziehungen; 2. die neubelebte Tradition der englischen Gleichgewichtspolitik; 3. das vitale Interesse der USA an einem (kaufkräftigen) europäischen Großmarkt; 4. die Gefährdung der westlichen Staaten durch das bolschewistische Rußland. Schon 1920 also hatte Stresemann die fundamentalen Bausteine seines außenpolitischen Koordinatensystems zusammen, das einen weltweiten Horizont für sich beanspruchen durfte, allerdings zu diesem Zeitpunkt noch kein ausgearbeitetes Programm beinhaltete. Die folgenden Abschnitte, bei Punkt 4 beginnend, gelten dem Bemühen, das nachzuweisen.

Am 6. Februar 1920 formulierte Stresemann: »Nicht die Diktatoren der Westmächte und nicht die zahllosen Sklavenvögte, die Deutschland bevölkern, werden das Schicksal unseres Landes entscheiden, sondern die Entwicklung im Osten, die durch Waffen, Blockade und Vertrag nicht niedergezwungen werden konnte, wird auch unsere Zukunft bestimmen.« [83] Einerseits war sich Stresemann dessen bewußt, welche Herausforderung und Bedrohung der Bolschewismus für den politischen Bestand Mittel- und Westeuropas darstellte. »Andererseits aber«, so schrieb er, »kann diese Entwicklung zu einer außerordentlichen Entlastung unserer gesamtpolitischen Lage führen, insofern als dadurch der Augenblick in greifbare Nähe gerückt scheint, in dem die Welt uns wieder braucht und wir damit die Möglichkeit gewinnen, unser Wächteramt gegen (den) Osten nur gegen eine Befreiung von der Schmach und den drückenden Fesseln des Friedensvertrages zu übernehmen.« [84]

Wie die beiden Zitate bestätigen, hatte der im Sinne Bismarcks realpolitisch argumentierende Stresemann neben der wirtschaftlichen Interdependenz, auf die Deutschland die Westmächte aufmerksam machen konnte, den zweiten und sehr gewichtigen Hebel gefunden, um das System von Versailles zu modifizieren, vielleicht sogar aus den Angeln zu heben. Ob das gelang, hing allerdings im wesentlichen von der Militärmacht Frankreichs ab. Es stellte sich von daher die Frage: Was würde eher zum Zuge kommen: die für Deutschland gefährlichen französischen Ambitionen oder die gemeinsamen Interessen der »kapitali-

82 »Heidelberger Tageblatt« vom 2. Februar 1920.
83 NL Bd. 222: Politische Reden 1920/I.
84 Ebenda.

stischen« Staaten gegenüber dem revolutionären Rußland? Stresemann konnte nur dann mit letzterem rechnen, wenn England und die Vereinigten Staaten das ihrige dazu beitrugen, Frankreich an einer offensiven Machtpolitik gegenüber Deutschland zu hindern — und zwar aus politisch-ideologischen und ökonomischen Gründen. [85]

Das jedoch war nicht nur eine Frage der Zeit (denn es blieb zunächst unwahrscheinlich, daß die Koalition der Sieger gerade Deutschland wegen auseinanderbrechen würde), sondern auch der prinzipiellen Bereitschaft der Reichsregierung, im Rahmen des Möglichen (bzw. dessen, was man deutscherseits als möglich ansah) der Reparationspflicht nachzukommen — aber nicht zuletzt ebenso eine Frage, ob es Deutschland gelang, zu Vereinbarungen mit Rußland zu kommen, die außenpolitisch eine doppelte und geradezu widersprüchliche Funktion haben sollten: Einerseits war anzunehmen, daß eine handelspolitische Zusammenarbeit Deutschland wirtschaftlich stärken und allgemein in den Stand setzen würde, die französisch-polnische »Klammer« im Osten zu durchbrechen; andererseits konnte von Berlin die Möglichkeit bzw. Tatsache deutschrussischer Vereinbarungen als taktisches und strategisches Mittel politisch-diplomatisch mit dem Ziel genutzt werden, daß England und schließlich auch Frankreich (nicht zuletzt aus Furcht vor der »Weltrevolution«, was im Jahre 1920 sowohl die Gefahren des russisch-polnischen Krieges als auch das massive Eingreifen der beiden europäischen Großmächte in den russischen Bürgerkrieg und die Nichtanerkennung der Sowjetregierung sichtbar machten) einer Revision von Versailles zugunsten Deutschlands zustimmten.

Wenn das glückte, was hier anvisiert wurde, war eigentlich alles gewonnen. Grundsätzlich standen die Chancen nicht schlecht, denn es konnte mit großer Sicherheit der Gegensatz zwischen dem bolschewistischen Rußland und England sowie Frankreich als Konstante der europäischen Gesamtkonstellation in die Rechnung deutscher Außenpolitik einbezogen werden. Eine aktuelle Bewegungsfreiheit war damit für das Deutsche Reich allerdings nicht gegeben. Deutschlands wirtschaftliche und politische Abhängigkeiten, die vielfältigen Einbußen an Souveränität machten das unmöglich. Anders formuliert: Stresemann war sich von Anfang an bei seiner außenpolitischen Kalkulation dessen bewußt, daß die Zukunft Deutschlands im Spannungsfeld zwischen Ost und West langfristig gesehen zwar zu beträchtlichen Hoffnungen Anlaß bot, zunächst jedoch entscheidend vom Verhalten der Westmächte — vor allem Frankreichs — abhing; daß aber, um deren Politik im deutschen Interesse zu beeinflussen, die russische Karte vorsichtig und doch deutlich genug gespielt werden mußte, auch wenn das aus innenpolitischen

---

85 Vgl. dazu W. Link, a. a. O., bes. S. 35 f. und S. 42 f.

Gründen nicht ohne Risiko war. Daß dieses Pokerspiel nicht bloße Theorie blieb, sondern Bestandteil einer Konzeption politischer Praxis war, die 1920 geboren wurde, läßt sich aufzeigen in der Kontinuität, die vom Görlitzer Parteitag der DVP, wo Stresemann verlangte, »sofort in Handelsbeziehungen mit Sowjetrußland einzutreten« [86], über seine positive Stellungnahme zum Rapallo-Vertrag bis zu der eigenen Außenpolitik in der Mitte der 20er Jahre reicht.

Zum Verhältnis zwischen Deutschland und Amerika schrieb Stresemann am 27. Februar 1920: »Das Aufhören des Kriegszustandes zwischen den Vereinigten Staaten und Deutschland bedeutet in Wirklichkeit erst den tatsächlichen Frieden. Denn Frieden ist wirtschaftlicher Wiederaufbau, und wirtschaftlicher Wiederaufbau ist unmöglich, solange das gewaltigste Land der Rohstoffe außerhalb der Zusammenfassung der Weltkräfte zur Wiederherstellung wirtschaftlicher Ordnung steht.« [87] Dieser Hinweis auf die weltwirtschaftlichen Zusammenhänge und damit auf die bedeutsame Rolle des deutschen Außenhandels bestätigte nicht nur den Wirtschaftskenner Stresemann, sondern hatte auch eine doppelte politische Zielsetzung. Erstens war nur bei einem finanziellen Engagement der USA eine sozialökonomische und politische Krise in Deutschland selbst zu beheben; zweitens sollte das Interesse der USA an Deutschland und Europa wachgehalten, eigentlich erst richtig geweckt und dem Bemühen zugeordnet werden, die europäische »Vormacht« Frankreich in ihrem Aktionsradius einzudämmen, was einer Erstarkung Deutschlands gleichkam — um so mehr, als die wirtschaftliche Potenz des Deutschen Reiches Frankreich gegenüber deutlich überlegen blieb.

Die politische Zielsetzung Stresemanns war präzise angesprochen, wenn er seinen Ausführungen (s. o.) hinzufügte: »Der gesunde Sinn der führenden amerikanischen Wirtschaftskreise wird begreifen, daß die Entscheidung nicht in einer Isolierung Amerikas, sondern in einem Ergreifen der Initiative zum Wiederaufbau der Welt liegen muß. Dabei ist diese Frage des wirtschaftlichen Wiederaufbaus nur auf der Grundlage einer gleichberechtigten Mitwirkung Deutschlands zu lösen. Je eher das Werk in Angriff genommen wird, um so besser.« [88] Die praktische Politik, die Stresemann 1923 ff. entworfen und durchgeführt hat (vgl. die Londoner Konferenz von 1924), war stets aufs neue von dieser Grundsatzentscheidung mitbestimmt. Politische Gleichberechtigung durch wirtschaftliche Zusammenarbeit stand im Zentrum seines außenpolitischen Konzepts und kannte nur eine Gefahr: die soziale Not und die Ungeduld der Massen.

---

86 »Neuer Görlitzer Anzeiger« vom 12. März 1920.
87 NL Bd. 222.
88 Ebenda.

Was die Hoffnungen und Absichten Stresemanns gegenüber England angeht, so fällt es schwer, für das Jahr 1920 umfangreiche Quellenbelege anzuführen. Immerhin scheint dreierlei einer Beachtung wert:

a) In seiner Rede auf dem Görlitzer Parteitag der DVP wies Stresemann, wie der »Neue Görlitzer Anzeiger« vom 12. März 1920 schrieb, »auf den Umschwung in England hin, der eine Schonung Deutschlands verlange, gewisse Zugeständnisse mache und auch von einer Revision des Versailler Vertrages spreche. Dieser Umschwung rühre von der Sorge der englischen Machthaber vor der russischen Macht her«.

b) Im Juni 1920 kam Lord d'Abernon als englischer Botschafter nach Deutschland. Stresemann zählte bald zu seinen engsten Gesprächspartnern. Es war bekannt, daß Lord d'Abernon ein Vertreter der englischen Gleichgewichtspolitik war. [89] Bei den gegebenen Verhältnissen konnte sich eine solche Gleichgewichtspolitik im Westen Europas nur gegen Frankreich richten, das seit Versailles eine halbhegemoniale Stellung auf dem Festland innehatte, während Deutschland nur noch als Macht zweiten Ranges angesprochen werden konnte. Es blieb allerdings die Frage, bis zu welchem Grade die britische Regierung bereit war, gegebenenfalls Druck auf Paris auszuüben, und bis zu welchem Grade die französische Regierung geneigt war, sich einem solchen eventuellen Druck zu beugen. In Wahrheit bestand 1920 weder in Paris noch in London die Absicht, die »Entente« effektiv zu gefährden.

c) Das erkannte im Laufe der Sommermonate auch Stresemann, so daß er im Oktober (1920) enttäuscht zugestehen mußte: »Wir haben damit zu rechnen, daß es insbesondere Frankreich auf die vollkommene Vernichtung und Zerstörung des Deutschen Reiches abgesehen hat, daß wir im Osten immer noch chaotische Zustände sehen, die uns ein Zusammenarbeiten mit Rußland auch auf wirtschaftlichem Gebiet noch unmöglich machen; daß endlich auch England keine Neigung zeigt, seine Hand zu einer Revision der unmöglichen Bestimmungen des Friedensvertrages zu bieten, vielmehr bereit ist, unsere Lebensinteressen seinen kleinasiatischen Ansprüchen zu opfern.« [90] Diese Sätze bestätigen, daß die Erwartungen, die Stresemann im Hinblick auf England hegte, 1920 noch nicht zum Tragen kamen; sie verloren damit jedoch nicht an Berechtigung und bildeten weiterhin einen wesentlichen Faktor in seiner außenpolitischen Kalkulation.

Die Beziehungen zwischen Deutschland und Frankreich waren 1920

---

89 Vgl. auch W. Görlitz, a. a. O., S. 113.
90 Zitiert nach einem Rundschreiben des Landesverbandes Hessen der DVP vom 18. 10. 1920. NL Bd. 218: Politische Akten 1920/XI.

als äußerst gespannt zu bezeichnen. Das lag, bedenkt man das zögernde Verhalten der Reichsregierung etwa in der Frage der Abrüstung [91], nicht allein an Frankreich. Die Hauptursache der Auseinandersetzung zwischen beiden Staaten war aber doch wohl in der Sicherheits- und Reparationsfrage zu suchen, die Frankreich — gegebenenfalls mit militärischen Sanktionen — seinen Zielen und Wünschen gemäß gegen deutsche Widerstände zu entscheiden gedachte. Das rief, etwa bei der Besetzung des Maingaus [92], die heftige Kritik nicht nur der Rechten, sondern auch der Mitte und der Linken in Deutschland hervor [93]; geändert wurde dadurch wenig. Während der Reichstagsdebatte über die Konferenz von Spa (5. bis 16. Juli) [94] erklärte Stresemann am 28. Juli 1920: »Ich halte die Politik, die unsere Gegner in bezug auf die Überspannung wirtschaftlicher Forderungen getrieben haben, für kurzsichtig. Die wirtschaftlichen Leistungen sind nicht zu trennen von den finanziellen Leistungen, über die in Genf verhandelt werden soll. Bleibt Deutschland nicht der wirtschaftliche Atem, um seinen Wiederaufbau wieder vornehmen zu können, so muß das selbstverständlich auf diejenigen finanziellen Leistungen zurückwirken, über die in Genf verhandelt werden soll.« [95]

In diesen Sätzen wiederholte Stresemann seine schon bekannte wirtschaftspolitische These, die jedoch vor allem auf Frankreich gemünzt war. Seiner Meinung nach war der Versailler Vertrag sowohl unerfüllbar als auch illegitim. [96] Dennoch erklärte er sich bereit, bei einer Beachtung auch der deutschen (wirtschaftlichen und — im Hinblick auf den Osten — militärischen) Wünsche seinerseits Entgegenkommen und Leistungswillen unter Beweis zu stellen. Sehr wichtig erscheint in diesem Zusammenhang folgende Passage seiner Reichstagsrede: »Ich habe die Empfindung, daß in England weite Kreise dieses (gemeint ist: wirtschaftliche) Verständnis besitzen, daß sie aber immer wieder der hysterischen französischen Furcht vor diesem Deutschland erliegen, das es entwaffnet immer noch fürchtet und wobei es das, was lediglich seiner Furcht eine Berechtigung geben könnte, nämlich eine gewisse Revanchestimmung, durch eine Politik der Nadelstiche seinerseits in einer Art und Weise hervorbringt, wie sie nicht irgendein Revanchepolitiker in

91 Dazu Michaelis — Schraepler, Ursachen und Folgen, Bd. IV, S. 240 ff.
92 Vgl. dazu A. Schwarz, a. a. O., S. 74 f., und L. Zimmermann, a. a. O., S. 85.
93 Vgl. die Rede des Reichskanzlers Müller am 12. April 1920. Verhandlungen der verfassunggebenden Deutschen Nationalversammlung, Bd. 333, Stenogr. Berichte, Berlin 1920, S. 5053. Vgl. auch die Ausführungen des Außenministers Köster vom 20. Mai 1920. Ebda., S. 5693.
94 Zur Konferenz von Spa s. Michaelis — Schraepler, Ursachen und Folgen, Bd. IV, S. 279 ff. Über das Auftreten von Stinnes vgl. E. Eyck, Bd. 1, a. a. O., S. 227 f.
95 Verhandlungen des Reichstags, Bd. 344, Stenogr. Berichte, Berlin 1921, S. 310.
96 Ebda., S. 311.

Deutschland mehr hervorbringen könnte. Das ist auf der einen Seite das ganz Unsinnige der französischen Politik ...« [97]

Die Analyse Stresemanns traf durchaus die Wirklichkeit und offenbarte Verständnis für sozialpsychologische Phänomene. Der Lösungsvorschlag, den er machte, war unkonventionell zu nennen und kam für viele überraschend. Aus ihm sprach nun wieder der nüchterne (aber optimistische) und pragmatische (aber phantasiebegabte) Syndikus der Vorkriegszeit, nicht mehr der imperialistische Annexionist. Mit Stinnes und anderen Vertretern der Wirtschaft war Stresemann nämlich der Meinung, »daß die Verhältnisse auf eine Art Wirtschaftsgemeinschaft zwischen Frankreich und Deutschland drängen und daß diese Wirtschaftsgemeinschaft, die gewissermaßen in dem Vertrag von Versailles durch unsere Leistungen festgelegt ist, um so eher zustande kommen wird, je mehr wir uns von der erhitzten Atmosphäre des Krieges und seiner Nachwirkungen entfernen«. [98]

Das waren mutige Sätze, die in die Zukunft wiesen, die aber gleichwohl ihre Problematik hatten, denn erstens waren die französischen Nationalisten an solchen wirtschaftlichen Verbindungen nicht interessiert, ja sie sahen darin ein Ablenkungsmanöver gegenüber den eigentlichen machtpolitischen und erst in deren Gefolge finanziellen Fragen, und zweitens mußte eine solche Wirtschaftsgemeinschaft, die Gleichberechtigung voraussetzte oder doch zumindest nach sich zog (und das hieß auch politische Gleichberechtigung) Deutschland wirtschaftlich (also auch politisch) erstarken lassen, ihm folglich seine außenpolitische Bewegungsfreiheit zurückgeben — beides zuungunsten Frankreichs. Diese Problematik war objektiv unaufhebbar und stellte sich den Intentionen Stresemanns, der natürlich voll bejahte, was die französischen Extremisten fürchteten, auch in den späteren Jahren entgegen.

Von besonderer Relevanz für etwaige deutsch-französische Vereinbarungen war die Politik Frankreichs gegenüber Polen und beider Politik gegenüber Deutschland in der oberschlesischen Frage. Hier argumentierte Stresemann unerbittlich und fordernd, denn jeder Verlust an Territorium, Menschen und Wirtschaftspotential mußte ja seinem außenpolitischen Fernziel: der Wiederherstellung der deutschen Großmacht — diametral widersprechen. Darum formulierte er in derselben Reichstagsrede (vom 28. Juli 1920): » . . . denn gerade in bezug auf die von Polen befolgte Politik ist es ja Frankreich, das auch hier, von seiner Angst vor einem künftigen Deutschland ausgehend, sich nach allen Richtungen bemüht, dieses Polen politisch und wirtschaftlich zu stärken, nicht aus Freundschaft für Polen, sondern nur um

97 Ebenda.
98 Ebda., S. 312.

uns die Flankenbedrohung zu erhalten. Das ist das Unsinnige in dieser Politik, weil Frankreich sich gerade nach diesen Verhandlungen in Spa und in bezug auf die Erfüllung des Vertrages von Versailles sagen müßte, daß ein Deutschland, dem Oberschlesien nicht mehr gehört, überhaupt nicht mehr in der Lage ist, auch nur teilweise den Vertrag von Versailles zu erfüllen.« [99]

Das war deutlich gesprochen und kam fast einer verhüllten wirtschaftspolitischen Drohung gleich, die aber ins Leere gehen mußte, solange die französische Regierung von Deutschland mehr fordern zu können glaubte, als die deutsche Regierung zuzugestehen fähig — vielleicht auch nur willens — war und solange sich nicht wirtschaftliche Vereinbarungen mit den eigenen außenpolitischen Interessen deckten. Von Lloyd George konnte Stresemann da wenig hoffen — trotz öffentlicher Verlautbarungen, die eine Modifizierung der englischen Haltung ankündigten. [100] Hoffen konnte er nur auf eine Veränderung der politischen Willensbildung in Frankreich selbst, d. h. auf einen Einfluß französischer Wirtschaftskreise zugunsten einer französisch-deutschen Annäherung. [101] Zu diesem Fragenkomplex sagte Stresemann: »Es handelt sich gar nicht darum, ob man diese wirtschaftliche Annäherung wünscht oder nicht und welche politischen Folgen sie haben wird. Es liegt doch so — und ich verstehe nicht, daß diese Auffassung in Frankreich sich nicht mehr durchsetzt — : sein Schicksal ist unser Schicksal, und unser Schicksal ist sein Schicksal. Es ist töricht, ein zerschlagenes Deutschland wünschen zu wollen, wo doch nur ein unzerschlagenes, kräftiges Deutschland einen Teil dessen leisten kann, was Frankreich, das aus allen Wunden blutet, braucht, um wieder zu wirtschaftlich normalen Verhältnissen kommen zu können.« [102]

In der Reichstagsrede vom 28. Juli 1920 ist Stresemanns politische Konzeption gegenüber Frankreich in den Grundzügen entwickelt. Sie läßt sich stichwortartig so zusammenfassen: 1. Abwehr aller französischen Aktionen, die die Sicherheit, den Bestand und die Einheit des Deutschen Reiches gefährden; 2. Vereinbarungen wirtschaftspolitischer Art, die sowohl der Reparationspflicht als auch der deutschen Leistungsfähigkeit Rechnung tragen; 3. deutsch-französische Wirtschaftsverflechtung auf der Grundlage der vollen Gleichberechtigung; 4. allmähliche Revision der als unerfüllbar und unehrenhaft angesehenen Artikel des Versailler Vertrages; 5. Abbau und (vertragliche) Regelung der verbleibenden politischen Konflikte. Erst bei einem weitgehenden Erfolg in diesen Fragen konnte Stresemann — dann allerdings mit großer Sicherheit — erwarten, daß Deutschland konsequenterweise

---

99 Ebda., S. 313.
100 Ebenda.
101 Ebenda.
102 Ebda., S. 316.

den Abstand zur Führungsmacht Frankreich über kurz oder lang verringern, wenn nicht gar aufheben und damit die deutsche Großmachtstellung (bei territorialer Revision der Verhältnisse im Osten) neu festigen würde. [103] Gewiß stand das deutsch-französische Verhältnis im Zentrum des außenpolitischen Koordinatensystems von Stresemann. Englische Gleichgewichtspolitik, amerikanische Wirtschaftskredite und gutnachbarliche Beziehungen mit dem von Deutschland diplomatisch anzuerkennenden (und in Zusammenarbeit mit den Westmächten gleichzeitig einzudämmenden) Sowjetrußland sollten jedoch als Basis und flankierende Elemente seine langfristige politische Strategie unterstützen, eine Strategie, die 1920 noch nicht im Detail entfaltet, in ihren wesentlichen Elementen aber schon vorhanden war. Es kam, wenn das von außen — d. h. von Frankreich — erlaubt wurde (zunächst geschah das allerdings nicht), darauf an, diese in rechter Weise zusammenzufügen und angemessen zu gebrauchen. Das aber war vor allem eine Frage der Zeit und der Ausdauer sowie der allgemeinen weltpolitischen, aber auch der innerdeutschen Situation.

Zusammenfassend läßt sich sagen, daß Stresemann mit praktischen Maßnahmen, unterbaut durch eine entsprechende Propaganda in der Öffentlichkeit (gerade auch der Westmächte), den Durchbruch zur Revision von Versailles und damit zur Revision des Ergebnisses des Weltkrieges vorbereiten und erzwingen wollte. [104] Gelang das eine, so durfte — wegen der für Deutschland günstigen politisch-strategischen Lage — mit einem fast unausweichlichen Prozeß zugunsten der deutschen nationalen Interessen gerechnet werden. Dabei wußte Stresemann, daß eine Revision des Versailler Vertrages nur schrittweise möglich war. Jede Revision aber mußte die Bedingungen verbessern, unter denen dann der nächste Schritt erfolgte. Entscheidend war also der Beginn dieses Weges, der verhindern konnte, daß Deutschland ständig finanziell und politisch — auch innenpolitisch — überfordert wurde. Die Auf-

---

103 Vgl. auch folgende Passage seiner Rede: »Man sollte bei der Entente und Polen Verständnis dafür haben, daß es für ein Land wie Deutschland nicht erträglich ist, daß Ostpreußen zur Insel gemacht ist, gegen alle Natur — möchte ich sagen — von Deutschland abgeschnitten wird.« Ebda., S. 317. Sehr aufschlußreich der Hinweis von A. Rosenberg, a. a. O., S. 353: »Bei einer Verständigung mit Frankreich konnten die Angelsachsen für Deutschland nicht gefährlich werden. Dagegen nützte auf der anderen Seite eine Verständigung mit den Angelsachsen Deutschland nichts: Denn weder Amerika noch England wollten Deutschland zuliebe in eine Situation kommen, die ihnen die offene Feindschaft Frankreichs gebracht hätte. Wenn es gelang, eine deutsch-französische Einigung herbeizuführen, dann hatte weder die Reparation noch die Ostfrage für Deutschland ernstlich Schwierigkeiten.«
104 Vgl. seine Reichstagsrede vom 29. Oktober 1920. Verhandlungen des Reichstags, Bd. 345, Stenogr. Berichte, Berlin 1921, S. 879.

gabe bestand darin, die Kettenreaktion »Reparationsforderungen — Zahlungsunfähigkeit — Sanktionen« mit all ihren negativen Konsequenzen für die innere und äußere Situation Deutschlands zu durchbrechen und in die Reihenfolge »wirtschaftlicher Aufstieg — (begrenzte) Zahlungsfähigkeit — Revision von Versailles« umzukehren. Zu Beginn des Jahres 1921 stellte sich für Stresemann die europäische Konstellation so dar, daß für Deutschland einiges zu hoffen, viel jedoch zu befürchten war. Ungewißheit über den weiteren Verlauf vor allem der deutsch-französischen Beziehungen bestimmte seine politischen Reflexionen. Ein genaues Kalkül, eine sichere Vorausbestimmung erwies sich als unmöglich. Alles war noch in der Schwebe, blieb unentschieden, solange die westlichen Großmächte über den einzuschlagenden Weg bezüglich der politischen und wirtschaftlichen Zukunft des Deutschen Reiches keine Einigung erreichen konnten, wohl aber darin übereinstimmten, sich deshalb nicht in ein Zerwürfnis bringen zu lassen. Für Deutschland mußte sich beides in gleicher Weise als unbefriedigend, ja lähmend auswirken. Ungewiß war insbesondere die endgültige Summe der Reparationen, das weitere Schicksal Oberschlesiens, die Orientierung der amerikanischen Politik unter dem neuen Präsidenten Harding, die Praxis des Völkerbundes und die Entwicklung des deutschen Außenhandels. [105]

Über Stresemanns damalige Frankreich-Analyse gibt ein Zeitungsartikel Auskunft, den er am 15. Januar 1921 mit dem Titel »Die politische Krisis in Frankreich« veröffentlichte. Schon der Anfang skizzierte das zentrale Problem: »Der Sturz des französischen Kabinetts [106] ist keine Personalkrisis. Was sich in Frankreich abspielt, ist der Kampf zwischen der beginnenden Erkenntnis der Führer des französischen Wirtschaftslebens auf der einen Seite und den imperialistischen Aspirationen und parteipolitischen Erwägungen auf der anderen Seite, ist weiter der Kampf zwischen der englisch-amerikanischen Auffassung der Weltlage und französischen Utopien. In diesem Kampf sind die Anhänger der Idee einer Eingliederung Frankreichs in die weltwirtschaftlichen und weltpolitischen Verhältnisse noch einmal unterlegen. Diese Niederlage

---

105 So ein Artikel Stresemanns zum Jahresbeginn im »Liegnitzer Tageblatt« vom 1. Januar 1921.
106 Gemeint ist das Kabinett Millerand. Am 16. Januar übernahm Aristide Briand die Ministerpräsidentenschaft und das Außenministerium der neuen Regierung. Wichtig seine Rede am 21. Januar 1921 vor der Kammer; s. dazu A. Briand, Frankreich und Deutschland, Mit einer Einleitung von Gustav Stresemann, Dresden 1928, S. 105 ff. (In dieser Rede sprach sich Briand gegen Gewaltmaßnahmen und für eine Berücksichtigung der deutschen Zahlungsfähigkeit aus. Prinzipiell argumentierte er damit auf derselben Ebene wie Stresemann. Zwar stand Briand fest auf dem Boden von Versailles, er war jedoch bereit, über Modalitäten zu verhandeln. Vgl. dazu M. Baumont, Aristide Briand. Diplomat und Idealist, Göttingen 1966, S. 44 ff.)

wird aber die Entwicklung, die sich vorbereitet, nicht zu ändern vermögen.« [107]

Im folgenden kritisierte Stresemann die bisherige allgemeine Tendenz der französischen Außenpolitik, die sich nicht nur gegen die legitimen deutschen, sondern auch gegen die wirtschaftlich orientierten englischen Interessen richte. »England ist vollkommen saturiert aus dem Weltkrieg hervorgegangen und hat namentlich Deutschland gegenüber kaum noch irgendwelche Forderungen. Kriegsflotte, Handelsflotte, Kolonien und überseeische Vermögen besitzt Deutschland nicht mehr. Soweit es eine Bedrohung der englischen Suprematie in Weltwirtschaft und Weltpolitik darstellte, ist es auf Jahrzehnte von jedem Wettbewerb ausgeschieden ... Der gefährliche wirtschaftliche Wettbewerber ist beseitigt, der deutsche Kunde aber muß am Leben bleiben. Deutschlands Kaufkraft ist der einzige, aber starke Machtfaktor, der uns geblieben ist.« [108] Stresemann sah Deutschland im Schnittpunkt des weltwirtschaftlichen Koordinatensystems: »Eine dauernde deutsche Wirtschaftskrisis würde eine Weltwirtschaftskrisis nach sich ziehen.« Dem aber konnten nach seiner Meinung weder England noch die USA tatenlos zusehen, im Gegenteil: sie waren ja diejenigen, die an einem florierenden Markt in Mitteleuropa ein dringendes Interesse hatten — um so mehr, als Rußland aus der Weltwirtschaft fast völlig ausgeschieden war. [109]

In Frankreich glaubte Stresemann dagegen Überlegungen solcher Art unberücksichtigt. Hier seien die Militärs die bestimmenden Kräfte, orientiert am Vorbild Napoleons. »Frankreichs Politik der Gegenwart, soweit sie durch seine militärischen Politiker beherrscht ist, geht jedenfalls den angeblich von Napoleon bezeichneten Weg. Der Versuch, das Rheinland von Preußen und Deutschland zu trennen, die offenbare Unterstützung aller separatistischen Bestrebungen zeigen den weiteren Versuch der Schwächung Preußens, das ja allein unter allen Bundesstaaten die territorialen Kosten des Friedensvertrages zu tragen hatte ...« Stresemann warnte vor den Folgen einer solchen Politik: »Gerade wer den Geist Napoleons heraufbeschwört, der sollte auch daran denken, daß eine weitgehende Zerstückelung des Reiches und Preußens naturnotwendig den Osten Deutschlands mit Rußland zu einer Einheit zusammenschmelzen müßte. Eine französische Verständigung mit Rußland, die das ausschlösse, wird gerade dann unmöglich sein, wenn Frankreich sich zum Protektor eines mächtigen Polen aufwirft.«

---

107 NL Bd. 226: Politische Reden 1921.
108 Ebenda; auch die folgenden Belege.
109 Über das amerikanische Wirtschaftsinteresse am deutschen Markt vgl. W. Link, a. a. O., S. 52 ff.

Mit den letzten Sätzen verwies Stresemann auf Frankreichs außenpolitische Stärke und Schwäche in einem: Die Macht Polens lag im Interesse Frankreichs — mit Stoßrichtung gegen Deutschland *und* Rußland. Damit wurden aber diese beiden Staaten, unabhängig von gesellschaftspolitischen Rivalitäten, dazu gedrängt, wirtschaftlich, diplomatisch und — was geheim geschah — militärisch (wenn auch begrenzt) zusammenzuarbeiten. Aber gerade daran konnte wiederum weder Frankreich noch England oder den USA gelegen sein. Das wußte Stresemann, und darauf baute er, der ohnehin vom Westen mehr erwarten konnte und auch befürchten mußte als von Rußland. Daher zielte Stresemann auf eine Schwächung Polens, auf gute, aber nicht offensiv akzentuierte Beziehungen mit Rußland und (entscheidend) auf positive Regelungen mit den Westmächten, besonders mit Frankreich. Das aber setzte 1921 ein Einschwenken der französischen Politik zugunsten wirtschaftspolitischer Vereinbarungen mit dem Deutschen Reich voraus. Diese zu erreichen, war für Stresemann die Bedingung, ohne die weder die Reparationsfrage gelöst noch der wirtschaftliche und politische Wiederaufstieg Deutschlands (begleitet von einer Revision des Versailler Vertrages) in die Wege geleitet werden konnte.

Ein anderes kam hinzu: Wirtschaftspolitische Vereinbarungen bedeuteten auch das Ende einer Politik der Sanktionen, die ständig die Einheit des Reiches gefährdete und — zusammen mit den Auswirkungen zu hoher finanzieller Forderungen — eine Stabilisierung der innenpolitischen Verhältnisse in Deutschland verhindern mußte. Daran konnte Frankreich im Grunde nicht interessiert sein, denn weder ein Sieg der sozialistischen Revolution noch ein erfolgreicher Putsch der nationalistischen Reaktion war dazu angetan, von den französischen Machthabern als ein Plus vermerkt zu werden. Stresemann argumentierte häufig in dieser Weise, und er bewies dabei Vernunft, Weitsicht und Friedenswillen. Dennoch waren seine Erwartungen insofern nicht ganz realistisch, als sie nicht mit der Motivation der offiziellen französischen Deutschlandpolitik übereinstimmten. Hat er das nicht erkannt? Oder hat er, wenn er sich hoffnungsvoll gab, »nur« darum gekämpft, daß sich französischer Imperialismus nicht endgültig durchsetzen konnte, ja allmählich von der politischen Linken in Frankreich selbst, unterstützt von Wirtschaftskreisen, an den Rand gedrängt wurde? Die Antwort ist nicht eindeutig zu geben, obschon, worauf die folgenden Schlußsätze des — oben angeführten — Artikels verweisen, mehr für die zweite Überlegung spricht: »Deutsches wirtschaftliches Chaos ist französisches wirtschaftliches Chaos. Deutscher Staatsbankerott bedingt französischen Staatsbankerott. Diese Wahrheit gilt für heute, wie sie für morgen gilt ... Die Revision des Vertrages von Versailles kommt. Sie kommt nicht durch die Gewalt der Waffen, aber durch die Gewalt der weltwirtschaftlichen Interessengemeinschaft der Völker. Je eher sich Frankreich dieser Wahrheit unterwirft, um so eher wird es von neuen Enttäuschungen und neuen Krisen bewahrt bleiben.«

Vorläufig dachte die französische Regierung nicht daran, sich einer solchen Wahrheit zu unterwerfen. Gestützt auf ihre militärische Macht und ihren politischen Einfluß auf dem Kontinent, suchte sie in der Reparationskommission und bei multilateralen Verhandlungen [110] die Weichen so zu stellen, daß wegen der Höhe der Summe Deutschland entweder auf unabsehbare Zeit — über seine militärische Bedeutungslosigkeit und politische Schwäche hinaus — nun auch noch ein tributpflichtiger Vasall Frankreichs wurde oder, da es seine Verpflichtungen nicht erfüllen konnte, militärische Sanktionen und vielleicht sogar Gebietsverluste (Saargebiet, Rheinland, Ruhrgebiet, ganz Oberschlesien) über sich ergehen lassen mußte. Aus deutscher Sicht war nicht immer auszumachen, welcher Alternative die französische Regierung den Vorzug gab. Daher kam es nach dem Urteil Stresemanns darauf an, die zweite Lösung unbedingt zu verhindern und die erste — mittels konkreter Vorschläge und dauernder Angriffe gegen die Grundlagen (Art. 231) des Versailler Vertrages [111] — den deutschen Interessen soweit wie möglich anzunähern.

Aber Stresemann war auch — entgegen den nationalistischen Phrasen der DNVP und der Uneinsichtigkeit vieler seiner Parteifreunde [112] — seinerseits bereit, den französischen Wünschen auf halbem Wege entgegenzukommen, also auch hier die Mitte zwischen bloßer Ablehnung und gänzlicher Unterwerfung, zwischen »Katastrophenpolitik« und »Er-

---

110 Vgl. dazu K. Mielcke, a. a. O., S. 48 f. Die Forderung auf der Pariser Konferenz (29. Januar 1921, Gesamtsumme: 226 Milliarden Goldmark) nannte Stresemann die »endgültige Versklavung Deutschlands«. So in der Berliner »Täglichen Rundschau« vom 31. 1. 1921.

111 Stresemann verstand das nicht nur als Taktik. Er war überzeugt (und fühlte sich durch Äußerungen von Lloyd George, Nitti und u. a. des englischen Historikers Gooch darin bestätigt), daß Deutschland eine unparteiische Historikerkommission in der Kriegsschuldfrage nicht zu fürchten brauchte. Andererseits war er sich der politischen Bedeutung dieser Frage voll bewußt. Vgl. dazu die folgenden Sätze aus seiner Reichstagsrede vom 28. 4. 1921: »Der Geist, aus dem dieser Vertrag von Versailles geboren ist, muß bekämpft werden. Wenn uns das nicht gelingt, dann sind alle Möglichkeiten für eine Wiederherstellung deutscher politischer und wirtschaftlicher Selbständigkeit ausgeschlossen.« Verhandlungen des Reichstags, Bd. 349, Stenogr. Berichte, Berlin 1921, S. 3468.

112 Vgl. dazu seinen Brief an Prof. Leidig, Berlin, vom 7. 9. 1921, in dem es u. a. heißt: »Ich habe mich in Magdeburg sehr stark gegen Helfferichs Negation und für die Beteiligung an der Aufbringung der Steuern ausgesprochen. Nun fürchte ich allerdings, daß ich in Heidelberg Schwierigkeiten haben werde, denn auf dem Gebiete des Steueraufbringens ist der Idealismus auch in unserer Fraktion ebenso wenig entwickelt wie die Realpolitik, und ich vermisse das positive Programm, das ich bereits im Juni von der Fraktion verlangt habe.« NL Bd. 231: Politische Akten 1921/VIII.

füllungspolitik« zu beschreiten. [113] So erklärte er sich in der Reichstagsrede vom 5. März 1921 mit der Absicht der Regierung solidarisch, den Wiederaufbau Frankreichs im Rahmen der eigenen Möglichkeiten zu fördern — bei Beachtung der Wirtschaftskraft der Entente und derjenigen Deutschlands bzw. ihrer gegenseitigen Abhängigkeit. »Beinahe sollte man meinen, wenn man die Rede von Briand liest, hier stände ein blühendes Deutschland und dort wären mindestens stagnierende Siegerstaaten. Gewiß, ich habe ein volles Verständnis dafür, daß die verwüsteten Provinzen in Frankreich Betrachtungen nahelegen, ob nicht Deutschland die Möglichkeit besitzt, weil ihm seine große Wirtschaftskraft geblieben sei, sich eher zu erholen, als das Frankreich möglich wäre; und daß sich Frankreich finanziell und wirtschaftlich in einer beinahe trostlosen Lage befindet, ist eine Tatsache, von der wir auch nichts wegstreichen sollten und die wir auch in Rechnung stellen müssen, wenn wir Reden französischer Staatsmänner verstehen wollen.« [114]

Um so mehr bedauerte Stresemann, daß Frankreich unter diesen Umständen die angebotene deutsche Hilfe abgelehnt hatte. Nach seiner Meinung kam es nun darauf an, auch die Gegner Deutschlands an dessen wirtschaftlicher und finanzieller Erholung zu interessieren. »Aber darüber sei man sich klar: nur im Zusammenhang mit dieser Weiterentwicklung ist Frankreichs Zukunft möglich, nur im Zusammenhang mit unserer eigenen Entwicklung kann sich eine gesunde Weltwirtschaft wieder entwickeln. An dieser Grundtatsache können keine Beschlüsse auf die Dauer etwas ändern, mögen sie in Paris, London oder anderwärts jetzt oder später gegen uns gefaßt werden.« [115] Mit solchen Sätzen zeigte Stresemann Vorausschau und das Bemühen, auf die politischen Instanzen und mehr noch auf die öffentliche Meinung der Ententestaaten Einfluß zu nehmen. Dabei war er getragen von der Hoffnung auf einen Ausgleich der Interessen. Seine Rede gipfelte deshalb in dem Satz: »Der Tag der Verständigung wird kommen, weil er kommen muß.« [116] Denselben Gedanken griff Stresemann in seiner Reichstagsrede vom 28. April 1921 auf [117]: »Ich glaube fest an

---

113 Vgl. folgende Passage in seiner Reichstagsrede vom 28. 4. 1921: »Wir müssen die Folgen unserer Niederlage tragen, und statt uns vorzuwerfen, wer die Schuld daran trägt, daß es so gekommen ist, sollten wir uns fragen: Was gibt es für ein Mittel, um die Zukunft erträglicher für uns zu gestalten?« A. a. O., S. 3474.
114 Verhandlungen des Reichstags, Bd. 348, Stenogr. Berichte, Berlin 1921, S. 2676.
115 Ebenda.
116 Ebda., S. 2677. Über die Logik dieses Satzes kann man streiten. Zu beachten ist jedoch die klare Absage an jeden Revanchekrieg, die Stresemann nachfolgend aussprach.
117 Dabei ist zu bedenken, daß am 8. März die Städte Düsseldorf, Duisburg und Ruhrort als Sanktionsmaßnahme der Alliierten besetzt worden waren, wogegen sich Deutschland vergeblich an den Völkerbund und die Regierung der USA gewandt hatte.

die Möglichkeit einer internationalen Verständigung. Sie wird kommen, weil sie kommen muß. Was ihr entgegensteht, das ist die öffentliche Meinung der Länder, die im Kriege gewesen sind.« [118] Diese öffentliche Meinung sollte, das erwartete Stresemann, durch Wirtschaftsfachleute im positiven Sinne verändert werden. Deshalb paßten ihm Verhandlungen, wie die zwischen Stinnes und Loucheur, durchaus ins strategische Konzept. [119] Die Tatsache, daß Frankreich vor dem finanziellen Abgrund stand, betrachtete Stresemann als *die* große Möglichkeit Deutschlands. Sie erlaubte das Hinarbeiten auf eine Verständigung mit Frankreich — trotz der Schwierigkeiten, die er nicht verkannte: »Ich bin sehr genau darüber unterrichtet, daß in Frankreich zwei Strömungen miteinander kämpfen, die beide stark sind, obwohl wir in der Presse immer nur die eine hören. Das ist der Gegensatz der Wirtschaftler und der Politiker ... Außer den Politikern, die sich verrannt haben, als sie glaubten, dem französischen Volk vorgaukeln zu können, daß es aus dem Kriege ohne schwere Belastung herauskomme, gibt es aber auch noch solche, die ganz andere Pläne im Auge haben, die gar nicht wünschen, daß diese Verhandlungen zum Erfolg führen, die mehr nach dem Rhein als nach unserem Gold sehen.« [120]

In seiner Analyse der französischen Absichten unterschied also Stresemann in diesen Jahren des Übergangs zwischen den politischen Führern nationalistischer Prägung mit nationalistischen Ambitionen und den einflußreichen Kreisen aus Finanz und Wirtschaft, die — durchaus im Eigeninteresse — zu einer Zusammenarbeit mit der deutschen Industrie (also auch mit der Reichsregierung) bereit waren. Stresemann entwickelte seine politische Konzeption auf der Basis dieser handfesten wirtschaftspolitischen Überlegungen. [121] Sie nur konnten eine Sinnesänderung der französischen Regierung bewirken, die es ermöglichen würde, eine allgemeine deutsch-französische Verständigung einzuleiten. Stresemann zögerte nicht, eine solche Verständigungspolitik aktiv zu unterstützen und gegebenenfalls zu führen. [122]

118 Verhandlungen des Reichstags, Bd. 349, Stenogr. Berichte, Berlin 1921, S. 3468.
119 Vgl. ebda., S. 3469.
120 Ebda., S. 3470.
121 Vgl. dazu auch H. L. Bretton, Stresemann and the Revision of Versailles, Stanford 1953, S. 41 f.
122 Die Erklärungen Stresemanns über die Notwendigkeit einer deutsch-französischen Verständigung werden von Annelise Thimme sehr kritisch beurteilt (a. a. O., S. 47. Vgl. auch von derselben Autorin: Gustav Stresemann, Legende und Wirklichkeit, in: Hist. Zeitschrift, Bd. 181 [1956], S. 309 f.). Sie definiert dabei Verständigung zunächst als Einigung. Für Deutschland habe das nach dem Krieg konkret die Möglichkeit in sich geschlossen, überhaupt wieder mitreden zu dürfen, um schließlich mit den Siegermächten Kompromisse zu schließen. Daneben erblickt sie in diesem Wort den heute meist verstandenen Begriffsinhalt, »nämlich die Verwirklichung des

Als der Reichsaußenminister Simons auf der 1. Londoner Konferenz (1. bis 7. März 1921) die alliierten Reparationsforderungen (226 Milliarden Goldmark) ablehnte [123] — Frankreich wollte deshalb sofort das Ruhrgebiet besetzen —, herrschte in Deutschland große nationale Begeisterung. [124] Aber außenpolitisch waren die Dinge festgefahren. Das wurde ebenso durch die Besetzung von Düsseldorf, Duisburg und Ruhrort (8. März 1921) wie durch das Londoner Ultimatum vom 5. Mai 1921 (132 Milliarden Goldmark) [125] sichtbar. Stresemann, ohnehin keiner Doktrin oder Theorie ergeben, mochte jedoch auf eine praktikable — und das heißt positive — Politik nicht verzichten. [126] Nach dem Rücktritt des Kabinetts Fehrenbach war er sogar bereit (und tat einiges an Vorbereitung), die Kanzlerschaft zu übernehmen. [127] Frankreich wäre einverstanden gewesen. [128] Die Zusagen, die Stresemann von der britischen Regierung erbeten hatte (im Vordergrund stand die Zukunft Oberschlesiens nach der für Deutschland günstigen Abstimmung vom 20. März 1921) [129], liefen allerdings zu spät ein, als daß sein Versuch Aussicht auf Erfolg hätte haben können. [130]

Die neue Regierung unter Reichskanzler Wirth fand den unpopulären Mut, das Ultimatum anzunehmen. [131] Stresemann und die DVP, die nun wieder in der Opposition war, lehnten es dagegen wegen der

---

Europagedankens, die gemeinsame Arbeit an einem einheitlichen Europa«. Dieser Gedanke von heute werde nun fälschlicherweise in die »Verständigung«, die Stresemann wollte, zurückprojiziert. Die Kritik ist durchaus begründet, denkt man an Werke wie die von Görlitz oder Göhring. Andererseits gerät aber Thimme in die Gefahr, den umgekehrten Fehler zu machen, indem sie an heutigen Gedanken einer umfassenden deutsch-französischen Verständigung die damalige Haltung Stresemanns mißt. Ein solches Urteil ist unhistorisch und verkennt die Variationsbreite dessen, was »Verständigung« umschreibt. Immerhin stand das, was Stresemann wollte, im Gegensatz zu jeder Art von Revanchepolitik. Gewiß war er kein »Europäer«, aber doch mehr als ein opportunistischer Nationalist.

123 Vgl. F. A. Krummacher — A. Wucher, a. a. O., S. 118.
124 Vgl. E. Eyck, Bd. 1, a. a. O., S. 242 f.
125 Text s. Michaelis — Schraepler, Ursachen und Folgen, Bd. IV, S. 339. Vgl. auch L. Zimmermann, a. a. O., S. 94 ff.
126 Vgl. Th. Eschenburg, a. a. O., S. 167.
127 Vgl. K. Buchheim, a. a. O., S. 79.
128 A. Thimme, a. a. O., S. 45; vgl. auch die Mitteilung Lebluns (Vertreter des Pariser »Journal«) gegenüber Stresemann am 1. Mai 1921. NL Bd. 234: Politische Akten 1921/V.
129 Zum Problem Oberschlesien vgl. Michaelis — Schraepler, Ursachen und Folgen, Bd. IV, S. 38 ff.
130 Vgl. hierzu Lord d'Abernon, Ein Botschafter der Zeitenwende, Bd. 1, Leipzig 1929, S. 185 ff. Vgl. auch E. Eyck, Bd. 1, a. a. O., S. 248 f.
131 In der Nacht vom 10. zum 11. Mai stimmte dem der Reichstag mit 220:172 Stimmen zu. Zur innerdeutschen Diskussion über die Annahme des Ultimatums und die Bildung der neuen Regierung vgl. E. Laubach, Die Politik der Kabinette Wirth 1921/22 (Historische Studien, Heft 402), Lübeck und Hamburg 1968, S. 14 ff.; zur amerikanischen Reaktion vgl. W. Link, a. a. O., S. 51 f.

ausstehenden englischen Antwort ab. [132] In seiner Regierungserklärung vom 1. Juni 1921 begründete Wirth die Entschlossenheit des Kabinetts, die nun übernommenen Pflichten zu erfüllen. Nicht durch dauernde Konflikte, sondern nur durch eine Verständigung mit den Siegermächten könne die Einheit und Freiheit des Reiches gerettet werden. [133] Die Rede wurde programmatisch für den Begriff »Erfüllungspolitik«, den die extreme Rechte in Deutschland sofort zum diffamierenden Schlagwort umfunktionierte, verwendbar gegen jeden, der eine Politik der Verständigung, d. h. des Interessenausgleichs anstrebte.

Stresemann verstand sich nach seiner ganzen Praxis und Zielvorstellung nicht als Erfüllungspolitiker. [134] Das war ihm ein Wort, das zu viel Bereitschaft und zu wenig Revisionsverlangen ausdrückte. Aber das bedeutete zu keinem Zeitpunkt, daß er die deutsche Niederlage nicht zur Kenntnis nehmen, Reparationsforderungen daher einfach negieren wollte. [135] In der Reichstagsrede vom 3. Juni 1921 hat Stresemann seine Haltung deutlich umrissen. Einleitend appellierte er an die Regierung, bei aller Annahme des Ultimatums niemals das Bemühen aufzugeben, die weiteren Entscheidungen der Alliierten deutscherseits zu beeinflussen. [136] Das zielte einmal auf die Entwaffnungsfrage mit ihrer Bedeutung für die Sicherheit der deutschen Ostgrenze, zum anderen auf die verhängten Sanktionen.

Gerade bei der Frage der Sanktionen meinte Stresemann in Frankreich die treibende Macht zu erkennen. Er sagte: »Wenn man auf die ganze Einstellung der deutschen Seelenstimmung etwa bei Beginn des Krieges zurückblickt, dann, glaube ich, ist die Abneigung, die bis zum Haß gesteigerte Abneigung gegen England weit größer, als eine Abneigung gegen Frankreich etwa bestanden hätte. Denn von einer Abneigung des deutschen Volkes gegen französisches Wesen haben wir wenig in früherer Zeit verspürt; eher war es eine viel zu weit gehende Annäherung. Wenn das alles sich heute grundlegend geändert haben

---

132 Erklärung der Fraktion der DVP s. Verhandlungen des Reichstags, Bd. 349, a. a. O., S. 3631.
133 Text s. Michaelis — Schraepler, Ursachen und Folgen, Bd. IV, S. 352 ff.
134 Tatsächlich haben — wie die gründliche Studie von E. Laubach, a. a. O., im einzelnen nachweist — auch Wirth und Rathenau nicht an die Möglichkeit einer buchstäblichen Erfüllung der alliierten Reparationsforderungen geglaubt, den Versuch dazu aber als unabdingbare Voraussetzung einer Beruhigung der öffentlichen Meinung in Frankreich und damit einer — wenn auch zunächst nur sehr begrenzten — Revisionspolitik angesehen. Insofern ist der These Laubachs zuzustimmen, daß es insgesamt eine kontinuierliche Linie von Wirths »Erfüllungspolitik« zu Stresemanns »Verständigungspolitik« gegeben habe. Vgl. auch L. Zimmermann, a. a. O., S. 101 ff.
135 Vgl. W. Ruge, a. a. O., S. 70 f.
136 Verhandlungen des Reichstags, Bd. 349, a. a. O., S. 3761.

soll, wenn der ›Temps‹ selbst glaubt, daß heute die deutsche Seelenstimmung eine solche wäre, daß bei jedem Gegensatz zwischen den
Alliierten sich die deutsche Sympathie England zuwendet, wenn neuerdings französische Stimmen sich geltend machen, die doch einmal eine
politische Isolierung Frankreichs fürchten und sich fragen, ob man
nicht in irgendeiner Zukunft wieder auch einmal eine Verständigung
mit Deutschland brauche, dann kann man diesen Kritikern nur das
eine sagen: ihr habt es ja in der Hand, irgendeine einseitige Einstellung
der deutschen öffentlichen Meinung zu verhindern.« [137]

Die Analyse, die Stresemann hier gibt, war nicht ohne Grund und
nicht ohne Wirkung; die Empfehlung, die er ausspricht, kann jedoch
nicht recht überzeugen, denn sie stellt als einfache und einseitige Maß-
nahme dar, was doch ein kompliziertes Geflecht war, bei dem die
Restaurationstendenzen und Revanchetöne in Deutschland selbst eine
gewichtige Rolle spielten. Gewiß mußte Frankreich den ersten Zug
machen, aber Deutschland mußte die Garantie geben — und dazu
waren große Teile der Öffentlichkeit von den »Völkischen« bis zu
den Wählern der bürgerlichen Parteien nicht bereit —, ihn zu hono-
rieren und also zu verbürgen, was die Mehrheit der Franzosen wünschte:
Wiederaufbau und Sicherheit. Da auf französischer Seite eine be-
greifliche Furcht vor dem künftigen Verhalten Deutschlands bestand, konnten jene Kreise in Militär und Politik, die einem
nationalistischen Imperialismus huldigten [138], immer wieder an
Boden gewinnen; jedenfalls gab es auch objektive Gründe für ihre
antideutschen Praktiken. Stresemann wollte jedoch nicht recht wahrhaben, daß die Nationalisten links und rechts des Rheins sich gegenseitig stützten. Tatsächlich war es weder gerecht noch klug, vor den
eigenen Extremisten die Augen zu verschließen und nur jene auf der
anderen Seite ins Visier zu nehmen, im übrigen aber auf die Eigengesetzlichkeit gemeinsamer Wirtschaftsinteressen zwischen Deutschland
und Frankreich zu bauen. Dieser Hebel zur Veränderung der Konstellation in Europa mußte untauglich bleiben, solange er nur genannt,
nicht aber — unterstützt durch ergänzende Maßnahmen — in Bewegung gesetzt wurde. In der Opposition war Stresemann dazu allerdings nicht in der Lage.

Umgekehrt fand er immer wieder Anlaß, an den guten Absichten —
gesetzt den Fall, sie waren vorhanden — der französischen Regierung
zu zweifeln. Ein Beispiel für machtpolitisches Verfahren war Ober-

---

137 Ebda., S. 3762.
138 Vgl. auch die Politik des französischen Oberkommissars Tirard (Sitz in
    Koblenz) und des Generals de Metz; ebenso die Vorkommnisse August/
    September 1921 in Speyer.

schlesien, wo Frankreich dem Prinzip der Selbstbestimmung, das doch zur offiziellen Programmatik gehörte, wenig Ehre erwies. [139] Für Stresemann kam es darauf an, das Konzept einer strategischen Einkreisung, territorialen Verkleinerung und wirtschaftlichen Schwächung Deutschlands einerseits öffentlich zu diskreditieren, andererseits als unvernünftig zu erklären, wenn Frankreich gleichzeitig verlangte, daß Deutschland seine Reparationspflicht in vollem Maße und pünktlich zu erfüllen habe. [140] Dazu aber war Stresemann — wie er am 3. Juni 1921 vor dem Reichstag ausführte — grundsätzlich bereit: »Nachdem durch die Annahme des Ultimatums die Situation geschaffen ist, vor der wir heute stehen, nachdem die gesetzgebende Körperschaft des Reichs das Ultimatum angenommen hat, ist die Regierung verpflichtet, es auszuführen, soweit das innerhalb der Leistungsfähigkeit des deutschen Volkes möglich ist. Jeder ist verpflichtet, ihr dabei zur Seite zu stehen innerhalb der Leistungsfähigkeit des deutschen Volkes.« [141]

Für Stresemann bedeutete offensichtlich Opposition nicht Obstruktion, weder innen- noch außenpolitisch. Wenn es um die Existenz und Zukunft des Deutschen Reiches ging, war er zu sachlicher Zusammenarbeit stets bereit, mit den Sozialdemokraten ebenso wie mit den französischen Politikern und Industriellen. [142] Die Frage stellte sich, welche Zielvorstellungen die Regierung in Paris als unabdingbar ansah und bei welchen sie einem Kompromiß zustimmen würde. Das hing weniger vom deutschen Verhalten als von der europäischen und weltpolitischen Mächtekonstellation ab. Anders formuliert: Frankreich mußte, wollte es seine eigenen Interessen wahren, auf England und die USA Rücksicht nehmen, aber eben nur begrenzt, um nicht ins Schlepptau dieser beiden Staaten zu geraten. Für seine Rede auf dem Parteitag der DVP in Stuttgart (1. Dezember 1921) notierte Stresemann: »England und Amerika anerkennen weltwirtschaftliche Notwendigkeiten ... England in Europa fast ohnmächtig. Wieweit kann Amerika französische Politik beinflussen? ... Kampf Politiker—Wirtschaftler ... Kammer nationalistisch ... Frankreichs wahre Interessen. Schicksalsgemeinschaft mit

139 Zur Reaktion im Reichstag über die Entscheidung der alliierten Botschafterkonferenz vom 20. Oktober 1921 (s. Michaelis — Schraepler, Ursachen und Folgen, Bd. IV, S. 65 f.) vgl. die Äußerungen von Löbe und von Wirth am 26. 10. 1921. Verhandlungen des Reichstags, Bd. 351, Stenogr. Berichte, Berlin 1922, S. 4731 bzw. 4734 ff. Für Stresemann bedeutete der Beschluß, Oberschlesien — sehr zuungunsten Deutschlands — zu teilen, ein schwerer Schlag. Vgl. auch A. Schwarz, a. a. O., S. 73.
140 Vgl. Verhandlungen des Reichstags, Bd. 349, a. a. O., S. 3761.
141 Ebda., S. 3764.
142 Vgl. in diesem Zusammenhang auch seine Ausführungen vor dem niederrheinischen Parteitag der DVP am 10. Oktober 1921. NL Bd. 226.

Deutschland (wirtschaftlich — finanziell) . . . Pläne Frankreichs auf Zerschlagung Deutschlands. Anschluß Deutsch-Österreichs verhindert.« [143] Stresemann skizzierte mit diesen Stichworten die drei entscheidenden Faktoren der deutsch-französischen Problematik: 1. Frankreich war in Europa die überlegene Militärmacht; das gab ihm auf dem Kontinent eine halbhegemoniale Stellung. 2. Diese Stellung erschien nationalistischen Kreisen noch nicht stark und sicher genug. Daher erstrebten sie eine weitere Schwächung Deutschlands. 3. Eine Verbesserung der Situation Deutschlands war nur dann zu erwarten, wenn in Frankreich wirtschaftspolitische und monetäre Überlegungen die Oberhand bekamen, wobei England und mehr noch die USA tatkräftige Hilfe leisten mußten. [144] Die Finanzmisere Frankreichs machte das notwendig und bot damit die Chance zu einem multilateralen Arrangement, bei dem das Deutsche Reich nicht mehr nur Befehlsempfänger sein konnte. Ungewiß blieb, wann diese Einsicht bzw. sachliche Notwendigkeit auch in Frankreich die Politik der Regierung bestimmen würde.

Nach dem Urteil Stresemanns, vermerkt in einem maschinegeschriebenen, von ihm persönlich redigierten Exposé ebenfalls vom 1. Dezember 1921, verlangte das Kräfteverhältnis in Europa deutscherseits eine »nationale Politik«: »Ich bin Anhänger der Überzeugung, daß noch immer die Macht im Leben der Völker entscheidet, aber Ideen ohne Macht sind mächtiger als Macht ohne Ideen. Die nationale Sehnsuchtsidee zu wecken, ist unsere heiligste Aufgabe. Dann wird die deutsche Idee eines Tages stärker sein als die waffenstarrende Macht Frankreichs ohne Idee.« [145] Die Argumentation, die hier versucht wurde, kann keineswegs als zwingend angesehen werden, denn sie ging von Prämissen aus, die weder belegt wurden noch belegbar waren. Dennoch macht sie eines sichtbar: die nationale Zielsetzung Stresemanns und sein enges Verhältnis zur Macht. [146] Wie schätzte er die Rolle Deutschlands im System der europäischen Staaten ein? Als zentrale Weltmacht bezeichnete er die Vereinigten Staaten. [147] Zunächst überrascht, dann aber überzeugt seine Feststellung, daß das Fehlen eines amerikanisch-englischen bzw. amerikanisch-französischen Bündnisses zu bedauern sei: »Amerika macht genau denselben Fehler wie

---

143 NL Bd. 226. Zur Rede selbst schrieb das »Hamburger Echo« am 3. 12. 1921: »Man kann . . . die Stuttgarter Rede Stresemanns als das Maximum dessen bewerten, was der Deutschen Volkspartei unter den gegebenen Umständen als Linksgesinnung geboten werden kann.« Auch der »Vorwärts« vom selben Tage äußerte sich anerkennend.
144 Vgl. dazu W. Link, a. a. O., S. 44 ff. und bes. S. 75 f.
145 NL Bd. 226.
146 Vgl. dazu — mit Bezug zur Theorie und Praxis des Völkerbundes — H. L. Bretton, a. a. O., S. 23 ff.
147 So in dem erwähnten Exposé vom 1. 12. 1921. Aus diesem Text die folgenden Zitate.

"Sind die Motive Stresemanns auch aus
heutiger Sicht durchaus begreifbar, so gilt
das nicht in gleicher Weise für das Ausmaß
seiner Anexionswünsche und handelspolitischen
Forderungen."

Deutschland vor dem Kriege, daß es durch Ablehnung jeder Bündnisidee den Frieden zu wahren glaubt.«

Bündnispolitik war also, wenn sie nicht offensive Ziele verfolgte, für Stresemann — in der Tradition Bismarcks — Friedenspolitik; eine angelsächsische Entente beurteilte er darum als »bessere Sicherung des Friedens als jeder Völkerbund«. Und er' fügte hinzu: »Treibt Frankreich weiter die geistlose Politik des schwarzen und weißen Militarismus, so kann sie noch zustande kommen. Kommt diese Entente nicht zustande, so bedeutet das den Freibrief für Frankreich zur Beherrschung Europas. England hat keine tatsächliche Macht, die französische Suprematie zu bändigen.« Foch erschien Stresemann mächtiger als Napoleon I. In der französischen Bündnispolitik (Belgien, Polen, »Kleine Entente«) glaubte er ein Instrument zur Beherrschung Europas zu erkennen — auf Kosten Deutschlands und Deutsch-Österreichs.[148] »Wenn je eine Politik von rein militärischen Gedankengängen bestimmt war, dann nicht die des kaiserlichen Deutschlands, die denselben Fehler machte, wie heute Amerika, sondern die des republikanisch-demokratischen Frankreichs.«

Was Stresemann hier schrieb, war nicht Polemik, sondern seine Überzeugung. Für sein politisches Selbstverständnis ist es dabei unerheblich, ob er mit seiner Sicht der Dinge dem objektiven historischen Tatbestand entsprach. Er jedenfalls hatte vor 1914 auf den Frieden gebaut, von dem die wirtschaftliche Weltmacht Deutschland nur profitieren konnte, während des Krieges den deutschen Sieg gewünscht, um eine — wie er meinte — künftige Herausforderung des Reiches ein für allemal zu verhindern, und erlebte Deutschland nun in der Situation ständiger Bedrohung, Abhängigkeit und Unterordnung. Eine militärische Auseinandersetzung zur Wiedererringung der Vorkriegsposition des Reiches widersprach jedoch ebenso den politischen (und militärischen) Gegebenheiten wie der persönlichen Absicht Stresemanns. Seine Hoffnungen ruhten, noch stärker als vor 1914, auf den Entwicklungsgesetzen der (kapitalistischen) Weltwirtschaft und auf der paradox klingenden These: »Die Siegerländer leiden mehr unter den Folgen des Versailler Friedensdiktates als die Besiegten.« Daher glaubte er sich zu folgender Prognose berechtigt: »Die Friedensrevision auf dem Marsch. Der Aufbau Rußlands durch eine internationale Aktion die Zukunfts-

---

148 Vgl. auch W. Conze, a. a. O., S. 173: »Deutschland sah sich auf Europa zurückgeworfen und war doch aus Europa ausgeschlossen. Statt neuer Weltpolitik war das Deutsche Reich eingeschnürt, nicht allein durch die Bestimmungen der Friedensverträge von Versailles und St. Germain, sondern außerdem durch Frankreichs neue, gegen Deutschland gerichtete Militärbündnisse mit Polen und der Tschechoslowakei. Der Blick der Deutschen wurde eingeengt auf das Dreieck Paris — Warschau — Prag. Welch Kontrast zur Mitteleuropa-Konzeption von 1915! Und welch Kontrast zu den sich bereits anbahnenden weltpolitischen Wandlungen!«

aufgabe, die auch die Politik bestimmen wird.[149] Stinnes und sein Denken der kommende Mann.[150] Ist die nationale Sehnsucht da, so werden uns die materiellen Entwicklungen schon helfen.«[151]

Die Ereignisse zeigten sehr rasch, daß 1921/22 mit nationaler Sehnsucht keine erfolgreiche Politik zu machen war. Ursache dafür war nicht zuletzt die deutsche Währungskrise, die sich in der zweiten Hälfte des Jahres 1921 rapide verschärft hatte. Die Notwendigkeit, im Ausland Devisen zu erwerben, um die Reparationsschulden abzudecken, führten zu Kursstürzen der Mark und zu fortschreitender Entwertung des deutschen Geldes. Schon im Dezember war Deutschland nicht mehr imstande, seinen Verpflichtungen nachzukommen. Es erhielt zwar keinen Zahlungsaufschub, doch wurden die Reparationsraten herabgesetzt.[152] Die von Lloyd George angeregte Konferenz von Cannes (6. bis 13. Januar 1922) gestand daraufhin dem Reich ein Moratorium für die am 15. Januar und 15. Februar fälligen Zahlungen zu[153]; außerdem entschied man sich für eine Konferenz in Genua, zu der auch Deutschland und Rußland eingeladen werden sollten. Der Sturz von Briand (12. Januar 1922; Nachfolger wurde Poincaré)[154] und die fordernde Note der Reparationskommission vom 21. März 1922 (einen neuen Zahlungsplan betreffend)[155] verschlechterten jedoch die Aus-

---

149 Vgl. in diesem Zusammenhang auch jenen Teil der außenpolitischen Vorschläge, die die DVP bei der Vorbesprechung mit Reichskanzler Wirth bezüglich einer Beteiligung an der bisherigen Koalitionsregierung am 28. September 1921 unterbreitete (streng vertrauliches Protokoll): »Verständigung mit England und Frankreich unter Ablehnung einer einseitigen Kontinentalpolitik. Hinarbeit auf Wiederaufbau Rußlands im Zusammenarbeiten mit England, Vereinigte Staaten und Frankreich.« NL Bd. 230: Politische Akten 1921/IX.
150 Stresemann dachte hier besonders an dessen Anteil beim Zustandekommen des Wiesbadener Abkommens (Oktober 1921).
151 Vgl. zum Grundsätzlichen auch die Unterredung Stresemanns am 19. 2. 1922 mit dem französischen bürgerlichen Politiker (und Parlamentarier) de Cassagnac, während der Stresemann u. a. sagte: »Wir sind Realpolitiker und verstehen, daß Frankreich als Siegerland Elsaß-Lothringen genommen hat. Falsch aber war es, uns unsere Kornkammer Westpreußen und Posen zu nehmen. Falsch war es, Deutschland die gemeinsame Grenze zu Rußland zu nehmen. Deutschland und Rußland, zusammen fast 200 Millionen Menschen, werden es sich auf die Dauer nicht gefallen lassen, daß der polnische Korridor zwischen ihnen liegt. Gerade in der polnischen Politik Frankreichs erblickt man in Deutschland ein Zeichen des französischen Imperialismus ... Und nun die Reparation ... Mein Vorschlag geht .. dahin, daß Frankreich uns hilft, einen internationalen Kredit von etwa 25 Milliarden zu bekommen, deren Verteilung an Frankreich, Belgien usw. die Entente vornehmen könnte. Wir wollen die Zinsen dafür bezahlen, etwa 1 bis 1 ein viertel Milliarden im Jahr ... Außerdem kann Europa nur gesunden, wenn es solidarisch an den Aufbau Rußlands herantritt.« NL Bd. 242: Politische Akten 1922/II.
152 Vgl. hierzu K. Mielcke, a. a. O., S. 49.
153 Michaelis — Schraepler, Ursachen und Folgen, Bd. IV, S. 380 f.
154 Vgl. E. Eyck, Bd. 1, a. a. O., S. 268 f.
155 Text Michaelis — Schraepler, Ursachen und Folgen, Bd. IV, S. 388 ff.

sichten auf ein Übereinkommen. Im Reichstag erklärte Stresemann am 29. März 1922:»Dieser Geist (der Note — Anm. d. Verf.) muß die herbste Enttäuschung namentlich für alle diejenigen sein, die an eine Entspannung der internationalen Atmosphäre glaubten und darauf weitgehende Hoffnungen aufbauten.«[156] Einmal mehr mußte Stresemann den Urheber der neuen Spannungen in Frankreich erblicken:»Die Politik Frankreichs wollte und will bis heute trotz der Warnungen Lloyd Georges und seines Memorandums[157] Deutschland verstümmeln und es gleichzeitig zwingen, unerträgliche Lasten auf sich zu nehmen. Dieser Weg ist bisher stets siegreich gewesen. Bei diesem Weg sind den englischen Worten die englischen Taten niemals gefolgt.«[158] Stresemann hielt die Forderungen der Note für schlechthin unerfüllbar. Lieber wollte er ein Diktat der Entente als ein deutsches Angebot, das Gefahr lief, von der Entente als Minimum behandelt zu werden, obschon es die deutsche Leistungsfähigkeit zu überschreiten drohte. Unter diesen Umständen gab er der kommenden Konferenz von Genua eine letzte Chance:»Das Programm von Genua hat zwei Hauptpunkte. Der erste lautet: Schaffung einer sicheren Grundlage für den europäischen Frieden. Der zweite lautet: Wirtschaftlicher Wiederaufbau Mittel- und Osteuropas. Die Durchführung dieses Programms ist nur möglich mit einem gesundeten Deutschland, und damit ist die Fortsetzung der bisherigen Politik Deutschland gegenüber unvereinbar. Damit ist aber auch unvereinbar eine Erfüllungspolitik in dem bisherigen Ausmaß.«[159]

Die Tendenz bzw. Funktion solcher Formulierungen ist deutlich. Stresemann war bemüht, Frankreich eine bestimmte Alternative bewußt zu machen, ja es in eine Zwangssituation hineinzudrängen: Entweder es setzte seine Politik der Sanktionen fort, dann mußte Frankreich auf deutsche Zahlungen, die es doch dringend benötigte, verzichten. Oder es erklärte sich, wenn es deutsche Reparationsleistungen wollte, zu einem Moratorium bei gleichzeitiger internationaler Anleihe bereit, die Deutschland allmählich zurückzahlen sollte. Wenn das geschah, wenn eine deutsch-französische wirtschaftliche Zusammenarbeit daraus resultierte, dann war Deutschland endgültig über den Berg, dann war sein industrieller und — in dessen Gefolge — politischer Aufstieg kaum noch zu gefährden. Im Frühjahr 1922 konnte Stresemann noch nicht damit rechnen, sein eigentliches Ziel in naher Zukunft zu verwirklichen. Worum er aber politisch zu kämpfen gewillt

---

156 Verhandlungen des Reichstags, Bd. 354, Stenogr. Berichte, Berlin 1922, S. 6643.
157 Gemeint ist das Fontainebleau-Memorandum vom 25. März 1919; vgl. dazu G. Schulz, a. a. O., S. 268 f.
158 Verhandlungen des Reichstags, Bd. 354, a. a. O., S. 6644.
159 Ebda., S. 6648.

war, das war die Abwehr von Forderungen und Maßnahmen der französischen Regierung, die über Versailles hinausgingen. Es galt, die deutsche Politik aus der ständigen Defensive herauszubringen. Der Vertrag von Rapallo erschien Stresemann als eine richtige Entscheidung auf dem richtigen Wege. [160]

---

160 Schreiben an den Legationsrat Bücher vom 29. 4. 1922: »... Ich bin mit Ihnen der Meinung, daß dieser Schritt (gemeint ist der Abschluß des Rapallo-Vertrages) getan werden mußte, und bin überzeugt, daß er trotz der Stürme, die er zunächst hervorgerufen hat, letzten Endes sowohl für unsere wirtschaftlichen Verhältnisse wie für die Weiterentwicklung der politischen Dinge von guter Wirkung sein wird.« NL Bd. 243: Politische Akten 1922/III. Vgl. auch H. W. Gatzke, Von Rapallo nach Berlin. Stresemann und die deutsche Rußlandpolitik, in: Vierteljahrshefte für Zeitgeschichte, 4. Jg. (1956), S. 2 f. Text des Vertrages s. K. Mielcke, Dokumente zur Geschichte der Weimarer Republik, Braunschweig 1959, S. 42 f. Allgemein H. G. Linke, Deutsch-sowjetische Beziehungen bis Rapallo, Köln 1970; Th. Schieder, Die Entstehungsgeschichte des Rapallo-Vertrages, in: Hist. Zeitschrift, Bd. 204 (1967), S. 545 ff.; E. Laubach, a. a. O., S. 199 ff.; K. D. Erdmann, Deutschland, Rapallo und der Westen, in: Vierteljahrshefte für Zeitgeschichte, 11. Jg. (1963), S. 105 ff.; H. Graml, Die Rapallo-Politik im Urteil der westdeutschen Forschung, in: Vierteljahrshefte für Zeitgeschichte, 18. Jg. (1970), S. 366 ff.

4. Kapitel

Der Kampf um das Ruhrgebiet

Der Vertrag von Versailles hatte Frankreich zwar in eine sehr starke politische und militärische Position in Europa gebracht, aber der — angesichts der Millionen Opfer verständliche — Wunsch nach dauerhafter Sicherheit (gegenüber Deutschland) hatte nur zum Teil verwirklicht werden können. Frankreichs unverhältnismäßig großes Friedensheer, sein kontinentaleuropäisches Allianzsystem und seine Aktivität im Völkerbund mit dem Ziel, den Status quo zu befestigen, waren daher wesentliche Komponenten einer Politik, die — dem vorherrschenden Selbstverständnis entsprechend — als langfristig defensiv aufgefaßt wurde. Das aber heißt: Das französische Gesamtinteresse, verstanden als politisches und wirtschaftliches Parallelogramm der Kräfte, schloß eine Revision der europäischen Nachkriegsverhältnisse, sofern sie Deutschland begünstigen würde, prinzipiell aus. Die konträre Zielsetzung der beiden Nachbarstaaten war unter nationalem Vorzeichen unaufhebbar, ein Wechsel der politischen Anschauungen kaum zu erwarten — im Gegenteil: »Jede französische Regierung mußte darauf bestehen, daß Deutschland den Vertrag genau erfüllte, schon weil es im eigenen Lande eine ultranationalistische Opposition gab, der die Versailler Regelung, die Frankreich die Rheingrenze versagte und Deutschland als Einheitsstaat bestehen ließ, nur Stückwerk bedeutete.«[1]

Für Poincaré — seit dem 13. Januar 1922 französischer Ministerpräsident — hatte der Vertrag von Versailles, einmal rechtsgültig geworden, von Anfang an als unantastbares politisches Dogma gegolten, und er war nunmehr fest entschlossen, die Reparationsfrage nicht weiter durch Zahlungsaufschübe und eventuelle internationale Anleihen zugunsten Deutschlands verschleppen zu lassen.[2] Durch den Vertrag von Rapallo (16. 4. 1922) bekamen die ohnehin gespannten deutschfranzösischen Beziehungen eine zusätzliche Akzentuierung.[3] Am 2. Mai 1922 schrieb Poincaré an den französischen Botschafter in London: »Es

---

1 K. Dederke, Reich und Republik. Deutschland 1917—1933, Stuttgart 1969, S. 60.
2 Vgl. T. Vogelsang, Die Außenpolitik der Weimarer Republik 1918—1933, Uelzen und Hannover 1959, S. 12.
3 Dazu H. Graml, Die Rapallo-Politik, a. a. O., S. 387 ff., und Th. Schieder, Die Entstehungsgeschichte des Rapallo-Vertrages, a. a. O., S. 593 ff. Über die Reaktion der englischen Regierung und allgemein über die deutsch-englischen Beziehungen in dieser Phase jetzt die (noch ungedruckte) Dissertation von G. Bertram, Aspekte der britischen Deutschlandpolitik 1919—1922, Tübingen 1970. Vgl. auch W. Link, a. a. O., S. 119 ff., und L. Kochan, Rußland und die Weimarer Republik, Düsseldorf 1955, S. 51 ff.

113

liegt auf der Hand, daß ganz Deutschland den Bestimmungen des Vertrages von Rapallo viel weniger Wirklichkeit beilegt als seiner allgemeinen Bedeutung; daß es darin den ersten Schritt zu einer engen Annäherung an Rußland sieht, die ihm helfen soll, die Westmächte in Schach zu halten und seine Revanche vorzubereiten.«[4] Was Poincaré hier — mit dem Blick auf die englische Regierung — formulierte, war bezüglich der Absichten der Reichsleitung gewiß unzutreffend und bezüglich möglicher Entwicklungen bei weitem übertrieben (wenn auch deutscherseits, wie das Seeckt-Memorandum vom 11. September 1922 zeigt, Vorstellungen dieser Art existierten)[5], aber die Motivationsskala der französischen Politik — d. h. die Möglichkeit einer Politik der »produktiven Pfänder« — war nun um einiges verbreitert. »In der Situation, in der sich das Reich 1922 befand, hat ihm der Rapallo-Vertrag jedenfalls mehr geschadet als genutzt.«[6]

Stresemann vergaß zu keinem Zeitpunkt nach Abschluß des Rapallo-Vertrages, daß mit ihm zwar die (mehr potentielle als tatsächliche) außenpolitische Bewegungsfreiheit des Reiches vergrößert worden war, daß aber für dessen Zukunft das Verhalten der Westmächte ausschlaggebend blieb. Eine Option zugunsten Sowjetrußlands war ausgeschlossen. Das verhinderten nicht persönliche oder ideologische Momente, sondern die machtpolitischen Realitäten des durch Versailles herbeigeführten Systems der internationalen Beziehungen. Es hing von den Westmächten — vor allem von Frankreich — ab, ob Deutschland weitere Sanktionen gewärtigen mußte oder ob es sich, wie es seine Interessen forderten, finanziell, wirtschaftlich und politisch erholen konnte. Im Westen lagen überdies die großen Exportmärkte, auf die das Deutsche Reich mehr denn je angewiesen war. Gewiß stellte das bolschewistische Rußland aus ökonomischen und diplomatisch-strategischen (d. h. revisionspolitischen) Gründen so etwas wie einen Wechsel auf die Zukunft dar, aber 1922 bot es für Deutschland keine außenpolitisch überzeugende Alternative. Immerhin hatte dieses Deutschland mit dem Rapallo-Vertrag bewiesen, daß es nicht nur Objekt der internationalen Politik zu sein gedachte. Für Stresemann bedeutete das eine positive Entscheidung.[7] Zudem konnte er als ein gewichtiges außenpoliti-

---

4 Michaelis — Schraepler, Ursachen und Folgen, Bd. VI, S. 586.
5 Vgl. dazu O.-E. Schüddekopf, Das Heer und die Republik, Quellen zur Politik der Reichswehrführung 1918 bis 1933, Hannover und Frankfurt/M. 1955, S. 160 ff., und H.-A. Jacobsen, Konzeptionen deutscher Ostpolitik 1919—1970, Eine Skizze, in: Aus Politik und Zeitgeschichte, Beilage zur Wochenzeitung »Das Parlament«, B 49/1970, S. 4 f.
6 K. Dederke, a. a. O., S. 64.
7 Vgl. in diesem Zusammenhang seinen Artikel für die »Hamburger Stimmen«, geschrieben Anfang Mai 1922. Darin u. a. der Satz: »Der deutsch-russische Vertrag mag für die Gegenwart nur eine geringe praktische Bedeutung haben, aber er ist doch eine große grundsätzliche Richtlinie für die Beziehungen Deutschlands zu anderen Mächten, und er sprengt an einer

sches Plus vermerken, daß der Vertrag drei Gefahren für das Deutsche Reich abwehrte: ein russisch-französisches Abkommen, die Anwendung des Artikels 116 des Versailler Vertrages und eine Beteiligung Rußlands an der »Ausbeutung« Deutschlands. [8] Stresemann war überzeugt, daß die von Deutschland gewünschte internationale Anleihe durch Rapallo weder begünstigt noch in Frage gestellt wurde. Was er an Entgegenkommen der Entente erwartete, begründete er primär mit deren Eigeninteresse. Freundschaftliche Gefühle hatten in seinen Überlegungen keinen Platz; ebensowenig konnte mit einer unvermittelten Entspannung der politischen Gesamtlage in Europa gerechnet werden. Stresemann argumentierte anders: »Berichte von Sachverständigen aus Genua stimmen überein in dem Urteil, daß einzelne Siegerstaaten und Neutrale unter den gegenwärtigen weltwirtschaftlichen Verhältnissen noch weit mehr leiden, als wir in Deutschland annehmen. Die Beseitigung dieser Verhältnisse unter gleichzeitiger Rücksichtnahme auf die finanziellen Verhältnisse Frankreichs ist nur auf dem Wege einer internationalen Anleihe für Deutschland möglich. Eine solche Anleihe wird ihren Zweck aber nur dann erfüllen, wenn sie Deutschland tatsächlich eine langjährige Ruhepause in bezug auf finanzielle Leistungen geben wird und ihre Verwendung findet zu französischen Wiederaufbauzwecken, aber nicht zur Unterhaltung von Besatzungsarmeen in Deutschland.« [9]

Mit diesen Sätzen sprach Stresemann erneut eine weltweite Regelung des Reparationsproblems an — unter Bedingungen, die den ökonomischen Notwendigkeiten Rechnung trugen. Machtpolitisch lagen die Dinge jedoch anders. Letztlich kam es darauf an, ob bei dieser Frage wirtschaftliche oder militärpolitische Interessen vorrangig waren; jene, die ein multilaterales Arrangement bei prinzipieller Gleichberechtigung Deutschlands, also einen Kompromiß erlaubten, konnten von Stresemann mit Recht als dominierend für die Politik der USA und Englands angesehen werden, diese mußte er als bestimmende Maxime für die Entscheidungen der französischen Regierung ansehen. Von Poincaré war für Deutschland wenig zu erhoffen, aber viel zu befürchten. Stresemann sagte über dessen Politik, daß sie »offensichtlich auf neue Be-

---

wichtigen Stelle durch eine freiwillige Erklärung Rußlands die Fessel, die man uns anlegen wollte, indem man Rußland an einer deutschen Kriegsentschädigung zu interessieren versuchte.« NL Bd. 246: Politische Akten 1922/VI.
8 So in einem Brief vom 10. Mai 1922 an den Amtsgerichtsrat Schoen, Düsseldorf. NL Bd. 246. Allg. zu diesem Problem H. Joachim, Vom Bündnisprojekt Moskaus zur neutralen Ausgestaltung des Rapallo-Verhältnisses unter Stresemann, Phil. Diss. Mainz 1964, bes. S. 42 ff.; vgl. auch H. Graml, Die Rapallo-Politik, a. a. O., S. 378 f., und Th. Schieder, Die Entstehungsgeschichte des Rapallo-Vertrages, a. a. O., S. 556 ff. und S. 576 ff.
9 Artikel für die »Hamburger Stimmen«, Mai 1922, a. a. O.

drückungen Deutschlands« ausgehe. [10] Noch blieb allerdings ungewiß, ob sich das politisch-militärisch akzentuierte Interesse Frankreichs oder das eminent sozialökonomisch bzw. außenwirtschaftlich orientierte Interesse der beiden angelsächsischen Mächte gegenüber Deutschland durchsetzen würde. Stresemann baute konsequent auf die zweite Alternative, die beanspruchen konnte, sowohl realistisch zu sein als auch einer friedlichen Entwicklung Europas (und zugleich einer Revision des bisherigen Kräfteverhältnisses) Bahn zu brechen. [11]

Bei dieser politischen Konstellation mußte das Verhalten der Vereinigten Staaten von ausschlaggebender Bedeutung sein. Würde sich die amerikanische Regierung verstärkt für die europäischen Probleme engagieren? Anders formuliert: Würden die USA ihre finanzpolitische Machtstellung, ihre weltwirtschaftliche Führungsrolle bestimmend zur Geltung bringen? [12] Am 14. Mai 1922 schrieb Stresemann an den von ihm persönlich geschätzten ehemaligen Kronprinzen: »Die Entspannung der Lage kann nur dann kommen, wenn Amerika seinen Druck als Gläubigernation gegenüber Frankreich ausübt und sich zur Hergabe der internationalen Anleihe, die Frankreich dringend braucht, nur unter der Bedingung bereit erklärt, daß die französische Politik gegenüber Deutschland geändert würde ... Wie weit das aber durch diese wirtschaftliche Erwägung die französische imperialistische Politik beeinflußt, steht dahin.« [13]

Dieser Brief, von dem wir annehmen dürfen, daß Stresemann auch meinte, was er sagte, zeigt deutlich, daß dessen außenpolitische Konzeption nicht einen Stimmungsumschwung in Frankreich selbst zur Grundlage hatte, auch nicht die mancherorts (so etwa von Wirth und Cuno) erwartete Rivalität zwischen England und Frankreich — und schon gar nicht einen Ausbau des deutsch-russischen Vertrages, sondern daß die finanziellen und handelspolitischen Interessen der USA die Mitte seines Programms zur wirtschaftlichen Entwicklung und Wiederherstellung der politischen Gleichberechtigung, konkret: der Großmachtposition des Deutschen Reiches bildeten. Noch glaubte Stresemann, daß die wirtschaftliche Vernunft, die sich mit den deutschen Interessen weithin deckte, siegen würde — trotz der scharfen Rede Poincarés am 1. Juni 1922 in der französischen Kammer, die, 1919 gewählt, vom »Nationalen Block« beherrscht wurde. [14]

10 Ebenda.
11 Nicht überzeugen kann die These von H. Graml, Europa zwischen den Kriegen, München 1969, S. 56 f., daß »eine Wendung Deutschlands zur Revisionspolitik .. Rückkehr zum internationalen Faustrecht« heißen mußte und schlechthin mit Hegemonialpolitik identisch gewesen sei (S. 57).
12 Eingehend dazu W. Link, a. a. O., bes. S. 132 ff.
13 NL Bd. 246. Zu Stresemanns Einstellung gegenüber dem Kronprinzen vgl. F. Hirsch, a. a. O., S. 70 f.
14 Auszüge dieser Rede, die auch als Verteidigung gegen Vorwürfe im In- und Ausland angelegt war, im Nachrichtenblatt des Französischen Pressedienstes, Koblenz, vom 8. Juni 1922.

Poincaré zögerte nicht, alle diejenigen Reparationsleistungen zu verlangen, die Deutschland in der Vergangenheit aufgrund des Versailler Vertrages auferlegt worden waren. [15] Stresemann lehnte Reparationen keineswegs ab. Er war bereit zu zahlen, allerdings erst *nach* einer erneuten und — in deutscher Sicht — verbesserten Regelung des Gesamtproblems, das durch Beachtung der weltwirtschaftlichen Zusammenhänge und damit durch Herauslösung aus der unfruchtbaren deutsch-französischen Kontroverse bewältigt werden sollte. Wenn Frankreich wirklich entscheidend Geld- und Sachleistungen wünschte, wenn es darüber hinaus die politischen Bindungen an die angelsächsischen Staaten aus Sicherheitsgründen nicht aufgeben, ja nicht einmal gefährden wollte, wenn es schließlich selber finanziell fast am Ende war, dann standen — das durfte Stresemann durchaus erwarten — die Chancen nicht schlecht für ein internationales Abkommen, das weitreichende Entwicklungen einleiten würde.

Waren jedoch diese Einsichten in Frankreich und anderwärts vorhanden? Bestimmten sie, wenn sie vorhanden waren, die praktische Politik? Es gab ja noch andere Gesichtspunkte, die zu bedenken waren: so etwa das formale Recht des Versailler Vertrages, die Maßnahmen des Völkerbundes, das französische Sicherheitsbestreben, die Absicht auch der angelsächsischen Mächte, es nicht zum Bruch mit Frankreich kommen zu lassen, die inflationäre Entwicklung in Deutschland, die als gewollt und geplant hingestellt werden konnte, schließlich eben doch das Mißtrauen aller ehemaligen alliierten Mächte wegen des Rapallo-Vertrages. Gewiß war also nur die Ungewißheit, welche Tendenzen sich am Ende — aber wann war das? — durchsetzen würden. Stresemann hat diese Unbekannte in seiner politischen Rechnung niemals vergessen, aber er meinte alles tun zu müssen, was geeignet schien, eine globale Regelung des Reparationsproblems unter Führung der USA herbeizuführen.

Was Deutschland bevorstand, wenn Poincaré zum Zuge kam, war Stresemann völlig klar. So formulierte er am 22. Juli 1922 auf der Parteiausschuß- und Vertretertagung der Deutschen Volkspartei in Elberfeld: »Überall ist die Einheit (gemeint: des Reiches) bedroht — in Bayern droht der Partikularismus mit falscher Engherzigkeit, die Polen streben nach Königsberg und Breslau, Frankreich wünscht die Mainlinie und die rheinische Republik oder französische Rheinprovinz.« [16] Auf der anderen Seite gab sich Stresemann keineswegs der Illusion hin, diese für das Reich gefährliche Situation kurzfristig und aufgrund eigener Aktionen ändern zu können. Da war es letztlich gleichgültig, wie

15 Vgl. etwa das Schreiben Poincarés an Reichskanzler Wirth vom 26. Juli 1922.
   Michaelis — Schraepler, Ursachen und Folgen, Bd. IV, S. 404 ff.
16 NL Bd. 248: Politische Akten 1922/VII.

die Berliner Regierung, wenn sie insgesamt eine nationale, d. h. vom deutschen Interesse bestimmte Außenpolitik treiben wollte, personell und parteipolitisch zusammengesetzt sein mochte. Es fehlte deutscherseits, das bekannte Stresemann freimütig in seiner Reichstagsrede am 5. Juli 1922, an den realen Machtfaktoren, die hätten verhindern können, was von Frankreich her zu befürchten war. [17]

Da er eine gravierende politische Krise unbedingt vermeiden und deshalb jeden Versuch unterstützen wollte, der Aussicht auf Erfolg versprach, propagierte Stresemann im Sommer und Herbst 1922 verstärkt die Dringlichkeit einer deutsch-französischen Verständigung auf der von ihm bezeichneten Ebene wirtschaftlicher Vereinbarungen gleichberechtigter politischer Partner. Im September führte er aus diesem Grunde ein Gespräch mit Louis Barthou, dem Präsidenten der Reparationskommission. [18] Es war dies die erste offizielle Unterredung Stresemanns mit einem führenden Vertreter Frankreichs — für ihn eine Gelegenheit zur Besserung der deutsch-französischen Beziehungen, die er durch Poincaré und jene Kreise gefährdet sah, die (wie zum Beispiel Foch) um der Sicherheit Frankreichs willen die militärisch gesicherte Rheingrenze erstrebten [19] oder gar — das taten die Maximalisten — eine Zerstückelung des Deutschen Reiches anvisierten. [20]

Bei seiner von den politischen Notwendigkeiten geforderten Absicht, das sich ständig verschärfende Spannungsverhältnis zwischen Berlin und Paris nicht in einen akuten Konflikt münden zu lassen, erhoffte Stresemann, was Frankreich betraf, Unterstützung von jenen Politikern und (mehr noch) Wirtschaftlern, die — wie etwa Professor Haguenin — zu einer industriellen Zusammenarbeit mit Deutschland bzw. deutschen Unternehmern bereit waren. Im Spätherbst 1922 kam jedoch der Einfluß dieser Gruppe nicht zum Tragen. Als am 22. November (1922) die bürgerliche Minderheitsregierung Cuno [21] die Weimarer Koalition unter Joseph Wirth ablöste, galt folglich die bisherige »Erfüllungspolitik« als gescheitert [22]; eine praktikable Alternative konnte allerdings von niemandem aufgezeigt werden. Es blieb nur die vage Hoffnung, daß England die deutschen Vorschläge bezüglich der Reparationsfrage

---

17 Verhandlungen des Reichstags, Bd. 356, Stenogr. Berichte, Berlin 1922, S. 8310.
18 Darüber W. Görlitz, a. a. O., S. 132 f.
19 Vgl. dazu Michaelis — Schraepler, Ursachen und Folgen, Bd. V, S. 102, Anm. 3.
20 Vgl. in diesem Zusammenhang Stresemanns Ausführungen am 15. 10. 1922 in Halle beim Landesparteitag der DVP. NL Bd. 239: Politische Reden 1922/I.
21 Dazu Akten der Reichskanzlei, Weimarer Republik, Das Kabinett Cuno, 22. November 1922 bis 12. August 1923, bearb. von K.-H. Harbeck, Boppard 1968.
22 Vgl. H. Heiber, a. a. O., S. 115.

(Note der Reichsregierung vom 14. November) unterstützen würde. [23]
Diese Hoffnung erfüllte sich indessen nicht. Poincaré verfolgte andere
Ziele. [24] Wie Stresemann zu diesem Zeitpunkt die politische Lage des Deutschen Reiches beurteilte, geht u. a. aus seiner Reichstagsrede vom 25.
November 1922 hervor. Sie erlaubt, seine Zielvorstellungen, die er vor
diesem Gremium weder verheimlichen wollte noch konnte, ziemlich genau zu bestimmen. Am Tage zuvor hatte sich der Abgeordnete Breitscheid, SPD, voll und ganz für eine Verständigung mit Frankreich eingesetzt und dabei die Meinung vertreten, sie sei auch erreichbar. [25] Die
Tendenz der Darlegungen Stresemanns war demgegenüber viel pessimistischer. »Ich sehe«, so sagte er, »fast nirgends einen Ausblick, der uns
auch nur vor dem Schwersten bewahrt.« [26] Die mögliche Uneinigkeit
der Ententemächte, auf die in Deutschland viele spekulierten, war für
Stresemann kein realistischer Hoffnungsanker. Einen Ausweg konnten
nach seiner Überzeugung nur die USA eröffnen, ohne deren aktives
Eingreifen »die ganze Frage der Reparationen und der künftigen Gestaltung der Dinge überhaupt nicht definitiv zu regeln« sei. [27]

Da Stresemann die deutsche Frage wegen ihrer wirtschaftlichen und
politischen Implikationen als Weltfrage interpretierte, kam er zu dem
Ergebnis, daß, weil der Sozialismus nicht leisten könne, was deutscherseits wünschenswert sei, nur der »internationale Kapitalismus« [28] eine
Lösung denkbar mache. Ihm erschien das als der einzige Weg, um aus
der für Deutschland bedrohlichen Situation herauszukommen, und ver-
nünftig dazu, weil nur dadurch der Bolschewismus gemeinsam abzu-
wehren sei. [29] Die Entscheidung darüber, wie die Reparationskommission in Brüssel sich verhalten würde, lag jedoch, das gab Stresemann
offen zu, bei Frankreich. Dessen Stellung charakterisierte er folgendermaßen: »Nie war Frankreich so übermächtig in der Welt wie gegenwärtig. Und es hat keine Zeit gegeben, in der Europas Schicksal so in
die Hand einer Macht gegeben war, als wie wir das jetzt sehen.« [30]

Mochten solche Wendungen übertrieben und — mit beabsichtigter

23 Text der deutschen Vorschläge vom 14. November 1922 bei Michaelis —
   Schraepler, Ursachen und Folgen, Bd. IV, S. 416 ff.
24 Vgl. seine Rede am 17. November vor der Kammer. Dazu E. Eyck, a. a. O.,
   Bd. 1, S. 309. Noch deutlicher wurde dann Poincaré in der Senatssitzung
   vom 21. 12. 1922. Cuno-Akten, a. a. O., S. 92 f.
25 Verhandlungen des Reichstags, Bd. 357, Stenogr. Berichte, Berlin 1923,
   S. 9114.
26 Ebda., S. 9156.
27 Ebda., S. 9157.
28 Stresemann sprach sonst meistens, das vorgegebene wirtschaftliche und gesellschaftliche System dabei unkritisch akzeptierend, von der Verbundenheit der weltwirtschaftlichen Interessen.
29 A. a. O., S. 9158.
30 Ebenda.

Wirkung auf England (und Amerika) — auch taktisch gemeint sein, für Stresemann trafen sie dennoch den Kern der Probleme. Die französische Großmachtposition war ihm eine unbezweifelbare Realität, die beachtet werden mußte. Von den hauptsächlichen politischen Strömungen dieses Landes sagte er: »Wir sehen nun jetzt einen Ideenkampf in Frankreich, der sich auf der einen Seite nach der Erlangung produktiver Pfänder richtet, in Wirklichkeit darauf hinsteuert, daß der Rhein Frankreichs Grenze sein solle; es gibt andere Bewegungen in Frankreich, die empfinden, daß schließlich auch Frankreich ein Glied dieser Weltwirtschaft sei trotz seines stärkeren agrarischen Einschlages. Auch hier hat sich jetzt eines geltend gemacht, was ich vorhin erwähnte: der Währungsverfall geht vom Osten nach dem Westen und läßt sich auch nicht durch Flüsse und politische Grenzen aufhalten.« [31]

Für Stresemann konnten Überlegungen dieser Art nur zu dem einen Ergebnis führen: »Wenn man sich in der Welt klar wird — denn ich betone: auch diese imponderablen Gedanken haben eine große Rolle —, daß Deutschland, was alle Sachverständigen sagen, nicht in der Lage ist, die Zahlungen zu leisten, die man von ihm verlangt, wenn die Welt glauben muß, daß es Frankreichs Absicht ist, Deutschland immer weiter in dieses Elend hineinzutreiben durch Losreißung von Gebieten, durch Zollgrenzen, durch irgendwelche neuen Auflagen, die man seiner Industrie und seiner Wirtschaft macht, — wenn man daraus die Folgerung zieht: dieser Niedergang Deutschlands wird dadurch weiter besiegelt, dann wird die Welt die Folgerung ziehen; dann wird Frankreich überhaupt keine Aussicht haben, seine Reparationsforderungen zu erhalten, und dann wird Frankreich in die Bewegung hineingezogen werden, die vorher der russische Rubel, die polnische Mark, die österreichische Krone und die deutsche Reichsmark erlebt haben. Das möge man bei denen sich überlegen, die in Frankreich nur glauben, daß die Politik die Gegenwart bewegt, und die sich der Rückschläge der Politik auf ihre Wirtschaft und die Währung vielleicht nicht bewußt sind.« [32]

Diese Sätze bestätigen, daß Stresemann — paradoxerweise, so möchte man sagen — die Reparationsforderungen der ehemaligen alliierten Mächte als ein relatives Plus für die deutsche Politik bewertete. Das Passivum des Welthandels wurde, wie er das formulierte, zum Aktivum Deutschlands, insofern es die übrigen Völker an dessen Schicksal vital interessierte. Denn die Siegerstaaten konnten ja nur dann mit Zahlungen rechnen, wenn vermieden wurde, daß die deutsche Wirtschafts- und Finanzkraft zusammenbrach. Französische Sonderinteressen, die sich auf eine territoriale Schwächung Deutschlands richteten, waren mit dieser allgemeinen Zielsetzung unvereinbar. Stresemann verwies darauf, daß

31 Ebenda.
32 Ebda., S. 9158.

120

andernfalls die Entwicklung zu einem entscheidenden Kaufkraftverlust ganz Mitteleuropas führen würde, was England sowie die USA der eigenen Wirtschaft wegen — und um sowjetrussischen Erfolgen vorzubeugen — nicht zulassen könnten. So darf man in der Rückschau sagen: Wenn die (westlichen) Kriegsgegner Deutschlands keine Reparationen gefordert hätten, wäre es für Poincaré sehr viel leichter gewesen, die Rheingrenze zu gewinnen.

Nichtsdestoweniger gab es für Stresemann damals zwei vordringliche Probleme: 1. Wie lange noch würde es dauern, bis die Weltmacht Amerika gewillt war, die politische Initiative zur Lösung des Reparationsproblems zu ergreifen? 2. Wie konnte es erreicht werden, daß die Reparationsforderungen der Ententestaaten in Größenordnungen gebracht wurden, die es Deutschland erlaubten, sowohl die auferlegten Schulden zu bezahlen als auch, damit das möglich war, zunächst einmal die eigene Wirtschaft hochzubringen? Ein solcher Aufschwung aber mußte, da er das Deutsche Reich als Einheit voraussetzte und nachfolgend verbürgte, dessen politisches Gewicht im europäischen Kräftefeld grundlegend verbessern. Wenn das geschah, und hier schloß sich für Stresemann wieder der Kreis, dann hatte Deutschland alle Aussicht, wegen der verbleibenden relativen Schwäche Rußlands und der objektiven (ökonomisch-politischen) Unterlegenheit Frankreichs allmählich die stärkste Macht in Kontinentaleuropa zu werden — auch ohne eine entsprechende militärische Schlagkraft. Diese mochte später einmal hinzukommen.

In der Reichstagsrede vom 25. November stellte Stresemann eindeutig klar (jedenfalls betraf das *seine* Intentionen), daß es völlig absurd sei, Deutschland die Absicht zum Revanchekrieg nachzusagen. Bezüglich der negativen Haltung vieler Deutscher gegenüber Frankreich (im Gegensatz zu England) gab Stresemann folgendes zu bedenken: »Als dieser Weltkrieg begann, war im deutschen Volke kein Gefühl des Hasses gegen Frankreich... Damals hatte man .. die Empfindung gegenüber Frankreich, mit einem ebenbürtigen Gegner zu kämpfen. Wenn das so anders geworden ist, so liegt das nicht an dem Krieg als solchem, sondern an der Fortsetzung des Krieges nach dem geschlossenen Frieden durch die französische Politik gegenüber Deutschland.« [33] Für den latenten Kriegszustand zwischen Deutschland und Frankreich machte Stresemann vor allem die französische Rheinlandpolitik verantwortlich. Er ließ jedoch keinen Zweifel daran, »daß eine solche Politik niemals dazu führen wird, politisch ein Definitivum zu schaffen, und daß diejenigen, die ein Interesse daran haben, daß Europa zur Ruhe und zum Wiederaufbau kommen soll, eine andere Politik treiben müssen.« [34]

33 A. a. O., S. 9159.
34 Ebenda.

Im November 1922 war der von Stresemann anvisierte ökonomisch-politische Wiederaufstieg des Reiches noch eine ferne Vision. Damals ging es im wesentlichen darum, deutsch-französische Wirtschaftsvereinbarungen als Abwehrmaßnahme gegen die Ziele Poincarés ins politisch-diplomatische Spiel zu bringen. [35] So rief Stresemann dem Reichstag (s. o.) zu, meinte jedoch die französische Regierung: »Eine Politik des Wiederaufbaues durch Verständigung mit der deutschen Wirtschaft, eine Politik der Annäherung französischer und deutscher Schwerindustrie ist mit einer Politik der Sanktionen und Ultimaten unvereinbar, ist auch unvereinbar mit einer Fortsetzung der Besatzung in ihrer heutigen Höhe.« [36] Von welchen Maximen sich Stresemann bei seiner außenpolitischen und speziell auf Frankreich bezogenen Konzeption leiten ließ, geht, präzise genug, aus dem Schluß seiner Rede hervor: »Es gibt meiner Meinung nach weder eine Ost- noch Westpolitik, auch keine frankophile oder anglophile Politik, in die sich ein Deutscher einstellen könnte. Es gibt nur eine Politik, die der Wahrung der deutschen Interessen (dient) durch ein Einsetzen des einzigen, was uns geblieben ist, nämlich der deutschen Wirtschaftskraft in ihrer Beziehung zu den anderen Nationen, dem, was sie leisten kann, wenn als Gegenleistung dagegen politische Konzessionen für das deutsche Volk stehen.« [37]

Alle diese Äußerungen verweisen darauf, daß Stresemann zur »Verständigung« mit Frankreich bereit war. Wirtschaftliche und finanzielle Interessen bildeten die Basis der Gemeinsamkeit. Die letzte Entscheidung lag jedoch bei Poincaré. Am 22. Dezember 1922 schrieb Stresemann in einem Zeitungsartikel: »Daß wir von Frankreich gegenwärtig nichts anderes zu erwarten haben als eine Politik, die sich gegen Deutschland richtet, wissen wir. Diejenigen französischen Kreise, die eine Verständigung mit uns wünschen, zum mindesten auf wirtschaftlichem Gebiete, sind noch zu schwach, um sich durchzusetzen. Stark aber ist der Wille derjenigen, die produktive Pfänder lieber sehen als finanzielle Leistungen.« [38] Für die Weihnachtsausgabe der »Tübinger

---

35 Konkrete Pläne hat Stresemann in dieser Richtung allerdings nicht entwickelt. Anders die Vorschläge von Stinnes über ein deutsch-französisches »Riesenkartell«. Dazu L. Zimmermann, a. a. O., S. 130; vgl. auch Michaelis — Schraepler, Ursachen und Folgen, Bd. IV, S. 411 ff., und allgemein E. Eyck, a. a. O., Bd. 1, S. 302.
36 A. a. O., S. 9159.
37 Ebda., S. 9160.
38 NL Bd. 239. In demselben Artikel unterstreicht Stresemann erneut die Bedeutung der USA für eine Lösung des Reparationsproblems. Dabei führt er u. a. aus: »Vielleicht schwebt den amerikanischen führenden Kreisen auch vor, daß man den durch Gewalt erzwungenen Frieden noch einmal feierlich bestätigen könne durch eine Freiwilligkeitserklärung der Mächte, die an dem Status quo am Rhein interessiert sind, um dadurch vielleicht Frankreich zu veranlassen, seine Ideen einer starken Besatzungsarmee aufzugeben und damit die Grundlage für eine internationale Finanzaktion zu schaffen, für die ohne eine Wiederherstellung des Selbstbestimmungsrechtes Deutsch-

Chronik« resümierte er: »Frankreich ist mit Deutschland in eine Schicksalsgemeinschaft verkettet, so sehr es sich dagegen wehrt. Unser Niedergang oder Untergang würde es selbst wirtschaftlich und sozial aufs tiefste mit treffen. Aber die Veröffentlichungen in den letzten Tagen beweisen es aufs neue, daß es den maßgebenden Politikern in Paris in erster Linie auf die Vernichtung Deutschlands ankommt ... Frankreich ist der tatsächliche Herrscher Europas, unser Schicksal ist in seine Hand gegeben.« [39]

Das im Dezember 1922 von der Regierung Cuno unterbreitete Angebot eines Friedenspaktes für die Rheinlande, abzuschließen (für 30 Jahre) von den Rheinuferstaaten (unter Garantie der USA), fand bei Poincaré ebensowenig Gegenliebe wie die Offerten der Reichsregierung, die das Reparationsproblem betrafen. [40] Die Vorbereitungen zum Einmarsch in das Ruhrgebiet wurden von Frankreich vorangetrieben. [41] Um die Jahreswende gaben Feststellungen der Reparationskommission, daß Deutschland durch Verzögerungen von Sachlieferungen (Holz und Kohlen) gegen den Versailler Vertrag verstoßen habe, der französischen Regierung, die sich der Unterstützung Begiens und Italiens versichert hatte [42], den willkommenen Anlaß, die ohnehin beabsichtigte Pfänderpolitik durchzuführen. [43] Gegen das Votum, aber ohne einen entscheidenden Widerstand Englands [44] marschierten am 11. Januar 1923 französische und belgische Truppen in das Ruhrgebiet ein. Poincaré hatte seine Drohung, sich produktiver Pfänder zu bemächtigen, wahrgemacht. [45]

lands auf wirtschaftlichem und politischem Gebiete die Grundlagen natürlich nicht gegeben sind.« Diese Sätze bestätigen, daß Stresemann den militärischen Status quo im Westen unter bestimmten Bedingungen zu garantieren bereit war. Dann aber läßt sich sagen, daß der Hauptgedanke von Locarno, was Stresemann anlangt, spätestens Ende 1922 geboren wurde.
39 NL Bd. 239.
40 Cuno-Akten, a. a. O., bes. S. 104 f. und S. 109 f.; vgl. auch W. Link, a. a. O., S. 159 ff., und A. Schwarz, a. a. O., S. 88.
41 Über die Motive Poincarés vgl. K. D. Erdmann, Zeit der Weltkriege, a. a. O., S. 131 f., und L. Zimmermann, a. a. O., S. 141. (Von L. Zimmermann jetzt, geschrieben allerdings schon 1945, Frankreichs Ruhrpolitik von Versailles bis zum Dawesplan, hrsg. von W. P. Fuchs, Göttingen — Zürich — Frankfurt 1971; wichtig bes. S. 64 ff.)
42 Vgl. K. Buchheim, a. a. O., S. 91.
43 Vgl. E. Eyck, a. a. O., Bd. 1, S. 309 ff.
44 Vgl. dazu H. Schwüppe, Grundlagen und Grundzüge britischer Außenpolitik der Kabinette Lloyd George, Bonar Law, Baldwin und MacDonald 1919—1924, in: Die Folgen von Versailles 1919—1924, hrsg. von H. Rößler, Göttingen — Zürich — Frankfurt 1969, S. 104.
45 Man wird dabei nicht vergessen dürfen, daß die Ruhrbesetzung 80 % der deutschen Kohlenerzeugung, 80 % der Stahlerzeugung und 10 % der deutschen Bevölkerung unter französische militärische Kontrolle brachte. Vgl. auch L. Kochan, a. a. O., S. 63.

Die Besetzung des Ruhrgebietes fand überall in der Welt ein starkes Echo; sie wurde fast allgemein als ein Rechtsbruch und eine den europäischen Frieden gefährdende Aktion angesehen. [46] In Deutschland waren Empörung und Protest die fast einhellige Reaktion der Bevölkerung und der politischen Instanzen. [47] Im Vertrauen auf die moralische Überlegenheit der deutschen Position und auf die Hilfe Englands riskierte die Regierung Cuno, gefördert vom Ausbruch des patriotischen Widerstandswillens, die Machtprobe. Sie beantwortete das französisch-belgische Vorgehen mit der Verkündung des passiven Widerstandes, der Abberufung der deutschen Missionschefs aus Paris und Brüssel und mit der Einstellung aller Lieferungen und finanziellen Leistungen. Die territoriale Pfänderpolitik sollte damit gleichsam unterlaufen werden. [48] Es stellte sich jedoch von Anfang an die Frage, wie lange der Widerstand finanziell und (innen)politisch durchgehalten werden konnte. [49] Auch war für kritische Beobachter bald zu erkennen, daß die »nationale« (aber ohnmächtige) Politik der Reichsregierung auf die Dauer erfolglos bleiben mußte; die in England aufkommenden Bedenken gegen französische Hegemonialbestrebungen konnten da nur wenig helfen. [50]

Immerhin blieb deutscherseits als wichtige Tatsache der Ansatz eines europäischen Frontwechsels zu konstatieren, der sich mit und nach der Ruhrbesetzung vollzog. Denn zum erstenmal waren die ehemaligen Alliierten nicht mehr einheitlich gegen Deutschland vorgegangen. Das eröffnete die Chance, in Zukunft zwischenstaatliche Probleme unter Einbeziehung Deutschlands zu erörtern. [51] Zunächst jedoch bestand für die deutsche Regierung wenig Aussicht, zu Erfolgen zu kommen, denn Poincaré wollte nach Aufgabe des passiven Widerstandes die Ruhr nicht sofort, sondern nur im Maße tatsächlicher Zahlungen schrittweise räumen. [52] Da er aber eine Diskussion der Gesamtsumme ablehnte (und sich auf das Londoner Ultimatum von 1921 berief) [53], bedeutete seine Haltung, daß Frankreich auf unbestimmte Zeit im Ruhrgebiet bleiben

46 Auch in Frankreich selbst erhob sich scharfe Kritik gegen die Gewaltpolitik Poincarés. Vgl. auch H.-O. Sieburg, a. a. O., S. 172.
47 Vgl. die Erklärung der Reichsregierung am 13. Januar vor dem Reichstag. Verhandlungen des Reichstags, Bd. 357, a. a. O., S. 9421.
48 Über die französisch-belgische Ruhraktion und den deutschen Widerstand vgl. Michaelis —Schraepler, Ursachen und Folgen, Bd. V, S. 16 ff; ebenso Cuno-Akten, a. a. O., S. 145 ff.
49 Über fragwürdige Momente des passiven Widerstandes vgl. A. Rosenberg, a. a. O., S. 397 f.
50 Über den Meinungsumschwung in England vgl. A. Schwarz, a. a. O., S. 105 f., und Lord d'Abernon, a. a. O., Bd. I, S. 48, Bd. II, S. 27 und S. 307.
51 Vgl. A. Thimme, Gustav Stresemann, a. a. O., S. 50.
52 Dazu K. D. Erdmann, Zeit der Weltkriege, a. a. O., S. 134, und Th. Eschenburg, a. a. O., S. 173.
53 Es wurde am 26. Januar 1923 von der Reparationskommission erneut in Kraft gesetzt. Michaelis — Schraepler, Ursachen und Folgen, Bd. V, S. 57.

würde. Diese französische Politik (mit allen ihren möglichen Konsequenzen für die Verhältnisse im Rheinland) [54] mußte auf deutscher Seite heftige Kritik hervorrufen. Der Gedanke einer deutsch-französischen Verständigung hatte einen schweren Schlag erlitten. [55] In den ultimativen Erklärungen Poincarés, die der Ruhrbesetzung vorausgingen (so auf der Pariser Reparationskonferenz vom 2.—4. Januar 1923) erblickte Stresemann ein Zeichen imperialistischer Ambitionen. Die deutschen Vorschläge (die Reparationen, die Zusammenarbeit der Montanindustrie und den Abschluß eines »Gottesfriedens« am Rhein betreffend) seien, so betonte er am 6. Januar 1923, bis an die Grenze des Möglichen gegangen. »Alles das hat nicht vermocht, die Politik der zur Zeit in Frankreich leitenden Männer zu ändern. Frankreich ergreift uns gegenüber Gewaltmaßnahmen, die einer neuen Eröffnung des Krieges gleichkommen.« [56]

Am 13. Januar 1923 erklärte Stresemann [57] im Reichstag im Namen der Fraktionen des Zentrums, der Deutschnationalen Volkspartei, der Deutschen Volkspartei, der Deutschen Demokratischen Partei, der Bayerischen Volkspartei, des Bayerischen Bauernbundes und der Deutsch-Hannoverschen Partei u. a.: »Die angeblich absichtliche Verfehlung Deutschlands ist nur ein Vorwand für die unerhörte Verletzung der deutschen Souveränität. Schon die von Frankreich hierfür aufgewandten Mittel stehen in keinem Verhältnis zu den behaupteten Rückständen der deutschen Sachleistungen. Wir sehen in diesen Vorgängen nichts anderes als den brutalen Versuch der Ausführung lang gehegter französischer Ziele. Frankreich will das Rheinland von Deutschland losreißen und die Wirtschaft des Ruhrgebietes rauben ... Frankreichs Ziel ist die Vernichtung Deutschlands. Es hofft durch dauernde Besetzung deutschen Bodens, durch unsere wirtschaftliche Erdrosselung die deutsche Einheit zu zerreißen oder das deutsche Volk zur Anerkennung seiner Maßnahmen zu zwingen. Das wird ihm nicht gelingen!« [58]

Für »Die Woche« schrieb Stresemann am 15. Januar 1923: »Es wäre völlig abwegig, die Vorgänge der letzten Tage unter dem Gesichtspunkt des Reparationsproblems und der deutschen Kohlen- und Holz-

---

54 So wurde das Ruhrgebiet schon Anfang Februar durch eine Zoll- und Demarkationslinie vom übrigen Reich abgeriegelt.
55 Über die Vorgänge im besetzten Gebiet vgl. u. a. F. A. Krummacher — A. Wucher, a. a. O., S. 144 ff.
56 Gustav Stresemann, Vermächtnis, Der Nachlaß in drei Bänden, hrsg. von H. Bernhard, Berlin 1932/33, Bd. I, S. 29.
57 Er war damals Vorsitzender des Auswärtigen Ausschusses; dazu H. A. Turner, a. a. O., S. 108.
58 Verhandlungen des Reichstags, Bd. 357, a. a. O., S. 9423. Auch der Vertreter der SPD, Hermann Müller, bezeichnete den Ruhreinmarsch als Gewaltpolitik des französischen Imperialismus. Ebda., S. 9428.

lieferungen an Frankreich anzusehen. Nicht der französische Wirtschaftsminister und nicht die französische Finanz haben das Wort geführt bei dem Einmarsch ins Ruhrgebiet, sondern die französischen Politiker und Militärs. Die französische Rheinlandpolitik hat einen Schritt vorwärts getan zur Stabilisierung der französischen politischen Vormacht in Europa. Sie wünschen diese Vormacht wirtschaftlich zu fundieren. Dem politischen Imperialismus folgt der wirtschaftliche. Deutschland ist militärisch waffenlos gemacht. Dann hat man ihm die oberschlesischen Kohlengruben entrissen; nun soll die Kontrolle über das letzte Gebiet einsetzen, das noch eine Kraftquelle Deutschlands in sich birgt. Das ist der Sinn der Vorgänge der letzten Tage.« [59]

Beide Texte, die durch weitere Belege vermehrt werden könnten, lassen erkennen, was Stresemann zu Beginn (und im Fortgang) des Ruhrkampfes befürchtete: den endgültigen Durchbruch Frankreichs zur beherrschenden Macht auf dem europäischen Kontinent auf Kosten Deutschlands. [60] Das hätte nicht nur wirtschaftliche Not für Millionen Deutscher bedeutet, nicht nur (in der Folge dessen) eine mit Sicherheit zu erwartende Katastrophe für die »bürgerlich-kapitalistische« Gesellschaftsordnung, das Verfassungsgefüge und die gesamte kulturelle Entwicklung, sondern politisch gesehen auch das Ende aller Hoffnungen, das Deutsche Reich in absehbarer Zukunft wieder zu einem gleichrangigen Partner in der europäischen Mächtekonstellation zu machen, zu einem Partner, der — seiner Kapazität nach — eine Großmacht darstellte. Stresemann wußte allerdings, daß bei der gegebenen Situation Deutschland selber unfähig war, die Entwicklung zu steuern: »Ein Volk ohne Wehrkraft ist Objekt der Laune und Willkür anderer.« [61]

Für Stresemann gab es Anfang 1923 zwei gravierende Fragen:
1. Wie würden die anderen Großmächte — also England, Italien und vor allem die USA — von ihrer Interessenlage her die Ausdehnung des französischen Einflusses bewerten und entsprechend reagieren? (Zudem bestand die Möglichkeit, daß Polen und die Tschechoslowakei die französische Sanktionspolitik aktiv — d. h. durch militärische Operationen — unterstützten, was einen völligen Umbruch der mitteleuropäischen Verhältnisse herbeigeführt hätte.) [62]
2. Wie würde die einzige politisch relevante Kraft Deutschlands, nämlich der einheitliche nationale Impuls seiner Bevölkerung, zum Zuge

59 NL Bd. 255: Politische Reden 1923/I.
60 Vgl. auch H. Graml, Europa, a. a. O., S. 163.
61 Erklärung vor dem Reichstag am 15. Januar. A. a. O.
62 Wichtig in diesem Zusammenhang die russischen Sympathiekundgebungen für Deutschlands Abwehrkampf gegen die französische Invasion. Vgl. dazu A. Anderle, Die deutsche Rapallo-Politik. Deutsch-sowjetische Beziehungen 1922—1929, Berlin 1962, S. 61 ff., und K. D. Erdmann, Zeit der Weltkriege, a. a. O., S. 133.

kommen? Würde er lange genug andauern und ausreichen, um die Gefahren im Inneren zu bändigen und die Franzosen zu einer Beendigung ihrer Maßnahmen zu veranlassen? Die Antwort auf diese Fragen mußte die politische Strategie und Taktik Stresemanns bestimmen, und beides konnte von entscheidender Bedeutung sein, denn es ging wieder einmal — nicht nur nach seiner Überzeugung — um die Existenz des Deutschen Reiches.[63]

Obwohl in der ersten Zeit des Ruhrkampfes für Stresemann neben dem passiven Widerstand der Bevölkerung im besetzten Gebiet die mehr polemisch-verbale Verteidigung der legitimen deutschen Interessen gegen den französischen Angreifer im Vordergrund stand, wollte er dennoch eine unfruchtbare und für das Reich zusätzlich gefährliche Eskalation des Konflikts vermeiden. Aus politischen, ökonomischen und menschlichen Erwägungen suchte er eine Bewältigung der Krise vorzubereiten. Der finanzielle Fehlschlag der Ruhraktion für Frankreich und Belgien, aber auch für die unbeteiligten Staaten (wie etwa Italien), die Geschlossenheit des deutschen Widerstandes und die exponierte Position, in die sich Frankreich begeben hatte, waren in den Augen Stresemanns Aktivposten für eine Wendung zum Besseren. Auch gegen deutsch-französische Verhandlungen — allerdings *vor* Abbruch des passiven Widerstandes — sperrte er sich nicht; im Gegenteil, Ende Januar schrieb er unter der Überschrift »Ungewisse Zukunft«: »Wenn Frankreich ohne Vergewaltigung Deutschlands direkte Verhandlungen mit Deutschland führen will, so wird dem deutscherseits kein Bedenken entgegenstehen. Die Auffassung, als wenn Deutschland einseitig mit London und Washington Fühlung halten, Paris aber vernachlässigen wollte, ist ein Irrtum.« [64]

Stresemann war nicht ohne Grund der Meinung, daß Frankreichs Ruhrpolitik sich im umgekehrten Verhältnis zu seiner eigenen Finanzlage bewegte. Diese Politik müsse, so schrieb er am 1. Februar, Deutschland *und* Frankreich in den Niedergang hineinziehen, vor dem es sich durch ein verständiges Verhalten hätte bewahren können. [65] Stresemann sah nur die Möglichkeit, auf das Übergewicht der Stimmen zu warten, die auch in Frankreich diesen Zusammenhang erkannten. Die wirtschaftliche und finanzielle Verflochtenheit der beiden Länder blieb also eine der wesentlichen Grundlagen der politischen Gesamtkonzeption Stresemanns. Die damalige französische Politik war jedoch eine Politik

---

63 Vgl. in diesem Zusammenhang seine Notiz vom 19. Januar 1923: »Kein deutscher Staatsmann würde vor dem Richterstuhl der Geschichte bestehen können, wenn er nicht seine ganze Kraft daransetzen wollte, die Einheit unseres Reiches zu erhalten.« NL Bd. 255. Stresemann dachte dabei vor allem an die französische (offene und kaschierte) Unterstützung der deutschen Separatisten im Rheingebiet und — mehr noch — in der Pfalz.
64 NL Bd. 255.
65 Vermächtnis, Bd. I, S. 35.

der Macht. Poincaré und — mehr noch — Millerand [66] — galten als ihre führenden Vertreter. [67]

Wie Stresemann die politische Situation, speziell das deutsch-französische Verhältnis im Frühjahr 1923 analysierte, kann man am besten seiner Reichstagsrede vom 7. März entnehmen. Zur Frage einer Verständigung mit Frankreich sagte er: »Kein vernünftiger Mensch in Deutschland hat einer Verständigung mit Frankreich widerstrebt oder wird ihr widerstreben. Aber Frankreich hat alle Voraussetzungen für diese Verständigung zerschlagen.« [68] Letzteres sah Stresemann nicht nur und nicht einmal vordringlich durch den Ruhreinmarsch bewirkt, sondern durch die von ihm als vorhanden angenommene Intention der Pariser Regierung, die Rheinlande von Deutschland in der einen oder anderen Weise abzutrennen. »Ob das eine offene oder verschleierte Annexion ist, tut gar nichts zur Sache gegenüber dem Gedanken, daß es deutsches Land ist, das deutsch zu bleiben hat. Dafür sind als Garanten moralisch und — ich möchte sagen — auch völkerrechtlich verpflichtet die Nationen, die den Vertrag von Versailles gezeichnet haben, und diejenigen, die die intellektuellen Urheber des Vertrages von Versailles sind, auch wenn sie nachher die Unterschrift des Vertrags nicht geleistet haben.« [69] Die Richtung dieser Ausführungen war allen deutlich: sie zielte auf Amerika, der eigentlichen Hoffnung Stresemanns für eine Verbesserung der Gesamtlage.

Über die verschiedenen politischen Strömungen in Frankreich selbst und über die Funktion, die diese Differenzierung für die Zukunft der deutsch-französischen Beziehungen haben sollte und mußte, sagte er: »Ich unterscheide in der französischen öffentlichen Meinung drei Strömungen. Die einen, deren Stimme aber selten in der Öffentlichkeit zu Gehör kommt und die eine kleine Minderheit darstellen, wollen die Reparationen. Die zweiten wollen den Einmarsch ins Ruhrgebiet, um durch diesen Einmarsch zu einem wirtschaftlichen Diktat gegenüber Deutschland zu kommen, bleiben aber noch in dem Gedanken des wirtschaftlichen Denkens. Die dritten aber — und es scheint, als wenn gerade der Mißerfolg des Ruhrexperiments ihre Zahl jetzt vermehrt,

---

66 So erfuhr Stresemann in vertraulichen Berichten vom 15. Februar und 3. März 1923. NL Bd. 256. (Millerand wurde die Absicht nachgesagt, die Rheinlande vom Deutschen Reich abzutrennen und darüber hinaus Süddeutschland mit Österreich zu einem eigenen Staatsgebiet zusammenzufassen. Preußen sollte also unschädlich gemacht werden.)

67 Bezüglich Millerand ist besonders aufschlußreich, was der deutsche Geschäftsträger in Paris, von Hoesch, einige Monate später, am 2. Juni 1923, an das Auswärtige Amt berichtete. Politisches Archiv des Auswärtigen Amtes (AA), Akten der Politischen Abteilung (II a), Frankreich, Politik 2, Bd. 9.

68 Verhandlungen des Reichstags, Bd. 358, Stenogr. Berichte, Berlin 1923, S. 9976.

69 Ebenda.

weil eine Dummheit gewöhnlich eine andere gebiert — sprechen überhaupt nicht mehr von Kohle und Holz, sie sprechen nur noch von der
sécurité, von der Sicherheit, die Frankreich haben müsse ... Deshalb ist
es meiner Meinung nach abwegig, den Einmarsch ins Ruhrgebiet als eine
wirtschaftliche Frage zu behandeln. Es ist die größte europäische Frage
der Gegenwart ... Man kann wohl sagen: mit diesem Einmarsch beginnt
der Versuch der Realisierung der Ansprüche Frankreichs auf die politische und wirtschaftliche Beherrschung Europas.« [70] Wenig später
fügte Stresemann hinzu:»Rhein und Ruhr — darin liegt die Bedeutung dieser Wochen — sind vielleicht auch erst die ersten Etappen
auf diesem Wege der Stabilisierung der französischen Hegemonie.« [71]
    Der Tendenz nach war diese Rede entscheidend darauf angelegt, die
Kräfte in Frankreich, die allein oder doch vorwiegend an Reparationen
interessiert waren, zu stärken, und zwar dadurch, daß man die Maximalisten in die Defensive drängte. Das konnte dann gelingen, wenn
sie mit einer Zielsetzung identifiziert wurden, für die es zwar Belege
und Vermutungen gab, die aber doch von ihnen in dieser Offenheit
aus innen- und außenpolitischen Gründen nicht vertreten werden
konnte. [72] Zweitens galt es hervorzuheben, daß sich die Bestrebungen
der französischen Regierung auf die Hegemonie in Europa richteten,
was sich offensichtlich weder mit den politischen noch — wegen der
negativen Konsequenzen für Deutschland und damit für ganz Mitteleuropa — mit den wirtschaftlichen Interessen der beiden angelsächsischen Mächte vereinbaren ließ. [73] Schließlich war auf den eklatanten
Mißerfolg der ganzen Ruhraktion hinzuweisen, insbesondere auf die
Zerrüttung der französischen Finanzen und die internationale Isolierung Frankreichs. Alles das — so die Argumentationskette Stresemanns — sollte die Politik Poincarés in der französischen Öffentlichkeit
diskreditieren, die Zweifelnden umstimmen und die Sicheren zweifelnd
machen.
    Stresemann war bereit, für die *politische* Zukunft Deutschlands,
die die Einheit des Reiches im bisherigen Rahmen voraussetzte,
große finanzielle Opfer zu bringen, d. h. sie der deutschen Wirt-

---

70 Ebenda.
71 Ebda., S. 9977.
72 Die Frage, welche Absichten die französische Regierung mit der Ruhrbesetzung zentral verfolgte, war aus deutscher Sicht damals nicht klar zu
   beantworten. Hoesch nahm an, daß primär tatsächlich der Wunsch
   nach Reparationen (nicht aber annexionistisches Verlangen) das Vorgehen
   Poincarés motiviert habe. Vgl. seinen Bericht an das Auswärtige Amt vom
   27. Februar 1923. AA Büro Reichsminister (RM), Frankreich 7, Bd. 2.
73 Vgl. dazu bes. W. Link, a. a. O., S. 169 ff., und ders., Die Ruhrbesetzung
   und die wirtschaftspolitischen Interessen der USA, in: Vierteljahrshefte für
   Zeitgeschichte, 17. Jg. (1969), S. 372 ff. — Die von Link überzeugend nach-
   gewiesenen Gründe für die anfänglich neutrale Position der amerikanischen
   Regierung dürfen in diesem Zusammenhang jedoch nicht übersehen werden.

schaft aufzuerlegen, und er erwartete von dieser, daß sie in nationalem Bewußtsein dem zustimmte und Eigeninteressen hintanstellte. So erklärte er in seiner Reichstagsrede bezüglich einer notwendigen Garantie der Wirtschaft für die aufzubringende Reparationssumme: »In dem Augenblick aber, wo mit einer Besteuerung des Sachbesitzes die Freiheit und Selbstbestimmung Deutschlands erkämpft werden kann, ist es selbstverständlich Pflicht der Regierung, sie zu fordern, und Pflicht dieser Kreise, dasjenige zu geben, was notwendig ist, um die übernommenen deutschen Verpflichtungen zu garantieren.« [74] Stresemann zögerte nicht, erneut eine Kooperation zwischen deutschen und französischen Wirtschaftsunternehmen als Möglichkeit anzubieten. Versuche in der Vergangenheit (Stinnes, Silverberg) waren jedoch offiziell nicht aufgegriffen worden, was bei ihm nur den Schluß zulassen konnte, daß man es in Paris eben auf politische Eroberungen abgesehen habe. [75]

Als Antwort auf diese Feststellung gab es für Stresemann, was die politische Potenz der deutschen Position betraf, nur den geschlossenen Widerstand. In diesem Sinne verstand er sich ganz und gar als ein nationaler Politiker. »National sein heißt nicht das Nationale äußerlich betonen, sondern in der Stunde der Not mit allen anderen gemeinschaftlich dem ohnmächtigen Vaterlande zu helfen.« [76] In Deutschland selbst bedeutete das für Stresemann, auch die SPD an der Regierung zu beteiligen — gegen alle Widersprüche von seiten der extremen Rechten oder Linken. Praktische, besser: pragmatische Politik mit breiter Unterstützung der staatstragenden Parteien sollte es ermöglichen, aus der — auch innenpolitisch — bedrohlichen Zuspitzung der Lage herauszukommen. »Das Volk selber sollte die Empfindung haben, daß in der gegenwärtigen Zeit dieses viel verleumdete Parlament, daß Regierung und die Parteien doch diejenigen sind, hinter die man sich zu stellen hat, und nicht die Träumer und Utopisten, die von allen möglichen Dingen dem Volke vorerzählen, nur nicht von dem, wie schwer dieser Kampf ist, nur nicht davon, daß uns die Waffen nicht zur

---

74 A. a. O., S. 9980. Stresemann ging stets von dem Gedanken aus, daß nicht — wie von Poincaré beharrlich vertreten (vgl. die französisch-belgische Antwortnote an die deutsche Regierung vom 6. Mai 1923; Michaelis — Schraepler, Ursachen und Folgen, Bd. V, S. 125 ff.) — die 1921 erzwungene Summe von 132 Milliarden Goldmark als Reparationsschuld anerkannt werden konnte, sondern nur das, wozu Deutschland, durch eine internationale Sachverständigenkommission errechnet, in der Lage war. Er verknüpfte also in geschickter Weise dreierlei Momente: das handelspolitische Interesse Englands und Amerikas, die objektive Zahlungsfähigkeit Deutschlands und — das war ganz wichtig — die tatsächliche Bereitschaft, Reparationen zu leisten. Nur so konnte damals eine deutsche Außenpolitik erfolgreich sein — alles andere bedeutete letztlich Utopie oder Hybris und war damit von vornherein zum Scheitern verurteilt.
75 Ebda., S. 9981.
76 Ebenda.

Verfügung stehen, nach denen sie rufen, — eine Politik, die nur unendliches Elend über uns bringen könnte.«[77] In den folgenden Monaten veränderte sich bei Stresemann die Argumentation nicht grundlegend. Immer wieder verwies er auf die entscheidenden Komponenten der deutsch-französischen Konfrontation. Er war — durch vertrauliche Hinweise bestärkt — der Überzeugung, daß Poincaré nicht beabsichtigte, die französischen Truppen auf Dauer oder auch nur auf viele Jahre im Ruhrgebiet zu belassen, aber er fürchtete die übrigen — keineswegs weniger gefährlichen — Konsequenzen, die das französisch-belgische Vorgehen für Deutschland haben konnte. In einem Interview mit der englischen Zeitung »Daily News«, datiert »Frühjahr 1923«, wird — abgesehen von der spezifischen Intention hinsichtlich der öffentlichen Meinung in England — auf die wohl knappste Formel gebracht, was Stresemann nicht nur vorgab, sondern tatsächlich so verstand: »Für Frankreich ist meiner Meinung nach die Furcht vor Deutschlands Einheit und vor Deutschlands Wiedererstarken die herrschende Triebfeder seiner Politik. Frankreich glaubt, sein Ziel erreicht zu haben, wenn Deutschland sich selbst im Bürgerkriege zerfleischt, dadurch seine Einheit verliert und die Staaten mit mehr konservativer Tendenz sich von denen ablösen, in denen linksradikale Tendenzen sich infolge der industriellen Entwicklung mehr geltend machen als in den südlichen, mehr agrarischen Ländern.«[78]

Eine Lösung des Konflikts, die sich nicht in der bloßen Abwehr französischer Machtansprüche erschöpfen konnte, erblickte Stresemann, wie schon dargelegt, einzig und allein in einem betonten Engagement der USA in Europa, veranlaßt durch weltwirtschaftliche und finanzpolitische Erwägungen. Dieses Engagement für Deutschland nutzbar zu machen, war Stresemanns Ziel. In dieser Frage gab es keinen Zweifel bezüglich der außenpolitischen Prioritäten. Der passive Widerstand sollte (darin wurde Stresemann von Stinnes unterstützt, ja geradezu gedrängt)[79] unter globalem Vorzeichen, wenngleich national motiviert, entscheidend Mittel zum Zweck sein, um so die Voraussetzungen für die Befreiung des Ruhrgebietes, die Fixierung der bisherigen Grenzen und die Regelung des Reparationsproblems zu schaffen. Beides zusammen, US-Intervention als Ziel (d. h. primär die Einberufung eines unabhängigen Expertenkomitees, wie es der Hughes-Plan vorsah)[80] und passiver Widerstand als Mittel, wirkte sich, ob gewollt oder nicht,

---

77 Ebda., S. 9981 f. Das Protokoll verzeichnet an dieser Stelle lebhafte Zustimmung bei der Deutschen Volkspartei, in der Mitte und links.
78 NL Bd. 255.
79 Vgl. die Niederschrift Stresemanns über die Unterredung mit Stinnes am 19. März 1923. NL Bd. 257: Politische Akten 1923/II.
80 Vgl. dazu W. Link, Die amerikanische Stabilisierungspolitik, a. a. O., S. 136 ff. und S. 169 ff.; ebenso Cuno-Akten, a. a. O., S. 391 f., Anm. 1.

gleichsam als Zwang aus, die Beziehungen mit Rußland nicht zu vertiefen, vielmehr sich nach Westen hin politisch (und wirtschaftlich) zu orientieren. Die gegebenen Machtverhältnisse und das nationale Interesse Deutschlands erlaubten dazu keine Alternative. Nur dann bestand auch die Chance, den in Frankreich vielfach gehegten Befürchtungen vor einem militärischen Zusammengehen zwischen Deutschland und Rußland den Boden zu entziehen. [81]

Das letztere konnte beschleunigt werden, wenn deutsch-französische Wirtschaftsvereinbarungen durch Unterstützung der Pariser Regierung zustande kamen. Stresemann beurteilte solche Tendenzen als *eine* der Möglichkeiten, aus dem deutsch-französischen Dilemma herauszukommen, obwohl er sich aus verständlichen Gründen dagegen sträubte, die deutsche Souveränität über Gebühr angetastet zu sehen. Die Verhältnisse drängten jedoch auf eine Entscheidung: Stresemann mußte im Frühjahr und Sommer 1923 erleben, daß der passive Widerstand weder einen direkten Erfolg gegenüber Frankreich noch die erhoffte Intervention Englands und der Vereinigten Staaten einbrachte. [82] So war der Gedanke immer weniger abzuweisen, daß ein Doppeltes notwendig werden könnte: der Abbruch des passiven Widerstandes (auch aus innenpolitischen Gründen) und ein neues deutsches Angebot über Reparationsleistungen. [83]

In der Situation von 1923 waren Wirtschaft und Politik für Stresemann offensichtlich nicht identisch, vielmehr sollte jene dazu dienen, dieser neue Wege zu eröffnen. [84] Auch Frankreich war ja in eine unerwartete Sackgasse geraten. Denn daran bestand, je länger der Kampf an Rhein und Ruhr andauerte, kein Zweifel: absolute militärische Sicherheit durch Abtrennung lebenswichtiger Gebiete vom Deutschen Reich *und* begründete Aussicht auf deutsche Reparationen, die doch über die eigene wirtschaftliche und soziale Entwicklung entschieden, waren unvereinbar, wie immer die offiziellen Erklärungen aus Paris lauten mochten. Was allerdings für Frankreich ein Dilemma bedeutete, da eine wirtschaftliche Gesundung des Deutschen Reiches (notwendig, um die finanziellen Verpflichtungen erfüllen zu können) im Endgeb-

---

81 Vgl. hierzu die Mitteilungen des Industriellen Arnold Rechberg an Stresemann vom 6. und 14. April 1923. NL Bd. 257 bzw. Bd. 259: Politische Akten 1923/IV.
82 Beide Staaten waren weiterhin bemüht, einen offenen Bruch mit Frankreich zu vermeiden. Stresemann wurde davon durch Lord d'Abernon im April eingehend unterrichtet; vgl. NL Bd. 257, ebenso E. Eyck, a. a. O., Bd. 1, S. 312, und W. Link, Die amerikanische Stabilisierungspolitik, a. a. O., S. 172 ff.
83 Das Angebot der Regierung Cuno vom Dezember 1922 bzw. Mai 1923 hatte sich auf 30 Milliarden Goldmark belaufen.
84 Vgl. auch Stresemanns Äußerungen am 22. April in Berlin als Antwort auf Lord Curzons Rede im Oberhaus zwei Tage zuvor; Michaelis — Schraepler, Ursachen und Folgen, Bd. V, S. 116 ff.

nis auch politische Macht beinhalten mußte und insofern (nach den Gesetzen der militärischen Logik) die französische Sicherheit zu bedrohen geeignet war, — was also für Frankreich ein Dilemma bedeutete, das war für Deutschland *die* große Chance. Sie wollte sich Stresemann zu keinem Zeitpunkt aus der Hand nehmen lassen.

Zu diesem Fragenkreis ist aufschlußreich und typisch für die Argumentationsweise sowie politische Orientierung Stresemanns, was er am 15. Mai in dem Wochenblatt »Die Zeit« unter dem Titel »Politik und Wirtschaft« veröffentlichte. Es heißt da u. a.: »Kein Franzose ist so töricht, in dem gegenwärtigen Deutschland eine Bedrohung zu sehen oder an Deutschlands Entwaffnung zu zweifeln. Aber die Sorge vor einem wiedererstehenden Deutschland lähmt die Entschlußkraft der französischen Politiker zu objektivem Denken. Sie begründen die Forderung der Herrschaft über die deutschen Eisenbahnen im Rheinland wirtschaftlich, und sie meinen sie politisch. Ihr Ziel ist der politische und wirtschaftliche Imperialismus Frankreichs, um Deutschland dauernd in Schach zu halten, nachdem ihr Versuch, durch Demütigung Deutschlands und unerträglich harte Friedensbedingungen die deutsche Einheit zu zerschlagen, an der Vernunft und Vaterlandsliebe des deutschen Volkes zerschellt ist.«

Diese Sätze waren gewiß durch die verschärfte Situation und gespannte Atmosphäre mitgeprägt, aber sie rührten doch an den Nerv der Dinge, an das materielle Ungleichgewicht zwischen Deutschland und Frankreich. Der erste Weltkrieg hatte zwar entschieden, daß Deutschland nicht »Weltmacht« werden konnte, aber es war immer noch seiner Kapazität nach um einiges stärker als Frankreich, das seinerseits alles tun wollte, um seine Position des Siegers zu erhalten. Möglich war das jedoch nur bei einer weiteren permanenten Schwächung Deutschlands, und zwar durch Reparationsleistungen, durch die volle Erfüllung des Versailler Vertrages (besonders die Entwaffnung betreffend) und durch den Ausbau des französischen Allianzsystems — aber auch, wenn erreichbar, durch territoriale Veränderungen des Status quo. Stresemanns lapidare Antwort dazu lautete: »Verständigung über Reparationen ja, Verständigung über den Verzicht auf den Rhein niemals.« [85]

Es spricht viel dafür, daß Stresemann im Sommer 1923 vor allem Zeit gewinnen wollte, Zeit bis zum Eingreifen der USA und Englands. Andererseits verfügte er über Informationen, daß Poincaré nicht vor Aufgabe des passiven Widerstandes in Verhandlungen treten würde. Viel Zeit stand also, das wußte Stresemann, nicht zur Verfügung. Finanzielle, soziale und staatspolitische Gründe ließen eine unbefristete

---

85 In seiner Reichstagsrede am 17. April 1923. Verhandlungen des Reichstags, Bd. 359, Stenogr. Berichte, Berlin 1923, S. 10579.

Fortdauer des passiven Widerstandes einfach nicht zu. Gegen Frankreich sprachen zwar die Konsequenzen seiner hohen Verschuldung und die Frankmisere, aber Poincaré schien fest entschlossen, auch wenn das zu Spannungen mit England führte, die französische Machtposition ein für allemal zu nutzen. [86] In Deutschland selbst drängte Stresemann darauf, die nationale Geschlossenheit der Bevölkerung zu erhalten [87], indem er immer wieder die Vorrangigkeit der Reichsinteressen betonte; gleichzeitig wollte er jedoch alles versuchen, was geeignet war, eine Lösung des Konflikts vorzubereiten. Gerade das rief in »völkisch«-nationalistischen Kreisen scharfe Kritik hervor. Schon gar nicht wollte man begreifen, daß eine so verstandene nationale Geschlossenheit auch die Zusammenarbeit mit der SPD bedingte. [88]

Im Sommer 1923 zeigte es sich, daß nicht Deutschland, sondern Frankreich am längeren Hebel saß, den längeren finanziellen Atem hatte. [89] Immer drängender wurde die Frage, ob der passive Widerstand noch lange würde aufrechterhalten werden können und welche Funktion er noch ausfüllte. Deutschland war am Ende seiner finanziellen Kräfte. Hunger, Arbeitslosigkeit und zunehmende Radikalisierung verschärften die innenpolitische Krise. Dennoch oder gerade deshalb war Stresemann Anfang August noch nicht bereit, den Kampf an der Ruhr aufzugeben. Das erschien ihm — nicht zu Unrecht — als Kapitulation, die nach innen und außen größte Gefahren heraufbeschwor. [90] Unter diesen Umständen war jedoch an Verhandlungen mit Frankreich nicht zu denken. Stresemann bedauerte damals, daß die diplomatischen Kontakte *vor* der Ruhrbesetzung nicht genügend ausgebaut worden waren. [91] Vor allem konnte von England nicht erwartet werden, daß es vor einer Sanierung der deutschen Währung — und das allein machte schon die Aufgabe des passiven Widerstandes erforderlich — Entscheidungen zugunsten Deutschlands treffen würde. So mußten also die Dinge zuerst in Deutschland selbst in Ordnung gebracht werden. Eine praktikable Alternative dazu gab es nicht. Außenpolitisch bedeutete dies, daß

86 So jedenfalls lauteten die Nachrichten, die Stresemann im Juli 1923 zugingen. NL Bd. 260; vgl. auch E. Eyck, a. a. O., Bd. 1, S. 326 und S. 328 ff.
87 Vgl. seinen Brief an K. Mehrmann, Koblenz, vom 22. Juni 1923. NL Bd. 259.
88 Vgl. das Schreiben des Nationalverbandes Deutscher Offiziere vom 18. Juli 1923. NL Bd. 260: Politische Akten 1923/V. Dort heißt es u. a.: »Nicht Poincaré und Foch wird aus eigener Kraft die Zertrümmerung des Bismarckreiches gelingen, sondern die durch jüdische Denkart ihrem Volkstum entfremdeten Berufspolitiker, denen der bequeme Augenblickserfolg und die Partei über das Vaterland gehen, werden ihnen mit der Politik eines Stresemann die Vorbedingungen dazu schaffen.«
89 Dazu H. Heiber, a. a. O., S. 122 und S. 133 f.
90 Vgl. seine Reichstagsrede vom 9. August 1923. Verhandlungen des Reichstags, Bd. 361, Stenogr. Berichte, Berlin 1924, bes. S. 11772.
91 So in einem Brief an W. Jänecke vom »Hannoverschen Kurier«, datiert vom 1. August 1923. NL Bd. 260.

eine Verständigung mit Frankreich von Tag zu Tag notwendiger wurde. [92]

Bis zuletzt hatten sich Cuno und Rosenberg darauf versteift, daß die angelsächsischen Mächte Deutschland im Ruhrkampf helfen würden, ja helfen müßten. Diese Erwartungen gingen jedoch nicht in Erfüllung. Aus London und Washington kamen gleichbleibende Antworten, daß Deutschland sich direkt mit Frankreich und Belgien ins Benehmen setzen sollte. [93] Da einerseits der Zwang, den passiven Widerstand zu finanzieren, Deutschland an den Rand des Abgrundes brachte, andererseits die Absicht der Reichsregierung, Frankreich zu isolieren [94], fehlschlug, Poincaré vielmehr von seiner These nicht abging, daß es vor einem Abbruch des Widerstandes Verhandlungen nicht geben werde, war der Tag abzusehen, an dem die bisherige deutsche Politik — und mit ihr das Kabinett, das sie vertrat — nicht mehr die Unterstützung der Reichstagsmehrheit fand. Der 11. August 1923 beendete das Experiment einer ausweglosen Politik des Widerstandes. Daran änderte auch nichts mehr die Note Curzons vom gleichen Tag, in der sich England eindeutig von Frankreichs Vorgehen an Rhein und Ruhr distanzierte, die ganze Aktion Poincarés als einen Vertragsbruch bezeichnete und von einer »wohl begründeten« deutschen Rechtsauffassung sprach. [95]

Stresemann, von Ebert mit der Regierungsbildung beauftragt, konnte schon am 13. August 1923 ein Kabinett der »nationalen Sammlung«, eine Regierung erstmals der Großen Koalition zusammenstellen, in der er auch das Außenministerium übernahm. [96] Seine dringlichsten Aufgaben waren ihm durch die Situation vorgegeben. Doch mußte er zu verhindern suchen, daß die Beendigung des Widerstandes im besetzten Gebiet deut-

92 Vgl. auch die folgende Passage aus der Reichstagsrede Stresemanns vom 9. August, a. a. O., S. 11775: »Wenn es einen Staatsmann und Politiker gäbe, der uns die Verständigung (gemeint: mit Frankreich) bringen könnte, die das Rheinland und Ruhrland von ihren Qualen erlöst, wäre er ja ein Verbrecher, wenn er nicht die Hand ergriffe, diese Verständigung herbeizuführen. Ich wüßte nicht, was es für ein nationaleres Werk gäbe, wenn das gelänge.«
93 Vgl. T. Vogelsang, a. a. O., S. 19, und W. Link, Die amerikanische Stabilisierungspolitik, a. a. O., S. 183.
94 L. Zimmermann, a. a. O., S. 179.
95 Dazu E. Eyck, a. a. O., Bd. 1, S. 341 f., und W. Link, Die amerikanische Stabilisierungspolitik, a. a. O., S. 187.
96 H. L. Bretton, a. a. O., S. 8, schreibt zu dieser Regierungsbildung: »The fact that the former nationalist-annexationist now had the confidence of the Social-Democrats was indicative of his accomplished political metamorphosis.« Vgl. auch R. Thimme, Stresemann und die deutsche Volkspartei 1923—1925 (Historische Studien, Heft 382), Lübeck und Hamburg 1961, S. 11 ff., und H. A. Turner, a. a. O., S. 112 ff. Im Gegensatz dazu W. Ruge, a. a. O., S. 90. — In Frankreich war Stresemann schon zu diesem Zeitpunkt eine bekannte und vor allem in Wirtschaftskreisen geschätzte Persönlichkeit. Auch in Paris, d. h. in Regierungskreisen, besaß er — als Führer der »Industriellenpartei« — einen weit größeren Kredit als sein Vorgänger Cuno.

scher- und französischerseits als Kapitulation gewertet wurde. Würde Poincaré Zugeständnisse machen? Kaum etwas sprach dafür. Die unabdingbare Währungsreform hatte indessen nur dann eine realistische Grundlage, wenn der passive Widerstand aufhörte. Allerdings konnte dieser Verzicht »außenpolitisch zur Preisgabe des Ruhrgebietes, innerpolitisch zur Revolution von rechts oder links führen: Ohne Ruhrgebiet, das wirtschaftliche Herzstück Deutschlands, ohne Kohle, Eisen und Exporte keine Stabilisierung der Mark, ohne Stabilisierung keine Regelung der Reparationen, ohne diese keine dauerhafte Befriedigung des Verhältnisses zu Frankreich, kein Schutz vor französischen Interventionen.« [97]

Beim Regierungsantritt stand Stresemann in der Außenpolitik vor der Notwendigkeit, einerseits die Franzosen zur Räumung des Ruhrgebietes zu bewegen [98], andererseits (aber beides war in Wahrheit miteinander gekoppelt) Möglichkeiten und Grenzen der deutschen Reparationsfähigkeit dem Ausland, vor allem England und den Vereinigten Staaten, vor Augen zu führen. [99] Paradoxerweise kam ihm dabei die Berufung auf den Versailler Vertrag zu Hilfe, der sich in der Situation von 1923 als ein Mittel zur Abwehr expansiver französischer Ziele erwies. Daß eine Eindämmung Frankreichs mit einer Entfaltungsmöglichkeit Deutschlands identisch war (und die Umkehrung galt ebenso), blieb für Stresemann eine wesentliche Konstante seines politischen Kalküls. Kurzfristig umfaßte das drei Programmpunkte: 1. den Kampf gegen französische Annexionswünsche (in allen ihren Spielarten); 2. die Verhinderung der Inbesitznahme deutscher Sachwerte (so etwa der Regiebahnen im Rheinland) durch Frankreich; 3. die Aufnahme deutsch-französischer Gespräche, um zu erreichen, daß im besetzten Gebiet wieder voll gearbeitet wurde. Wenn das alles gelang, dann war zu erwarten, daß bald darauf eine internationale Konferenz die gesamte Reparationsfrage neu — rebus sic stantibus also zugunsten Deutschlands — regeln würde.

Im Reichstag erklärte Stresemann am 14. August: »Das deutsche Volk hat den passiven Widerstand für die Erreichung ganz bestimmter Ziele aufgenommen. Wenn uns die freie und unabhängige Verfügung über das deutsche Ruhrgebiet wieder gewährleistet ist, wenn sich die Rheinlande in dem international garantierten vertragsmäßigen Zustand befinden, wenn jeder vergewaltigte Deutsche von Ruhr und Rhein der Freiheit und der Heimat wiedergegeben wird, dann werden wir nach einer uns zu gewährenden Atempause unter Aufbietung aller wirtschaftlichen Kräfte des Landes auch die Mittel für eine Regelung der

---

97 Th. Eschenburg, a. a. O., S. 175.
98 Vgl. auch den Leitartikel der »Vossischen Zeitung« vom 13. August 1923.
99 Darüber Stresemanns Interview mit dem »Manchester Guardian«, das auf Mitte August 1923 zu datieren ist.

Reparationsfrage aufbringen können, sofern die uns auferlegten Lasten uns bei harter Arbeit die Existenz unseres staatlichen und wirtschaftlichen Lebens und die Weiterentwicklung unseres Volkes gewährleisten, ohne die die sittlichen Kräfte zu einer Erzielung stärkster Leistungen nicht aufgebracht werden können.«[100]

Diese Sätze dokumentieren, daß Stresemann als Kanzler keine anderen politischen Maximen verfochte und keine anderen Prioritäten setzte, als er das zuvor als Parteipolitiker und außerhalb der Regierung getan hatte. In der Tat formten nicht subjektive Wünsche oder prinzipielle Erwägungen seine politischen Entscheidungen, sondern die je vorhandenen Alternativchancen, genauer: die Koordination von nationalen Zielprojektionen und bestehenden Machtverhältnissen im Rahmen eines Staatengeflechts, für das ihm die Begriffe Nation und Souveränität Leitbilder und Wirklichkeit zugleich waren. Es kommt hinzu, daß Stresemann wegen der übergeordneten Interessenlage des Reiches persönlich und von der jeweiligen Situation her Außenpolitik auch als Methode verstand, sich vorgegebenen Bedingungen anzupassen und damit den (durchaus vorteilhaften) Kompromiß möglich zu machen. Anders formuliert: Stresemann argumentierte stets konkret und mit genauer Unterscheidung von (ggf. emotional aufgeladenen) Symptomen und (rational errechenbaren) Ursachen; er verband eine Kontinuität der politischen Zwecke (letztlich die gesicherte Großmachtstellung Deutschlands) mit der Fähigkeit zu variablen Mitteln. [101]

Die im August/September 1923 vorhandene Lage in Deutschland — speziell in den linksrheinischen Gebieten [102] — erzwang geradezu den Verzicht auf unfruchtbare Polemiken, auf die Parole: Passiver Widerstand bis zum Ende. Die Lebensfähigkeit des deutschen Volkes, die verfassungsmäßige Ordnung des Deutschen Reiches und die außenpolitischen Notwendigkeiten mußten Stresemann ungleich wichtiger sein als alle politisch-moralisch berechtigten Attacken gegen Frankreich. An der Beendigung des passiven Widerstandes ging zweifellos kein Weg vorbei. Wenn Stresemann zunächst noch zögerte, dann entscheidend deshalb, weil er auf diplomatischem Wege erreichen wollte, daß der deutsche

---

100 Verhandlungen des Reichstags, Bd. 361, a. a. O., S. 11840.
101 Vgl. dazu W. Weidenfeld, a. a. O., bes. S. 111 ff. Kritisch ist allerdings gegen Weidenfeld einzuwenden, daß er die Grundzüge der politischen Konzeption Stresemanns nicht im historischen Kontext, sondern in einer isolierten Quellenanalyse zu bestimmen versucht.
102 So wurde Stresemann am 20. August von dem Industriellen Otto Wolff informiert, »daß die Stimmung im Rheinland sich verschlechtere und daß die Bewegung, die auf ein selbständiges Rheinland abziele, rasche Fortschritte mache«. NL Bd. 261: Amtliche Akten 1923/I. Noch besorgter äußerte sich Hjalmar Schacht in einem Brief an Stresemann vom 21. September 1923. NL Bd. 1.

Rückzug gegenüber dem Anspruch Poincarés nicht bedingungslos erfolgte. Zugeständnisse wurden ihm jedoch nicht gemacht[103]; es blieb nur die — vom englischen Botschafter geförderte[104] — Hoffnung auf nachfolgende Verhandlungen.[105]

Am 26. September 1923 wurde der passive Widerstand beendet.[106] Stresemann konnte und wollte sich nicht länger auf der (ohnehin zurückstrandenden) Woge nationaler Begeisterung tragen lassen. Er nahm, was außen- und (mehr noch) innenpolitisch unvermeidbar war, auf sich.[107] Zu diesem Zeitpunkt schien das Deutsche Reich der politisch-sozialen Agonie nahe. Poincaré hatte offensichtlich sein vorläufiges Ziel erreicht.[108] Für Stresemann bedeutete der Verzicht auf den passi-

---

103 Schon am 23. August mußte Stresemann dem Reichskabinett erklären, daß ein direkter Weg, mit Frankreich zu verhandeln, nicht existiere; daß man es als ehrenhaften Ausgang des Ruhrkampfes betrachten müsse, wenn die Souveränität des Deutschen Reiches aufrechterhalten bleibe. Andererseits beurteilte er die deutsche Position günstiger als zuvor: »Es besteht keine Isolierung mehr, wenn auch Deutschland zur Zeit bei England noch keine materielle Unterstützung findet. England ist jedoch bemüht, Frankreich zu isolieren, Italien und Belgien auf seine Seite zu bringen und Amerika für die Reparationslösung zu interessieren.« Bundesarchiv Koblenz (BA), Reichskanzlei, Kabinettsprotokolle, R 43 I/1387. Die letzten Sätze bestätigen einmal mehr, daß Stresemann seine politische Konzeption nicht auf bilaterale Vereinbarungen zwischen Deutschland und Frankreich stützen wollte (bei denen Deutschland unter den gegebenen Umständen sehr im Nachteil gewesen wäre), sondern daß er in seine Rechnung entscheidend die Interessenlage der übrigen Großmächte einbezog, also eine multilaterale Lösung anstrebte.
104 Vgl. die Gespräche Stresemanns mit Lord d'Abernon im September 1923. NL Bd. 261 u. NL Bd. 1. Auch der französische Botschafter de Margerie war bemüht, den deutsch-französischen Konflikt durch den Hinweis auf Verhandlungsmöglichkeiten zu entschärfen. NL Bd. 261; vgl. auch F. Hirsch, a. a. O., S. 63, und W. Link, Die amerikanische Stabilisierungspolitik, a. a. O., S. 188 f.
105 Diese Verhandlungen sollten auf der Ebene folgender deutscher Angebote aufgenommen werden: 1. »produktive Pfänder« durch die hypothekarische Belastung von privatem und die Verpfändung von staatlichem deutschen Besitz; 2. eine »Art von Kohlenhypothek« auf die deutsche Gesamtkohlenerzeugung zugunsten Frankreichs; 3. eine engere deutsch-französische industrielle Zusammenarbeit; 4. die Wiederaufnahme deutscher Sachleistungen an Frankreich; 5. die Bereitschaft zu einem Rheinpakt; 6. die Wiederherstellung der vollen deutschen Verwaltung im Ruhrgebiet bei Beginn der Wirksamkeit der deutschen Pfänder (nicht schon bei Aufgabe des passiven Widerstandes!). Vgl. die Aufzeichnung Stresemanns vom 3. September 1923 über die Unterredung mit dem französischen Botschafter am selben Tage. NL Bd. 1. Sehr wichtig auch die Richtlinien Stresemanns über die künftige Außenpolitik vom 7. September 1923. Protokoll über die Sitzung des Reichskabinetts BA R 43 I/1387.
106 Die Entscheidung im Kabinett war am 24. September gefallen.
107 Es ist sehr fraglich, ob Stresemann damit Deutschland »auf den Kurs einer rationalen und konsequenten Erfüllungspolitik« gesteuert hat. So H. Graml, Europa, a. a. O., S. 179.
108 Über die weitergehenden und langfristigen Ziele der Deutschlandpolitik Poincarés sehr wichtig der Bericht von Hoesch an das Auswärtige Amt vom 22. September 1923. AA Frankreich, Politik 2, Bd. 9. Aufschlußreich der Hinweis, daß Frankreich das Ruhrgebiet auch deshalb besetzt habe und nun darin verbleibe, um England und Amerika zu einem

ven Widerstand trotz aller Einsicht in das Unabänderliche eine große Überwindung. [109] Was würde nun geschehen, da sich das Deutsche Reich nach den Worten von Stresemann »in einem Zustand politischer Machtlosigkeit, wirtschaftlicher Bedrängnis und finanzieller Zerrüttung« befand? [110] War da eine aktive deutsche Außenpolitik überhaupt noch möglich? Würden jetzt die dringend gebotenen Verhandlungen mit Frankreich beginnen? Die Antwort auf diese Fragen hing vom Verhalten Poincarés ab, nicht von Stresemann, der wußte, daß ohne deutsch-französische Vereinbarungen auch die Verhältnisse in Deutschland selbst der Katastrophe zutrieben. Denn noch war ja mit der Aufgabe des passiven Widerstandes wenig gewonnen — im Gegenteil: Poincaré fand neue Argumente, Verhandlungen mit der Reichsregierung aus dem Wege zu gehen [111], und die Lage in den besetzten Gebieten war nun erst recht zum Zerreißen gespannt.

Unter diesen Umständen geriet Stresemann in eine politische Zwickmühle: einerseits war eine Lösung der Krise (die, wenn es so weiterging wie bisher, mit Sicherheit die verfassungsmäßige Ordnung und Einheit des Reiches zerbrechen mußte) ohne gravierende finanz- und währungspolitische Maßnahmen nicht zu erreichen, andererseits bedingten gerade diese Maßnahmen, um erfolgreich zu sein, die drastische Begrenzung aller Staatsausgaben. Am stärksten würde das aber die politisch gedemütigte und ins soziale Elend gestürzte Bevölkerung an Rhein und Ruhr treffen — mit allen sich daraus ergebenden negativen Folgen. [112] Ein Aufstandsversuch von »links« war dann ebenso gewiß wie

---

Schuldenerlaß zu bewegen. Hoesch faßte seine Gesamtanalyse, die das Reparations- und Sicherheitsproblem deutlich unterscheidet, folgendermaßen zusammen: »Nach dem französischen Programm kann Deutschland zwar durch materielle Opfer die Freiheit des Ruhrgebiets, nicht aber die Wiederherstellung vertragsmäßiger Zustände im Rheinland erkaufen. Deutschland kann vielleicht die Ruhrbahnen, nicht aber die Rheinbahnen zurückerhalten. Deutschland kann vielleicht formell Herr des Rheinlandes bleiben, jedoch ohne daß diese Gebiete in der alten Weise von preußischen Beamten verwaltet werden, und mit der Auflage einer zeitlich unbegrenzten fremden Besetzung. Demgegenüber ergibt sich als die von uns bei etwaigen Verhandlungen zu befolgende Taktik von selbst, daß wir bezüglich der Frage Sicherheit-Rheinland mit aller Macht darauf hinarbeiten müssen, sie mit der Lösung des Problems Reparationen-Ruhrgebiet zu verquicken.«
109 Für A. Thimme, Gustav Stresemann, a. a. O., S. 50, war es »die große Leistung seines Lebens«; vgl. auch H. A. Turner, a. a. O., S. 120.
110 In einem Artikel für die »Düsseldorfer Nachrichten«, datiert »Ende September 1923«. NL Bd. 261.
111 Vgl. dazu das Telegramm von Hoesch an das Auswärtige Amt vom 24. September 1923. AA, Büro RM, Frankreich 7, Bd. 2; vgl. auch K. Mielcke, a. a. O., S. 66 f., und M. Baumont, Die französische Sicherheitspolitik, ihre Träger und Konsequenzen 1920—1924, in: Die Folgen von Versailles 1919—1924, a. a. O., S. 130 f. Am 1. Oktober 1923 mußte Stresemann dem Reichskabinett mitteilen, daß die Verhandlungen mit Frankreich endgültig gescheitert seien. BA R 43 I/1388.
112 Vgl. Th. Eschenburg, a. a. O., S. 180.

der anwachsende Separatismus bürgerlicher Kreise, ganz abgesehen von den gefährlichen Entwicklungen im übrigen Reichsgebiet. Wie sollte Stresemann sich da entscheiden?

Die Rheinlande (erst recht das Ruhrgebiet) waren jedoch für Deutschland unersetzlich; die dortige Bevölkerung mußte Vertrauen zur Regierung haben, es auch trotz aller Not behalten, für die nationalen Interessen kämpfen, daher separatistischen Führern wie Dorten oder Matthes (und also indirekt deren französischen Hintermännern) das Handwerk legen und damit insgesamt die Basis erhalten bzw. wiederherstellen, von der, wenn überhaupt, eine Wende zum Besseren für alle Deutschen erwartet werden durfte. Und doch konnte der Zwang eintreten, daß die Reichsregierung nicht mehr diejenigen genügend zu unterstützen imstande war, welche diese Unterstützung als lebenswichtig benötigten. Umgekehrt brauchte die Reichsregierung aber deren nationale Gesinnung. So sprach wenig dafür, daß Stresemann verwirklichen konnte, was er in dieser Situation beabsichtigte: eine Politik hart am Rande des Abgrunds, nach innen und außen fest genug, um jeder Art von französischem Expansionsbestreben einen Riegel vorzuschieben, und gleichzeitig entschlossen, die notwendigen Maßnahmen zu treffen, damit Verhandlungen mit Frankreich — sei es bilateral, sei es unter Einbeziehung der angelsächsischen Mächte — einer friedlichen und vernünftigen Regelung des Gesamtproblems den Weg ebneten. [113]

Was Stresemann aus Paris erfuhr, mußte ihn zu dem Urteil veranlassen, daß Poincaré, in genauer Abschätzung der deutschen Ohnmacht, nunmehr auf die Wirkung der Zeit spekulierte, d. h. auf den inneren Zusammenbruch Deutschlands. [114] Von außen konnte dabei die Reichsregierung keine unmittelbare Hilfe erwarten. Solange sich Paris gegen vertragliche Vereinbarungen sträubte, war effektiv nichts zu machen. In dieser Frage hielt Stresemann seinen Kritikern am 8. Oktober im Reichstag entgegen: »Ich bleibe bei meiner Meinung, die sich auf realpolitische Erwägungen in der gegenwärtigen Situation gründet, daß augenblicklich durch das Ausspielen irgendeiner Macht, durch starke Erklärungen irgendeiner Macht oder durch Verständigung mit irgendeiner Macht die Situation nicht geändert werden könnte, die heute am meisten auf uns lastet. Das ist die Situation an der Ruhr und am Rhein. Dort fällt die deutsche Entscheidung, und es so hinzustellen, als wenn man erwarten könnte, daß die stärkste Militärmacht der Welt, die

---

113 Vgl. dazu die Ausführungen Stresemanns am 6. Oktober 1923 vor dem Reichstag. Verhandlungen des Reichstags, Bd. 361, a. a. O., S. 11934 ff. Stresemann sprach sich indessen grundsätzlich gegen politische Sonderverhandlungen im besetzten Gebiet aus. So auf der Sitzung des Reichsministeriums am 1. Oktober 1923, a. a. O.
114 Vgl. Telegramm Nr. 1090 von Hoesch an das Auswärtige Amt vom 4. Oktober 1923. AA, Büro RM, Frankreich 7, Bd. 2.

Frankreich gegenwärtig ist, sich durch eine andere diplomatische Einstellung allein bewegen ließe, aus dieser Position herauszugehen, halte ich für eine falsche Auffassung.« [115] In der Tat waren allein die folgenden drei Faktoren für den weiteren politischen Prozeß ausschlaggebend: 1. deutscherseits die Entwicklung und Entscheidung im besetzten Gebiet; 2. in Frankreich selbst der Druck, der von den fiskalischen Notwendigkeiten (und zu einem Teil auch von der Absicht, außenpolitisch nicht gänzlich in die Isolierung zu geraten) ausging; 3. das Ja oder Nein der angelsächsischen Mächte, sich in den Konflikt, der immer deutlicher auch die eigenen Interessen berührte, einzuschalten.

Nicht nur französischer Annexionismus und deutscher Separatismus, die viel zu grobschlächtig waren, um wirksam zu sein [116], gefährdeten Stresemanns politisches Programm, sondern mindestens ebensosehr die konstante französische Absicht und teilweise vorhandene deutsche Neigung (so in Wirtschaft und Verwaltung), die Reichsregierung bei adhoc-Übereinkommen auszusparen. [117] Stresemann formulierte in diesem Zusammenhang vor dem Reichstag (am 6. Oktober): »Irre ich nicht, dann geht das Bestreben Frankreichs dahin, von sich aus ohne Fühlungnahme oder Verhandlung mit der deutschen Regierung die Dinge dort selbst (gemeint ist das besetzte Gebiet — Anm. d. Verf.) in Ordnung zu bringen.« [118]

Es ist von seinen politischen Prämissen her verständlich, daß Stresemann sich mit solchen Versuchen nur zögernd einverstanden erklären konnte, jedenfalls dann nicht, wenn sie irgendwie zu umgehen waren, die Hoheitsrechte des Staates betrafen oder die Tendenz in sich bargen, der Reichsregierung (und damit dem Außenminister) die alleinige bzw. letzte Entscheidung für längere Zeit und in gewichtigen Bereichen aus der Hand zu nehmen. Sein Bemühen mußte sich ja auch nach Aufgabe des passiven Widerstandes darauf richten, Frankreich und der übrigen Welt zu demonstrieren, daß die von Poincaré eingeschlagene Pfänderpolitik alles andere als produktiv sei, Reparationen vielmehr erst dann (aber dann auch bestimmt) erwartet werden könnten, wenn die Verhältnisse in Deutschland durch bilaterale Verhandlungen — ein endgültiger Bruch mit Frankreich kam für Stresemann nicht in Frage [119] —

---

115 Verhandlungen des Reichstags, Bd. 361, a. a. O., S. 11984.
116 Über die separatistische Bewegung im Rheinland und in der Pfalz vgl. Michaelis — Schraepler, Ursachen und Folgen, Bd. V, S. 299 ff., und F. A. Krummacher — A. Wucher, a. a. O., S. 157 f.
117 Ein Beispiel dafür sind die direkten Verhandlungen von Stinnes, Vögler und Otto Wolff mit General Degoutte; vgl. dazu L. Zimmermann, a. a. O., S. 200 f. Andererseits war Stresemann, um die Wirtschaft im Ruhrgebiet wieder anzukurbeln, genötigt, solchen Wirtschaftsgesprächen zuzustimmen. Vgl. seine Darlegungen auf der Sitzung des Reichskabinetts am 10. bzw. 11. Oktober 1923. BA R 43 I/1388.
118 A. a. O., S. 11938.
119 So vor dem Reichskabinett am 20. Oktober 1923. BA R 43 I/1388.

und multilaterale Abmachungen auf Regierungsebene politisch, wirtschaftlich und territorial stabilisiert würden.

Mitte Oktober versuchte Stresemann erneut (wenngleich schon damals der politischen Resignation nahe) [120], in Gespräche mit Poincaré einzutreten [121], um endlich einen konstruktiven Weg zum Ausgleich der gegensätzlichen Interessen und Standpunkte zu finden. [122] Darüber hinaus wandte sich die Reichsregierung unter Hinweis auf den Artikel 234 des Versailler Vertrages am 24. Oktober an die Reparationskommission mit dem Ersuchen, Deutschland ein vorläufiges und allgemeines Moratorium zu gewähren und durch Sachverständige die vorhandene Leistungsfähigkeit feststellen zu lassen. [123] Dieser zweite Schritt konnte sich dann als der entscheidende erweisen, wenn England und Italien den deutschen Vorschlägen zustimmten (selbst das Votum Belgiens galt

120 Nicht zuletzt war das darauf zurückzuführen, daß die unter Otto Wolff stehende Gruppe der Schwerindustrie am 8. Oktober die sehr harten Bedingungen der französischen Besatzungsmacht bezüglich der Wiederaufnahme der Arbeit im besetzten Gebiet annahm, ohne vorher die Berliner Regierung gefragt zu haben. Eine solche Praxis widersprach allen politischen Absichten Stresemanns; er sah sich nun gezwungen, diese privat abgeschlossenen Vereinbarungen, die das Reich finanziell schwer belasteten, zu akzeptieren, verbot jedoch Verhandlungen über Hoheitsrechte und Besitztitel des Reiches. Dazu Th. Eschenburg, a. a. O., S. 180. Vgl. auch Stresemanns Brief an den ehemaligen Kronprinzen vom 10. Oktober. NL Bd. 261.
121 Vgl. dazu die Erklärung der Reichsregierung vom 11. Oktober 1923; Michaelis — Schraepler, Ursachen und Folgen, Bd. V, S. 249 f.; ebenso das Telegramm Nr. 793 vom 14. Oktober 1923 an die deutsche Botschaft in Paris. NL Bd. 261; am Tage zuvor war von Hoesch ein außerordentlich pessimistischer Lagebericht eingetroffen, in dem es u. a. heißt: »Mit dem Griffe, mit dem Frankreich die besetzten Gebiete umklammert hält, will es gleichzeitig ganz Deutschland dauernd gepackt halten. Unter dem steten Druck der Gefahr, die besetzten Gebiete zu verlieren, soll Deutschland gezwungen bleiben, das Letzte herzugeben, um den Blutstrom, der ihm aus dem umklammerten Teil seines Körpers abfließt, laufend zu ergänzen. Nie wieder soll die Frage einer Herabsetzung der deutschen Schuld bzw. der französischen Ansprüche aus derselben gestellt werden können. Nie wieder soll auch Deutschland sich gegen die Zahlung aufzulehnen imstande sein, ohne daß sofort ein gesteigerter Druck in den besetzten Gebieten ihm die drohenden Gefahren zum Bewußtsein bringt. Aus dieser Darstellung ergibt sich ohne weiteres die Unrichtigkeit der in Deutschland vielfach verbreiteten Auffassung, als ob Herr Poincaré mit seiner Politik in erster Linie darauf ausgehe, das Deutsche Reich wirtschaftlich zu vernichten, den Zerfall der Reichseinheit herbeizuführen oder die besetzten Gebiete dauernd vom Reichskörper loszutrennen. Eine derartige Entwicklung kann nicht im Interesse Frankreichs liegen, denn ihre Verwirklichung würde die Erreichung der vorstehend skizzierten Ziele unmöglich machen.« AA, Büro RM, Frankreich 7, Bd. 2. Es ist gewiß nicht ungerecht, wenn man aufgrund dieses Berichtes sagt, daß für Stresemann die Politik Poincarés gegenüber Deutschland als ein Instrument der materiellen und nationalen Erpressung, als Wahlmöglichkeit »zwischen Pest und Cholera« erscheinen mußte. Heilung konnte da in Wahrheit nur von Kräften außerhalb Frankreichs kommen.
122 Das geschah nach Absprache mit Lord d'Abernon und dem amerikanischen Botschafter Houghton.
123 Michaelis — Schraepler, Ursachen und Folgen, Bd. VI, S. 59 f.

nicht mehr als eindeutig negativ) und wenn auch die USA ein positives Interesse bekundeten. [124] Mehr als das war vorläufig nicht zu erreichen, und immerhin wurde eines für die Öffentlichkeit klargestellt: Es lag nicht an Deutschland, wenn Verhandlungen nicht stattfanden und Reparationen ausblieben. Stresemann jedenfalls war zu beidem bereit. [125] Die nachfolgenden Wochen verschärften zwar die Krisensituation innerhalb des Reiches, brachten aber keine grundlegende Änderung in den außenpolitischen Beziehungen. Sollte sich die politische Konstellation zugunsten Deutschlands — damit mittelbar auch zum (ökonomischen) Nutzen Frankreichs und ganz Europas — verändern, so waren neue Entscheidungen und Ereignisse notwendig. Ganz wesentlich kam es auf die Reaktion der amerikanischen Regierung an — und auf die Vorgänge in den besetzten Gebieten. [126] Da Regierungsverhandlungen von Frankreich abgelehnt bzw. hinausgeschoben wurden, Übergangslösungen jedoch gefunden werden mußten, um die Lebensbedingungen der dortigen Bevölkerung zu erleichtern, stimmte Stresemann all jenen Kompromißbemühungen zu, die, von der Stunde der Not erzwungen, ihm mit den Interessen des Deutschen Reiches noch vereinbar schienen. Dazu gehörte selbst das im November 1923 akute Problem einer rheinischen Notenbank. Er war zu einer befristeten Konzedierung (bis zum 15. April 1924) unter gewissen Voraussetzungen bereit. [127] Ein anderes Beispiel sind die Wirtschaftsverhandlungen deutscher Industrieller mit den französischen Militärbehörden, Verhandlungen, die schließlich zu den sog. Micum-Verträgen (23. November 1923) führten. [128]

124 Schon am 12. Oktober hatte sich London mit einer Note an die amerikanische Regierung gewandt und angefragt, ob diese sich an einer internationalen Prüfung der Reparationsfrage beteiligen würde. Baldwin und Curzon konnten dabei an die Rede des amerikanischen Staatssekretärs Hughes vom 29. Dezember 1922 anknüpfen; auch hatten sie die Unterstützung der gleichzeitig tagenden Reichskonferenz. Vgl. K. D. Erdmann, Zeit der Weltkriege, a. a. O., S. 138, und L. Zimmermann, a. a. O., S. 143. Über die Entscheidung der amerikanischen Regierung, in den europäischen Konflikt aktiv einzugreifen, vgl. W. Link, Die Ruhrbesetzung und die wirtschaftspolitischen Interessen der USA, a. a. O., S. 378 ff., und ders., Die amerikanische Stabilisierungspolitik, a. a. O., S. 184 ff. und S. 203 f.
125 Das blieb er auch trotz der negativen Nachrichten aus Paris. Er berichtete darüber auf der Kabinettssitzung am 20. Oktober; a. a. O.
126 Über die Entwicklung der Verhältnisse an Rhein und Ruhr (vom Herbst 1923 bis zum Beginn des Jahres 1924), d. h. über die französische Rheinbundpolitik in ihren verschiedenen Schattierungen einerseits und die deutschen (keineswegs einheitlichen) Gegenmaßnahmen andererseits am besten die Darstellung von K. D. Erdmann, Adenauer in der Rheinlandpolitik nach dem Ersten Weltkrieg, Stuttgart 1966, S. 71 ff.
127 NL Bd. 263: Amtliche Akten/II; einen entsprechenden Beschluß faßte das Reichskabinett am 9. November 1923. BA R 43 I/1389. Vgl. auch T. Vogelsang, a. a. O., S. 21.
128 Text bei Michaelis — Schraepler, Ursachen und Folgen, Bd. V, S. 268 ff.; allgemein K. D. Erdmann, Adenauer, a. a. O., S. 79 ff., L. Zimmermann, a. a. O., S. 203 f., und G. W. F. Hallgarten, Hitler, Reichswehr und Industrie, Frankfurt/M. 1955, S. 58 ff. — Tatsächlich waren diese Verträge

Politisch allergisch zeigte sich Stresemann allerdings gegenüber allen Bestrebungen oder Tendenzen, die direkt beabsichtigten oder doch in der Konsequenz darauf hinausliefen, die Rheinprovinz (ggf. einschließlich Westfalen) von Preußen zu trennen und als eigenen Rheinstaat (wenn auch — aber fragwürdig, in welcher Form — innerhalb des Deutschen Reiches) zu konstituieren. Es spricht viel dafür, daß die gegensätzliche Einstellung zu dieser Frage Stresemann und Adenauer zu entschiedenen politischen Gegnern machte. In den Plänen und Aktivitäten des Kölner Oberbürgermeisters erkannte der Berliner Reichskanzler und spätere Außenminister zweifellos mehr als nur kurzfristige Überbrückungen. Tatsächlich enthielten sie Momente, die der nationalen Zielsetzung Stresemanns diametral entgegenstanden.[129]

Die Einzelheiten der Kontroverse zwischen Stresemann und Adenauer können im Rahmen dieser Studie nicht behandelt werden. Notwendig ist jedoch eine vergleichende Bestimmung der beiden politischen Programme.[130] Im scharfen Gegensatz zu Jarres und dessen sog. »Versackungstheorie«, die den Bruch mit Frankreich (und als Folge dessen die vorübergehende Separation des Rheinlandes) in Kauf nehmen wollte, glaubte Adenauer durch Sonderverhandlungen (bevollmächtigter Vertreter des Rheinlandes bzw. der besetzten Gebiete) mit Frank-

---

geeignet, eine deutsch-französische Wirtschaftsallianz zu verwirklichen, die — ökonomisch bedrohlich für die englische und amerikanische Konkurrenz — im Endeffekt die wirtschaftliche und politische Hegemonie Frankreichs in Europa herbeigeführt hätte. Das eine wie das andere mußte die beiden angelsächsischen Mächte zum raschen und energischen Eingreifen veranlassen.

129 Der historisch Urteilende mag im nachhinein sehr viel mehr Verständnis für Adenauer aufbringen, als dessen Zeitgenossen es konnten oder wollten, aber Stresemanns Konzeption war unter den gegebenen Umständen nicht weniger begründet — und erfolgreich dazu. Nichts zwingt jedenfalls dazu, wie Erdmann das tendenziell tut, Stresemanns Verhalten in der entscheidenden Phase des deutsch-französischen Konflikts aus der Sicht der sechziger Jahre zu bewerten.

130 Vgl. dazu die Buchbesprechung von Andreas Hillgruber in der »Historischen Zeitschrift«, Bd. 206, bes. S. 164. Kritisch anzumerken ist, daß Erdmann (S. 84 f.) an entscheidender Stelle, nämlich bei der Charakterisierung der Position Stresemanns, nicht nur sehr ungenau zitiert (vor allem sind die Sätze: »Der Erfolg der Aktion der Bergherren sei sehr zweifelhaft. Seiner (= Stresemanns) Meinung nach komme es nur darauf an, mit Befolgung dieses Vorschlages der Aufgabe gerecht zu werden, die Loslösung der besetzten Gebiete vom Reich in einer möglichst schonenden Weise vorzunehmen.« — im amtlichen Kabinettsprotokoll nicht zu finden!), sondern auch — gewollt oder nicht — Stresemann unsachgemäß beurteilt. Es kann deshalb nicht recht überzeugen, wenn Erdmann Stresemann nachsagt (S. 92), daß er gleich Adenauer mit einer Loslösung des Rheinlandes vom Reich gerechnet habe. Im übrigen ist es ein gewichtiger Unterschied, ob Stresemann zeitweilig bestimmte Befürchtungen hegte oder ob Adenauer, wenn er auch entsprechende Kompensationen einhandeln wollte, diese Loslösung durch eigene politische Aktionen ggf. noch beschleunigte, gewiß gegen seine persönliche Absicht, aber eben doch in der Konsequenz seines Handelns.

reich eine allseits akzeptable, wenn nicht sogar wirklich befriedigende Lösung des Konflikts erreichen zu können. Dabei sprach er sich für die Bildung eines rheinischen Bundesstaates aus (und zwar auf der Basis einer engen, durch Aktienaustausch zu organisierenden deutsch-französischen Wirtschaftsverflechtung), um auf diesem Wege eine Regelung des Reparationsproblems und die Befreiung von der Interalliierten Rheinlandkommission bzw. von der Besatzung zu ermöglichen. Entscheidend war, daß Adenauer durch bilaterale deutsch-französische Vereinbarungen einen Ausweg aus der Krise zu finden gedachte. Der Satz:»Es muß immer wieder versucht werden, mit Frankreich zu einer Einigung zu kommen.«[131] — ist kennzeichnend für sein damaliges politisches Bemühen.

Stresemanns Konzeption war davon grundlegend verschieden, deckte sich aber ebensowenig mit derjenigen von Jarres. Er wollte das Reparationsproblem und (gleichzeitig damit) die Rheinlandfrage nicht durch gesonderte bzw. interne deutsch-französische Abmachungen, bei denen Deutschland im wesentlichen der gebende Teil sein mußte, sondern durch ein internationales Arrangement lösen, bei dem Deutschland allemal im Vorteil war. Auf der — vorangehend zitierten — Sitzung am 17. November führte er gegenüber Adenauer aus:»Die Politik Frankreichs beruht auf einer großen Furcht vor Deutschland. Stets hat Deutschland auch an eine internationale Regelung der Reparationsfragen und der Rheinlandfrage gedacht. Wohl kein Reichskanzler hat so intensiv auf England eingewirkt und England gebeten, die Initiative in diesen Fragen zu ergreifen, wie ich. Aber man muß sich darüber klar sein, daß England zur Zeit aus dem Kontinent ausscheidet. Worauf beruht eine gewisse Hoffnung für die Zukunft? Sie kann nur darauf beruhen, daß durch einen Zusammenschluß Englands und der Vereinigten Staaten ein Druck gegen Frankreich ausgeübt werden kann, der dieses zum Nachgeben veranlaßt. Ich habe auch bestimmte Nachrichten, daß Coolidge sich anders für Europa interessiert als sein Vorgänger ... Ich betone nochmals, daß die Macht Englands zur Zeit begrenzt ist und daß die politische Situation sich daraus ergibt. Mit Amerika zusammen wird England anders handeln können.«

Diese Sätze bestätigen, daß Stresemann seine Außenpolitik nicht auf Frankreich stützte, sondern (anders als Adenauer) am wachsenden Gegensatz zwischen Frankreich und den angelsächsischen Mächten orientierte. Deshalb war er auch nicht bereit, territoriale bzw. staatsrechtliche Veränderungen an Rhein und Ruhr zuzugestehen. Was Adenauer aus der Sicht des unmittelbar beteiligten und betroffenen Rheinländers

---

131 So am 17. November 1923 auf der Nachmittagssitzung des Reichskabinetts, der Ministerpräsidenten der von der Besetzung betroffenen Länder und des Fünfzehner-Ausschusses; BA R 43 I/1389.

vorschlug, erschien Stresemann aus der Perspektive Berlins, d. h. aufgrund seiner Verantwortung für das ganze Reich, als zu begrenzt, ja gefährlich, da es geeignet war, die von ihm ins Auge gefaßte »große Lösung« (durch eine internationale Konferenz) zu vereiteln. Am 5. Dezember 1923 erklärte er (laut Protokoll) auf der gemeinsamen Sitzung des Reichsministeriums und des Preußischen Staatsministeriums, »daß Adenauers Begründung für eine Loslösung des Rheinlandes nicht diskutabel sei. Der Sechzigerausschuß sollte nicht mit Bezug auf die politische Gestaltung sondieren dürfen . . . Das Ruhrproblem sei der Inbegriff der englischen Politik. England könne und wolle das Verhalten Frankreichs nicht ruhig hinnehmen . . . Eine Trennung der besetzten Gebiete dürfe in keiner Weise sanktioniert werden.« [132]

Allerdings gab es vom Oktober bis zum Dezember 1923 Augenblicke, in denen Stresemann nicht recht wußte, wie es weitergehen sollte. Grund dafür war nicht nur die französische Politik, sondern auch die Unmöglichkeit, den Widerspruch aufzuheben zwischen der Erkenntnis, daß nach Einführung der Rentenmark (15. November 1923) die besetzten Gebiete nicht lange in dem bisherigen Maße würden unterstützt werden können, und der Weigerung, den Gedanken eines Rheinstaates überhaupt zu reflektieren. [133] Letztlich bedeutete ja die Haltung der Reichsregierung die Forderung an das Rheinland, sich allein zu helfen. Stresemann, so scheint es, wollte eher das besetzte Gebiet kurzfristig sich selbst überlassen, als daß er mitverantwortlich wurde für eine Entwicklung, die er mit seinen Zielvorstellungen und dem Entwurf seiner praktischen Politik nicht vereinbaren konnte. [134]

132 BA R 43 I/1390. Es muß indessen bedacht werden, daß zu diesem Zeitpunkt (nach Abschluß der Micum-Verträge und der positiven Entscheidung der Reparationskommission) die Würfel praktisch schon zugunsten der Politik Stresemanns gefallen waren. Andererseits konnten das die Beteiligten damals noch nicht in genügendem Maße erkennen — vielleicht, aber auch das ist nicht ganz sicher, mit Ausnahme Stresemanns.
133 Vgl. auch Th. Eschenburg, a. a. O., S. 187.
134 Das Protokoll über die Ministerbesprechung vom 20. Oktober 1923 vermerkt: »Der Reichskanzler glaubt, daß, wenn die Verhandlungen der Industrie zu einem Erfolg führen, daraus ein starke finanzielle und politische Entlastung resultiere. Wenn gleichwohl dann noch mit einem Bruch zwischen dem besetzten und unbesetzten Gebiet gerechnet werden müsse, dann müsse dieser stattfinden unter einem Händedruck: ›Wir kommen wieder.‹« BA R 43 I/1388. Man wird berücksichtigen müssen, daß diese Äußerung von den pessimistischen Erklärungen des Finanzministers abhängig war und insgesamt mehr eine Eventualität als eine sichere Erwartung (ganz zu schweigen von einer politischen Absicht) artikulierte. Auch außenpolitisch standen die Dinge damals denkbar schlecht. Das macht wohl die folgenden Sätze verständlich: »Wir könnten den Kampf nicht mehr finanzieren. Das Ziel müsse sein, in Liebe zu scheiden, nicht in Haß.« (Stresemann auf der Sitzung des Reichskabinetts vom 24. Oktober 1923. BA R 43 I/1388; an diesem Tage wurde vom französischen General de Metz die Pfalz zum autonomen Staat erklärt.) Diese Zitate sind jedoch die beiden einzigen Belege für eine politische Verzweiflung Stresemanns. Schon während der Zusammenkunft in Hagen am 25. Oktober argumentierte er aufgrund

146

Immerhin bleibt festzuhalten, daß sich Stresemann dafür einsetzte, die finanziellen Leistungen des Reiches (das betraf vor allem die Erwerbslosengelder) so lange und so umfangreich wie irgend angängig fortzusetzen, damit gelingen konnte, was nach seiner Überzeugung unabdingbar war: eine letzte Anstrengung des nationalen Willens, stark und ausdauernd genug, um einerseits den vielfachen Auflösungstendenzen innerhalb des Deutschen Reiches entgegenzuwirken und um andererseits die Durststrecke durchzuhalten, bis außenpolitisch die Verhältnisse sich positiv für Deutschland wendeten. Eine wirkliche Aufgabe der besetzten Gebiete kam für Stresemann zu keinem Zeitpunkt auch nur entfernt in Frage. [135] Entscheidend war, wer in der äußersten Zuspitzung der Krise den etwas längeren Atem hatte: Deutschland, das bisher auf sich allein gestellt war, aber nun, je gefährlicher der Konflikt sich entwickelte, besonders von England unterstützt wurde, oder Frankreich, das international mehr und mehr in die Isolierung geriet und überzeugende Argumente nicht bringen konnte, warum es sich gegen Verhandlungen sträubte. [136]

Was die »Rechte« in Deutschland als eine Politik der Illusionen abwertete, der Illusionen gerade auch gegenüber Frankreich [137], erwies sich allen Verunglimpfungen zum Trotz als der damals wohl einzig gangbare Weg, die Einheit und territoriale Unversehrtheit des Deutschen Reiches mit einer Initiative [138] für eine internationale Lösung des gesamten Reparationsproblems zu verbinden. Es war bei nüchternem Kalkül nicht zu übersehen: Im Endergebnis entschieden der Versailler Vertrag, der deutsche Widerstand, das Fiasko der Separatisten, die

---

positiver Nachrichten viel hoffnungsvoller. Dazu K. D. Erdmann, Adenauer, a. a. O., S. 87 ff. Am 29. Oktober informierte Stresemann das Reichskabinett über »außerordentlich günstige Berichte«, die er erhalten habe, »welche es für aussichtsreich erscheinen ließen, daß in wenigen Tagen befriedigende Verhandlungen über die Reparationsfrage stattfinden könnten«. BA R 43 I/1388. Unter diesen Umständen war für Stresemann die Bewahrung der Reichseinheit oberstes innen- und außenpolitisches Ziel. Nur die französische Verschleppungstaktik in den besetzten Gebieten zwang ihn in den kommenden Monaten zu kurzfristigen Ausweichmanövern.

135 Wichtig dafür sein Interview mit der »Magdeburger Zeitung« am 9. November 1923, NL Bd. 4: Akten 4. 11. — 23. 11. 1923, und seine Darlegungen auf der gemeinsamen Sitzung des Reichskabinetts und der beteiligten Länder am Nachmittag (15 Uhr) des 13. November. BA R 43 I/1389. Dasselbe gilt für die — schon erwähnte — Sitzung am 17. November. BA R 43 I/1389. Vgl. auch H. A. Turner, a. a. O., S. 144 f.
136 Vgl. dazu die (streng vertrauliche) Aufzeichnung Maltzans vom 17. November 1923 über das Gespräch mit dem italienischen Botschafter Bosdari; NL Bd. 263: Amtliche Akten 1923/II. Am Tage zuvor hatte Mussolini im italienischen Senat eine Rede gehalten, die sich ganz auf der Argumentationsebene Stresemanns bewegte.
137 So die »Deutsche Tageszeitung« am 24. November 1923 zum Rücktritt des Kabinetts Stresemann.
138 Dazu gehörten auch (ggf. sogar rigorose) innen- bzw. währungspolitische Maßnahmen.

englische Weigerung, Veränderungen des Status quo am Rhein anzuerkennen [139], der Einfluß der an der Weltwirtschaft und an Reparationen interessierten Mächte (England, USA, Italien) [140] und schließlich die französischen Finanzsorgen gegen Poincaré. [141] Er mochte taktieren, finassieren und Zeit zu gewinnen suchen [142], die allgemeine politische Tendenz in Europa schlug mehr und mehr zugunsten Deutschlands aus. Die an der militärischen Macht orientierten Methoden der Vergangenheit waren offensichtlich nicht geeignet, die sozialen, volkswirtschaftlichen und finanziellen Probleme [143] der (damaligen) Gegenwart und Zukunft zu lösen.

Der äußerlich sichtbare, von Stresemann längst erhoffte Umschwung in der internationalen Politik und diplomatischen Konstellation wurde der 30. November 1923, an dem die Reparationskommission einstimmig ein internationales Gremium (bzw. zwei Ausschüsse) von Sachverständigen berief, um die Frage der Reparationen und der Zahlungsfähigkeit Deutschlands von Grund auf zu prüfen. Poincaré konnte nicht anders, als dem endgültig zuzustimmen. [144] Von diesem Tage an war

---

139 Vgl. den geheimen Bericht des deutschen Botschafters von Sthamer an das Auswärtige Amt vom 22. November 1923. AA, Büro Staatssekretär, Politische Stimmungsberichte, Bd. 1; vgl. auch H. Graml, Europa, a. a. O., S. 184 ff., und K. Dederke, a. a. O., S. 81.

140 Am 22. November 1923 konnte Stresemann im Reichstag das Interesse der USA an der Einberufung einer internationalen Sachverständigenkonferenz konstatieren. Verhandlungen des Reichstags, Bd. 361, a. a. O., S. 1218 f.; die positive Entscheidung war in Washington allerdings schon Ende Oktober gefallen — sehr zum Leidwesen Poincarés. Vgl. dazu W. Link, Die amerikanische Stabilisierungspolitik, a. a. O., S. 203 ff., und F. Hirsch, a. a. O., S. 70.

141 Vgl. K. D. Erdmann, Adenauer, a. a. O., S. 125 f.

142 So ging z. B. Poincarés Absicht dahin, Deutschlands Zahlungsfähigkeit und die Zahlungsmodalitäten allein durch die Reparationskommission (wo Frankreich im Vorteil war), nicht aber durch ein internationales Sachverständigengremium feststellen und kontrollieren zu lassen. Hoesch an das Auswärtige Amt am 13. November 1923. AA Frankreich, Politik 2, Bd. 9.

143 Man denke z. B. an die interalliierten Schulden. In diesem Punkt war Frankreich deutlich vom Verhalten Englands und der Vereinigten Staaten abhängig.

144 Tatsächlich hatte er — gegen seinen Willen, aber als Folge des anglo-amerikanischen Druckes — schon am 11. November Barthou die Weisung erteilt, in der Reparationskommission am 13. November die Einberufung eines Expertenkomitees (bei Beteiligung der USA) vorzuschlagen. Vgl. dazu W. Link, Die amerikanische Stabilisierungspolitik, a. a. O., S. 207 ff. — Solange die französischen Archive nicht geöffnet sind, läßt sich, worauf auch Link verweist, nicht mit Bestimmtheit sagen, was im einzelnen Poincarés Entscheidung herbeigeführt hat, doch darf man vermuten, daß neben finanz- und währungspolitischen Erwägungen sowie der Absicht, nicht in die völlige außenpolitische Isolierung zu geraten, vor allem zwei aktuelle Vorgänge zum Auslöser wurden: erstens der bevorstehende Abschluß der Micum-Verträge, die eine für Frankreich günstige Gesamtlösung zu präjudizieren schienen, und zweitens die ebenfalls bevorstehende Einigung bei den deutsch-amerikanischen Wirtschaftsverhandlungen, die die Durchsetzung französischer Hegemonialziele aussichtslos machte. Zum Abschluß des deutsch-amerikanischen Handelsvertrages (Anfang Dezember 1923) W. Link, ebda., S. 190 ff.

praktisch die Waffe der Reparationspolitik Frankreichs Händen entwunden. [145] Sie wurde (besonders durch die amerikanische Beteiligung) ein Instrument der internationalen Wirtschaft und Finanz sowie der großen Politik aller Länder, die daran interessiert waren, die Stabilität und materielle Wohlfahrt (des »kapitalistischen«) Europas wiederherzustellen. [146] Eine direkte und spürbare Verbesserung der deutschen Position war damit allerdings noch nicht gegeben, vielmehr wurde jetzt erst die letzte Runde des Kampfes eingeläutet.

Die Auseinandersetzung zwischen Deutschland und Frankreich forderte noch einmal die Mobilisierung der letzten Reserven; Deutschland war dabei vielfach im Nachteil. Der neue Reichskanzler Marx ließ die Öffentlichkeit diesbezüglich nicht im unklaren. Zu den Abgeordneten des Reichstages sagte er am 4. Dezember 1923: »Herr Dr. Stresemann hat in seiner Rede vom 22. November unsere Lage eine geradezu trostlose genannt. Er ist deshalb von verschiedenen Seiten kritisiert worden. Und dennoch hat er nach meiner Meinung vollkommen richtig gesprochen. Das deutsche Volk in allen seinen Teilen muß und soll es wissen und immer mehr von der Überzeugung durchdrungen werden, daß wir mit unseren wirtschaftlichen und finanziellen Kräften tatsächlich am Ende sind . . .« [147] Daß diese Sätze vorrangig die Situation im besetzten Gebiet ansprachen, blieb keinem Politiker verborgen. Opfer waren also unerläßlich. Auch das Opfer eines Rheinstaates? Marx lehnte das kategorisch ab. [148] Ihm ist es zudem in starkem Maße zuzuschreiben, daß gesonderte Gespräche deutscher Vertreter von Rhein und Ruhr mit französischen Behörden im Endeffekt dilatorisch behandelt und schließlich gestoppt wurden. Seine und Stresemanns Absicht ging dahin, offizielle Verhandlungen auf Regierungsebene durchzusetzen. [149] Poincaré jedoch verhielt sich immer noch abweisend. [150]

---

145 Für Stresemann war das deshalb so wichtig, weil er immer noch bei der französischen Regierung Deutschland gegenüber entscheidend politische Intentionen vermutete. So telegrafierte er am 4. Dezember an den Generalkonsul von Weinberg, Frankfurt/Main, u. a.: »Falls Sie, wie ich sicher annehme, in Paris Gelegenheit haben, hervorragende Vertreter des Wirtschaftslebens zu sprechen, wäre ich Ihnen sehr dankbar, wenn Sie bei diesen erkunden könnten, ob es überhaupt Sinn hat, mit Frankreich ernsthaft Reparationsverhandlungen zu führen, oder ob, wie ich annehme, die politischen Interessen in bezug auf die Beherrschung des Ruhrgebietes vollkommen prävalieren.« AA, Büro RM, Frankreich 7, Bd. 3.
146 Vgl. dazu A. Schwarz, a. a. O., S. 106 ff., und A. Thimme, Gustav Stresemann, HZ, a. a. O., S. 312.
147 Verhandlungen des Reichstags, Bd. 361, a. a. O., S. 12296.
148 Ebda., S. 12298.
149 Stresemann fand in dieser Frage Unterstützung auch bei seiner Partei. Jedenfalls wurde auf der Sitzung des Zentralvorstandes der DVP in Berlin am 25. Januar 1924 — auch der Vorstand der Reichstagsfraktion war anwesend — einstimmig eine Entschließung angenommen, deren erster Teil folgendermaßen lautet: »Die Reichsregierung ist seit längerer Zeit in unmittelbare Verhandlungen mit Frankreich über die Rhein- und Ruhrfrage

Um die Jahreswende 1923/24 erreichte das deutsch-französische Verhältnis seinen absoluten Tiefpunkt. Eine baldige Entspannung war nicht in Aussicht. »Friede wird in Europa nicht sein«, schrieb Stresemann zum 25. Dezember, »solange nicht der vertragsmäßige Rechtszustand an Rhein und Ruhr wiederhergestellt ist ... In einem Deutschland der Ordnung liegt auch für Frankreich die stärkste Sicherheit, wie sie kein Vertrag, keine Militärkonvention und keine Rüstung bringen kann.«[151] Am guten Willen Stresemanns (politisch durch die Notsituation des Reiches motiviert) fehlte es also nicht. Das läßt sich jedenfalls dann sagen, wenn man dessen Bemühen um eine Lösung des Reparationsproblems *und* um die Wiederherstellung der deutschen Souveränität im Rahmen der vertraglich verbürgten Grenzen auf einen Nenner bringen kann. Immer noch und eigentlich mehr denn je drängte Stresemann (bei aller Anlehnung an die angloamerikanischen Interessen) auf eine deutsch-französische Verständigung, die einen Ausgleich der gegensätzlichen Standpunkte erbringen sollte. [152]

In einem Gespräch mit dem französischen Botschafter am 12. Februar 1924 konnte Stresemann endlich einen gewissen Wandel in der französischen Haltung feststellen. [153] Schon die Neujahrsrede des Präsidenten Millerand hatte einen neuen Ton angeschlagen. [154] In Frankreich mehr-

---

eingetreten. Alle *Einzelverhandlungen* über diese Frage *müssen unterbleiben.* Solche Versuche, die der Parteivorstand *aufs schärfste* verurteilt, müssen die Stellung unserer Unterhändler gefährden und können nicht nur für das besetzte Gebiet, sondern für das ganze Deutsche Reich von verhängnisvoller Wirkung sein. Zu Verhandlungen ist *nur die Reichsregierung* im Benehmen mit den Regierungen der beteiligten Länder befugt.« »Nationalliberale Correspondenz« Nr. 13 vom 28. Januar 1924. (Die Entschließung enthält auch eine scharfe Ablehnung jeder Lockerung der besetzten Gebiete von den zugehörigen Reichsländern.) Vgl. auch K. D. Erdmann, Adenauer, a. a. O., S. 171 ff., und W. Link, Die amerikanische Stabilisierungspolitik, a. a. O., S. 218 ff.

150 Vgl. dazu den Drahtbericht von Hoesch an das Auswärtige Amt vom 29. Dezember 1923. AA Frankreich, Politik 2, Bd. 9. Hoesch schreibt u. a., daß Poincaré auch die in Frankreich intensiver gewordene Diskussion einer deutsch-französischen Verständigung sehr unbequem sei, »da sie die Erreichung französischerseits nur verschleiert zuzugestehender Ziele, wie die Herbeiführung einer möglich (sic!) großen Unabhängigkeit der besetzten Gebiete vom Reich und insbesondere von Preußen, gefährden kann«.

151 »8 Uhr Abendblatt«, Berlin; vgl. auch Vermächtnis, Bd. I, S. 278.

152 Diesem Ziel dienten auch die von Stresemann veranlaßten inoffiziellen Gespräche zwischen dem Finanzexperten Dr. Richard Freund und französischen Regierungsstellen bezüglich einer für beide Seiten akzeptablen Reparationsregelung. NL Bd. 265: Politische Akten 1924/I.

153 NL Bd. 6: Akten 2. 1. — 18. 2. 1924.

154 Millerand sprach sogar von einer notwendigen und wünschenswerten Versöhnung zwischen Frankreich und Deutschland. Vgl. einerseits den Artikel »La ›réconciliation‹ possible« von Jules Sauerwein (der gute Beziehungen zum Elysée unterhielt) im »Matin« vom 3. Januar 1924 und andererseits den Bericht von Hoesch an das Auswärtige Amt vom gleichen Tage. AA Frankreich, Politik 2, Bd. 9.

ten sich die Stimmen und Kräfte, die zu Verhandlungen mit der Reichsregierung bereit waren, wenn dadurch deutsche Reparationsleistungen sichergestellt wurden. [155] Das Sinken des Franc [156], der geringe Erfolg der ganzen Ruhraktion, die Gefahr wachsender politischer Isolierung und die Tätigkeit der beiden Sachverständigenkomitees bewirkten als die wohl wesentlichen Faktoren eine allmähliche Revision der öffentlichen Meinung, auf die auch die Pariser Regierung, ganz abgesehen von der außenpolitischen Machteinbuße, Rücksicht nehmen mußte. Andererseits konsolidierten sich die Verhältnisse in Deutschland rascher als gedacht. Die Reichshilfe im besetzten Gebiet konnte fortgesetzt werden. [157] Anfang Februar 1924 glaubte sich Stresemann daher berechtigt, die allgemeine Situation optimistischer zu beurteilen [158], und wenig später (am 17. Februar in Elberfeld) hielt er es für angebracht, den berühmten »Silberstreifen an dem sonst düsteren Horizont« zu zitieren. [159]

Der Kampf um das Schicksal von Rhein und Ruhr war dennoch nicht endgültig entschieden. Zwar flaute die Gefahr separatistischer Bestrebungen mehr und mehr ab [160], zwar verlor der Gedanke der Konstituierung eines rheinischen Bundesstates an Boden, es blieben jedoch die folgenden drei Fragen gänzlich ungeklärt:

1. Wie stand es um die Zukunft der Eisenbahnen im französisch kontrollierten Gebiet? Sie im deutschen Besitz zu erhalten bzw. in die deutsche Verfügungsgewalt zurückzubringen, war notwendig, wenn sie als Grundlage einer internationalen Anleihe, als Pfand bei einer Neuregelung der Reparationen dienen sollten. [161]

2. Wie sollten die Verhältnisse bei Ende der Micum-Verträge (15. April 1924) nun geregelt werden? Stresemann verneinte eine vertragliche Verlängerung wegen der den deutschen Interessen abträglichen Bedingungen. [162] Die persönlichen Wünsche der Industriellen

155 So Hoesch am 14. Februar an das Auswärtige Amt. AA Frankreich, Politik 2, Bd. 10.
156 Vgl. dazu K. Mielcke, a. a. O., S. 71.
157 Th. Eschenburg, a. a. O., S. 189.
158 Vgl. seinen Brief vom 2. Februar 1924 an den Kammerpräsidenten von Kleefeld, Berlin. NL Bd. 6.
159 Vermächtnis, Bd. I, S. 300.
160 Zu den Vorgängen in der Pfalz vgl. Stresemanns Reichstagsrede am 22. Februar 1924. Verhandlungen des Reichstags, Bd. 361, a. a. O., S. 12432 f.; zur Reaktion Englands vgl. K. Dederke, a. a. O., S. 81.
161 Darauf machte Stresemann in der erwähnten Unterredung vom 12. Februar de Margerie ausdrücklich aufmerksam. NL Bd. 6; am Tage zuvor war Hoesch von Poincaré empfangen worden und hatte in derselben Weise argumentiert — gemäß den Instruktionen Stresemanns vom 1. Februar 1924. AA Frankreich, Politik 2, Bd. 10.
162 Vgl. dazu u. a. seine Rede am 18. Januar in Hamburg, NL Bd. 265, und die vertrauliche Aufzeichnung v. Schuberts vom 3. April über sein Gespräch mit Lord d'Abernon bezüglich dieser Frage. NL Bd. 270: Politische Akten 1924/II.

(Stinnes)[163] konnten ihn nicht schwankend machen. Auf der anderen Seite mußte alles getan werden, um die Arbeitsmöglichkeit im Ruhrgebiet sicherzustellen.[164]

3. Würde die französische Regierung willens sein, zugunsten wirtschaftlich-finanzieller Erfolge auf vertragswidrige politische Ziele zu verzichten, also das Ruhrgebiet zu räumen und dem Rheinlandstatut volle Geltung zu verschaffen? Das war eigentlich die zentrale Frage, mit der Stresemann, soweit es an ihm lag, das offizielle Paris konfrontierte. Denn immer noch fürchtete er die Fortsetzung französischer Ambitionen hinsichtlich der Rheingrenze. Im Auswärtigen Ausschuß sagte er dazu am 18. Februar: »Hier liegt der Gegensatz zwischen den politischen Machtinstinkten Frankreichs und seinen finanziellen Sorgen und Bedrängnissen. Es wird wohl von der Größe dieser finanziellen Besorgnisse abhängen, welches in diesem Kampfe der eiserne und welches der irdene Topf sein wird.«[165]

Ähnlich argumentierte Stresemann im Reichstag am 28. Februar 1924. Es ging ihm im wesentlichen darum, die deutsche Position bezüglich der Sachverständigenausschüsse zu präzisieren.[166] Letztlich war von deren Entscheidungen bzw. Erfolg oder Mißerfolg die gesamte Entwicklung der deutschen Außenpolitik abhängig. Stresemann baute darauf, daß wirtschaftliche Kriterien Deutschland, gemessen am Status quo, nur begünstigen konnten: »Ich bin der Meinung, daß das, was wir bisher von dieser Arbeit gesehen haben, uns durchaus dazu berechtigt, anzunehmen, daß man sich bemüht, objektiv und unparteiisch die Dinge zu prüfen, um zu einem Ergebnis zu kommen, das dieser Prüfung entspricht. Von dem Erfolg dieser Arbeiten der Sachverständigen wird es mit abhängen, ob in absehbarer Zeit eine Lösung der Reparationsfrage möglich ist. Die baldigste Lösung wäre für uns die erwünschteste.«[167]

Mit diesen Worten war die allgemeine Richtung der deutschen Außenpolitik angegeben. Frankreich war gewiß das wichtigste Land, mit dem Deutschland zu rechnen hatte, aber wenn es gelang, den Beschlüssen der Sachverständigen weltweite Publizität und bei den ent-

163 Stinnes verfolgte seit dem Herbst 1923 verstärkt den Plan, eine Verklammerung der wirtschaftlichen Interessen des Ruhrgebietes mit denen Lothringens, Luxemburgs und Belgiens herbeizuführen. Er fand darin die Unterstützung Adenauers. Vgl. dazu K. D. Erdmann, Adenauer, a. a. O., S. 154 ff. Über Stresemanns Reaktion ebda., S. 173 und S. 177.
164 Stresemann drängte den französischen Botschafter (s. o.) zu einer Neuregelung dieses Problems auf der Basis der zu erwartenden Sachverständigengutachten.
165 NL Bd. 6.
166 Diese Frage war inzwischen wichtiger geworden als die (theoretische) Möglichkeit direkter deutsch-französischer Gespräche. Vgl. auch den Lagebericht von Hoesch an das Auswärtige Amt vom 28. Februar 1924. AA Frankreich, Politik 2, Bd. 10.
167 Verhandlungen des Reichstags, Bd. 361, a. a. O., S. 12524.

scheidenden Regierungen (England, Amerika, Italien) Anerkennung zu verschaffen, was selbstverständlich auch deutsche Opfer verlangte, dann war es aufgrund der inneren Verhältnisse und auswärtigen Abhängigkeiten Frankreichs beinahe sicher, daß wirtschaftliche Erwägungen gegenüber politischen Interessen sich durchsetzten — für das Deutsche Reich wegen der damit verbundenen Konsequenzen ein Politikum ersten Ranges.

Vom Gutachten der Sachverständigen erwartete Stresemann eine günstige Entscheidung auch in der Frage der Besatzungskosten. Deutschlands Leistungsfähigkeit war in der Tat zeitlich eng begrenzt. Wenn es dennoch zahlte, so um seinen guten Willen zu zeigen und um die Entente in diesem Punkt nicht zu einer übereinstimmenden Haltung kommen zu lassen, die Deutschland nur schaden konnte. Im Zentrum aller Überlegungen stand jedoch die Notwendigkeit eines mehrjährigen Moratoriums und einer internationalen Anleihe. Diese beiden Ziele wollte und mußte Stresemann erreichen, da andernfalls der finanzielle Zusammenbruch, die wirtschaftliche Ohnmacht und die politische Katastrophe des Reiches drohend bevorstanden.

Umgekehrt konnte Stresemann gewiß sein, daß Moratorium und Anleihe nur dann zugebilligt wurden, wenn die »Verfügung Deutschlands über die Wirtschafts- und Steuerkraft des Reiches« sowie die »Wiederherstellung der deutschen Verkehrseinheit« sichergestellt waren.[168] Das aber bedeutete inhaltlich nichts anderes als die Rückkehr zum Versailler Vertrag, die unter den gegebenen Umständen als ein großer Erfolg deutscher Außenpolitik gewertet werden durfte. Vor allem: es gab dazu unter nationalem Vorzeichen keine politisch vernünftige und sozial verantwortliche Alternative. Mit dem Blick nach Westen hieß eine solche Gesamtregelung für Stresemann: »Wenn es Frankreich um eine wirtschaftliche Lösung der Reparationsfrage zu tun ist, so würden ihm hier Möglichkeiten geboten sein, die es kaum zurückweisen könnte.«[169]

Die Absicht einer solchen Formulierung ist klar erkennbar. Sie verweist auf das, was als Axiom der ganzen Frankreich- und Außenpolitik Stresemanns bezeichnet werden kann: wirtschaftliche Opfer Deutschlands gegen politische Zugeständnisse der Ententemächte, besonders Frankreichs. Diese Rechnung war deshalb so naheliegend, weil Stresemann erstens entscheidend politisch argumentierte (und zwar nach innen wie nach außen, insofern das Deutsche Reich die Grundkategorie seines Denkens bildete) und weil er zweitens (das mochte von anderen Ländern her gesehen einen Zug von Erpressung annehmen) beanspruchen konnte, daß Deutschland erst selber volkswirtschaftlich

168 Ebda., S. 12525.
169 Ebenda.

erstarken mußte, wenn es seine Reparationsverpflichtungen erfüllen sollte.

So bestand langfristig gesehen die Aussicht, nach einer Vereinbarung, die zunächst ein deutsch-französisches Nehmen und Geben beinhaltete, in einer logisch-konsequenten Schrittfolge am Ende für das Deutsche Reich beides zu erreichen: ökonomische Prosperität *und* politische Macht — auf Kosten französischer Hegemonialbestrebungen und zugunsten der Wirksamkeit des natürlichen Kräfteverhältnisses. Denn Frankreichs (wirtschaftliche) Großmachtposition nach dem Weltkrieg und politisch-militärische Überlegenheit in Kontinentaleuropa war und blieb relativ, daher gefährdet, beruhte eben nicht auf eigener Stärke, die zwar beschworen wurde, aber realiter nicht vorhanden war. Poincaré wie Stresemann vergaßen dieses Faktum zu keinem Zeitpunkt. Was für jenen ein quälender Gedanke sein mußte, bedeutete für diesen eine erregende Hoffnung.

Stresemann lehnte zum damaligen Zeitpunkt ebensosehr politische Aktionen *gegen* Frankreich wie einseitige Abmachungen *mit* Frankreich ab. Eine solche Haltung hatte nicht prinzipielle Gründe, sondern war einerseits von der politischen Gesamtsituation in Europa, andererseits von der Interessenlage Deutschlands bestimmt. So erklärte er am 6. März 1924 im Reichstag: »Ich kann nicht mit einer Ententemacht allein irgendeinen Sonderfrieden schließen, es gibt keine französische oder englische Richtung, die meiner Meinung nach jetzt ein deutscher Außenminister einschlagen könnte; es gibt nur den Versuch, innerhalb dieses ganzen Bundes der Entente ein Verständnis dafür zu finden, daß die bisher gegen Deutschland geübte Politik nicht nur Deutschland zugrunde richtet, sondern Europa und die ganze Weltwirtschaft, vielleicht die ganze Weltpolitik. Ich bin viel zu viel Realpolitiker, als daß ich annehme, daß irgend jemand aus Liebe für uns oder aus Sympathie für Deutschland irgend etwas täte. Nein, dieser Anruf der Sachverständigen ist etwas ganz anderes, das ist ein Appell an die reale Vernunft der Wirtschaftler der Welt, sich nicht selbst zugrunde zu richten dadurch, daß sie Deutschland zugrunde gehen lassen.« [170]

Stresemann war sich immer bewußt, Politik eines »waffenlosen Volkes« machen zu müssen. [171] Die militärische Ohnmacht des Reiches, die eine eklatante politische Schwäche bedingte, erlaubte daher nur den Versuch, das nach außen hin sehr starke Frankreich mit den vornehmlich wirtschaftspolitischen Interessen der anderen Ententestaaten sowie der USA so zu verflechten, daß für Deutschland dabei der Weg aus der bisherigen Isolierung zur neuen politischen Möglichkeit wurde. Für

---

170 Verhandlungen des Reichstags, Bd. 361, a. a. O., S. 12634.
171 So am 30. März 1924 auf dem Parteitag der DVP in Hannover. Nach W. T. B. vom gleichen Tag. Allgemein R. Thimme, a. a. O., S. 55 ff.

diesen Fall bestätigte Stresemann erneut seine Bereitschaft, die Sicherheitsfrage mit Frankreich vertraglich zu regeln. [172] Auch den Gedanken der Mitarbeit Deutschlands im Völkerbund schloß er nicht grundsätzlich aus. [173] Beides stellte noch kein klares politisches Konzept dar, noch kein praktikables Programm, zeigte aber doch, was in der Zukunft zu verwirklichen sein würde.

Zwei Ereignisse waren im wesentlichen die Ursache dafür, daß sich die Situation Deutschlands im Frühjahr 1924 beträchtlich verbesserte: einmal die Erstellung und Veröffentlichung des Dawes-Gutachtens (9. April) [174] und zum anderen der Sturz Poincarés. [175] Eine Annahme des Gutachtens in toto war politisch schon deshalb unerläßlich, um Frankreich jeden Anlaß für eine nachträgliche Ablehnung zu nehmen. Stresemann ließ sich auch in diesem Punkt nicht von Wunschvorstellungen leiten. [176] Bei einer allgemeinen Zustimmung, die unter den gegebenen Umständen die einzige Chance für einen Interessenausgleich darstellte (und anders hat er deutsch-französische »Verständigungspolitik« nie begriffen), konnte Stresemann in der Tat gewiß sein, daß schon wenige Jahre später die Konstellation in Europa merklich zugunsten Deutschlands verändert sein würde. Dann mochte Wirklichkeit werden, was 1924 noch Idee war: die volle Gleichberechtigung des Deutschen Reiches und dessen Wiederaufstieg zur wirtschaftlichen und politischen Großmacht.

Bedeutete die englische Position für die Politik Stresemanns eine große Unterstützung [177], so kam der politischen Niederlage Poincarés bei den Kammerwahlen (11. Mai 1924) ein noch größeres Gewicht zu. [178] Die neue Regierung akzeptierte den Dawes-Plan praktisch ohne

Sicherht

172 Reichstagsrede vom 6. März 1924, a. a. O., S. 12528.
173 Ebda., S. 12530.
174 Vgl. dazu W. Link, Die amerikanische Stabilisierungspolitik, a. a. O., S. 241 ff.
175 Auch der Regierungswechsel in England zu Beginn des Jahres wirkte sich zusätzlich positiv für Deutschland aus. Vgl. dazu F. Hirsch, a. a. O., S. 76, und E. Eyck, a. a. O., Bd. 1, S. 400.
176 Vgl. seine Ausführungen auf einer Wahlversammlung in Berlin am 10. April 1924. Darüber »Berliner Tageblatt« vom 11. April 1924. Die rechtsstehende »Kreuz-Zeitung« gab u. a. folgenden Kommentar (ebenfalls am 11. April): »Daß Dr. Stresemann nicht auf die unbedingt notwendige Endlösung dringt, beweist nur seine Einstellung als Erfüllungspolitiker um jeden Preis.«
177 Vgl. die Rede MacDonalds in New York am 29. April 1924. NL Bd. 8: Akten 19. 3. — 7. 5. 1924.
178 Vgl. auch den Drahtbericht der Deutschen Botschaft in Paris an das Auswärtige Amt vom 15. Mai 1924. NL Bd. 9: Akten 8. 5. — 12. 6. 1924. Der Bericht enthält den optimistischen Schlußsatz: »Kurz gesagt, Traum einer vollständigen Herstellung Souveränität Deutschlands über seine Gebiete kann Gestalt gewinnen.« Am 5. Juni 1924 drahtete Hoesch aus Paris u. a.: »Was wir brauchen, um die Früchte aus der neuen Situation ziehen zu können, ist.. Vertrauen. Je größeres Vertrauen wir hier erwecken können, je mehr guten Willen wir erweisen, desto größere Erfolge werden

Einschränkungen. [179] Von Herriot konnte Stresemann erwarten, daß er die fruchtlose Politik Poincarés aufgeben, die Befreiung der Gefangenen und die Rückkehr der Ausgewiesenen zugestehen, den Abzug der französischen Truppen aus dem Ruhrgebiet in baldiger Zukunft veranlassen und den Abschluß eines deutsch-französischen Handelsabkommens bejahen würde. [180] Die Lage war also ungleich günstiger als noch wenige Monate zuvor. [181] Ein Doppeltes galt es allerdings zu beachten: Erstens blieb die Notwendigkeit bestehen, das Sachverständigengutachten anzunehmen (und dafür im Reichstag die erforderliche Mehrheit zu gewinnen); zweitens bestand die Gefahr, daß eine nach links orientierte französische Regierung in militärischen Fragen hart taktierte, um sich gegenüber der kritischen öffentlichen Meinung im eigenen Lande behaupten zu können.

Für eine Analyse und Interpretation der Politik Stresemanns (und ihrer Motivation) im Sommer 1924, und zwar noch vor dem Zusammentreten der Londoner Konferenz, stellt seine Rede am 6. Juli vor dem Zentralvorstand der DVP in Frankfurt am Main eine erstrangige historische Quelle dar. [182] Ihre Auswertung unter dem Aspekt außenpolitischer Relevanz läßt folgende Aussagen und Schlüsse zu:

---

wir bei den neuen Männern erzielen, deren ganze politische Aussichten ja nur darin bestehen, dem Volke die Möglichkeit der Durchführung einer anderen Politik beweisen zu können, als es die Politik Poincarés war. Verstehen wir es, die Situation auszunützen, so ist die wirkliche Wiederherstellung unserer wirtschaftlichen, finanziellen und administrativen Souveränität an Rhein und Ruhr eine Sicherheit . . . Es ist also eine Politik des Friedens, nach der hin wir uns jetzt rückhaltlos orientieren müssen. Im Wege des Widerstandes oder durch eine Politik der Verschleierung und der Vorbereitung späterer Aktionen Deutschland wieder zur alten Größe emporzuführen, ist nicht möglich und kommt nicht in Frage. Wohl aber bietet sich für uns jetzt die Aussicht, durch freies Bekenntnis zu einer Politik der Verständigung, des Friedens und der internationalen Solidarität Deutschland wenn auch nicht in alter Machtfülle wieder erstehen zu lassen, so doch aber wieder zu einem voll souveränen, gleichberechtigten und freien Staatswesen zu machen.« (Unterstreichungen und die Randbemerkung »sehr richtig« durch Stresemann sprechen dafür, daß er mit dem Inhalt dieser bzw. der übrigen Ausführungen weitestgehend einverstanden war.) AA Frankreich, Politik 2, Bd. 10.
179 Vgl. Herriots Erklärungen zur Außenpolitik am 17. Juni 1924 vor der Kammer. Michaelis — Schraepler, Ursachen und Folgen, Bd. VI, S. 88.
180 NL Bd. 9; vgl. auch Stresemanns Rede in Dessau am 19. Juni 1924. W.T.B. vom 20. Juni 1924.
181 Ein Plus für Stresemann bedeutete in diesem Zusammenhang auch die Demission des Präsidenten Millerand am 11. Juni 1924. Doumergue wurde der Nachfolger.
182 Parteiamtliches maschinegeschriebenes (von Stresemann nicht redigiertes) Protokoll im Bundesarchiv Koblenz, Bestand »Deutsche Volkspartei-Reichsgeschäftsstelle«, BA R 45 II/39. Über den besonderen Quellenwert der — grundsätzlich vertraulichen — Äußerungen Stresemanns vor dem Zentralvorstand seiner Partei vgl. H. A. Turner, Eine Rede Stresemanns über seine Locarnopolitik (Einleitung), in: Vierteljahrshefte für Zeitgeschichte, 15. Jg. (1967), S. 412 ff.

1. Stresemann wußte — und gab das auch offen zu —, daß das Sachverständigengutachten (des Dawes-Ausschusses) für Deutschland eine Reihe von negativen Momenten enthielt (finanzielle Lasten, Einschränkung der deutschen Souveränität u. a. m.). Aber er war fest überzeugt, daß sich dieses Gutachten in einiger Zeit als revisionsbedürftig erweisen würde. [183] Im Jahre 1927 wollte er — aufgrund der Möglichkeit, die der Versailler Vertrag bot — eine erneute Überprüfung der deutschen Leistungsfähigkeit fordern. Man kann also sagen, daß für Stresemann der ganze Dawes-Plan von Anfang an nur ein Provisorium darstellte, notwendig zwar für die Gegenwart und nächste Zukunft, aber eben doch nur ein (begrenztes) Mittel zum (übergeordneten) Zweck. Dem entsprach, daß er als Plus ansah, was viele bedauerten: den Verzicht auf eine endgültige Fixierung der Reparationssumme. Er glaubte, daß um so eher mit einer baldigen Modifizierung gerechnet werden durfte.

2. Die größten politischen Skrupel empfand Stresemann wegen der Einschränkung der deutschen Souveränität — vor allem auf dem Gebiet der indirekten Steuern und der Reichsbahn. Andererseits sah er jedoch genügend Sicherungen für eine weitgehende Gewährleistung der nationalen Hoheitsrechte. Dem kommenden internationalen Einfluß auf deutsche Wirtschaftsobjekte stellte Stresemann als ein Positivum die gleichzeitige internationale Hilfe in der Kreditfrage gegenüber. Deutschland, so sagte er, würde ja nicht nur eine offizielle Anleihe (von 800 Millionen Goldmark) erhalten, sondern noch wichtiger sei, daß bei einer allseitigen Annahme des Gutachtens die deutsche Wirtschaft zahlreiche private Kredite erwarten könne. Eben darin erblickte nun aber Stresemann sowohl eine ökonomische als auch eine politische Chance, denn mit Sicherheit würden die auswärtigen Kapitalgeber (besonders aus den Vereinigten Staaten) schon vom eigenen Gewinnstreben her den wirtschaftlichen Wiederaufstieg Deutschlands finanziell begünstigen und (handels)politisch absichern. Diesmal sollte sich nicht wiederholen, was nach Meinung Stresemanns im Kriege dem Deutschen Reich am meisten geschadet hatte: das fehlende Interesse der USA an dessen Sieg. [184] 1924 stand zwar kein Sieg zur Debatte, wohl aber die — für eine spätere Revisionspolitik unabdingbare —

---

183 Diese These hatte er auch schon in seiner Reichstagsrede am 6. Juni 1924 angedeutet. Verhandlungen des Reichstags, Bd. 381, Stenogr. Berichte, Berlin 1924, S. 171.

184 Für Stresemann waren die USA, wie er am 6. Juni vor dem Reichstag erklärt hatte, »der gegebene ehrliche Makler in bezug auf die europäischen Verhältnisse«. »Sie sind zu reich, um an der Schwächung Deutschlands interessiert zu sein.« Verhandlungen des Reichstags, Bd. 381, a. a. O., S. 169. Zur deutsch-amerikanischen Interessenparallelität vor und während der Londoner Konferenz vgl. W. Link, Die amerikanische Stabilisierungspolitik, a. a. O., S. 276 ff.

Wiederherstellung der vertraglichen Zustände, d. h. die Räumung der 1921 und 1923 besetzten Gebiete.

3. Die Beschlüsse der Sachverständigen bedeuteten für das Reparationsproblem aus deutscher Sicht gewiß nicht den Durchbruch zur großen Revision. Das stand jedoch für Stresemann auch gar nicht im Vordergrund. In seiner Rede hob er einmal mehr die *politische* Qualität des Gutachtens hervor. So sagte er: »Was sich jetzt vollzieht, in diesem Gutachten, das ist doch nichts anderes als die Einleitung der angloamerikanischen weltwirtschaftlichen Tendenzen gegenüber dem französischen Imperialismus ... Ich glaube nicht, daß es überhaupt einer französischen Regierung möglich gewesen wäre, diesem Gutachten zuzustimmen, wenn nicht der ganz große Druck der Vereinigten Staaten von Amerika dahintergestanden hätte. England kann gegenüber Frankreich gar nichts, England ist gegenüber Frankreich so schwach, daß Sie gar nicht darauf zu vertrauen brauchen, daß es irgendwie in der Lage ist, den Franzosen entgegenzutreten. Die Vereinigten Staaten dagegen haben die wirtschaftlichen Machtmittel, um Frankreich an den Rand des Abgrunds zu bringen.« [185]

In diesen Sätzen ist ganz deutlich ausgesprochen, wie Stresemann damals kalkulierte: England war wirtschaftlich und auch noch finanziell zwar sehr stark, politisch und militärisch aber zu schwach, als daß es — infolge der Spannungen mit Frankreich — die Situation in Europa hätte ändern können. Umgekehrt: Frankreich war politisch und militärisch zwar sehr stark, so daß es den (partiellen) Gegensatz zu England nicht zu fürchten brauchte, wirtschaftlich und (mehr noch) finanziell aber zu schwach, als daß es in der Lage gewesen wäre, selbständig und auf Dauer die (kontinental)europäischen Verhältnisse — damit auch das Schicksal Deutschlands — zu entscheiden. Stresemanns außenpolitisches Koordinatensystem wurde primär weder von England noch von Frankreich bestimmt, sondern von den Vereinigten Staaten, die er ohne Vorbehalt als *die* — zumindest wirtschaftliche — Weltmacht begriff.

Eine engere Bindung an Amerika (in der Konsequenz des Dawes-Plans) mußte sich, wie schon zuvor dargelegt, gleichermaßen wirtschaftlich und politisch zugunsten Deutschlands auswirken, Frankreich indessen (zumindest auf politischer Ebene) im Vergleich zu den ersten Nachkriegsjahren relativ schwächen. Das Sachverständigengutachten ordnete Stresemann daher nicht dem Reparationsproblem *unter,* was ihn leicht in Konflikt mit technischen Details hätte bringen können, sondern er ordnete es in die gesamte weltpolitische Konstellation *ein,* deren Änderung (mit positiver Tendenz für Deutschland) bei An-

---

185 Stresemann dachte hierbei besonders an die französischen Schulden.

nahme des Gutachtens vorauszusehen war. Frankreich sollte also aus seiner zwar nicht hegemonialen, aber doch führenden Position in Kontinentaleuropa herabgestuft werden. Dann mochte man weitersehen. Eine Ablehnung des Gutachtens mußte dagegen, das machte Stresemann den DVP-Politikern unmißverständlich klar, nicht nur die Chance dieser Entwicklung verbauen, sondern darüber hinaus die Vereinigten Staaten ins gegnerische Lager treiben. [186] Das aber hätte außen- und innenpolitisch für Deutschland eine Katastrophe bedeutet.

Stresemann machte vor seinen Zuhörern kein Hehl aus seiner Überzeugung, daß militärische Extravaganzen in Deutschland, daß Abenteuer auf diesem Gebiete dem außenpolitisch ebenso wünschenswerten wie notwendigen Ziel schaden mußten. Er sah ganz andere Möglichkeiten: »Es kann nur die Politik Erfolg haben, die darauf hinausgeht, für andere Völker bündnisfähig zu werden, um in dem Moment der Bündnisfähigkeit von anderer Seite das zu erhalten, was Sie niemals durch vergrabene alte Flinten in wirkliche Macht werden umsetzen können.«

Besagen diese Worte schon für sich genommen sehr viel, so bekommen sie ihre volle Bedeutung doch erst im Zusammenhang mit den folgenden Erwägungen: In Europa war die Bündnisfähigkeit Deutschlands, von Stresemann schon im Jahr 1919 als Ziel anvisiert[187], im wesentlichen zwischen England, Frankreich und Rußland zu orten. Gegenüber Rußland wollte sich Stresemann weder damals (1924) noch später zu einem Bündnis bereitfinden; machtpolitische, weltwirtschaftliche und ideologische Momente schlossen dies aus. Was er aber (in seiner Rede am 6. Juli) als Aktivposten verbuchte, das war die Tatsache, daß es nicht mehr — wie 1914 — ein russisch-französisches Bündnis gab und wohl auch nicht mehr geben konnte, jedenfalls dann nicht, wenn Rußland, woran Stresemann nicht zweifelte und was er wegen der außenpolitischen Interessenlage Deutschlands auch gar nicht anders wollte, bolschewistisch blieb und wenn der Konflikt mit Polen andauerte. Für das Deutsche Reich genügten gegenüber Rußland korrekte und handelspolitisch für beide Seiten nützliche Beziehungen.

Anders verhielt es sich mit den Möglichkeiten und Hoffnungen bei einer Intensivierung des deutsch-britischen Verhältnisses. Hier bestand eine breite Skala politischer Übereinstimmung: gegen sozialrevolutionäre Erhebungen (also gegen eine Ausbreitung der bolschewistischen »Weltrevolution«), gegen eine Hegemonie Frankreichs, umgekehrt: für eine Wiederherstellung des Gleichgewichts der Kräfte in Europa und damit für ein wirtschaftliches Erstarken Deutschlands.

---

186 Aus demselben Grund konnte nach der Überzeugung Stresemanns auch Frankreich das Gutachten nicht ablehnen.
187 Vgl. oben S. 87 f.

Stresemann machte darauf aufmerksam, daß England, da es jetzt in Europa einflußlos sei [188], mit Deutschlands Hilfe eine neue politische Kombination ins Auge fassen könnte, auch auf Kosten der Entente mit Frankreich. [189] Daher setzte er sich für eine Festigung der Beziehungen mit England (ggf. auch mit Italien) ein, damit sich »die Möglichkeit bietet, wenn es sich um neue internationale Fragen handelt, auch einmal eine andere Konstellation auszunutzen«. Diese Möglichkeit war um so größer, als Englands Interessen sich vielfach mit denen der Vereinigten Staaten deckten.

Erstreckte sich eine deutsche Bündnisfähigkeit auch auf Frankreich? Diese Frage läßt sich nicht endgültig beantworten, wenngleich ein Ja unwahrscheinlich ist; denn dafür gab es noch — bis auf weiteres — zu viele politische Antagonismen zwischen beiden Ländern. Aber vielleicht war das von Stresemann auch gar nicht gewünscht, vielleicht wurde von ihm (gleichsam in einer modifizierten Erneuerung des Bismarckschen »Systems«) letztlich überhaupt kein festes und endgültiges Bündnis gewünscht, sondern nur eben die Bündnisfähigkeit, d. h. die Freiheit zu außenpolitischen Alternativentscheidungen, die zugunsten der nationalen Interessen des Deutschen Reiches (und das beinhaltete zentral die Revision des Versailler Vertrages) ins politisch-diplomatische Spiel gebracht werden sollte.

Von Frankreich sagte Stresemann: »Was sich in der Ferne abzeichnet, ist eine sehr starke Tendenz auf die Isolierung Frankreichs auch von englischer Seite. Ich glaube, das wollen wir doch nicht irgendwie unterschätzen.« Zweierlei war damit ausgesprochen: Entweder Frankreich geriet tatsächlich in diese zunehmende Isolierung; dann konnte Deutschland mit britischer und amerikanischer — ggf. auch italienischer — Unterstützung politische Forderungen anmelden, deren Erfüllung unter den gegebenen Umständen realisierbar erschien. Oder es war bemüht, diese Isolierung zu vermeiden (allein schon wegen seiner Finanzen); dann aber mußte es England und Deutschland Zugeständnisse machen. Kurzfristig mochte das gewiß eher gegenüber England der Fall sein, langfristig konnte sich aber auch Deutschland Chancen ausrechnen. Es spricht viel dafür, daß Stresemann 1924 diese Chancen zu erkennen begann.

4. Wenn Stresemann auf der Sitzung des Zentralvorstandes der DVP die Annahme des Sachverständigengutachtens dringend empfahl, so tat er das auch aus innenpolitischen Gründen. Er fürchtete zwar nicht eine Wiederbelebung des offenen Separatismus, wohl aber Auflösungstendenzen, die das Land an Rhein und Ruhr in Richtung

---

188 Für ihn war das seit dem Ruhrkampf erwiesen.
189 England war, wie Stresemann sagte, seit eh und je dazu fähig gewesen, »seine früheren Freunde zu verraten, wenn es sie nicht mehr brauchte«.

Lothringen—Paris zu drängen versuchten. [190] Daher formulierte er:
»Wenn ich mir vorstelle, daß schließlich die Erhaltung der Reichseinheit, die Erhaltung der Reichssouveränität das wichtigste ist, was es
gegenwärtig gibt, so muß ich diesen Gedanken in den Vordergrund
stellen, und ich muß mich, wenn es auch vielleicht manchen geben
mag, der das leichtfertig genannt hat, doch zu dem tiefen Sinn dessen
bekennen, was ich einmal während des Ruhrkampfes gesagt habe,
dieser viel angefeindete Satz: Es kommt nicht in erster Linie darauf
an, ob die Endsumme der deutschen Belastung eine Milliarde Goldmark
mehr oder weniger beträgt, sondern es kommt darauf an, daß wir
mit dieser Belastung politische Freiheiten in Deutschland durchsetzen.«
Stresemann zweifelte nicht daran, daß, wenn das Gutachten nicht zur
Anwendung kam, in Deutschland große politische, wirtschaftliche und
soziale Erschütterungen die unabwendbare Folge sein würden. Hoff-
nungslosigkeit des deutschen Volkes mußte indes zur »Entwicklung
nach den beiden äußersten Extremen« führen. [191]

5. Stresemann bezog in sein politisches Kalkül auch den Zeitfaktor
mit ein; er wollte die für Deutschland günstige Situation in Frankreich
(seit den Mai-Wahlen) so rasch wie möglich nutzen. Kritik und Bedenken gegenüber dem Sachverständigengutachten waren da nicht
angebracht, denn: »Poincaré wartet ja nur auf deutsche Vorbehalte.
Mache ich zehn Vorbehalte, dann macht er 25, und er sitzt mit der
Hand am Hebel, er hat ganz andere Möglichkeiten, für seine Vorbehalte einzutreten, als ich für meine, für die mir eine Macht nicht
zur Verfügung steht.« Herriot nannte Stresemann zwar einen »idealistischen Ministerpräsidenten«, aber er hielt ihn eben deshalb für parlamentarisch gefährdet. Daher argumentierte er: »Ich ziehe aus der
Schwäche von Herriot die eine Folgerung: gerade weil ich nicht weiß,
wie lange der Mann bleibt, müssen wir die ganzen Dinge beschleunigen,
soweit sie zu beschleunigen sind, um jetzt die Dinge fertigzubringen,
die wir vielleicht in 8 Wochen nicht mehr machen können.« Dazu gehörte, wie Stresemann ausführte, eine positive Entscheidung, was die
Räumung des Ruhrgebietes anging. An der Frage des Termins wollte er
allerdings eine Übereinkunft nicht scheitern lassen. Für ihn war, wenn
die Räumung auch nur etappenweise erfolgte, »ein ganzes Stück Weges

---

190 Eine baldige Ratifizierung des Dawes-Plans war auch wegen der am 15.
Juni 1924 nochmals verlängerten, von Stresemann aber als »Ausbeutungs-
system« gekennzeichneten Micum-Verträge erforderlich. Vgl. dazu seine
Reichstagsrede vom 6. Juni 1924. A. a. O., S. 167.
191 In derselben Weise hatte sich Stresemann am 3. Juli bei einer Arbeits-
besprechung des Kabinetts in der Reichskanzlei (anwesend waren auch die
Staats- und Ministerpräsidenten der Länder) geäußert. Vgl. dazu J.
Bariéty, Der Versuch einer europäischen Befriedung: Von Locarno bis
Thoiry, in: Locarno und die Weltpolitik 1924—1932, hrsg. von H. Rößler
und E. Hölzle, Göttingen — Zürich — Frankfurt 1969, S. 35 f.

zurückgelegt . . . zu einer Wiederaufrichtung des Reiches. Denn sie kann nur erfolgen auf der Grundlage der Wiederherstellung der Souveränität des Reiches, der wirtschaftlichen und der politischen«. — Die Gefahr, daß Herriot aus innenpolitischen Rücksichten härter verhandelte, als er selbst es eigentlich wünschte, zeigte sich deutlich auf der Londoner Konferenz (16. Juli — 16. August 1924).[192] Zum ersten Male nach dem Kriege erschien Deutschland wirklich gleichberechtigt an einem Konferenztisch. [193] Daß der Dawes-Plan von allen Seiten angenommen würde, war eigentlich niemals zweifelhaft gewesen. [194] Als besonders heikel erwies sich jedoch das Ruhrproblem. [195] Herriot, von Stresemann geradezu bestürmt, erklärte zunächst, daß er ohne die Ruhr nicht nach Frankreich zurückkehren könne. [196] Seine Stellung war in der Tat nicht weniger schwierig als diejenige Stresemanns, da die Mehrheit der französischen Politiker ein »Junktim« zwischen Dawes-Gutachten und Räumung des Ruhrgebietes ablehnte. [197] Nach langen Bemühungen, bei denen Stresemann die Überzeugung gewann, daß Herriot wirklich an einer Verständigung gelegen war [198], wurde dann doch eine allseits akzeptable Einigung (Räumung der Ruhr binnen Jahresfrist) erreicht. [199]

Die in London getroffenen Vereinbarungen erbrachten für Deutschland zwar nicht das Optimum, das denkbar gewesen wäre, wohl aber das Maximum dessen, was füglich erwartet werden konnte. Die europäische Szene hatte sich zugunsten des Deutschen Reiches geändert, die allgemeinen politischen und wirtschaftlichen Entwicklungstendenzen wiesen in jene Richtung, die sich mit den Zielvorstellungen und der außenpolitischen Konzeption Stresemanns weithin deckte. Er war, auch wenn das viele in Deutschland nicht anerkennen wollten, aus

192 Vgl. dazu W. Ruge, a. a. O., S. 132 f.
193 Die deutsche Delegation wurde am 5. August an der Konferenz beteiligt. Zur Konferenz siehe W. Link, Die amerikanische Stabilisierungspolitik, a. a. O., S. 283 ff., und A. Schwarz, a. a. O., S. 108 ff. Dort auch das Wesentliche zum Dawes-Plan.
194 Dazu K. D. Erdmann, Zeit der Weltkriege, a. a. O., S. 148. Von besonderer Wichtigkeit war u. a. die Entscheidung der Konferenz, noch vor dem Eintreffen der Deutschen gegen französischen Widerstand beschlossen, daß Sanktionen künftig nicht mehr von einem Land allein verhängt werden konnten. Vgl. auch H. Heiber, a. a. O., S. 159.
195 Allgemein dazu L. Zimmermann, a. a. O., S. 239 ff.
196 Vgl. Vermächtnis, Bd. I, S. 480, und H. A. Turner, a. a. O., S. 166 f.
197 Darüber NL Bd. 12: Akten 4. — 8. August 1924, und P. Schmidt, Statist auf diplomatischer Bühne 1923—45, Bonn 1954, S. 48 ff.
198 Vgl. NL Bd. 13: Akten 9. — 13. August 1924, und NL Bd. 269: Politische Akten 1924/III.
199 Stresemann kam bei diesen Verhandlungen zugute, daß auch die Belgier, von MacDonald ganz abgesehen, auf eine baldige Räumung gedrängt hatten. Über die Notwendigkeit, die Gesamtkonferenz nicht wegen der Räumungsfristen scheitern zu lassen, vgl. Drahtbericht Stresemanns an das Auswärtige Amt vom 15. August 1924. NL Bd. 14: Akten 14. — 19. August 1924.

dem dramatischen Konflikt des zurückliegenden Jahres am Ende unzweifelhaft als »Sieger« hervorgegangen, selber nicht zufrieden [200], aber doch so weit auf gesichertem Boden, daß eigentlich erst jetzt eine aktive Außenpolitik geplant und praktiziert werden konnte.

Mit den Londoner Beschlüssen traten auch die deutsch-französischen Beziehungen in eine neue Phase ein. Aus der bisherigen Konfrontation wurde nunmehr ein »geregeltes Nebeneinander«. Die Politik der Diktate hatte einer Ära vertraglicher Vereinbarungen Platz gemacht. Herriot wurde, als er aus London zurückkehrte, in Paris von jubelnden Anhängern empfangen. »Vive la paix«, rief man ihm überall zu. [201] Stresemann erklärte am 23. August 1924 im Reichstag: »Von Versailles bis nach London war ein weiter Weg der Demütigungen und der größten Schwierigkeiten. Ich bin überzeugt: London ist nicht der Schluß, London kann der Anfang sein, der Anfang einer Entwicklung, von der MacDonald gesagt hat, daß sie das Ende der nationalen Isolierung, den Anfang eines Zusammenwirkens der Völker auf gleichberechtigter Basis zeigt. Nehmen Sie diese Grundlage, damit Sie künftig deutschen Regierungen die Möglichkeit geben, Deutschland auf dieser Grundlage einer guten Zukunft entgegenzuführen.« [202]

200 So stand noch u. a. die Frage der Räumung der Kölner Zone (nach Artikel 429 VV) zur Debatte.
201 Nach R. Olden, a. a. O., S. 206; auch Hoesch in seinem Telegramm Nr. 483 vom 20. August 1924. AA, Büro RM, Frankreich 7, Bd. 4.
202 Verhandlungen des Reichstags, Bd. 381, a. a. O., S. 788.

5. Kapitel

Locarno

Am 30. August 1924 wurden die Londoner Vereinbarungen (Dawes-Plan) unterzeichnet. [1] Einen Tag zuvor hatte der Reichstag ihnen endgültig zugestimmt und die notwendigen Beschlüsse gefaßt [2]; auch das verfassungsändernde Reichsbahngesetz war durch das positive Votum von 48 deutschnationalen Abgeordneten über die parlamentarischen Hürden gekommen. [3] Am 10. Oktober wurde zwischen den beteiligten Banken die Auflage der 800-Millionen-Goldmark-Anleihe vereinbart, am 20. Oktober Dortmund geräumt, am 28. die »Micum« aufgelöst und am folgenden Tage von der Reparationskommission die im Jahr zuvor aufs höchste gefährdete Wirtschafts- und Verwaltungseinheit des Reiches endgültig wiederhergestellt.

An der reibungslosen Durchführung des Dawes-Planes konnte nun nicht mehr gezweifelt werden. »Gewiß stellte er sozusagen nur ein Stillhalteabkommen dar und blieb mit seinen Kontroll- und Sanktionsbestimmungen im Rahmen des Versailler Vertrages. Er brachte auch wesentliche Einschränkungen der deutschen Hoheitsrechte mit sich, aber die Aufsichts- und Einmischungsbefugnisse blieben für die Öffentlichkeit unsichtbar, solange die Zahlungen mehrere Jahre hindurch planmäßig geleistet wurden.« [4] Mochten auch die jetzt rasch anwachsenden ausländischen Kapitalinvestitionen [5] Reich, Länder und Gemeinden sowie die deutsche Privatindustrie beträchtlich verschulden und damit im Falle einer weltweiten Rezession schwerwiegende wirtschafts- und sozialpolitische Probleme heraufbeschwören (allerdings ebenso für die Gläubiger Deutschlands) — im Jahre 1924 hatte die Berliner Regierung praktisch keine andere Wahl, um den industriellen Wiederaufstieg und die politische Gleichberechtigung des Deutschen Reiches in die Wege zu leiten. [6]

Ohne die in London vereinbarten Zahlungserleichterungen (gerade auch den Transferschutz betreffend) und ohne die wirtschaftliche Pro-

---

1 Text des Abkommens in: Michaelis — Schraepler, Ursachen und Folgen, Bd. VI, S. 123 ff.
2 Verhandlungen des Reichstags, Bd. 381, a. a. O., S. 1125 ff.
3 Vgl. dazu E. Eyck, Bd. 1, a. a. O., S. 417 ff., R. Thimme, a. a. O., S. 80 ff., und W. Link, Die amerikanische Stabilisierungspolitik, a. a. O., S. 306 ff.
4 L. Zimmermann, a. a. O., S. 245.
5 Vgl. H. Heiber, a. a. O., S. 161 ff.
6 Dies wäre der harten Kritik A. Rosenbergs entgegenzuhalten. A. a. O., S. 428.

sperität des eigenen Landes (infolge privater Kredite vor allem aus den Vereinigten Staaten) war eine konstruktive deutsche Außenpolitik offensichtlich nicht zu bewerkstelligen. Mit seiner allseits akzeptablen (vorläufigen) Regelung der Reparationsfrage schuf der Dawes-Plan darüber hinaus die Basis für eine weltpolitische Entspannung — auch sie, und zwar nicht nur in ökonomischer Hinsicht, unabdingbare Voraussetzung für eine, wenngleich partielle, Kooperation Deutschlands mit den westlichen Großmächten. Eine Entwicklung war eingeleitet, die besonders die USA (als Geldgeber) am Schicksal des Deutschen Reiches vital interessierte; dessen politische Aufwertung — im Sinne eines gleichrangigen Faktors des Weltstaatensystems — durfte unter diesen Umständen logischerweise erwartet werden. Auf eine präzise Formel gebracht: Deutschland stand nicht mehr der Entente gegenüber.

Was die deutsch-französischen Beziehungen angeht, so war die neue Situation dadurch gekennzeichnet, daß sich Deutschland zwar bis zu einem gewissen Grade erneut in die Bahnen der »Erfüllungspolitik« zurückverwiesen sah, andererseits aber auch Frankreich einem Reparationsarrangement hatte zustimmen müssen, das »das Ende französischer Revisionspolitik, sogar das Ende der französischen Anstrengung, Deutschland im Zustand von Versailles zu halten«, bedeutete. [7] Das also heißt: Frankreich hatte keine effektive Möglichkeit mehr, gegenüber Deutschland eine Sanktionspolitik zu führen, deren Minimalziel darin bestand, Deutschland zur vollen Einhaltung aller Bestimmungen von Versailles zu zwingen, deren weitergehende Absicht sich auf die Fixierung der nach 1919 entscheidend durch Frankreich beeinflußten politischen Konstellation Kontinentaleuropas richtete, deren Maximalziel schließlich jene zusätzliche französische Sicherheit anvisierte, die in Versailles nicht hatte durchgesetzt werden können und die konkret eine wirtschaftlich-finanzielle sowie politisch-territoriale Schwächung des Deutschen Reiches über das Maß des Versailler Vertrages hinaus beinhaltete. [8]

---

7 H. Graml, Europa, a. a. O., S. 188.
8 Wie wenig die französische Regierung und das französische Parlament — besonders natürlich die Rechtsopposition — die Ergebnisse der Londoner Konferenz als Erfolg werteten, wenn auch eine Mehrheit von 336 gegen 204 Stimmen ihnen am Ende zustimmte, geht aus v. Hoeschs Telegramm Nr. 497 vom 24./25. August 1924 hervor. Es heißt da u. a.: »Die von Regierung und Majorität vertretene augenblickliche Einstellung läßt sich folgendermaßen umschreiben: Irrtum der Ruhrpolitik und Notwendigkeit ihrer Liquidierung sind erkannt ... Andererseits sind Regierung und Mehrheit tief durchdrungen von Größe französischerseits gebrachter Opfer und vom Ausmaß gezeigten guten Willens. Erkenntnis der Schuldhaftigkeit der französischen Friedensstörerpolitik und der Berechtigung des allgemeinen Mißtrauens sowie

165

Für Deutschland stellte sich dieselbe Szenerie mit positivem Vorzeichen dar: Die Gefahr der Zerstörung des Reiches durch Aktionen auswärtiger Mächte (d. h. Frankreichs) war, aufgrund der Entscheidungen der Londoner Konferenz, faktisch gebannt. Deutschland hatte die Krise des Jahres 1923 nicht nur erfolgreich durchgestanden, sondern es war am Ende wirtschaftlich und politisch gestärkt aus ihr hervorgegangen, so daß es eigentlich erst jetzt — nun aber auch berechtigterweise — damit rechnen konnte, in absehbarer Zeit eine Revision des Versailler Vertrages (zu eigenen Gunsten) zu erreichen — schrittweise natürlich, jedoch konsequent und mit weitreichenden Auswirkungen. So läßt sich die deutsch-französische Polarität vom Herbst 1924 folgendermaßen zusammenfassen: Während Frankreich nunmehr gehalten war, auf eine politische Manipulierung der Reparationen zu verzichten, durfte die Reichsregierung darauf vertrauen, daß die deutsch-amerikanische Interessenparallelität und — damit zusammenhängend — der ökonomisch-politische Wiederaufstieg Deutschlands schon in wenigen Jahren neue und verbesserte Beschlüsse bezüglich der Reparationsverpflichtungen herbeiführen würden. [9]

Kein deutscher Politiker baute damals stärker auf diese Entwicklung als Gustav Stresemann. Sie begründete und formte den Inhalt sowie die Methode seiner gesamten außenpolitischen Strategie. Aus denselben Überlegungen heraus war er auch nicht bereit, den gerade in der zweiten Hälfte des Jahres 1924 von der parlamentarischen Rechten und großen Teilen der öffentlichen Meinung forcierten Illusionen nachzugeben, daß es möglich sein könnte, in kurzen Fristen eine fundamentale Korrektur der Nachkriegsverhältnisse zu erzwingen. Auch gegenüber den vielfach — selbst in seiner eigenen Partei — gehegten Hoffnungen hinsichtlich der politischen Relevanz einer demonstrativen diplomatischen Aktion der Reichsregierung in der Kriegsschuldfrage verhielt er sich insgesamt skeptisch, ohne damit die »moralische« Be-

---

Gefühls für Notwendigkeit weiteren Anpassens an Notwendigkeiten übriger Welt fehlt. Im Gegenteil herrscht Verbitterung über kritische Haltung Englands und Bankiers und Verlangen, Frankreich müsse bei bevorstehenden weiteren internationalen Verhandlungen umfangreiche Zugeständnisse erlangen ... Überhaupt erscheint Verständigung mit Deutschland zunächst noch als ein notwendiges Übel bzw. eine unvermeidliche Notwendigkeit, da Deutschland ja nun einmal da ist und man außerdem von ihm Zahlungen haben will ... So himmelweit also auch Haltung neuen französischen Regimes vom Poincaréismus abweicht, so erfreulich und unterstützenswert Neuorientierung ist, so weit bleibt hiesige Atmosphäre doch hinter Entwicklungsgang zurück, ohne deren Rückhalt wir nach wie vor unser Verhältnis mit Frankreich nicht befriedigend werden regeln können.« AA, Büro RM, Frankreich 7, Bd. 4.
9 Vgl. H. Graml, Europa, a. a. O., S. 188 ff., und W. Link, Die amerikanische Stabilisierungspolitik, a. a. O., bes. S. 321.

rechtigung eines solchen Schrittes leugnen zu wollen. [10] Für Stresemann zählten, dafür gaben die persönlichen Erfahrungen und das
System der internationalen Beziehungen Anlaß genug, entscheidend
die traditionellen Elemente der europäischen Machtpolitik sowie deren
Erfordernisse. [11] Eine Erörterung der Kriegsschuldfrage vermochte an
der politischen Gesamtsituation Deutschlands wenig zu ändern; eher
war sie geeignet, die gerade erst eingeleitete Entspannung in Europa
zu beeinträchtigen. [12]

Sollte ein (nach außen) starkes und (relativ) selbständig agierendes
Deutschland politisch realisiert werden, was doch grundsätzlich von
allen Parteien angestrebt wurde, dann mußte Stresemann jedes Risiko
eines Rückfalles in die Zeit vor dem Abschluß des Dawes-Plans unbedingt zu vermeiden suchen. Es galt, die chancenreichen globalen Tendenzen nicht nur nicht zu gefährden, sondern sie zielsicher zu fördern.
Schon im Sommer 1924 war abzusehen, daß der Weg zum Wiederaufstieg des Deutschen Reiches am Völkerbund nicht vorbeigehen würde.
Auch diese Frage gedachte Stresemann nicht prinzipiell, sondern pragmatisch zu entscheiden, d. h. nach dem Gesichtspunkt des nationalen

---

10 Diese Position hatte er schon in seiner Reichstagsrede am 6. Juni 1924 eingenommen. Verhandlungen des Reichstags, Bd. 381, a. a. O., S. 166 f. Text
der (von Marx unterzeichneten) »Amtliche(n) Kundgebung der Deutschen
Regierung zur Kriegsschuldfrage« vom 29. August 1924 (sie sollte »den
fremden Regierungen zur Kenntnis« gebracht werden) in: Michaelis —
Schraepler, Ursachen und Folgen, Bd. VI, S. 122. Vgl. auch R. Thimme,
a. a. O., S. 85 f., der die Rolle Stresemanns allerdings negativer darstellt.
11 Kennzeichnend dafür die Notiz Stresemanns für eine Rede am 27. September 1924 in Berlin: »Aufgaben der Deutschen Volkspartei: reale Machtpolitik nach außen, Zusammenfassung der Kräfte nach innen.« (Der zweite
Teil des Satzes bezieht sich auf die Absicht Stresemanns, die Deutschnationalen aus außenpolitischen Erwägungen an der Regierung zu beteiligen.) NL Bd. 17: Akten 22. Sept. — 6. Nov. 1924. Vgl. auch Stresemanns
Rede am 19. Oktober 1924 in Frankfurt/Main. »Die Zeit« vom 21. Oktober
1924. Andererseits forderte Stresemann in einer Rede in Dessau am 7. November 1924 eine deutsche Außenpolitik, die die Lebensinteressen des deutschen Volkes wahren sollte, »indem sie sich weder von der Illusion einer
Macht- und Revanchepolitik noch von der Illusion einer allgemeinen Völ-
kerbeglückungspolitik leiten lasse«. »Die Zeit« vom 8. November 1924.
12 Am 6. September 1924 erklärte MacDonald in Genf, daß, wenn die von der
Reichsregierung angekündigte Note zur Kriegsschuldfrage tatsächlich überreicht werde, alles, was er bisher für Deutschland getan habe, »knocked on
the head« sei. NL Bd. 15: Akten 20. August — 8. September 1924. — Ohne
Zweifel hätte Frankreich aus einer solchen Entwicklung politisches Kapital
geschlagen, z. B. die Militärkontrolle verschärft. Stresemann lenkte daher
offiziell ein und schrieb am 14. September an Lord d'Abernon: »Selbstverständlich denkt die deutsche Regierung gar nicht daran, ihren Eintritt in
den Völkerbund von der Regelung der »Schuldfrage« etwa in dem Sinne
abhängig zu machen, daß die Frage der Schuld am Kriege geklärt sein
müsse. Die Auffassung der deutschen Regierung, die ich die Ehre hatte,
Ihnen in unserem gestrigen Gespräch darzulegen, geht nur dahin, daß man
Deutschland bei der Aufnahme in den Völkerbund nicht zumuten solle,
noch einmal die Schuldfrage freiwillig anzuerkennen.« NL Bd. 16: Akten
9. — 20. September 1924.

Interesses und der politischen Nützlichkeit. [13] Conditio sine qua non sollte die Bereitschaft der Völkerbundstaaten sein, Deutschland einen ständigen Ratssitz einzuräumen — und eben damit seine Großmachtstellung formell anzuerkennen bzw. mit herbeizuführen. Wegen der politischen Manövrierfähigkeit des Deutschen Reiches hätte Stresemann eine gleichzeitige Mitgliedschaft Rußlands sehr begrüßt. [14] Denn nach seinem Urteil hingen weitere Erfolge der deutschen Außenpolitik wesentlich davon ab, daß eine Wiederholung der Isolierung Deutschlands, wie sie sich während des Ruhrkampfes gezeigt hatte, unmöglich gemacht, Deutschland vielmehr von allen seinen Partnern bzw. Kontrahenten zur Stärkung, mindestens jedoch zur Sicherung der eigenen wirtschaftlichen und politischen Macht gebraucht wurde — eine Situation, die Stresemann konsequent zu nutzen beabsichtigte und die er, gerade mit Blick nach Osten, »bismarckisch« nannte. [15]

Eine so verstandene »nationale Realpolitik« [16] verlangte — über alle ideologischen und gesellschaftlichen Gegensätze hinweg — die (partielle, d. h. politisch gesteuerte) Zusammenarbeit gerade auch mit der Sowjetunion. [17] Dadurch konnte vorrangig ein etwaiges russisch-französisches Bündnis verhindert, darüber hinaus die effektive Voraussetzung dafür geschaffen werden, von den Westmächten — wegen deren Absicht, Deutschland an das eigene »Lager« zu binden — Zugeständnisse einzuhandeln. [18] In seiner politischen Strategie mußte Stresemann, wollte er seine langfristigen Zielvorstellungen in die Wirklichkeit umsetzen, letztlich darauf hinarbeiten, die stärkste kontinentaleuropäische Macht, und das war zweifellos Frankreich, einerseits durch

---

13 Vgl. seine Rede am 6. Juli 1924 vor dem Zentralvorstand der DVP, a. a. O.
14 Ebenda.
15 Ebenda.
16 Der Begriff stammt von Stresemann — so etwa in seiner Rede auf dem Parteitag der Deutschen Volkspartei in Dortmund am 14. November 1924. W.T.B. Nr. 2201 ebenfalls vom 14. November.
17 Ein monarchistisches Rußland hätte wohl die zaristische Vorkriegspolitik wieder aufgenommen; das bolschewistische anerkannte dagegen weder die finanziellen Forderungen der Entente noch die in Versailles sanktionierten osteuropäischen Grenzen. Vgl. auch M. Walsdorff, Westorientierung und Ostpolitik. Stresemanns Rußlandpolitik in der Locarno-Ära, Bremen 1971, S. 28 f. Der dort formulierten These, daß Stresemann — da er schon seit 1922 auf den politischen Ausgleich mit Frankreich gesetzt habe — am positiven Ausbau der deutsch-russischen Beziehungen (auch aus gefühlsmäßig bedingter Abneigung) nicht besonders interessiert gewesen sei, wird man allerdings nicht — jedenfalls nicht in dieser Pauschalität — zustimmen können.
18 Vgl. W. Ruge, a. a. O., S. 141 f. Abgesehen von anderen Faktoren, die — wie z. B. die Reparationsfrage — eine gewichtige Rolle spielten, bestand für Stresemann allerdings von Anfang an das Problem, wie es glücken sollte, innenpolitisch antisozialistisch, außenpolitisch jedoch prosowjetisch zu verfahren und dabei gleichwohl die (westlichen) Nachbarn Deutschlands von dessen Bewegungsfreiheit zu überzeugen.

168

eine (vor allem ökonomisch motivierte) Annäherung Deutschlands an die angelsächsischen Staaten (korrespondierend mit deren größerer Distanzierung von Frankreich), andererseits durch eine Intensivierung der Außenhandels- und diplomatischen Beziehungen mit Rußland (die geheimen militärischen Kontakte der Reichswehr fügten sich dieser Konzeption vorteilhaft ein) [19] faktisch ohne Alternativmöglichkeit zu lassen, genauer: aus finanziellen, wirtschaftlichen und sicherheitspolitischen Gründen auf Deutschland hin zu orientieren — einzig praktikable und überzeugende Basis für eine Revision des Versailler Vertrages. Tatsächlich war genau das der zentrale Inhalt der deutsch-französischen »Verständigungspolitik«, wie sie dem Konzept Stresemanns entsprach.

Geht man von der These aus, daß Stresemann 1924/25 und später die Revision des Versailler Vertrages (und das heißt den wirtschaftlichen sowie politischen Wiederaufstieg des territorial arrondierten Deutschen Reiches) nicht auf dem Wege gewaltsamer Pressionen oder durch eine Politik der Drohung, sondern durch eine bewußt bejahte und ständig intensivierte deutsch-französische Zusammenarbeit zu erreichen hoffte (allerdings auf der Grundlage bzw. in der Folge des wirtschaftlichen Rückhaltes an den USA, der engen politischen Kontakte zu England und der positiven diplomatischen Beziehungen zu Rußland) — eine Zusammenarbeit, die im Endeffekt mehr als nur den stets notwendigen und politisch vernünftigen Interessenausgleich zweier Staaten umfassen sollte —, dann wird überhaupt erst verständlich, warum er sich nun, nach Inkrafttreten des Londoner Abkommens, so energisch und unbeirrbar dem entscheidenden Problem zuwandte, ohne dessen Bewältigung alle deutschen (revisionistischen) Zukunftspläne scheitern mußten: dem Problem der (militärischen) Sicherheit Frankreichs. Nur bei einer Befriedigung des seit 1919 die französische Außenpolitik beherrschenden Sicherheitsbedürfnisses [20] durfte er erwarten — indem Frankreich zugleich auf eine Sicherheit nur im westeuropäischen Rahmen abgedrängt wurde —, daß durch eine (vertraglich »sanktionierte«) Trennung der Ost- und Westprobleme die Revision der deutsch-polnischen Grenze in den Bereich des Möglichen rückte.

Der Intention, das europäische Kräfteverhältnis zugunsten Deutschlands, was immer im einzelnen darunter verstanden werden mochte, zu verändern, stellte sich indessen von vornherein die politische Anti-

---

19 Zur Haltung Stresemanns gegenüber der Reichswehr vgl. vor allem H. W. Gatzke, Stresemann and the Rearmament of Germany, Baltimore 1954.
20 Vgl. dazu den zusammenfassenden Überblick von M. Baumont, Die französische Sicherheitspolitik, a. a. O., S. 115 ff.; vgl. auch K. D. Erdmann, Adenauer, a. a. O., S. 13 ff. Quellen zu diesem Problemkreis: AA Frankreich, Politik 2, Bd. 10, Beiheft: Materialien zur Sicherheitsfrage (mit Anlagen).

nomie der deutsch-französischen Beziehungen hemmend entgegen. Auf eine knappe Formel gebracht, läßt sie sich so definieren: Frankreich (in der großen Mehrheit seiner politischen Führung) beharrte auf den Ergebnissen des Weltkrieges, war also vital an deren Konsolidierung interessiert — Deutschland (gleichfalls in der großen Mehrheit seiner politischen Führung) drängte auf eine Revision eben dieser Ergebnisse, war also vital an einer Dynamik der europäischen Entwicklung interessiert. Folglich mußte Stresemann die Quadratur des Kreises versuchen: einerseits die Konzipierung einer grundsätzlich offensiven deutschen Außenpolitik (die, das war abzusehen, auf lange Zeit hinter den eigenen Forderungen bzw. Wünschen zurückbleiben würde), andererseits die Anbahnung und Verstärkung der Zusammenarbeit mit Frankreich, ohne die doch Erfolge (mindestens die Befreiung des Rheinlandes) füglich nicht zu erwarten waren. Für Stresemann kam es unter diesen Vorzeichen entscheidend darauf an, eine politische Plattform zu schaffen, von der aus eine realistisch-konstruktive Außenpolitik verwirklicht werden konnte.

Schon am 21. Juni 1924 hatte Herriot bei der Besprechung mit Mac-Donald auf dessen Landsitz Chequers die Sicherheitsfrage in das Zentrum seiner Argumentation gerückt und erneut einen Garantievertrag zwischen England und Frankreich angeregt.[21] MacDonald hatte das abgelehnt, darauf verweisend, daß die dann notwendigen Rüstungen in Parlament und Öffentlichkeit nicht durchgesetzt werden könnten, und hatte statt dessen auf die Möglichkeit aufmerksam gemacht, die der Völkerbund in dieser Frage anbot, nämlich die Erarbeitung und internationale Ratifizierung eines kollektiven Sicherheitssystems mit Schwerpunkt Europa. Für Frankreich, das ohne vertraglich gesicherte Unterstützung von außen einen neuen Weltkrieg (wegen der menschlichen und materiellen Opfer in der Vergangenheit) nicht durchstehen zu können glaubte, war eine befriedigende Lösung des Sicherheitsproblems in der Tat dringlich — um so mehr, als der Ausgang der Ruhrkrise und die internationale Lage nach Annahme des Dawes-Plans in weiten Teilen der Bevölkerung das Empfinden verstärkt hatten, dem potentiell überlegenen Deutschland auf dem Kontinent (besonders in Ostmitteleuropa) mehr oder weniger allein gegenüberzustehen.

Auf Initiative von Herriot und MacDonald wurde bald nach der Londoner Konferenz[22] der Versuch unternommen, den Völkerbund zum wirkungsvollen Instrument der Friedenssicherung zu machen. De

21 Vgl. L. Zimmermann, a. a. O., S. 233 ff.
22 Am 21. August 1924 hatte Herriot erklärt: »Die Sicherheitsfrage muß Gegenstand einer Konferenz bilden. Ich sehe übrigens nicht ein, warum Frankreich in einer so bedeutsamen Frage nicht die Initiative ergreifen sollte.« NL Bd. 15.

facto liefen diese Bestrebungen auf eine Garantierung des in Versailles geschaffenen Status quo hinaus. [23] Der Grundgedanke war, die kollektive Sicherheit durch ein allgemeines Schiedsgerichtssystem zu gewährleisten, wobei sich die Staaten zu gegenseitigem Beistand verpflichteten gegenüber derjenigen Macht, die entgegen einem Schiedsspruch zur Waffe greifen würde. Da die Artikel 10 bis 13 des am 2. Oktober 1924 in Genf unterzeichneten Protokolls [24] der französischen Sicherheitsthese entsprachen, stimmte Frankreich sofort zu, und Briand feierte das Protokoll vor der Völkerbundsversammlung in einer begeisterten Rede als eine Großtat für die Menschheit. [25] Ausschlaggebend für die folgende Entwicklung wurde indessen die Entscheidung der konservativen Regierung Baldwin (seit Anfang November 1924), mit Rücksicht auf die britischen Dominien das Protokoll nicht zu ratifizieren. [26]

---

23 Vgl. E. H. Carr, International Relations between the two World Wars (1919—1939), London 1952, S. 91, und Th. Eschenburg, a. a. O., S. 195.
24 Zum Genfer Protokoll vgl. O. Hunziker, Das Beneschprotokoll (Genfer Protokoll), Zürich 1924, und W. Schücking, Das Genfer Protokoll, Frankfurt 1924. Englischer Text bei Wheeler—Bennett, Information on the Reduction of Armaments, London 1925, S. 97 ff. Französischer Text: Société des Nations-Section d'Information, Arbitrage, Sécurité et Réduction des Armements, Genf 1924, S. 8 ff. Auszüge (in deutscher Übersetzung) in: Michaelis — Schraepler, Ursachen und Folgen, Bd. VI, S. 312 ff.
25 G. Suarez, Briand, Bd. VI, Paris 1952, S. 61.
26 Vgl. K. Dederke, a. a. O., S. 163. In einem Bericht vom 6. November 1924 an das Auswärtige Amt analysierte Hoesch die außenpolitische Position Frankreichs und die deutsche Interessenlage u. a. folgendermaßen: »Demgemäß stelle ich der Untersuchung voraus eine Definierung des deutschen politischen Zieles. Ich erblicke dieses Ziel kurz gesagt in der Befreiung und Sicherstellung des deutschen Reichsgebietes, näher umschrieben in der Befreiung von Ruhr und Rhein, und entnehme hieraus als das nächste Hauptziel die Durchsetzung der Räumung der ersten Rheinlandzone am 10. Januar 1925 ... Der Regierungswechsel in England wird unzweifelhaft sowohl auf das Problem der Schuldenregelung (Frankreich wünschte einen weitgehenden Erlaß der interalliierten Schulden — Anm. d. Verf.) wie auf das der Sécurité seinen Einfluß ausüben, ebenso wie auch die amerikanische Präsidentenwahl insbesondere auf das Schuldenproblem nicht ohne (hier wie zuvor nach Meinung von Hoesch für Frankreich negativen) Einfluß sein wird ... So wichtig die Frage der Schuldenregelung vom Standpunkt der internationalen Politik auch sein mag, das eigentlich brennende Problem für uns ist die Gestaltung der Sicherheitsfrage ... So gewaltig der Umschwung ist, den uns das Regime Herriot gebracht hat, so glänzend die Erfolge, die sich die Deutsche Regierung im Laufe der letzten Monate zuschreiben darf, so wenig darf man doch vergessen, daß diese Erfolge zu einem erheblichen Teil dadurch errungen worden sind, daß Frankreich durch den moralischen Druck der Welt unter Führung Englands zum Nachgeben bewogen wurde. Man darf endlich und nicht zum wenigsten nicht vergessen, daß zwischen Frankreich und uns das Sécuritéproblem steht und daß ein Mann wie Herriot, bedroht von der Feindschaft und der Tücke der Nationalisten und des Militärs, weniger als irgendein anderer geneigt ist und es auch nicht wagen kann, Konzessionen auf dem Gebiete der Sicherheit Frankreichs ohne schärfsten Zwang zu machen.« AA Frankreich, Politik 2, Bd. 11. Stresemann wollte zunächst die internationale Entwicklung abwarten, setzte sich aber, um die Situation zu verbessern, für den Abschluß eines deutsch-französischen Handelsvertrages ein. Telegramm Nr. 960 an Hoesch vom 18. November 1924. AA, Büro RM, Frankreich 7, Bd. 4.

Die Situation in der Endphase der Diskussion um das Pro und Contra zum Genfer Protokoll war aus deutscher Sicht ebenso gefährlich wie chancenreich. Glückte den Franzosen, was sie beabsichtigten, dann geriet Deutschland — trotz eventueller Detailverbesserungen seiner Lage — in eine isolierte, jedenfalls wenig aussichtsreiche Position. Gleichzeitig drohte eine Erneuerung der französisch-britischen Entente — auf Kosten des Deutschen Reiches, wenn es mehr anvisierte, als nur eben (wirtschaftlich und politisch) akzeptiert zu werden. [27] Scheiterten die Franzosen, stießen sie mit ihrer Konzeption immerhin auf große (diplomatische) Widerstände, dann konnte Stresemann initiativ werden, Weichen stellen, um auf diesem Wege den strategischen Durchbruch zur Revision des Versailler Vertrages einzuleiten — dann auf Kosten der bislang so einflußreichen Machtstellung Frankreichs, aber mit Vorteilen für das Deutsche Reich bzw. für die Weimarer Republik. Denn daran kann kein Zweifel bestehen: Stresemann betrachtete die Republik als dauerhaft, und er rechnete sich aus, daß auswärtige Erfolge für das Reich auf der Basis einer »Verständigungspolitik« ebenso der Republik die erforderliche Reputation verschaffen würden. [28]

Zwei »Hebel« standen Stresemann zur Verfügung, um zu jenen deutsch-französischen Vereinbarungen zu kommen, die Voraussetzung und Grundlage eines dynamischen Prozesses sein sollten: das französische Sicherheitsbedürfnis und die Absicht sowohl der französischen als auch der englischen Regierung, Deutschland in den Völkerbund aufzunehmen. [29] Wenn die Ententestaaten jedoch verhindern wollten, daß (das wirtschaftlich erstarkende) Deutschland in Zukunft eigene politische Wege ging, dann mußten sie anderseits dessen Bedingungen

---

27 Vgl. K. D. Erdmann, Das Problem der Ost- oder Westorientierung in der Locarno-Politik Stresemanns, in: Geschichte in Wissenschaft und Unterricht, 6. Jg. (1955), S. 138.
28 Mit Datum vom 21. Oktober 1924 notierte Stresemann: »Die republikanische Staatsform in Deutschland stände schlecht da, wenn sie nur von denen bewahrt wäre, die sich als ihre Kapitolswächter betätigen. Ihre feste Fundierung liegt in der gesamten außen- und innenpolitischen Lage, die jeden Versuch, in absehbarer Zeit an diesen Grundlagen zu rütteln, zum Verbrechen stempeln würde.« NL Bd. 17. Vgl. auch K. D. Bracher, Die Auflösung der Weimarer Republik, Eine Studie zum Problem des Machtverfalls in der Demokratie, Stuttgart und Düsseldorf ³1960, S. 291.
29 Kennzeichnend dafür das Schreiben von MacDonald an Herriot vom 25. September 1924, besonders folgender Passus: »Sobald Deutschland sich unter der Wirkung des Dawesplans aufrichten wird, werden wir vielleicht feststellen müssen, daß es seine Handlungsfreiheit und seine Macht gebrauchen will, ohne andere Verpflichtungen anzuerkennen als diejenigen, die es auf Grund des Friedensvertrages annehmen muß, und wenn wir es seine Politik dieser Art auch nur beginnen lassen, werden wir in die größten Verlegenheiten kommen.« Zitiert nach L. Zimmermann, a. a. O., S. 250. Dort allerdings das Datum fälschlich mit 25. September 1925 angegeben.

bezüglich einer Mitgliedschaft im Völkerbund [30] weitgehend akzeptieren [31], damit also erneut, wenngleich eingeschränkt, billigen, was sie ursprünglich zu vermeiden suchten: deutsche Revisionsansprüche. Frankreich war davon noch mehr als England betroffen, dessen europäische Gleichgewichtspolitik den nationalen Interessen Deutschlands entgegenkam. [32]

Bei einer solchen Situation war Stresemann eigentlich nur mit *einer* Gefahr konfrontiert — nämlich die Gunst der Stunde zu verpassen. Vor allem galt es die Tatsache auszunutzen, daß die Organisation der »kollektiven Sicherheit«, wie das Genfer Protokoll sie vorsah und wie Herriot sie Ende Januar 1925 nochmals formulierte, weder mit den englischen noch mit den amerikanischen Vorschlägen dazu auf einen Nenner zu bringen war. [33] Das aber bot Deutschland die Gelegenheit, sich durch eigene Vorschläge ins diplomatische Spiel einzuschalten. Mit dem Sicherheitsmemorandum, das am 20. Januar 1925 dem englischen Botschafter, am 9. Februar Herriot übergeben wurde [34], konnte Stresemann bei der Mehrheit der Londoner Regierung (nach einigem Zögern)

30 Vgl. das deutsche Memorandum vom 29. September 1924. Michaelis — Schraepler, Ursachen und Folgen, Bd. VI, S. 476 ff.
31 So war Herriot mit einem Ratssitz Deutschlands durchaus einverstanden. Vgl. v. Hoechs Telegramm Nr. 578 vom 4. Oktober 1924. AA, Büro RM, Frankreich 7, Bd. 4.
32 Vgl. dazu W. Ruge, a. a. O., S. 143 f. Derselbe berichtet in dem Artikel »Stresemann — ein Leitbild?« (in: Blätter für deutsche und internationale Politik, XIV. Jg. [1969], S. 472) von einer geheimen Denkschrift Stresemanns vom 13. Januar 1925 über eine den »Bedürfnissen der deutschen Minderheiten in Europa« entsprechende deutsche Außenpolitik. Entscheidend die Aussage: »Die Schaffung eines Staates, dessen politische Grenzen alle deutschen Volksteile umfassen, die innerhalb des geschlossenen deutschen Siedlungsgebietes in Mitteleuropa leben und den Anschluß an das Deutsche Reich wünschen, ist das Ziel deutschen Hoffens, die schrittweise Revision der politisch und wirtschaftlich unhaltbaren Grenzbestimmungen der Friedensdiktate (polnischer Korridor, Oberschlesien) das nächstliegende Ziel der deutschen Außenpolitik.« Der zweite Teil des Satzes bringt nichts Neues, der erste ist nicht so sensationell, wie das zunächst klingen mag. Das Fernziel, das Stresemann hier ausspricht, teilten sehr viele in Deutschland, gerade innerhalb der politischen Mitte und der SPD (wenn man so will: der »Großdeutschen« in der 48er-Tradition) — ausschlaggebend ist, was von ihm als konkretes Programm seiner praktischen Politik angesehen wurde und wie es durchgesetzt werden sollte. In diesem Zusammenhang ist immerhin bemerkenswert, daß Stresemann nirgendwo politische Forderungen gegenüber der Tschechoslowakei erhoben, vielmehr öffentlich (wenn auch eventuell aus taktischen Gründen) gute deutsch-tschechische Beziehungen propagiert hat — ganz im Gegensatz zu Polen. Vgl. seine Reichstagsrede vom 18. Mai 1925. Verhandlungen des Reichstags, Bd. 385, a. a. O., S. 1872 und S. 1881.
33 Vgl. L. Zimmermann, a. a. O., S. 251 ff., und W. Link, Die amerikanische Stabilisierungspolitik, a. a. O., bes. S. 343. Über die Reaktion des Auswärtigen Amtes zum Genfer Protokoll vgl. die im Auftrage Stresemanns angefertigte (sehr kritische) Expertise von Dr. Gaus, Ministerialdirektor und Leiter der Rechtsabteilung, vom 2. März 1925. NL Bd. 277: Politische Akten 1925/II.
34 Text s. Michaelis — Schraepler, Ursachen und Folgen, Bd. VI, S. 334 f.

auf Zustimmung rechnen [35] und damit sowohl das Genfer Protokoll (ebenso die Ersatzlösung eines englisch-französisch-belgischen Militärbündnisses) endgültig zu Fall bringen [36], also jede Form von Sanktionspolitik gegen Deutschland, als auch erstmalig die Initiative zur Revision der europäischen Machtverhältnisse an sich ziehen. Dennoch: innen- und außenpolitisch war dieser Schritt ein kühner Entschluß. [37]

Die einzelnen politisch-diplomatischen Aktionen, die nun erfolgten, stehen im Rahmen dieser Studie nicht zur Debatte; sie sind zudem wissenschaftlich längst aufgearbeitet. Entscheidend ist, wie Stresemann selbst den möglichen Wendepunkt der europäischen Nachkriegsgeschichte beurteilte und welchen »Stellenwert« er dabei den deutsch-französischen Beziehungen beimaß. In einem Artikel für die »Ostsee-Zeitung« hatte er zum Jahreswechsel 1924/25 das »Grundgesetz« seiner politischen Konzeption so formuliert: »Nach dem Versailler Vertrag ist . . . Deutschland dazu verurteilt, die Außenpolitik eines waffenlosen Volkes oder gar keine Außenpolitik zu machen; folglich ist es notwendig, sich der aus der Entwaffnung resultierenden (psychologischen — Anm. d. Verf.) Depression zu entziehen und die ganze Energie der Nation auf die Politik zu konzentrieren, auf die Politik als Gesamtsumme aller wirtschaftlichen und ideellen Kräfte im Dienste des Staates, im unerschütterlichen Glauben an Deutschland!« [38]

Am 3. Januar 1925 erklärte Stresemann im Auswärtigen Ausschuß des Reichsrates u. a.: »Für uns wird sich die Frage ergeben: Wie steht denn die Situation mit der Räumung? Und da finden wir das, was ich die Differenzierung zwischen den Anschauungen der Ententemächte nennen möchte. In Frankreich . . . sind die Gedanken aufgetaucht: Wir bleiben einfach auf unbefristete Zeit in der Kölner Zone; es ist fest-

---

35 Vgl. Lord d'Abernon, Bd. III, a. a. O., bes. S. 168 u. S. 185. Über die Rolle des englischen Botschafters bei der Entscheidung Stresemanns, einen Rheinpakt vorzuschlagen, vgl. H. Graml, a. a. O., S. 192 ff., und H. A. Turner, a. a. O., S. 181. Allgemein zur englischen Position P. Urbanitsch, Großbritannien und die Verträge von Locarno, Phil. Diss. Wien 1968.

36 Vgl. Telegramm Nr. 187 von Hoesch vom 13. März 1924. AA, Büro RM, Frankreich 7, Bd. 5.

37 So hat Stresemann — aus Sorge, daß die deutschnationalen Mitglieder des neuen Kabinetts ihm die Zustimmung für seine außenpolitische Initiative verweigern würden — das Regierungskollegium (mit Ausnahme von Reichskanzler Luther) von der Existenz und dem Inhalt des Memorandums überhaupt nicht informiert. Vgl. F. Hirsch, a. a. O., S. 82. Zu den innenpolitischen Schwierigkeiten Stresemanns siehe E. Eyck, Geschichte der Weimarer Republik, Bd. 2, Erlenbach — Zürich — Stuttgart 1959, S. 22 ff. und S. 29 ff.; ebenso K. Buchheim, a. a. O., S. 105 f.

38 NL Bd. 18: Akten 10. Nov. — 31. Dez. 1924. Mit einer so definierten Politik verließ Stresemann bewußt und gewollt die Ebene der Parteipolitik (mit ihrer Interessenvielfalt); er war bemüht — ganz im Sinne des Primats der Außenpolitik —, eine möglichst breite parlamentarische Unterstützung für seine »nationale Realpolitik« zu gewinnen, die am traditionellen Begriff der (sozialökonomisch doch äußerst fragwürdigen) Staatsräson (mit 48er- und Bismarck-Tradition) orientiert blieb.

gestellt, daß Deutschland nicht erfüllt hat, wir haben keine Veranlassung, hier nachzugeben. Ich habe andererseits festzustellen, daß Herriot noch in seiner letzten Unterredung mit dem Botschafter von Hoesch vor einigen Tagen betont hat, daß er trotz aller Schwierigkeiten, die er in Frankreich hätte, sein Wort halten würde, daß er das Ruhrgebiet räumen werde, wie er es zugesagt hätte ... Was von uns für eine Besserstellung Deutschlands erhofft werden kann, muß sich aus der Gesamtentwicklung der europäischen Dinge ergeben, muß sich aus einer anderen Stellung Deutschlands unter den Völkern ergeben, bei denen ja auch heute schon die Verhältnisse, Bündnisse und Zusammenhänge, die 1918 bestanden, nicht mehr in dieser Form bestehen und bei denen man nicht weiß, ob sich nicht ganz andere Kombinationen bilden werden.« [39]

Eine allgemeine Analyse der deutschen Situation gab Stresemann in seiner Reichstagsrede am 7. Februar 1925: »Es ist gar kein Zweifel, Ansehen und Würde des Deutschen Reiches leiden in der Gegenwart sehr; denn man kann eigentlich nicht zweifelhaft darüber sein, daß wir überhaupt nicht mehr ein souveräner Staat sind. Wir sind in unendlich vielen Dingen gar nicht in der Lage, so frei und unabhängig zu handeln wie ein Staat, auf dem die Bestimmungen nicht lasten, die auf uns lasten. Es gibt aus dieser Situation unendlich vieles, gegen das sich das Gefühl des einzelnen bäumt und bäumen muß, unbeschadet welcher Partei er angehört. Ich empfinde es nur als ungerecht, daß, wenn diese Konsequenzen aus der Situation gezogen werden müssen, in der wir stehen — und sie sind in anderen als Wirtschaftsfragen, wo wir noch eine gewisse Großmacht sind, sie sind in dem, was uns militärisch und politisch aufgezwungen ist, noch viel schwerer zu tragen als hier —, ich sage, ich empfinde es nur als ungerecht, daß man dann nicht auch anerkennt, daß das eben die Zwangslage ist, in der wir uns befinden ... Wir kommen aber nicht weiter, wenn wir nur vergleichen, was wir gewesen sind und was wir sind, sondern wir kommen nur weiter, wenn wir auf Grund dessen, was uns geblieben ist, aufbauen auf dem, was uns zur Verfügung steht, um zu besseren Verhältnissen zu gelangen.« [40]

Diese drei Textstellen strahlen wenig Optimismus aus; eher haben sie etwas Beschwörendes an sich. Eine sachgerechte Interpretation wird allerdings bedenken müssen, daß für das Deutsche Reich die außen-

---

39 NL Bd. 19: Akten 2. Jan. — 30. Jan. 1925.
40 Verhandlungen des Reichstags, Bd. 384, Stenogr. Berichte, Berlin 1925, S. 432. Im Mittelpunkt der Befürchtungen Stresemanns stand offensichtlich die Rheinlandfrage, d. h. zunächst einmal die Räumung der Kölner Zone. Nur eine deutsch-französische Verständigung, ausgehend von der Reichsregierung, konnte diese und andere Fragen im positiven Sinne lösen. Vgl. auch Stresemanns Äußerungen am 11. März 1925 vor dem Auswärtigen Ausschuß des Reichstages.

und innenpolitische Lage gerade in den ersten Monaten des Jahres 1925 voller Gefahren steckte bzw. durch viele Unsicherheitsmomente gekennzeichnet war. Die Dezember-Initiative der Sowjetunion [41], der Beschluß der Botschafterkonferenz, die Räumung der Kölner Zone zurückzustellen [42], die Labilität der französischen Regierung, die noch ausstehende Entscheidung Englands über eine Alternativlösung zum Genfer Protokoll, die Schwierigkeiten der Regierungsbildung in Deutschland [43], schließlich die Ungewißheit über den neuen Reichspräsidenten nach dem Tode Eberts [44] — alles das bewog Stresemann zur außenpolitischen Aktivität. [45] Sie durfte nicht den anderen überlassen bleiben, schon gar nicht Frankreich, dessen Einfluß in den militärischen Gremien des Völkerbundes deutscherseits die Furcht aufkommen ließ, eine dauernde Besetzung des Rheinlandes gewärtigen zu müssen. Am 18. Mai 1925 erklärte Stresemann vor dem Reichstag: »Die entscheidende Frage, die überhaupt die Kernfrage unserer Beziehungen zu den Alliierten ist, liegt darin, ob die Sicherheitsfrage unter den alliierten Westmächten allein oder unter Mitbeteiligung Deutschlands zu lösen ist. Der Standpunkt der deutschen Regierung in dieser Frage wird von dem Gesichtspunkt bestimmt, daß eine Lösung dieser Frage ohne Deutschland eine Lösung gegen Deutschland wäre.« [46]

Die Garantierung, genauer: die faktische Anerkennung des territorialen Besitzstandes am Rhein war, wenn die Reichsregierung den Franzosen eine befriedigende Ersatzkonstruktion für das Genfer Protokoll bieten wollte, eine unumgängliche Notwendigkeit. Anders konnte eine »Verständigungspolitik« mit Frankreich gar nicht in die Wege geleitet werden. Immerhin bestand in Paris gegenüber einem solchen deutschen Anerbieten ein sehr starkes Interesse, keineswegs

---

41 Dazu eingehend M. Walsdorff, a. a. O., S. 59 ff.
42 Vgl. dazu A. Thimme, Die Locarnopolitik im Lichte des Stresemann-Nachlasses, in: Zeitschrift für Politik, 3. Jg. (1956), S. 45 ff. Dokumente bei Michaelis — Schraepler, Ursachen und Folgen, Bd. VI, S. 317 ff.
43 Darüber R. Thimme, a. a. O., S. 99 ff., und H. Heiber, a. a. O., S. 164 f.
44 Bekanntlich hat sich Stresemann für die Kandidatur von Jarres eingesetzt. (Vgl. R. Thimme, a. a. O., S. 111 ff., und H. A. Turner, a. a. O., S. 187 ff.) Nach der Wahl Hindenburgs schrieb er am 12. Mai 1925 in sein Tagebuch: »Diese Woche steht unter dem Eindruck der Ankunft Hindenburgs und der Einführung in sein Amt. Der erste Eindruck bei dem heutigen Zusammensein beim Reichskanzler war ein sehr guter und frei von jeder Voreingenommenheit auf irgendeiner Seite ... Bleibt es bei diesem Eindruck und bei dieser Art der Regierung, dann kann und wird seine Wahl ein Plus sein, weil man dann sagen kann, daß hinter der Regierungspolitik das ganze Volk steht, sowohl die Rechte wie die Linke, während bei einem Sieg von Marx immer der Hintergrund der nationalen Opposition dem Ausland als gefährlich erschienen wäre.« NL Bd. 272: Locarno-Tagebuch 1925. (Die zweite Besprechung mit Hindenburg bewertete Stresemann allerdings nicht mehr so positiv. Notiz vom 9. Juni 1925. Ebenda.)
45 Vgl. auch H. A. Turner, a. a. O., S. 175 f.
46 Verhandlungen des Reichstags, Bd. 385, Stenogr. Berichte, Berlin 1925, S. 1880.

jedoch eine allgemeine freudige Zustimmung. [47] Die zentrale Problematik bestand darin, wie das deutsche Sicherheitsangebot mit den französischen Absichten in Osteuropa und mit der Frage eines deutschen Beitritts zum Völkerbund vereinbart werden konnte. Herriot und Briand, von Benesch und Skrzynski ganz zu schweigen, wollten offensichtlich verhindern, daß ein Rheinpakt in Deutschland Hoffnungen auf Bewegungsfreiheit im Osten weckte. Für sie war das europäische Gleichgewicht mit dem Versailler System weitgehend identisch. [48]

Stresemann teilte diese Auffassung ganz und gar nicht, sah sich aber genötigt, einige — als gewichtig angesehene — Zugeständnisse zu machen (Respektierung der Westgrenzen, d. h. Verzicht auf Gewalt; im Osten Schiedsverträge), da anders die wünschenswerte Verschiebung der strategischen Balance in Europa unpolitische Träumerei bleiben mußte. Das geht mit aller Deutlichkeit aus der (streng geheimen) »Zusammenfassung der von dem deutschen Botschafter in Moskau am 7. April 1925 im Namen der Reichsregierung dem Herrn Volkskommissar Litwinow gemachten Mitteilungen« hervor. [49] Darin heißt es z. B.: »Unter diesen Umständen (gemeint ist die Tradition der französischen Sicherheitspolitik seit 1919 und die Ablehnung Englands, sich an einem Dreimächtepakt zu beteiligen — Anm. d. Verf.) war für die Reichsregierung die aktive Beteiligung an der Lösung der Sicherheitsfrage, die nach den gegebenen Verhältnissen nun einmal die Voraussetzung für die Befreiung des Rheinlandes bildet, ein Gebot der Notwendigkeit. Gelingt auch auf diesem Wege die Lösung des Sicherheitsproblems nicht, so wird Frankreich zweifellos für eine derartige Überspannung der an Deutschland gestellten Entwaffnungsforderungen sorgen, daß es in absehbarer Zeit nicht zu einer Bereinigung der Entwaffnungsfrage, nicht zu einer Beseitigung der interalliierten Militärkontrolle und nicht zu einer Räumung der Kölner Zone kommt ...«

»Die politische Aufgabe Deutschlands im Westen ist eben auf un-

---

47 So ließ die französische Antwort auf das deutsche Februar-Memorandum bekanntlich vier Monate auf sich warten. Vgl. auch K. Dederke, a. a. O., S. 164, und H. Graml, Europa, a. a. O., S. 203 f.
48 Darüber L. Zimmermann, a. a. O., S. 257 f. Vgl. auch die Instruktionen, die Herriot am 16. März 1925 den Botschaftern in London, Brüssel und Rom erteilte. Sie bestätigen die Haltung der französischen Regierung, einerseits die deutschen Vorschläge nicht zurückzuweisen, andererseits aber keines der vertragsmäßigen Rechte Frankreichs »hinsichtlich der Besetzung und Wiederbesetzung deutschen Gebiets« preiszugeben. (Michaelis — Schraepler, Ursachen und Folgen, Bd. VI, S. 348 f.) Mit anderen Worten: Die Konzeption der französischen Außen- bzw. Deutschlandpolitik stand und fiel mit der Erfüllung des Versailler Vertrages durch das Deutsche Reich.
49 Sie wurden dem russischen Botschafter Krestinski am 25. April 1925 übergeben. Ausführlich dazu jetzt vor allem M. Walsdorff, a. a. O., S. 84 ff.

absehbare Zeit hinaus nicht die Revision des Versailler Vertrages [50], sondern die Zurückweisung Frankreichs in die in diesem Vertrag festgelegten Grenzen, das heißt die Sicherung des Rheinlandes ... Lediglich um der Französischen Regierung einen Ersatz für die in früheren Stadien der Sicherheitsfrage stets verlangte Einbeziehung Polens in den Sicherheitspakt zu bieten, ist mit den deutschen Anregungen die Erklärung verbunden worden, daß die Reichsregierung zum Abschluß von Schiedsverträgen mit allen ihren Nachbarstaaten bereit sei. In der Tat sind derartige Schiedsverträge zwar eine Bekundung des Friedenswillens, aber kein Verzicht auf die politischen Ziele, die Deutschland hinsichtlich seiner Ostgrenze verfolgen muß.« [51]

An der Absicht der Reichsregierung, darin von der öffentlichen Meinung und den Parteien in Deutschland weitestgehend unterstützt, Revisionsansprüche (besonders gegenüber Polen) mit »friedlichen« Mitteln durchzusetzen, hatte sich also durch das Februar-Memorandum kein Jota geändert — und alle Beteiligten wußten das. [52] Wenn Stresemann den Krieg als Mittel seiner Politik (formell zwar nur im Westen, tatsächlich aber auch im Osten) ausschloß, dann gewiß in erster Linie deshalb, weil das Deutsche Reich militärisch eine drittrangige Macht war (bei allerdings beträchtlichen Potenzen auch auf diesem

---

50 Diese Bemerkung ist natürlich auch als politische Taktik zu verstehen.
51 NL Bd. 351: Von Konsul Bernhard aus dem Nachlaß Stresemann übergebene Schriftstücke für die Akten RM.
52 Vgl. auch die Ausführungen Chamberlains vom 24. März 1925 vor dem britischen Unterhaus. Auszüge seiner Rede (in deutscher Übersetzung) NL Bd. 22. Am 7. März hatte Stresemann vor der Presse erklärt, Deutschland sei bereit, alle Differenzen auf friedlichem Wege zu lösen. »Was wir nicht können, das ist, eine offizielle Garantie der Grenzen im Osten zu übernehmen, denn wir müssen uns die Möglichkeit vorbehalten, diese Dinge auf friedlichem Wege zu lösen.« Vermächtnis, Bd. II, S. 69. Vgl. auch »Deutsche Stimmen« vom 5. März 1925, S. 85 f., und Stresemanns Aufsatz (»Initiative der deutschen Außenpolitik«) im »Hamburger Fremdenblatt« vom 10. April 1925. Vermächtnis, Bd. II, S. 88 ff. (Wichtig die folgenden Sätze: »Die Dinge im Osten sind nicht abgeschlossen. In dem Augenblick, in dem russische Entscheidung darüber fällt, ob es sich dauernd innerhalb dieser Grenzen bewegen will oder ob es die Randstaaten- und die polnische Frage aufrollt: in diesem Augenblick beginnt ein neuer Abschnitt der europäischen Geschichte. Auch hierbei braucht man nicht [Immerhin läßt Stresemann die Möglichkeit offen!] an einen neuen Weltkrieg und nicht an den Austrag mit Waffen zu denken. Wohl aber kann man sich vorstellen, daß diese ganzen Fragen die Erörterung einer großen internationalen Konferenz bilden werden, die hier neues Recht namentlich in bezug auf die wirkliche Selbstbestimmung der Völker schafft.«) Allgemein zu dieser Frage Chr. Höltje, Die Weimarer Republik und das Ostlocarno-Problem 1919—1934. Revision oder Garantie der deutschen Ostgrenze von 1919, Würzburg 1958; M. Broszat, Zweihundert Jahre deutsche Polenpolitik, München 1963, bes. S. 169 ff.; M. Oertel, Beiträge zur Geschichte der deutsch-polnischen Beziehungen in den Jahren 1925—1930, Phil. Diss. Berlin 1968, bes. S. 31 ff.; H. von Riekhoff, German-Polish Relations 1918—1933, Baltimore 1971; M. Walsdorff, a. a. O., passim.

Gebiet) und wirtschaftlich vorerst auf die Kapitalhilfe des westlichen Auslandes angewiesen blieb. [53] Trotzdem bedeutete in den 20er Jahren ein Gewaltverzicht keine Selbstverständlichkeit, auch nicht in Deutschland. Stresemanns Politik muß grundsätzlich als eine Politik zwischen Krieg und Frieden (im vollen Sinn des Wortes) verstanden werden, als eine Politik des begrenzten (d. h. politisch kontrollierten) Konflikts — mit allen ihren Chancen und Grenzen, weniger wohl Risiken. Das taktische Instrumentarium mochte vom großzügigen (wenngleich kalkulierten) Entgegenkommen bis zum härtesten wirtschaftlichen Druck reichen — die militärisch zugespitzte (und so auch gewollte) Eskalation einer Krise zählte unter den gegebenen Umständen nicht dazu.

Man wird deshalb sagen können, daß die Realpolitik, von der Stresemann immer wieder sprach, niemals originäre Machtpolitik gewesen ist (und insofern faktisch nur wenig gegen den Willen anderer Staaten bzw. Staatsführungen auszurichten vermochte), sondern der Versuch, ausgehend von den (welt-)wirtschaftlichen und politischen Realitäten, die Deutschland immerhin Entwicklungsmöglichkeiten boten, bis zu jener Ebene vorzustoßen, von der aus Machtpolitik eventuell wieder relevant werden konnte. [54] Gerade als Wirtschaftspolitiker und nüchterner Beobachter der Nachkriegsverhältnisse wußte er jedoch, daß ein neuerlicher (Welt-)Krieg auf europäischem Boden keine Sieger, dagegen (jedenfalls in Europa) allseits Besiegte zur Folge haben würde. Entscheidend waren ihm die *politischen* Konsequenzen eines militärischen Gleich- bzw. Ungleichgewichts. Insofern scheute er sich nicht, die Abrüstung Deutschlands, die im Versailler Vertrag als Vorleistung

53 Nur eine friedliche Entwicklung Europas garantierte die Investitionsbereitschaft gerade auch der Vereinigten Staaten, auf die die deutsche Industrie angewiesen war. Vgl. folgende Sätze aus der Reichstagsrede Stresemanns vom 18. Mai 1925: »Die Vereinigten Staaten sind das Land, von dem die wichtigsten Bestrebungen ausgingen, die auf die Sanierung der Wirtschaft und darüber hinaus auf die Befriedung Europas gerichtet sind. Keinem Lande können diese Bestrebungen willkommener sein als dem Deutschen Reiche. Es ist mir eine Genugtuung, feststellen zu können, daß unsere Beziehungen zu den Vereinigten Staaten in jeder Hinsicht befriedigende sind. Die weitgehende Kredithilfe, die die amerikanische Hochfinanz in den letzten Monaten einem Teil der deutschen Industrie gewährt hat, ist für unsere blutarme Wirtschaft von der größten Bedeutung gewesen.« Verhandlungen des Reichstags, Bd. 385, a. a. O., S. 1870. Über die positive Reaktion in den USA zu den deutschen Bemühungen um ein europäisches Sicherheitsabkommen vgl. R. Gottwald, Die deutsch-amerikanischen Beziehungen in der Ära Stresemann, Berlin 1965, S. 48 ff., und W. Link, Die amerikanische Stabilisierungspolitik, a. a. O., S. 344 f.
54 Vgl. dazu Stresemanns Entgegnung auf Vorwürfe, die hinsichtlich seiner »Verständigungspolitik« auf der Tagung der Ministerpräsidenten der deutschen Länder am 3. Juli 1925 gegen ihn erhoben wurden. Zitiert bei L. Zimmermann, a. a. O., S. 266 f. Dort allerdings fälschlich das Datum 3. Juli 1924 angegeben.

für eine allgemeine Abrüstung deklariert worden war, zum Ausgangspunkt einer fordernden Argumentation zu machen, die entweder die
Abrüstung der anderen europäischen Staaten, vor allem Frankreichs,
oder die Wiederaufrüstung Deutschlands — oder politische Zugeständnisse der Westmächte als alternative Lösungen zu erreichen
hoffte. [55]

Am 10. April 1925 wurde Herriot gestürzt. In der nachfolgenden
Regierung Painlevé übernahm Briand das Außenministerium. [56] Die
Kontinuität der französischen Zielvorstellungen verband sich bei ihm
mit der Bereitschaft, in der Wahl der politischen Mittel variabel zu sein,
d. h. sich der jeweiligen Situation anzupassen und dabei auch inhaltliche (nicht nur verbale) Kompromisse zu schließen. Von Briand
konnte Stresemann erwarten, daß er einerseits die wirtschaftliche Konsolidierung Deutschlands nicht behindern, also jede militärische Aben-
teuerpolitik ablehnen, andererseits aber auch an den Grundlagen des Versailler Vertrages und am französischen Bündnissystem aus sicherheitspolitischen Erwägungen mit Zähigkeit festhalten würde. Als »Realpolitiker« war Briand überzeugt, daß eine innenpolitische Beruhigung
in Deutschland, d. h. eine (partielle) deutsch-französische Verständigung diese Sicherheit, gerade auch auf längere Sicht, am ehesten garantieren könnte. Eben deshalb bestand aber die Notwendigkeit, im
Verhältnis der beiden Staaten einen Schritt nach vorn zu tun. [57] Eine
Bestätigung dafür lieferte Briands Senatsrede vom 26. Mai 1925, in
der er empfahl, die Polemik einzustellen und die Absichten, die der
deutsche Außenminister wirklich verfolge, ernsthaft zu prüfen. [58]

Ohne Erfolg blieb dagegen das Bemühen Stresemanns, den französischen Standpunkt vor der angekündigten Übergabe der Entwaff-

---

55 Vgl. die Reichstagsrede Stresemanns vom 18. Mai 1925. Verhandlungen des
Reichstags, Bd. 385, a. a. O., S. 1879 (Dort u. a. folgender Satz: »Eine dauerhafte zwischenstaatliche Ordnung ist aber so lange undenkbar, als einzelnen
Staaten oder Staatengruppen durch das Übermaß ihrer Rüstungen die Möglichkeit gegeben ist, jede politische Aspiration ohne das Risiko eines wirk-
samen Widerstandes zu verwirklichen.«); ebenso seine Reichstagsrede vom
22. Juli 1925. Verhandlungen des Reichstags, Bd. 388, Stenogr. Berichte,
Berlin 1926, bes. S. 4539.
56 Dazu M. Baumont, Briand, a. a. O., S. 53. Vgl. auch das positiv gehaltene
Schreiben de Margeries an Stresemann vom 20. April (AA Frankreich,
Politik 2, Bd. 12) und Hoeschs Telegramm Nr. 281 vom 22. April 1925 (AA,
Büro RM, Frankreich 7, Bd. 6).
57 Briand wollte den europäischen Frieden — auf der Basis des Versailler Vertrages, Stresemann wollte ebenfalls den europäischen Frieden — auf der
Basis einer Revision des Versailler Vertrages. Insofern mußte von vornherein
der Gedanke einer deutsch-französischen Sonderverständigung, von Stresemann auch nicht geteilt, an den Richtlinien der Briandschen Außenpolitik
scheitern. Vgl. dazu das Schreiben von Hoesch an Stresemann vom 7. Mai
1925. AA Frankreich, Politik 2, Bd. 12.
58 G. Suarez, Bd. VI, a. a. O., S. 162.

nungsnote kennenzulernen. [59] Briand ließ sich nicht aus der Reserve herauslocken, so daß diese Note [60] kurz vor der Antwort auf das deutsche Sicherheitsmemorandum veröffentlicht wurde. [61] Den Gegnern Stresemanns in Deutschland war es damit leicht gemacht, den Katalog der Entwaffnungsforderungen als Vorbedingung für die Paktgespräche zu interpretieren und eine entsprechende Agitation zu entfachen. [62] Eine Wende zum Positiven bedeutete demgegenüber die Entscheidung der französischen Regierung, mit Deutschland Verhandlungen über einen multilateralen Sicherheitsvertrag aufzunehmen. [63] Offensichtlich haben dabei, ganz im Sinne Stresemanns, die deutsch-russischen Kontakte und ihre möglichen Konsequenzen für Osteuropa eine wesentliche Rolle gespielt. [64]

---

59 Am 2. Juni 1925 wurde Hoesch beauftragt (NL Bd. 276: Politische Akten 1925/III), Briand auf die Kernfrage, nämlich die möglichen Rückwirkungen des Rheinpaktes auf das Verhältnis Frankreichs zu seinen Verbündeten, anzusprechen. Briand ging jedoch auf eine Erörterung dieser Frage nicht ein.
60 Es handelt sich hierbei um die Kollektivnote der Alliierten Regierungen vom 4. Juni 1925. Text: Michaelis — Schraepler, Ursachen und Folgen, Bd. VI, S. 324 ff.
61 Ein geringes Ergebnis hatte offensichtlich auch das Bemühen Stresemanns, durch eine Unterredung mit Lord d'Abernon (am 4. Juni 1925) die deutsche Position in London und über London in Paris zur Geltung zu bringen. Zum geplanten Sicherheitspakt heißt es in seiner Niederschrift vom selben Tage u. a.: »Ich wies ihn (den Botschafter — Anm. d. Verf.) darauf hin, daß sich die ganze Sachlage verwirrt habe, indem man die Ostfrage und neuerdings die deutsch-österreichische Frage in die Debatte geworfen hätte, die mit der Sache gar nichts zu tun hätten. Die Polen und Tschechen glaubten aber, wir wollten Annexionspolitik in größtem Stil treiben und uns, sobald wir im Westen Ruhe hätten, Deutsch-Österreich einverleiben, uns den polnischen Korridor wiederholen etc. Selbstverständlich würden wir nie eine Erklärung abgeben, daß wir auf das eine oder andere verzichteten, aber wir hätten weder die Absicht noch die Macht, gegen Polen etwas zu unternehmen, und im übrigen sei die deutsch-österreichische Frage gegenwärtig keine aktuelle.« NL Bd. 272.
62 Vgl. L. Zimmermann, a. a. O., S. 261. Die scharf ablehnenden Äußerungen Mussolinis über einen etwaigen Anschluß Österreichs an Deutschland taten ein übriges, um die innenpolitische Situation Stresemanns zu verschlechtern. Ebda., S. 261 f. Auszüge aus der Rede Mussolinis vom 20. Mai 1925 bei Michaelis — Schraepler, Ursachen und Folgen, Bd. VI, S. 358 f. Schon am 30. Mai 1925 hatte der »Völkische Kurier« angesichts der bisherigen deutschen Außenpolitik gefordert: »Vor den Staatsgerichtshof mit Stresemann!« NL Bd. 25: Akten 20. Mai — 23. Juni 1925.
63 Vgl. G. Suarez, Bd. VI, a. a. O., S. 83.
64 Darüber L. Zimmermann, a. a. O., S. 263 f., und M. Walsdorff, a. a. O., S. 87 ff. Zu bedenken ist in diesem Zusammenhang, daß Rußland — trotz der vorgelagerten Randstaaten — immer noch das natürliche Schwergewicht in Osteuropa bildete und daher für die politische Zukunft des Deutschen Reiches von zentraler, und zwar positiver, Bedeutung blieb; zudem gab es nach dem Weltkrieg keine außenpolitischen Konfliktstoffe (Balkan!) mehr zwischen beiden Ländern. Andererseits war Stresemann, indem er die bolschewistische Gefahr beschwor, weiterhin darum bemüht, die Vereinigten Staaten für die eigene Politik zu gewinnen. So schrieb er am 4. Juni 1925 an den amerikanischen Botschafter Houghton (nunmehr in London) u. a.: »Der Bolschewismus flößt mir in der letzten Zeit ein gewisses Gruseln ein . . . Wir sind in Deutschland wachsam, und solange unsere wirtschaftlichen Ver-

Die französische Antwort auf das Sicherheitsmemorandum, die am 16. Juni 1925 überreicht wurde [65], signalisierte wenig Entgegenkommen. Das Angebot eines Rheinpaktes wurde zwar grundsätzlich angenommen, aber die Forderung nach uneingeschränkten Schiedsverträgen auch für die Oststaaten sowie der Anspruch Frankreichs, Garant eben dieser Verträge zu sein, stellten die gesamte Konzeption Stresemanns in Frage und waren geeignet, gerade das zu verhindern, was Deutschland in der großen Mehrheit seiner politischen Führung und öffentlichen Meinung forderte: die territoriale Veränderung des Status quo im Osten (eine Minderheit mochte sich nicht einmal mit dem durch die Machtverhältnisse erzwungenen Verzicht auf Elsaß-Lothringen abfinden). [66] Selbst im Kabinett und gegenüber dem Reichskanzler Luther hatte Stresemann größte Schwierigkeiten zu überwinden, ehe

---

hältnisse einigermaßen sind, kommt der Bolschewismus auch nicht weit, haben doch die Kommunisten in Deutschland bei den letzten Wahlen ganz erheblich an Stimmen verloren. Kommen wir aber einmal zu einem wirtschaftlichen Zusammenbruch, weiß niemand, wohin das irregeleitete Volk läuft. Der Zusammenschluß und die Verständigung der Völker sollten deshalb mit Sorgfalt und Eifer vorwärtsgetrieben werden, um der Ungewißheit über die Lage Europas, die noch immer auf uns lastet, ein Ende zu bereiten.« NL Bd. 276. (Stresemann bezieht sich nachfolgend auf die Entwaffnungsfrage, auf die Nichträumung der Kölner Zone und auf den vorgeschlagenen Garantiepakt. Die Absicht ist klar: die USA sollen ihren Einfluß auf Frankreich geltend machen, um es zur Annahme des deutschen Memorandums zu bewegen, und insgesamt der — stark wirtschaftlich orientierten — Politik Stresemanns die finanzielle Basis geben. Vgl. auch R. Gottwald, a. a. O., S. 53 f.) — Am 19. Juli 1925 notierte Stresemann über diesen Problemkreis: »Es scheint, als wenn eine Art anglo-amerikanisch-deutscher Kapitaltrust sich bildet, der natürlich das Zustandekommen des Sicherheitspaktes zur Voraussetzung hat. Wir brauchen die Milliarden sehr dringend. Daß die Amerikaner jetzt 18 Milliarden Goldmark in den Tresors ihrer Federal-Reserve-Bank haben, zeigt, daß in Wirklichkeit England den Krieg ebenso verloren hat wie wir.« NL Bd. 272.

65 Text der Note (in deutscher Übersetzung) siehe Michaelis — Schraepler, Ursachen und Folgen, Bd. VI, S. 364 ff. Zum Inhalt der Note vgl. auch den Kommentar von Hoesch in seinem Drahtbericht vom 30. Juni 1925. AA, Büro RM, Frankreich 7, Bd. 6.

66 Für Stresemann waren die in Versailles geschaffenen Ostgrenzen des Deutschen Reiches weder militärisch noch politisch, noch wirtschaftlich annehmbar — und schon gar nicht entsprachen sie den ethnographischen Gegebenheiten, d. h. dem allseits propagierten Selbstbestimmungsrecht der Völker. Ende April 1925 gab er dem Vertreter der Wiener »Neuen Freien Presse« ein Interview, in dem es u. a. heißt: »Man spricht (in Frankreich — Anm. d. Verf.) von einer feierlichen Anerkennung unserer Ostgrenzen, ja man spricht sogar von einem Verzicht auf die Möglichkeit einer Vereinigung der beiden Bruderländer Deutsch-Österreich und Deutschland. Es ist klar, daß man für derartige Forderungen in Deutschland kein Verständnis haben kann. Was die Fragen der Ostgrenzen anlangt, so weiß die ganze Welt, daß wir die gegenwärtige Grenzziehung als einen ungerechten und unmöglichen Zustand ansehen. Auf eine feierliche Anerkennung dieses Zustandes können wir uns niemals einlassen.« NL Bd. 24: Akten 24. April — 18. Mai 1925. Ebenso argumentierte Stresemann in seiner Reichstagsrede vom 18. Mai 1925. Verhandlungen des Reichstags, Bd. 385, a. a. O., bes. S. 1881.

er sich mit der Absicht durchsetzen konnte, die Dinge im Fluß zu halten. [67]

Am 20. Juli 1925 wurde die deutsche Antwortnote überreicht. [68] Ihr Wortlaut war sowohl durch außen- als auch durch innenpolitische Erwägungen bestimmt; im Reichstag fand sie (am 23. Juli) eine große Mehrheit. [69] Bei der Diskussion der Note im Auswärtigen Ausschuß des Reichstages am 17. Juli [70] hatte Stresemann erneut die absolute Notwendigkeit einer Verständigung mit Frankreich hervorgehoben und dabei insbesondere auf die zustimmende (in Wahrheit sogar drängende) Haltung der USA verwiesen, auf deren Kapitalhilfe, wie er noch einmal betonte, Deutschland wirtschaftlich angewiesen sei. [71] Dieselbe Argumentation, auf Frankreich zugespitzt, wiederholte er in seiner Reichstagsrede vom 22. Juli 1925. [72] Hier nannte Stresemann den Frieden zwischen Frankreich und Deutschland »nicht nur eine französisch-deutsche, sondern .. eine europäische Angelegenheit«. [73] Der Krieg und die Fortsetzung des Krieges mit anderen Mitteln habe, so führte er weiter aus, »soziale, politische und wirtschaftliche Erschütterungen in Europa hervorgerufen, die die alten Kulturnationen direkt vor die Frage ihrer materiellen Weiterexistenz« stellten. Ein dauernder Währungsverfall Frankreichs bringe aber Deutschland we-

---

67 Vgl. die Aufzeichnung Stresemanns vom 26. Juni 1925 über die Kabinettssitzung vom 24. Juni. NL Bd. 272; vgl. ebenso E. Eyck, Bd. 2, a. a. O., S. 23 ff., und H. Luther, Stresemann und Luther in Locarno, in: Politische Studien, Bd. VIII (1957), S. 1 ff. Stresemann, der für den Fall einer Ablehnung seiner Friedenspolitik (vgl. die Argumentation Seeckts! Darüber genauer: F. L. Carsten, Reichswehr und Politik 1918—1933, Köln — Berlin 1964, S. 226 f.) seinen Rücktritt ankündigte, konnte sich immerhin auf v. Hoeschs Mitteilung berufen, daß Briand die baldige Räumung des Ruhrgebietes und der rechtsrheinischen Sanktionsstädte erneut zugesagt hatte, um damit den guten Willen Frankreichs zu beweisen und eine positive Atmosphäre zu schaffen. Umgekehrt erwartete er ein Entgegenkommen der Reichsregierung in der Frage des deutsch-französischen Handelsvertrages. Telegramm Nr. 459 vom 22. Juni 1925. NL Bd. 25.
68 Zur taktischen Funktion dieser Note (Textauszug bei Michaelis — Schraepler, Ursachen und Folgen, Bd. VI, S. 370 ff.) erklärte Stresemann am 17. Juli vor dem Auswärtigen Ausschuß des Reichstages: »Die Gegenseite bemüht sich, unser Memorandum in den Hintergrund verschwinden zu lassen und die Briand-Note als den einzigen Gegenstand der Verhandlung und das Hauptstück hinzustellen. Dieses müssen wir verhüten. Das haben wir in der Note getan.« NL Bd. 27: Akten 2. Juli — 5. August 1925. Anfang Juli hatte Houghton der deutschen Regierung wichtige Ratschläge für die Beantwortung der französischen Note zukommen lassen. Darüber R. Gottwald, a. a. O., S. 55, und W. Link, Die amerikanische Stabilisierungspolitik, a. a. O., S. 344 f., bes. Anm. 16.
69 Zum Verhalten der Deutschnationalen vgl. H. A. Turner, a. a. O., S. 200 ff.
70 Vgl. Anm. 68.
71 Vgl. auch L. Zimmermann, a. a. O., S. 267, und R. Gottwald, a. a. O., S. 56.
72 Zwei Tage zuvor hatten die französischen Truppen mit der Räumung des Ruhrgebietes begonnen.
73 Verhandlungen des Reichstags, Bd. 386, a. a. O., S. 3391.

der wirtschaftliche noch politische Vorteile. Das zusammengebrochene Europa könne nur dann wiederaufgebaut werden, wenn ein befriedetes Europa erreicht sei, ein Europa ohne Sanktionen und künftige Kriege. [74]

Stresemann wußte, daß selbst ein militärisch starkes Deutschland eine Konfrontation mit den Westmächten — d. h. den Siegerstaaten — nicht bestehen konnte. Daher war für ihn die Politik der Verständigung ohne realistische und verantwortbare Alternative. [75] Nur von ihr rechnete er sich eine Kontinuität des (abgestuften, aber konsequenten) Erfolges aus. So erklärte er in einer Rede vor dem Bund der Auslandsdeutschen am 29. August 1925: »Wir müssen schrittweise vorgehen. Der Kampf, den wir kämpfen, gilt gegenwärtig dem großen Gedanken der Gleichberechtigung Deutschlands als Reich neben anderen großen Völkern. Unter diesem Leitgedanken stehen auch die aktuellen außenpolitischen Fragen, und dabei steht auch der Gedanke des Auslands-Deutschtums in der Welt im Mittelpunkt dieser ganzen Politik... Wir sehen Deutschland in diesen Wochen und Tagen von fremdem Druck, von fremder Besatzung befreit. Möge die Zeit nicht mehr allzu fern sein, in der es von dem ganzen Volk heißen

---

74 Ebenda. Im Widerspruch zu A. Thimme (Gustav Stresemann, Hist. Zeitschrift, a. a. O., S. 328), die die These vertritt, daß Stresemann zur »Weltpolitik *alten Stiles*« (Hervorhebung vom Verf.) zurückkehren wollte. Vgl. auch Th. Eschenburg, a. a. O., S. 192.
75 Stresemann wurde in dieser Auffassung durch die Haltung Briands bestätigt und unterstützt. Außerordentlich interessant und informativ in diesem Zusammenhang Hoeschs chiffriertes Telegramm Nr. 585 (»Für Reichsminister persönlich streng vertraulich«) vom 6. August 1925. Darin die Mitteilungen: »Halb spontan, halb durch Zwischenfragen meinerseits veranlaßt, gab mir Briand folgende Darstellung seiner Absichten bezüglich Paktproblems:... Er wünsche selbst, daß auch Deutschland Gefühl der Sicherheit erlange. Als deutsche Hauptsorge ansehe er Problem deutsch-polnischer Beziehungen. Deutschland habe sich bereit erklärt, durch Abschluß Schiedsverträge kriegerische Verwickelungen mit Polen auszuschließen und sich auf Wahrung Möglichkeit friedlicher Grenzberichtigungen zu beschränken. In Note solle Recht Deutschlands auf Möglichkeit derartiger Vertragsänderungen auf Grund Artikels 19 ausdrücklich bestätigt werden. Briand anschloß hieran lange Ausführungen über Aussichten für derartige Abänderungen. Er meinte, er müßte lügen, wollte er behaupten, daß augenblicklich auf polnischer Seite Geneigtheit zu irgendwelchen Modifikationen bestehen würde. Polen leide unter einer nicht immer in angenehmer Form sich äußernden Psychose... Zeigten sich also für den Augenblick auch keine Aussichten auf alsbaldige Grenzrektifikationen, so sei er doch überzeugt, daß, wenn Deutschland einmal im Völkerbundsrat sitze und au pair mit den anderen Vertretern sprechen könne, sich unter Einwirkung des deutschen Wirtschafts-... (Wort fehlt) und sonstigen Schwergewichts Möglichkeiten für anderweite Regelungen bieten würden. Diese Ansicht werde geteilt unter anderem von Chamberlain und Benesch. Frankreich werde, falls solche Möglichkeiten sich zeigten, sicher nicht im Wege stehen. (!) Alles komme gegenwärtig darauf an, durch Beseitigung deutsch-französischen Konflikts Frieden und Ruhe in Europa herzustellen...« AA, Büro RM, Frankreich 7, Bd. 7.

kann, daß wir wieder auf freiem Grund mit freiem Volke stehen! Das ist der Sinn der deutschen Politik.« [76]

Eine »Verständigungspolitik«, wie sie von Stresemann konzipiert war, hatte ihre Auswirkungen auch auf die (künftige) Ost-West-Orientierung des Deutschen Reiches. Nach seiner Meinung widersprach das geplante Sicherheitsabkommen mit den europäischen Westmächten, da ja gerade dadurch die Ost- und Westprobleme (vertraglich) voneinander getrennt werden sollten, keineswegs einer deutschrussischen Zusammenarbeit. [77]

Gewiß war in den folgenden Jahren ein Ausbau der deutschen Westpolitik einzukalkulieren, aber das konnte — unabhängig von der Person des Außenministers — anders gar nicht erwartet werden. Die Machtlosigkeit des Deutschen Reiches, seine ökonomischen Abhängigkeiten und gesellschaftlichen Strukturen, die führende Stellung, die

---

76 NL Bd. 28: Akten 10. Aug. — 31. Aug. 1925. Noch konkreter hatte Stresemann das Ziel seiner Politik schon am 10. April (»Hamburger Fremdenblatt«, a. a. O.) so definiert: »Verstehen wir daher die Initiative der deutschen Reichsregierung richtig, so wollte sie durch ihre Anregungen die beginnende neue Entente gegen Deutschland, die in dem Dreimächte-Pakt Frankreich, England, Belgien unter Chamberlains Führung zur Ausführung kommen sollte, verhindern, den Alliierten den Vorwand nehmen, unter Ausnutzung angeblicher Verfehlungen in der Entwaffnung das Rheinland auf unbestimmte Zeit weiter besetzt zu halten, das Rheinland weiter davor schützen, einer dauernden Kontrolle seitens des Völkerbundes ausgesetzt zu bleiben, die internationale Atmosphäre entspannen, sich dabei im übrigen freie Hand für eine friedliche Änderung der Grenzen im Osten sichern und den Weg der Konsolidierung und Wiederaufrichtung Deutschlands in der Konzentrierung auf das Bestreben der späteren Angliederung deutscher Gebiete im Osten gehen.«

77 Vgl. die Aufzeichnung Stresemanns über seine Unterredung mit dem russischen Botschafter Krestinski vom 15. April 1925. NL Bd. 276. Hier folgende Sätze: »Unsere Absicht sei es (so Stresemann — Anm. d. Verf.), uns im Westen Ruhe zu schaffen und im übrigen für den Osten die Entwicklung genau zu verfolgen, unsere Ansprüche aufrecht zu erhalten und uns die Freiheit des Handelns zu bewahren. Gerade von diesem Gesichtspunkt aus müsse Rußland für unseren Schritt Verständnis haben. Der Sicherheitspakt mit den Westmächten schließe ein gutes Verhältnis mit Rußland nicht aus.« Sehr wichtig auch das Gespräch Stresemanns mit dem stellvertretenden Volkskommissar Litwinow am 13. Juni 1925 (NL Bd. 272. Dieser drohte für den Fall des Westpakts und des Eintritts Deutschlands in den Völkerbund wegen der dann zu erwartenden proenglischen und damit antirussischen Politik der Reichsregierung unverhüllt, wenngleich freundlich im Ton, eine russisch-polnische sowie russisch-französische Annäherung an.) und die (streng geheimen) »Richtlinien für die Fortsetzung der politischen Verhandlungen mit Rußland« (ohne Datum, aber offensichtlich — nach Walsdorff, der sich hierbei auf Th. Schieder stützt — am 21. Juni 1925 formuliert). NL Bd. 351. Sie stellen einen deutsch-russischen Vertrag in der Fortsetzung der Rapallopolitik in Aussicht. In einem von Stresemann handschriftlich korrigierten und überarbeiteten Manuskript, datiert 5. August 1925, heißt es allgemein zur Problematik einer Ost-West-Orientierung: »Deutschland gleicht jetzt dem Reiter in der Fabel, dem zur Seite diejenigen traben, die ihn zu sich herüberziehen wollen.« NL Bd. 27. Allgemein M. Walsdorff, a. a. O., S. 94 und S. 108 ff.

185

der Versailler Vertrag Frankreich in Kontinentaleuropa einräumte, die langfristigen Ziele der deutschen Revisionspolitik — alles das mußte Stresemann veranlassen, das Schwergewicht seiner Politik nach Westen zu verlegen, ohne damit die Chancen zu gefährden, die sich Deutschland aufgrund seiner strategischen Lage und aufgrund der ideologischen (darüber hinaus wirtschaftlichen und politischen) Auseinandersetzung zwischen den Westmächten und Sowjetrußland boten. [78] Stresemann begriff die deutsch-russischen Beziehungen (in der Konsequenz seiner »Balancepolitik«) vorrangig als Mittel zum Zweck, d. h. als Instrument für ständig zu verbessernde deutsch-angelsächsische bzw. deutsch-französische Beziehungen — und zwar mit dem Ziel, dadurch die deutschen Revisionsforderungen der Verwirklichung näherzubringen. [79] Von einem deutsch-russischen Bündnis konnten die »Fesseln von Versailles« nicht zersprengt werden. [80] Diese Entscheidung fiel, wenn auch mit der notwendigen russischen Unterstützung, eindeutig im Westen, genauer: in Frankreich. [81]

Anfang September 1925 fand in London die von Briand und Chamberlain in der Note vom 24. August [82] angeregte Konferenz der Rechtsberater der englischen, französischen, belgischen und deutschen

---

78 Vgl. auch G. Kotowski, Die Weimarer Republik zwischen Erfüllungspolitik und Widerstand, in: Die Folgen von Versailles 1919—1924, hrsg. von H. Rößler, a. a. O., S. 166.
79 Vgl. die Aufzeichnung Stresemanns vom 10. Juni 1925 über ein Gespräch mit Lord d'Abernon vom selben Tage: »Ich wies ihn (den Botschafter — Anm. d. Verf.) darauf hin, daß wir in ein sehr hohes Spiel spielten, nachdem wir uns durch das Garantiepaktangebot auf eine so weitgehende Verständigung mit Frankreich und England eingelassen hätten, denn Rußland werde sehr aufmerksam, und der russische Botschafter, der gleich nach ihm zu mir käme, würde wahrscheinlich die Besorgnisse, aber auch die Anerbietungen Rußlands mir gegenüber zum Ausdruck bringen. Wenn wir tatsächlich durch unseren Eintritt in den Völkerbund unsere Beziehungen zu Rußland aufs Spiel setzten, müßten wir auch eine entsprechende Entschädigung dafür erhalten, z. Bsp. die Räumung des gesamten Rheinlandes, die Wiedergabe von Eupen-Malmedy und ein koloniales Mandat. (!) Der Botschafter überhörte letzteres, erklärte aber, er sei überzeugt, daß man sich über eine Abkürzung der Besatzungsfristen würde verständigen können.« NL Bd. 272.
80 So Stresemann in einem Artikel vom 5. August 1925 mit der Überschrift »Sicherheitspakt, Völkerbund und Ostfragen«. Zitiert nach L. Zimmermann, a. a. O., S. 280. Vgl. auch L. Kochan, a. a. O., S. 95.
81 Das gilt zum Beispiel ohne jeden Zweifel für das sog. Rheinlandproblem, d. h. für die Absicht Stresemanns, eine vorzeitige Räumung der besetzten linksrheinischen Gebiete herbeizuführen. Bei einem deutschen Entgegenkommen in der Sicherheitsfrage, aber auch nur dann, konnte er sich sogar auf die Erklärung der vier (westlichen) alliierten Ministerpräsidenten vom 13. Juni 1919 berufen, daß, wenn Deutschland vor Ablauf der 15 Jahre »sichere Beweise guten Willens und genügende Garantien« gebe, die alliierten und assoziierten Mächte »bereit sein würden, sich ins Einvernehmen zu setzen, um für einen näheren Zeitpunkt das Ende der Besatzungsperiode zu bestimmen«. AA, Materialien zur Sicherheitsfrage, a. a. O., S. 96.
82 Text in: Locarno-Konferenz 1925, Eine Dokumentensammlung, hrsg. vom Ministerium für Auswärtige Angelegenheiten der DDR, Berlin 1962, S. 114 ff.

Außenministerien statt; sie hatte den Auftrag, einen Vertragsentwurf vorzubereiten. Anfängliche Befürchtungen Stresemanns, hier könnten unliebsame Vorentscheidungen fallen, erwiesen sich als unzutreffend. [83] Am 15. September lud dann die französische Regierung zu einer Außenministerkonferenz (in Locarno) ein, an der Großbritannien, Frankreich, Belgien, Italien, Polen, die Tschechoslowakei und das Deutsche Reich teilnehmen sollten. [84] Diese Einladung ließ den innenpolitischen Streit in Deutschland erneut aufleben. [85] *Ein* Plus konnte Stresemann immerhin für sich buchen: Briand hatte seine Zusage, die Sanktionsstädte Duisburg und Düsseldorf zu räumen, trotz der Verschleppungsversuche der französischen Militärs eingehalten. Das war als ein ermutigendes Zeichen zu werten. [86]

Als Stresemann am Abend des 2. Oktober aus Berlin abfuhr, hatte er gerade erst — wenn das tatsächlich dessen Absicht war [87] — einen letzten Versuch Tschitscherins zurückgewiesen, durch verklausulierte Andeutungen auf eine eventuelle vierte Teilung Polens (mit Bezug auf ein am 4. Dezember 1924 vom Auswärtigen Amt ausgegangenes militärpolitisches Bündnisangebot) [88] Deutschland von einer engen Bin-

---

83 Bericht von Gaus über die Juristenkonferenz mit Anlagen vom 2. — 18. September 1925. NL Bd. 275. Vgl. auch das Gespräch Stresemanns mit Lord d'Abernon am 22. September 1925. Aufzeichnung vom selben Tage. NL Bd. 272. Hier u. a. die Sätze: »Ich sagte ihm (dem Botschafter — Anm. d. Verf.) dann, wie wir uns zu dem Ergebnis der Juristenkonferenz sachlich stellten, erklärte ihm, daß die französische Garantie für die Oststaaten für uns nicht erträglich wäre, und wies weiter darauf hin, daß die Präambel in dem Sinn geändert werden müsse, daß die Unversehrtheit der Grenzen garantiert werde durch die Nichtanwendung kriegerischer Maßnahmen, so daß also die Festlegung des status quo begründet werde mit der Nichtanwendung von Krieg.« Die These (W. Ruge, a. a. O., S. 154), daß auf dieser juristischen Vorkonferenz »erstmalig die antisowjetische Grundlinie des abzuschließenden Sicherheitsabkommens mit völliger Deutlichkeit« definiert worden sei, ist quellenmäßig nicht zu belegen und insofern politische Zweckpropaganda.
84 Locarno-Konferenz, a. a. O., S. 119.
85 Vgl. L. Zimmermann, a. a. O., S. 269 f. Vgl. auch den Anfang der Rede Stresemanns vor dem Auswärtigen Ausschuß des Reichstages am 26. September 1925. NL Bd. 29: Akten 1. September — 3. Oktober 1925.
86 Aufschlußreich für die deutsche Position vor und für Locarno folgender Passus aus der Niederschrift über den Kabinettsrat am 24. September 1925: »Der Herr Reichskanzler: Das Kabinett ist einmütig der Auffassung, daß der außenpolitische Nutzen darin besteht, daß Deutschland einen rechtlichen Schutz gegen neue Invasion und Anschläge Frankreichs bekommt, daß England von der einseitigen Verbindung mit Frankreich losgelöst und in eine Rolle überführt wird, in der es außerhalb der politischen Gestaltung des Kontinents steht. Was den Nutzen für das Rheinland anlangt, so besteht er in der Räumung der ersten Zone und in fühlbaren Erleichterungen für die zweite und dritte Zone.« AA, Büro RM, 3 b: Kabinett-Protokolle, Bd. 4.
87 Vgl. dazu die detaillierten und die bisherige Literatur kritisch bewertenden Ausführungen von M. Walsdorff, a. a. O., S. 133 ff.
88 Maltzan hatte es dem Ermessen Brockdorff-Rantzaus anheimgestellt, anzudeuten, daß für Deutschland und Rußland die Lösung der polnischen Frage in der »Zurückdrängung Polens auf seine ethnographischen Grenzen läge«. M. Walsdorff, a. a. O., S. 65, S. 67 f. und S. 133 ff.

dung an die Westmächte (besonders England) abzuhalten. [89] Was immer die eigentlichen Motive Tschitscherins sein mochten [90], für Stresemann war längst entschieden, die politisch notwendige Verständigung mit den Westmächten herbeizuführen und dennoch die guten Beziehungen mit der Sowjetunion aufrechtzuerhalten. [91] Unter den gegebenen Umständen bedeutete die Intervention Tschitscherins für die deutsche Delegation sogar eine Trumpfkarte, die Stresemann bei den kommenden Gesprächen ins Spiel zu bringen gedachte. [92] Es war daher Überzeugung und zugleich Taktik, wenn er einen Tag nach seiner Ankunft in Locarno gegenüber den Vertretern der Auslandspresse den deutschen Standpunkt, der ja eine Vielzahl konkreter Probleme umschrieb, auf die Kurzformel brachte: »Für uns gibt es keine Option zwischen Ost- und Westpolitik. Wir wollen nach beiden Seiten in guten Beziehungen leben.« [93]

89 Vgl. die Aufzeichnungen Stresemanns über die Gespräche mit Tschitscherin (in Berlin) in der Nacht vom 1. zum 2. Oktober und am 2. Oktober 1925. NL Bd. 272. Wichtig die folgende Aussage Stresemanns: »Die Gefahr für Rußland könnte doch nur darin bestehen, daß man fürchte, Deutschland werde sich als Kontinentaldegen gegen Rußland gebrauchen lassen. Das setze die Bewaffnung Deutschlands voraus, die Frankreich niemals zugeben würde. Ich hätte nie auf die Frage der russischen Bedrohung durch unseren Eintritt in den Völkerbund eine klare Antwort erhalten.« (Aufzeichnung 30. September 1925. Zur Frage der genauen Datierung siehe M. Walsdorff, a. a. O., S. 133, Anm. 249.) Vgl. auch K. D. Erdmann, Das Problem der Ost- oder Westorientierung, a. a. O., S. 140 ff.
90 Sehr wahrscheinlich, wie Martin Walsdorff überzeugend argumentiert (a. a. O., S. 137 f.), ging es ihm primär um die feste Zusage Stresemanns, »daß Deutschland jede Garantie der polnischen Grenze ablehnen und auf seinen Vorbehalten zu Artikel 16 beharren werde«.
91 L. Zimmermann, a. a. O., S. 281. Hinzuweisen wäre in diesem Zusammenhang auf den Abschluß des deutsch-russischen Handelsvertrages am 12. Oktober 1925, der mit einem 100-Millionen-Kredit verbunden war. Vgl. auch K.-H. Ruffmann, Das Gewicht Deutschlands in der sowjetischen Außenpolitik bis 1945, in: Aus Politik und Zeitgeschichte, Beilage zur Wochenzeitung »Das Parlament«, B 2/1970, S. 9 f., und M. Walsdorff, a. a. O., S. 128 ff.
92 Vgl. L. Kochan, a. a. O., S. 100 f. Kritisch dazu M. Walsdorff, a. a. O., S. 135 f.
93 Vermächtnis, Bd. II, S. 528. Vgl. auch K. D. Erdmann, Das Problem der Ost- oder Westorientierung, a. a. O., S. 145 f. Erdmann ist deshalb zu korrigieren, wenn er (ebda., S. 133 f.) das Urteil bestätigt, daß das Ziel der Locarno-Verträge auch aus der Sicht Stresemanns die Versöhnung mit Frankreich, der Ausgleich der nationalen und allgemeinen Interessen auf dem Boden des Rechts und die Eingliederung Deutschlands in die Gemeinschaft der westlichen Völker gewesen sei. Ein solches Urteil, partiell durchaus richtig, trifft nicht den Kern der Politik Stresemanns. Diese zielte weder auf eine Westintegration noch auf eine unabhängige Position zwischen Ost und West — und schon gar nicht auf eine Bindung Deutschlands an die Sowjetunion. Alle drei Versionen wären an der politischen Realität oder an den deutschen Revisionsansprüchen vorbeigegangen. Stresemann beabsichtigte Deutschland einen Standort sui generis zu verschaffen, der es erlaubte, vorhandene Ost-West-Abhängigkeiten bzw. -Gegensätze, die Deutschland gleichzeitig positive Möglichkeiten eröffneten, zu erhalten und für eine nationale Interessenpolitik nutzbar zu machen, d. h. eine spezifische

Am 5. Oktober 1925 trat die Konferenz von Locarno zusammen. [94] Die »Elite der europäischen Staatsmänner« war versammelt. [95] Das Ergebnis der geheimen und durch konträre Intentionen komplizierten Verhandlungen ist bekannt [96]: In dem sog. Westpakt verzichteten Deutschland einerseits, Frankreich und Belgien andererseits, unter der Garantie Englands und Italiens, auf eine gewaltsame Änderung ihrer Grenzen. Deutschland anerkannte darüber hinaus, nunmehr »freiwillig«, die Entmilitarisierung des Rheinlandes, schloß (bei allerdings unterschiedlicher Relevanz) Schiedsverträge mit seinen westlichen und östlichen Nachbarn und erklärte sich zum Eintritt in den Völkerbund bereit. Eine vertragliche Fixierung des Status quo in Osteuropa erfolgte dagegen nicht. Stresemann konnte in dieser Frage mit der Unterstützung Chamberlains rechnen.

Auch die Schwierigkeiten bezüglich der eventuellen Anwendung des Artikels 16 der Völkerbundssatzung wurden im deutschen Sinne gelöst. [97] Damit war den russischen Bedenken Rechnung getragen [98]; Deutschland hingegen war in den Stand gesetzt, auf der Basis einer verstärkten Kooperation mit dem Westen seine Handlungsfreiheit auch gegenüber Rußland geltend zu machen. Ob damit die deutsche Politik im Falle eines nicht lokalisierten bewaffneten Konflikts ihre Manövrierfähigkeit hätte behaupten können, muß mit Ludwig Zimmermann [99] bezweifelt werden, doch bestand ja deutscherseits die defensive Funktion der Locarno-Politik gerade in der Verhinderung eines allgemeinen europäischen Krieges und — damit zusammenhängend — in der Herbeiführung einer Situation, die das wirtschaftliche und politische Aktionsfeld des Deutschen Reiches beträchtlich erweitern sollte — einschließlich der Tendenz, für alle europäischen Großmächte bündnisfähig zu werden. Zunächst, d. h. 1925, war Stresemann indessen genötigt, im Interesse seiner nationalen Revisionspolitik den großen (endgültigen) Entscheidungen auszuweichen und statt dessen

---

europäische Konstellation in ein revisionistisches »Machtinstrument« umzuformen. Vgl. auch G. Kotowski, a. a. O., S. 166 f. Wichtig der Satz: »Deutschland gewann also eine Stellung zwischen Rußland und den Westmächten, bei der es mehr dem Westen als dem Osten verbunden war, aber für die Sowjetunion noch genügend Interesse besaß, eine Politik der Kooperation auch weiterhin zu betreiben.«

94 Über den Ablauf der Konferenz vgl. L. Zimmermann, a. a. O., S. 282 ff., und M. Walsdorff, a. a. O., S. 140 ff.

95 Dazu A. Schwarz, a. a. O., S. 121; kritisch W. Ruge, a. a. O., S. 159 f.

96 Text des Schlußprotokolls vom 16. Oktober 1925 und des Vertrages zwischen Deutschland, Belgien, Frankreich, Großbritannien und Italien (ebenfalls vom 16. Oktober) abgedruckt in: Michaelis — Schraepler, Ursachen und Folgen, Bd. VI, S. 379 ff.

97 Vgl. K. D. Erdmann, Zeit der Weltkriege, a. a. O., S. 150, und M. Walsdorff, a. a. O., S. 141 ff.

98 Vgl. H. W. Gatzke, Von Rapallo, a. a. O., S. 10 ff.

99 A. a. O., S. 287.

ein System von (immerhin zukunftsträchtigen) Aushilfen, auch in den Ostfragen, zu entwickeln — anders formuliert: im Osten und im Westen zu nehmen, was er bekam.

In Locarno begann der für die deutsch-französischen Beziehungen so bedeutungsvolle politisch und persönlich enge Kontakt zwischen Briand und Stresemann. [100] Dabei waren die Verhandlungen zunächst hart geführt worden. Es war jedoch gerade die (relative) Offenheit des Gesprächs, die zwischen den beiden Außenministern ein Vertrauensverhältnis schuf. Briand und Stresemann argumentierten gleichermaßen undogmatisch und verhandelten (bei allerdings konträrer Zielsetzung bezüglich der Machtposition des eigenen Landes) jeweils auf der Basis »nationaler Realpolitik«. Letztlich war für das gegenseitige Verständnis und die (partielle) Zusammenarbeit der beiden Außenminister die Tatsache entscheidend, daß der eine, nämlich Stresemann, hinter den Maximalforderungen der deutschen Rechtsextremisten zurückblieb (was mehr beinhaltete als nur eine Unterscheidung in der politischen Methode) und daß der andere, nämlich Briand, ein größeres Entgegenkommen bekundete, als es die französischen Ultranationalisten jemals zugestehen wollten. In diesem (eingeengten) Rahmen bewegte sich von Locarno an die deutsch-französische Politik, in dieser (gegenseitigen) Spannung war Stresemann gehalten, seine Konzeption schrittweise zu verwirklichen. [101]

---

100 Vgl. auch M. Baumont, Briand, a. a. O., S. 61 f. Eine Charakterisierung beider Politiker gibt M. Duroselle, Les relations franco-allemandes de 1914 à 1939, Fasc. II, Paris 1969, S. 40 ff.
101 Wie sehr die Locarno-Verträge die Atmosphäre zwischen Deutschland und Frankreich verbesserten, läßt sich an folgenden Ereignissen ablesen: Am 14. September 1925 machte der französische Unterrichtsminister de Monzie in Berlin Zwischenstation — es war der erste französische Ministerbesuch in Deutschland nach dem Kriege. Eine betont positive Einstellung zu Deutschland (»nos bons amis les allemands«) äußerte der französische Handelsminister Chaumet auf der internationalen Telegrafenkonferenz in Paris am 21. Oktober 1925. Vgl. Telegr. Nr. 747 von Hoesch an das Auswärtige Amt vom 23. Oktober 1925. AA Frankreich, Politik 2, Bd. 13. Am 17. November 1925 telegraphierte Hoesch (Nr. 854) über die Begegnung mit hochgestellten französischen Politikern vom Vorabend u. a.: »Der Präsident der Republik zog mich nach dem Essen in eine lange Unterhaltung, in deren Verlauf er in wärmsten Worten seine Hoffnung auf Ausgestaltung und dauernde Besserung der deutsch-französischen Beziehungen aussprach.« Ebenda. Es gibt noch mehr solcher Stellungnahmen. Sie zeigen, daß Briand und Stresemann nicht allein standen, sondern Repräsentanten bestimmter politischer, wirtschaftlicher und ideologischer Gruppen waren, die in einer deutsch-französischen Verständigung ihr beiderseitiges Interesse erkannt hatten. (Vgl. AA Frankreich, Politik 2 C: Bestrebungen zur Herbeiführung einer deutsch-französischen Verständigung, Bd. 1.) Blätter wie der »Echo de Paris« oder der Millerandsche »Avenir« waren mit dem »Verzicht« auf das Rheinland natürlich ebensowenig einverstanden wie in Deutschland die Hugenberg-Presse mit dem »Verzicht« auf Elsaß-Lothringen. Auf dieser Ebene gab es für beide Außenminister vielfache Gefahren — auch solche für Leib und Leben.

Noch während der Verhandlungen, am 12. Oktober 1925, hatte Stresemann in drängender Weise von den Rückwirkungen des erhofften Paktabschlusses gesprochen. [102] Für ihn umfaßte das vor allem die Erleichterung des Rheinlandregimes, die Verminderung der Besatzungstruppen, die Abkürzung der Besatzungsfristen, die Räumung der Kölner Zone und die Vorverlegung der Abstimmung im Saargebiet. Briand war auf solche Vorstellungen verständlicherweise nicht eingegangen [103], hatte aber immerhin der Räumung der Kölner Zone für den Fall der Unterzeichnung des Paktes zugestimmt. Locarno erfüllte also nicht alle deutschen Hoffnungen, die unmittelbar an den Vertragsabschluß geknüpft waren. Dennoch konnte am Ende der Konferenz (die endgültige Unterzeichnung der Verträge erfolgte am 1. Dezember in London) mit Recht gesagt werden, daß die deutsch-französische »Erbfeindschaft« wenn schon nicht völlig der Vergangenheit angehörte, so doch immerhin einem Modus vivendi Platz gemacht hatte. Wer, aus welchen Gründen auch immer, eine Verständigung zwischen den beiden Staaten anstrebte, mußte dem tatsächlichen (obwohl nicht expressis verbis formulierten) Verzicht Deutschlands auf Elsaß-Lothringen — gleich Briand — große Bedeutung beilegen. [104] Die Frage war allerdings, ob der von Austen Chamberlain zitierte neue Geist in den Beziehungen der Völker [105] politisch wirksam wurde. [106] Worauf richteten sich die deutschen Wünsche?

102 Tagebuchaufzeichnung Stresemanns (maschinenschriftlich) vom 12. Oktober 1925. NL Bd. 30: Akten 5. Okt. — 16. Okt. 1925. Vgl. auch M. Walsdorff, a. a. O., S. 144.
103 Vgl. ebenda die Tagebuchaufzeichnung vom 13. Oktober 1925. Darin heißt es: »Aus der heutigen Besprechung ging hervor, daß sowohl Berthelot wie Chamberlain sich bei Schubert über diese weitgehenden Forderungen beklagt hätten. Briand wäre beinahe vom Sofa gefallen, als er meine Ausführungen gehört hätte. Er bewundere meine Kühnheit, die ja beinahe an Waghalsigkeit grenze. Wenn es nach mir ginge, könnte der Versailler Vertrag aufhören zu existieren. Er betonte aber, er habe nichts dagegen einzuwenden, daß sich die Verträge nach dieser Richtung auswirkten. Wir könnten aber unmöglich verlangen, daß das jetzt alles geschehe. Das sei eine Bezahlung des Sicherheitspaktes, der er nicht zustimmen könne. Auch er habe viele Feinde in Frankreich.« Zum letzteren vgl. W. Görlitz, a. a. O., S. 224.
104 Vgl. E. Geigenmüller, Briand, Bonn 1959, S. 98.
105 Englische Politik, a. a. O., S. 676.
106 Am 16. Oktober hatte Stresemann seiner Rede bei der Paraphierung der Locarno-Verträge folgenden Akzent gegeben: »So wichtig die Abmachungen sind, die hier ihre Fassung erhalten haben, so werden die Verträge von Locarno doch nur dann ihre tiefe Bedeutung in der Entwicklung der Nationen behalten, wenn Locarno nicht das Ende, sondern der Anfang einer Periode vertrauensvollen Zusammenlebens der Nationen sein wird.« Aus dem (deutschen) Sitzungsprotokoll der 9. Sitzung vom 16. Oktober 1925. NL Bd. 30. Ebenda aus der Antwortrede Briands: »Wenn diese Geste (gemeint ist die Vertragsunterzeichnung — Anm. d. Verf.) nicht einem neuen Geiste entspricht, wenn sie nicht den Anfang einer Epoche des Vertrauens und der Zusammenarbeit bezeichnet, wird sie nicht die großen Folgen zeitigen, die wir von ihr erwarten. Von Locarno muß ein neues Europa anheben.«

Die Locarno-Verträge enthielten für Deutschland, wie es Hillgruber pointiert zusammenfaßt, »keine moralisch-politische Verpflichtung zum Verzicht auf die verlorenen Westgebiete, wenn auch eine Absage an eine kriegerische Lösung im Westen, hingegen für den Osten überhaupt keine Festlegung irgendwelcher Art«. [107] Erdmann bezeichnet Locarno als »die Kardinalfrage für die Beurteilung der Außenpolitik Stresemanns«. [108] Lord d'Abernon schreibt in seinem Tagebuch: »Im Jahre 1925 änderte sich im Laufe von wenigen Wochen das europäische Barometer von Sturm auf Schönwetter.« [109] Bretton geht so weit zu sagen: »He (gemeint ist Stresemann) went to Locarno as a German, offering a German solution to the problem of peace. He returned as a European.« [110] Thimme stellt demgegenüber fest: »Sehr realpolitische Vorteile und Erwägungen hatten also Stresemann auf den Weg einer scheinbaren Erfüllungs- und Verzichtpolitik geführt.« [111]

Die Zahl der unterschiedlichen Bewertungen ließe sich ohne Mühe vermehren. [112] Welches dieser Urteile kommt der historischen Wahrheit am nächsten? Nur eine umfassende und kritische Analyse des vorhandenen Quellenmaterials kann — im Vergleich zur Kontinuität der praktischen Politik Stresemanns — eine zuverlässig begründete Antwort geben. War also Stresemann durch und nach Locarno ein »Europäer«? Oder täuschte er eine »Erfüllungs- und Verzichtpolitik« nur vor? Bewirkte die in Locarno errungene Gleichberechtigung des Deut-

---

107 Kontinuität, a. a. O., S. 18.
108 Literaturbericht — Zeitgeschichte: Außenpolitik, in: Geschichte in Wissenschaft und Unterricht, 8. Jg. (1957), S. 242.
109 Bd. III, a. a. O., S. 29.
110 A. a. O., S. 13.
111 Gustav Stresemann, a. a. O., S. 87.
112 Erst recht gilt das für die (vielfach polemische) Auseinandersetzung im Deutschland von 1925. (Über die negative Reaktion der Deutschnationalen vgl. Michaelis — Schraepler, Ursachen und Folgen, Bd. VI, S. 388 ff., und H. A. Turner, a. a. O., S. 205 f.) Vgl. auch M. Walsdorff, a. a. O., S. 145 ff. Problematisch erscheint jedoch dessen kritischer Ansatz, das Ergebnis von Locarno allein (oder doch hauptsächlich) an den beiden Zielen der »Verhinderung einer ständigen Militärkontrolle« und der »Beschleunigung der Rheinlandräumung« zu messen und insofern eine weitgehende Erfolglosigkeit der (westlich orientierten) Politik Stresemanns zu konstatieren. Gewiß kann man nicht leugnen, daß »die Rückwirkungen von Locarno, die diesem Vertrag erst seine volle Bedeutung gegeben hätten, ausgeblieben oder, was auf dasselbe hinausläuft, viel zu spät zur Geltung gekommen (sind)« (S. 146), aber das rechtfertigt keineswegs die These, daß sich der deutsche Einsatz in der Sicherheitsfrage letztlich nicht gelohnt habe (S. 147 f.), daß für Stresemann nach Locarno eine ›Do-ut-des-Politik‹ nicht mehr möglich gewesen sei, »da Deutschland nichts mehr zu bieten hatte« (S. 148), daß Deutschland »statt über Selbstverständlichkeiten« bezüglich des Artikels 16 »in Locarno über die vorzeitige Räumung (hätte) verhandeln müssen« (S. 150) und daß es richtig gewesen wäre, »vor der Locarno-Konferenz ein politisches Abkommen mit Rußland in der Art des späteren Berliner Vertrages« abzuschließen (S. 150). Alle diese Urteile berücksichtigen nicht genügend die außenpolitischen Abhängigkeiten Deutschlands (zu Beginn des Jahres 1925) sowie die revisionspolitischen Ziele Stresemanns.

schen Reiches, die Bekanntschaft mit Briand und die positive Atmosphäre der Verhandlungen bei Stresemann immerhin ein Gefühl der internationalen Solidarität? Oder handelte es sich bei alledem um nichts anderes als um einen europäisch verbrämten Nationalismus? [113] Was war Überzeugung, was Mittel zum Zweck? Welche Konzeption verfolgte Stresemann insonderheit gegenüber Frankreich?

Ganz allgemein lassen sich die beiden folgenden Feststellungen treffen: 1. Das Deutsche Reich wurde, entgegen der These Zimmermanns [114], daß die Locarnoverträge »eine erhebliche Einschränkung der deutschen Souveränität« herbeigeführt hätten, in Wahrheit politisch beträchtlich aufgewertet. Nichts macht das deutlicher als die Zuerkennung eines ständigen Ratssitzes im Völkerbund an Deutschland. Trotzdem brachten die Verhandlungen, ob von Stresemann gewollt oder nicht, eine Anerkennung wesentlicher Teile des Versailler Vertrages mit sich und begünstigten insofern die französische Status-quo-Politik. Unabhängig von jeder spezifischen Konzeption war das ein Faktum von Gewicht, wenn es auch je nach Einstellung und Zukunftserwartung unterschiedlich bewertet werden konnte.

2. Völkerrechtlich fixierte der Locarnopakt ein regionales Sicherheitssystem, politisch war er sowohl das Ergebnis als auch die Voraussetzung einer Verbindung von Stabilisierungs- und Revisionstendenzen in Europa. »Auf jeden Fall wußten die juristischen Sachverständigen, die die Vertragstexte formuliert, und die Außenminister, die sie gebilligt hatten, daß Deutschland eine Revision der Ostgrenzen anstrebte und daß man ihm eine entsprechende Bewegungsfreiheit zugestanden hatte. Hellsichtige Politiker, die juristischen Kautelen keine absolute Geltung beimaßen, konnten deshalb mit Recht sagen, es würde in Zukunft in Europa Grenzen verschiedener Würde und Heiligkeit geben. Zweifellos mußte das der Revisionsbewegung Auftrieb geben.« [115]

---

113 A. Thimme ist sicher darin zuzustimmen, daß Locarno nicht als »Geburtsstunde Europas« bezeichnet werden kann (Gustav Stresemann, a. a. O., S. 84 f.). Ihre These, daß Locarno für die nichtnationalistischen Kreise eigentlich unnötig, für die nationalistischen aber ohne Erfolg gewesen sei (ebda., S. 85), vermag allerdings nicht zu überzeugen.
114 A. a. O., S. 290.
115 L. Zimmermann, a. a. O., S. 292 f. Vgl. auch die Darlegungen Stresemanns im Kabinettsrat am 19. Oktober 1925, vor allem folgende Passage: »Neben dem Sicherheitspakt (bei dem — nach dem Urteil Stresemanns — »in keiner Weise ein Verzicht auf früheres deutsches Gebiet entnommen werden kann«) sind Schiedsverträge abgeschlossen worden, aber nur Schiedsverträge nach *unserem* System, d. h. wir unterwerfen uns in allen *Rechts*fragen Schiedssprüchen, nicht aber in *politischen* Fragen ... Der Gedanke eines »non-aggression-Pakts« im Osten ist vollständig fallengelassen worden, und es sind mit dem Osten nur Schiedsverträge nach unserem System abgeschlossen worden, und zwar in einer Formulierung, die eine Anerkennung der gegenwärtigen Grenzen nicht in sich schließt.« NL Bd. 30. Stresemann war offensichtlich von der Absicht bestimmt, das französisch-polnische Bündnis politisch und militärisch aus den Angeln zu heben:

Von dieser interpretatorischen Skizze ausgehend, ergibt sich nunmehr die Notwendigkeit, die politisch-strategischen Intentionen Stresemanns im einzelnen darzulegen und zu kommentieren. Drei Dokumente sind dabei von entscheidender Bedeutung: der Brief an den ehemaligen Kronprinzen (vom 7. September 1925), die Rede vor dem Zentralvorstand der Deutschen Volkspartei (am 22. November 1925) und die Rede vor der »Arbeitsgemeinschaft deutscher Landsmannschaften« (am 14. Dezember 1925). [116] Diese Quellen lassen in ihrer Diktion und Akzentuierung Unterschiede erkennen [117], aber inhaltlich, d. h. in ihrer Gesamttendenz, sind sie doch so weit identisch, daß sie als gemeinsame Grundlage für eine »objektive« Argumentation dienen können.

Der Brief an den ehemaligen Kronprinzen [118], in der Stresemann-

---

»Die jetzt von Frankreich mit Polen und Tschechen abgeschlossenen Verträge haben nur den Inhalt, daß Frankreich den Polen bei Konflikten zur Hilfe kommen würde, soweit es die Satzung des Völkerbundes erlaubt. Damit ist das bisherige französisch-polnische Bündnis hinfällig ... Dazu kommt noch, daß die englische Garantie, die sich an sich nur auf den Westpakt bezieht, jetzt auch im gewissen Zusammenhang mit dem Osten besteht; falls Frankreich im Falle eines deutsch-polnischen Krieges Polen zu Hilfe kommen sollte, ohne daß Deutschland nach Völkerbundssatzung als Angreifer erklärt wird, so ist England verpflichtet, uns zu Hilfe zu kommen.« Ebenda. Noch weniger war ein militärisches Eingreifen Frankreichs beim eventuellen Anschluß Österreichs (an Deutschland) zu erwarten.
116 Vgl. aber auch die Rundfunkrede Stresemanns vom 3. November 1925 (abgedruckt in: Reden und Schriften, 2. Bd., a. a. O., S. 211 ff.), seine Darlegungen vor dem Ministerrat (bei Anwesenheit Hindenburgs) am 16. November 1925 (AA, Büro RM, 3 b: Kabinett-Protokolle, Bd. 4. Reichskanzler Luther sagte auf dieser Sitzung: »Wir haben mit diesem Vertrag von Locarno die Schienen gelegt, auf denen wir in unermüdlicher Arbeit die Unterhöhlung des Versailler Vertrags fortsetzen werden ... Von einem Verzicht auf Elsaß-Lothringen usw. kann juristisch gar keine Rede sein.«) und seine Reichstagsrede vom 24. November 1925 (Verhandlungen des Reichstags, Bd. 388, a. a. O., S. 4530 ff.).
117 Vgl. dazu J. Bariéty, a. a. O., S. 34: »Es ist sehr schwer, Stresemann auf den Buchstaben zu folgen, oder anders und besser ausgedrückt: da er sehr geschickt war in der Behandlung der Menschen, sagte er denjenigen, bei denen er sich gerade aufhielt und deren Unterstützung er für seine Politik zu erlangen hoffte, genau das, was ihnen genehm war.«
118 NL Bd. 29. Es handelt sich hierbei offensichtlich um eine Abschrift des Briefes. Auf die enge Beziehung Stresemanns zum Kronprinzen wurde schon an früherer Stelle hingewiesen. Bezeichnend ist auch die Tatsache, daß Stresemann am 24. Juli 1925 auf dessen Einladung hin mit ihm, seinen Söhnen und anderen in Potsdam diniert hat. Stresemann notierte am selben Tage: »Der Kronprinz war außerordentlich nett und liebenswürdig, wie das seiner Natur entspricht, und schien mir politisch sehr verständig zu sein.« NL Bd. 272. Es spricht viel dafür, daß der Brief vom 7. September vornehmlich den konservativen Kreisen hinter dem Kronprinzen galt, die für eine Unterstützung der Regierungspolitik gewonnen werden sollten. (Amüsant die Notiz vom 16. Dezember 1925 [ebenda], die mitteilt, daß es in der Familie des Kronprinzen üblich war, von Stresemann als ›Onkel Gustav‹ zu sprechen!).

Forschung immer wieder Ursache kontroverser Bewertungen [119], beschreibt, läßt man seine persönliche Färbung beiseite, durchaus präzise die drei großen Aufgaben der deutschen Außenpolitik, wie sie Stresemann vor Augen standen: Erstens »die Lösung der Reparationsfrage in einem für Deutschland erträglichen Sinne und die Sicherung des Friedens, die die Voraussetzung für eine Wiedererstarkung Deutschlands ist«; zweitens den Schutz der (»10 bis 12 Millionen«) Auslandsdeutschen, der bei einem Eintritt Deutschlands in den Völkerbund viel besser als bisher wahrgenommen werden könnte; drittens »die Korrektur der Ostgrenzen: die Wiedergewinnung von Danzig, vom polnischen Korridor und eine Korrektur der Grenze in Oberschlesien«. Der Anschluß Deutsch-Österreichs war für Stresemann ein Fernziel. Er gab aber zu bedenken, »daß dieser Anschluß nicht nur Vorteile für Deutschland bringt, sondern das Problem des deutschen Reiches sehr kompliziert (Verstärkung des katholischen Einflusses, Bayern plus Österreich gegen Preußen, Vorherrschen der klerikalen und sozialistischen Parteien in Deutsch-Österreich)«.

Alle diese Ziele, auf die sich Stresemann, wie er mitteilte, zu konzentrieren gedachte, und für die der Rheinpakt die notwendige Basis bilden sollte, konnten (und können) eigentlich niemanden überraschen. Dasselbe gilt für seine Ausführungen bezüglich der Orientierung der deutschen Außenpolitik: »Die Frage des Optierens zwischen Osten und Westen erfolgt durch unseren Eintritt in den Völkerbund nicht. Optieren kann man ja übrigens nur, wenn man eine militärische Macht hinter sich hat. Das fehlt uns leider. Wir können weder zum Kontinentaldegen für England werden, wie einige glauben, noch können wir uns auf ein deutsch-russisches Bündnis einlassen.« Stresemann befürchtete im letzteren Fall, dabei ein wenig pathetisch (vielleicht aber auch prophetisch) formulierend, die rote Fahne in Berlin, die Bolschewisierung Europas bis zur Elbe und die Übertragung des übrigen Deutschlands »den Franzosen zum Fraß«. Der Eintritt des Deutschen Reiches in den Völkerbund, als Konsequenz des Sicherheitspaktes, sollte dagegen — mit englischer Unterstützung — den überragenden Einfluß Frankreichs in diesem Gremium eindämmen, Deutschland indes die Möglichkeit verschaffen, die Entente bedrängende Fragen (»z. Bsp. Fragen der Kriegsschuld, allgemeine Abrüstung, Danzig, Saargebiet etc«) zur Sprache zu bringen.

Es zeigt sich, daß Stresemann auch im Verhältnis zu Frankreich von einer bestimmten Grundhaltung geprägt war. Sie zielte — darin ganz revisionistisch — eindeutig auf »das Freiwerden deutschen Landes von fremder Besatzung. Wir müssen den Würger erst vom Halse

---

119 F. Hirsch, a. a. O., S. 83: »Es wäre besser gewesen, wenn dieser Brief nicht veröffentlicht, noch besser, wenn er nicht geschrieben worden wäre.«

haben«. (Eher konnte die Ostpolitik tatsächlich nicht erfolgreich sein.) Das waren, wenngleich situativ bedingt, starke Worte. Welche konkreten Absichten verbargen sich hinter ihnen? Eines ist gewiß: Stresemann wollte unter den außenpolitischen Umständen des Jahres 1925 «finassieren und den großen Entscheidungen ausweichen«, d. h. vorerst nach allen Seiten hin lavieren, um keine der (positiven) Zukunftsperspektiven zu gefährden. [120] Anders waren die Ziele seiner »nationalen Realpolitik« auch gar nicht zu verwirklichen. Gab es eine Rangfolge dieser Ziele? Und mit welcher Strategie sollten sie erreicht werden? Antwort auf diese Fragen gibt vor allem die Rede Stresemanns vor dem Zentralvorstand seiner Partei, gehalten am 22. November 1925 in Berlin. [121]

Die Locarno-Verträge erfüllten nach dem Urteil Stresemanns zunächst einmal eine defensive Aufgabe: sie hatten verhindert, daß dem allseits anerkannten Sicherheitsbedürfnis Frankreichs auf gefährliche Weise, nämlich mit antideutscher Spitze, von England und Belgien entsprochen wurde. »Dieser Gedanke (ist) ja der Ausgangspunkt der Initiative des Auswärtigen Amtes in der Frage des Memorandums gewesen...« Etwas anderes kam hinzu: Ein von den ehemaligen Alliierten geschlossener Sicherheitspakt zugunsten Frankreichs hätte — mit Bezug auf Artikel 31 des Versailler Vertrages (Ersetzung der früheren belgischen Neutralitätsverträge) — als Bestandteil eben dieses Vertrages gegolten und wäre dementsprechend von Deutschland ohne Einspruchsmöglichkeit anzuerkennen gewesen. Das aber stand im diametralen Gegensatz zur Absicht Stresemanns, die Entente nicht wieder aufleben zu lassen, vielmehr Deutschland Zug um Zug von den auferlegten Zwängen zu befreien. »Mehr Ihnen irgendwie zu versprechen, kann niemand, der die Machtverhältnisse richtig einschätzt. Und darum handelte es sich bei dieser Initiative. Nicht darum, den Versailler Vertrag aufzuheben.«

Um seine Zuhörer, die ja mehrheitlich in puncto Nationalgefühl und Großmachtdenken Stresemann noch um einiges überboten, für das ganze Vertragswerk zu gewinnen, bediente dieser sich u. a. des taktisch-psychologischen Mittels, Briands Befürchtungen zu zitieren, daß er Deutschland zu weit entgegengekommen sei — jedenfalls nach der Meinung Poincarés und seiner zahlreichen Anhänger. Stresemann selbst faßte den im Vergleich zu 1923 eklatanten Wechsel der politi-

---

120 Vgl. dazu L. Zimmermann, a. a. O., S. 296. Eine abweichende Deutung gibt A. Thimme, Die Locarnopolitik, a. a. O., S. 55 f. — Jahre später, im September 1929, gebrauchte Stresemann den Ausdruck »finassieren« im Zusammenhang mit der Taktik Briands während der Haager Verhandlungen, und zweifelsfrei ist dieser Begriff (auch) hier im Sinne von »hinauszögern«, »abwarten«, »Zeit gewinnen« zu verstehen.
121 BA R 45 II/40. Abgedruckt ist diese Rede (und ein Teil der Diskussionsbeiträge Stresemanns) in: Vierteljahrshefte für Zeitgeschichte, 15. Jg. (1967), S. 416 ff. Vgl. auch Kapitel 4, S. 156, Anm. 182.

schen Szenerie in folgenden Sätzen zusammen: ». . . die Rückwirkungen (des Vertrages — Anm. d. Verf.) sind etwas Temporäres. Diese neu geschaffenen Verhältnisse sind aber etwas Dauerndes, und ich sehe darin gewiß den Verzicht auf Krieg, Einfall oder Invasion gegenüber Frankreich in jeder Beziehung — gar kein Zweifel! —, aber ich weiß auch nicht, ob es irgendeinen vernünftigen Menschen gibt, der glaubt, daß wir heute durch das Mittel des Krieges gegenüber Frankreich irgend etwas anderes erreichen könnten als die völlige Zertrümmerung Deutschlands in jeder Beziehung. Wir haben verzichtet auf das, was wir nicht besitzen, nämlich auf eine Macht, die Krieg führen kann. Das ist der ausgesprochene Verzicht, und die anderen, die die ganz große Macht uns gegenüber haben und die es jetzt in der Hand hatten, mit mehr oder minder Gewaltpolitik die Politik Ludwig XIV. durchzuführen und sich dauernd an den Rhein zu setzen, sind durch diesen Vertrag gezwungen, auf diese Rheinpolitik zu verzichten.«

In der Tat: die politische (und wirtschaftliche) Führung in Deutschland vergab sich nichts, wenn sie auf kriegerische Auseinandersetzungen (im Westen) verzichtete, sie war dazu ohnehin nicht in der Lage. Anders verhielt es sich mit Frankreich. Dessen — wenn auch zögerndes — Entgegenkommen begründete Stresemann so: »Es hat der ganzen Entwicklung in Frankreich und der ganzen großen weltwirtschaftlichen Umstellung bedurft, um überhaupt zu erreichen, daß auf diese deutsche These eingegangen wurde. [122] Und nun kam natürlich ein zweites Moment hinzu, das diese erste Frage des Verhältnisses Deutschlands zu Frankreich und Belgien zu einer Frage der ganzen europäischen Politik machte.« Mit diesem zweiten Moment meinte Stresemann die Ostfragen — und damit den einen der beiden offensiven Stoßkeile der Locarno-Verträge. Konkret bezeichnete das: keinen Ostpakt, keine Garantie Frankreichs bezüglich des Status quo im Osten, keine umfassenden, d. h. die politisch-territorialen Fragen einschließen-

---

122 In der Diskussion verwies Stresemann vor allem auf die Misere der französischen Staatsfinanzen und auf die Intentionen einflußreicher Wirtschaftskreise, durch »eine weitgehende Zusammenarbeit mit der deutschen Industrie« die ökonomische Struktur des eigenen Landes entscheidend zu verbessern sowie durch eine Politik der Verständigung von den Vereinigten Staaten Kreditzusagen zu erhalten. »Aus dem Grunde werden Sie finden, daß mehr als in England augenblicklich die Stimmung in Frankreich in weitgehendem Maße für ein Zusammengehen mit Deutschland sich ausspricht, sogar mit einer gewissen Zielsetzung gegen England und für Deutschland . . . Gleichzeitig geht ein Bestreben Englands, mit uns wirtschaftlich anzuknüpfen, aus der Angst, daß wir mit Frankreich allein irgendeinen gegen England gerichteten Trust bilden könnten. Aus dieser Situation ergibt sich ein gewisses Umwerben Deutschlands(!), und im Hintergrund steht die große Macht der Vereinigten Staaten, die ihrer ganzen Ideologie nach pazifistisch eingestellt ist und bei der das Wunderbare sich immer begibt, daß ihr Idealismus mit den materiellen Interessen des Landes sich vereinigt, so daß sich daraus eine wunderbare Staatsreligion formen läßt.«

den Schiedsverträge mit Polen und der Tschechoslowakei, keine Anerkennung insonderheit der deutsch-polnischen Grenzen (Korridor,
Oberschlesien), keinen ausdrücklichen Verzicht auf einen eventuellen
Krieg, wohl aber die Erklärung, »daß wir im Falle des Konflikts zwischen Rußland und anderen europäischen Mächten uns weder beteiligen würden an einer militärischen Exekutive, noch den Durchmarsch
gestatten würden, noch irgendwie an wirtschaftlichen Maßnahmen
gegen Rußland teilnehmen würden«. [123]

Zu den deutsch-russischen Beziehungen erklärte Stresemann genauer:
»Wir brauchen den Russen nicht zu sehr nachzulaufen ... Es kann
Fälle geben (Stresemann bezieht sich hier auf Artikel 16 der Völkerbundssatzung — Anm. d. Verf.), wo wir uns vorbehalten, ob wir mitmachen. Das will ich auch im einzelnen nicht sagen ... Im übrigen habe
ich die Überzeugung, daß Rußland einen großen Wert darauf legt,
sich den anderen europäischen Mächten weiter zu nähern, als es bisher
der Fall gewesen ist ... Rußland kann ohne Anschluß an die kapital-
starken Mächte nicht existieren. Das sind Frankreich und England, das
sind die Vereinigten Staaten von Amerika. Alle diese ganzen Dinge,
die sich jetzt vollziehen, sehe ich nicht in einem Aufmarsch Rußlands
gegen uns, sondern in einem Bündnis Rußlands mit Polen.« Es ist klar:
Wenn Stresemann tatsächlich angenommen hat, daß sich die Sowjetunion einerseits den Westmächten, andererseits Polen nähern würde,
dann kam es, sollte das Ziel einer Revision der deutschen Ostgrenzen
der Verwirklichung nähergebracht werden, mehr denn je darauf an, die
Voraussetzungen dafür im Westen zu schaffen. Die Hoffnung war,
England und die USA in absehbarer Zeit für dieses Ziel zu gewinnen;
bei Frankreich (dem Dreh- und Angelpunkt der ganzen Strategie)
genügte im Endeffekt, wenn es diese Politik nicht blockierte, schon
gar nicht durch militärischen Widerstand. An der Absicht, Polen zu
schwächen, hielt Stresemann so fest wie jeder andere Politiker im
damaligen Deutschland.

Die deutsch-polnische Problematik stellte sich für Stresemann so dar:
»Nachrichten, die wir aus dem Osten haben, zeigen uns, daß die Verhältnisse in Polen anfangen, für das Land sehr, sehr schwierig zu
werden, und ob aus diesen materiellen Schwierigkeiten sich nicht politische Schwierigkeiten ergeben, lasse ich dahingestellt. Es liegt aber

---

123 Stresemann gibt an einer anderen Stelle seiner Rede einen Hinweis auf
  seine in Locarno vorgetragene Argumentation, die offensichtlich konträre
  politische Interessen berührt hatte: »... und für den Fall Rußland erklären
  wir euch von vornherein, daß wir nach keiner Richtung mitmachen, und
  zwar seid ihr selbst daran schuld, denn ihr habt uns nicht die Mittel gelassen, um unser Land verteidigen zu können gegen irgendeinen Angriff.
  Wenn ihr wolltet, daß wir mitkämpfen, gegen irgendein anderes Land,
  mußtet ihr uns aufrüsten, nicht abrüsten. In der jetzigen Situation lehnen
  wir jede Beteiligung ab.«

immerhin im Bereich der Wahrscheinlichkeit. Wenn wir nun einmal die Frage der Wiedererlangung deutschen Landes im Osten prüfen, nicht an der Hand des Artikels 19 — ich bin nicht ein solcher Säugling der Politik, daß ich glaube, mit diesem Artikel etwas zu erreichen; das geht doch im Völkerbund nicht so vor sich, daß da abgestimmt wird, ob Polen den Korridor wieder zurückgeben soll, sondern es ist nur der Hebel, mit dem man ansetzen kann, und das andere ergibt sich aus der weltpolitischen Lage. Aber daß man den Hebel hat, um im gegebenen politischen Moment die Rückgabe des Korridors zu fordern, das ist das, worauf es ankommt. Wenn aber Polen in Schwierigkeiten kommt: wie war denn damals die Lage des deutschen Ostens vor Locarno und nach Locarno? Wenn wir vor Locarno irgendwie versucht hätten, etwas gegen Polen zu tun, dann trat das französische Bündnis automatisch ein, und der Franzose marschierte über den Rhein, und damit war Deutschland zur Bewegungslosigkeit in dieser Sache verurteilt. Wenn heute sich eine Situation ergibt, in der Europa sich dafür interessiert, ob nicht Polen auf irgendeinem Wege geholfen werden müßte, und wenn auch die polnische Frage territorial erörtert wird, dann ist es für uns von entscheidender Bedeutung, daß in diesem Moment Deutschland in den besten und herzlichsten Beziehungen zu denjenigen Weltmächten steht, die darüber zu entscheiden haben. Damit ist in Locarno der Anfang gemacht...« (!)

Gerade die letzten Sätze verweisen auf das Zentrum der politischen Konzeption Stresemanns: ohne amerikanische Unterstützung kein wirtschaftlicher Wiederaufstieg Deutschlands (der dieses Deutschland für die USA und England weltwirtschaftlich und gesellschaftspolitisch viel interessanter machte als etwa die territoriale Unversehrtheit Polens) [124], ohne diese ökonomische Erstarkung weder die politische Gleichberechtigung [125] noch die Möglichkeit, Revisionsforderungen durch finanzielle Angebote zu unterstützen, d. h. auch für die andere Seite annehmbar zu machen; ohne einen Rheinpakt keine Chance, Frankreichs Interessenlage zugunsten Deutschlands zu verändern und Polen auf die (schiefe) Ebene allmählicher Isolierung zu bringen — das eine wie das andere ständig vor dem dynamischen Hintergrund positiver

---

124 Stresemann: »Ich glaube, die Benutzung weltwirtschaftlicher Zusammenhänge, um mit dem einzigen, womit wir noch Großmacht sind, mit unserer Wirtschaftsmacht, Außenpolitik zu machen, ist die Aufgabe, die heute jeder Außenminister zu lösen hätte.« Vgl. auch R. Gottwald, a. a. O., S. 59, J. Bariéty, a. a. O., S. 40, und W. Link, Die amerikanische Stabilisierungspolitik, a. a. O., bes. S. 221 f., S. 282 f. und S. 341.
125 So etwa Deutschlands Sitz im Völkerbundsrat, nach Stresemann ein Ergebnis zurückgewonnener Großmachtposition und der »Wiedereintritt Deutschlands in die Weltgeltung«. Vgl. auch das Interview, das er am 18. 12. 1925 dem Vertreter der »Wiener Neuesten Nachrichten« gab. AA, Büro RM, Reden, Interviews und Aufsätze des Herrn Reichsministers, Bd. 4.

deutsch-russischer Beziehungen. Stresemann ging von der politischen Erwartung aus, daß die Frage der deutschen Ostgrenzen »in der Diskussion der Welt steht und daß es darauf ankommt, wenn diese Diskussion praktische Formen annimmt, in der Lage zu sein, mit anderen zusammen andere als Hilfskörper zu haben für eine Durchführung des Selbstbestimmungsrechts der Völker. Und wenn in dieser Zeit der Westen saturiert ist durch die Sicherung der Grenze, dann hat er auch nicht mehr logisch die Berechtigung, sich gegen eine Entschädigung Deutschlands auf der anderen Seite zu wenden« (!). [126]

Der zweite offensive Stoßkeil der Locarnopolitik Stresemanns zielte nach seinen eigenen Aussagen auf die besetzten Rheinlande. [127] Was England, Frankreich und Belgien an Rückwirkungen zu konzedieren geneigt waren, nannte er in aller Offenheit (obschon historisch verklärt) »vielleicht etwas mehr, als die deutsche Regierung, wenn sie Sieger des Weltkrieges wäre, bei dieser Situation tun würde«. Zu diesen Rückwirkungen im Rheinland zählte Stresemann die Änderung des Delegiertensystems, die Herabsetzung der Truppenzahl (auf 45 000 Mann) und die Aufhebung der Ordonnanzen. Ausschlaggebend waren dergleichen Einzelmaßnahmen aber nicht. »Denn ich sehe doch den Endpunkt der Politik nicht in Erleichterungen für das Rheinland, sondern in der völligen Freiheit des Rheinlandes ... Ich rufe ins Gedächtnis noch einmal zurück: nicht nur Poincaré, sondern auch Herriot hat noch, ich glaube, vor anderthalb Jahren, gesagt: die Fristen haben noch nicht zu laufen begonnen. Und jetzt ist die Räumung (der Kölner Zone — Anm. d. Verf.) da, jetzt kommt die letzte entscheidende Frage der beschleunigten Räumung der zweiten und dritten Zone.«

Diesem Prozeß ordnete Stresemann auch die Saarfrage unter. Hier

---

126 Über die grundsätzlich negative Einstellung des nationalstaatlichen Denkens in Deutschland gegenüber Polen vgl. A. Schwarz, a. a. O., S. 121, und M. Oertel, a. a. O., S. 19 f. Bei Stresemann hieß das jedoch nicht, Polens staatliche Existenz in Frage zu stellen. Immerhin war er bereit, die Abtretung der Provinz Posen als endgültig anzuerkennen. Man wird ihm deshalb wohl kaum revanchistische Neigungen vorwerfen können. Zutreffend erscheint es dagegen, bedenkt man seine Absicht, Polen vom Deutschen Reich wirtschaftlich (folglich auch politisch) abhängig zu machen, Stresemann weiterhin — vgl. A. Hillgruber, Kontinuität, a. a. O., S. 18 — als einen Vertreter der »liberal-imperialistischen« Richtung zu kennzeichnen.

127 Dieses Problem war für Stresemann viel wichtiger als etwa die Forcierung deutscher Wünsche bezüglich der Wiedererlangung von Kolonialmandaten: »Wir standen vor der Frage, ob wir in Locarno selbst die Frage der Kolonien weitertreiben sollten. Ich habe das mit vollem Bewußtsein nicht getan, weil ich der Überzeugung bin, daß heute die Dinge so liegen, daß dieser Anspruch Deutschlands gar nicht mehr bestritten wird, daß wir vielleicht sogar vor der Situation stehen, daß die anderen ... ganz gern gesehen hätten, uns auf die Kolonialfrage mehr zu drängen und die Rheinlandfrage demgegenüber zurücktreten zu lassen.«

hatte er es nicht so eilig. Seine Begründung dafür klingt plausibel: »Im übrigen war die Frage der Verkürzung der Abstimmungsfrist im Saargebiet für uns gar nicht mehr so vordringlich, nachdem die Delegierten des Saargebiets nach Locarno gekommen waren, um uns zu sagen, daß ihnen nichts unerwünschter wäre als eine frühere Abstimmung, ehe die Räumung der dritten Zone erfolgt sei; denn sie würden ihr jetziges System unter dem Völkerbund vertauschen mit dem System eines besetzten Gebiets, und wenn der Völkerbund auch kein Ideal sei, so fühlten sie sich jedenfalls unter dem Völkerbundregime wohler als unter dem Regime des besetzten Gebiets.« [128]

Nicht so ausführlich, aber ebenso prägnant wie vor dem Zentralvorstand seiner Partei umriß Stresemann, der Mentalität seiner Zuhörer angepaßt, seine außenpolitischen Maximen in seiner Rede vor der »Arbeitsgemeinschaft deutscher Landsmannschaften in Groß-Berlin« am 14. Dezember 1925. [129] Wieder ging es hauptsächlich um die Auseinandersetzung mit dem Versailler Vertrag und um die Frage, wie für Deutschland vorteilhafte Änderungen in der politischen Konstellation Europas zu erreichen seien. Dazu sagte Stresemann: »Der Versailler Vertrag ist deshalb so teuflisch, weil er — und zwar doch sicherlich mit Bewußtsein — an so vielen Ecken und Enden des deutschen Landes Brennpunkte geschaffen hat, daß er uns eigentlich zwangsläufig mit fast allen großen europäischen Mächten in Differenzen bringen sollte. Es gibt kein Volk, bei dem wie beim deutschen Volke in der Gegenwart die Staatsgrenze so wenig mit der Volksgrenze zusammenfällt, als das heute bei Deutschland der Fall ist... Die Wege der deutschen Außenpolitik waren bestimmt von der Erwägung, welche Mittel uns zur Verfügung ständen, um dieses Schicksal abzuwenden.« »Armee und Flotte« kamen dafür nicht in Betracht, was Stresemann durchaus bedauerte: »... Die ganze Tragik der deutschen Außenpolitik besteht in einem Kampfe für das Recht [130], ohne daß hinter diesem Recht im gegebenen Moment die Macht stehen kann.«

---

128 Wie sehr Stresemann die Anwesenden für seine Locarnopolitik gewinnen konnte, zeigt deren volle Zustimmung sowohl zu seiner Rede (lt. Protokoll: »Stürmischer, anhaltender Beifall und Händeklatschen. — Die Mitglieder des Zentralvorstandes erheben sich von den Plätzen und bringen dem Parteivorsitzenden eine stürmische Ovation dar.«) als auch zu seinem Vorschlag, eine positive Erklärung zum Werk von Locarno zu verabschieden. Text dieser Entschließung: »D.V.P.-Nachrichtenblatt«, 6. Jg., Nr. 24, Berlin, 27. November 1925.
129 NL Bd. 274: Politische Akten 1925/V. Abgedruckt in: Akten zur deutschen auswärtigen Politik 1918—1945. Serie B: 1925—1933. Band I, 1: Dezember 1925 bis Juli 1926. Deutschlands Beziehungen zu Frankreich, Großbritannien, Belgien sowie deutsche Entwaffnung, Reparationen, Völkerbund und internationale Abrüstung, Göttingen 1966, S. 727 ff. (Anhang II).
130 Für Stresemann zählte dazu zweifellos das Selbstbestimmungsrecht, wobei sich bei ihm natürlich Rechtsvorstellungen und ökonomisch-politische Interessen aufs engste verzahnten.

Als »einzige große Waffe« seiner Außenpolitik bezeichnete Stresemann erneut die wirtschaftliche Stellung des Deutschen Reiches als Konsumentenland: »An unserer Produktion haben die anderen kein Interesse; aber sie haben ein Interesse daran, daß die aus den Fugen geratene Weltwirtschaft, die sich in einer Zerstörung der Währungen mit Ausnahme von zwei großen Ländern ausgesprochen hat, wieder in Ordnung kommt, und sie glauben nicht daran, daß sie wieder in Ordnung kommt, wenn Deutschland in den Abgrund hineingezogen wird.« Von dieser Prämisse aus wollte Stresemann, daran ließ er keinen Zweifel, Politik machen, Revisionspolitik, die anders realistischerweise nicht zu konzipieren war. Das galt gerade auch für Frankreich, welches nach dem Urteil Stresemanns den Verfall seiner Währung und die permanente politische Krise riskierte, »wenn es ihm nicht gelingt, ganz große Kredite seinem Staate zuzuführen. Frankreich kann wirtschaftlich nicht in die Höhe kommen ohne eine gewisse Zusammenwirkung mit Deutschland auf wirtschaftlichem Gebiet ... Auch hier sehen Sie den Gedanken, ob nicht eine Verbindung von Kohle und Erz, ein Zusammenwirken in der Kaliindustrie, in der Textilindustrie Möglichkeiten für eine Entspannung der französischen Lage gäbe.« [131]

Welche Ziele nannte Stresemann seinen Zuhörern, und welche politische Kalkulation bot er an? Zunächst einmal stellte er eine Erleichterung bzw. Verminderung der deutschen Reparationsverpflichtungen in Aussicht: »Wenn wir 1927 oder 1928 dazu kommen sollten zu erklären, daß wir auch den Dawes-Plan nicht erfüllen könnten, dann müssen wir in der Zwischenzeit weltpolitisch unsere Lage geändert haben und müssen ein ganz anderes Verhältnis zu den Mächten haben, damit nicht eine derartige Erklärung Deutschlands von neuen Sanktionen und neuem Vorgehen gegenüber deutschem Gebiet begleitet ist ... Dann, meine Herren, entsteht überhaupt die Frage, ob nicht die ganze Regelung der deutschen Kriegsschuld auf einer anderen Basis erfolgt und damit auch die ganzen verhängnisvollen Bindungen, die auf uns ruhen, anders werden können.« [132]

Im Hinblick auf die Locarno-Verträge formulierte Stresemann die deutsche (Zukunfts-)Position so: »Der wirtschaftlichen Verständigung mußte eine politische Verständigung folgen. Bei dieser politischen Verständigung kam es darauf an, gerade auch für die künftige Ent-

---

131 Stresemann konnte in diesem Zusammenhang vor allem auf die hohe internationale Verschuldung Frankreichs als Folge des Weltkrieges verweisen und damit auf die monetäre Schwäche dieser nach außen hin militärischen Vormacht des Kontinents.
132 Besonderes Vertrauen setzte Stresemann auf die Vereinigten Staaten, die unerläßlichen Kreditgeber für die deutsche Wirtschaft: »Diese Verbindung mit dem großen Gläubigerstaat schafft uns dort Interessenten, wo wir früher nur Feinde hatten. Die Stimmung in den Vereinigten Staaten, so wird von jedermann erklärt, hat sich sehr zu unseren Gunsten verändert.«

wicklung Deutschlands und der deutschen Grenzen sich zu fragen, wo der Ort des stärksten Widerstandes war [133] und wo der Ort des schwächsten Widerstandes lag [134], ob man die Politik in bezug auf zukünftige Entwicklungen nach der Westseite richten sollte oder ob man der Meinung sein konnte, daß eine Verständigung mit dem Osten Möglichkeiten freier Betätigung in der Zukunft nach anderen Gegenden Europas und in bezug auf andere schwebende Fragen bot.«

Stresemann war entsprechend den Locarno-Verträgen zwar bereit, an den deutschen Westgrenzen auf Krieg und Gewalt zu verzichten, aber das hieß für ihn nicht, den territorialen Status quo uneingeschränkt zu sanktionieren, d. h. deutsches Land »moralisch« aufzugeben. [135] Wenn das auch für Elsaß-Lothringen praktisch (mit Ausnahme einer möglichen Unterstützung der Autonomiebewegung) wenig besagte, so war eine solche reservatio mentalis im Hinblick auf Eupen-Malmedy von eminenter politischer Tragweite. Hier hoffte Stresemann auf ein Tauschgeschäft: deutsche finanzielle Hilfe bei der Stabilisierung des belgischen Franken als Preis, aber auch als Angebot für eine neue Volksabstimmung. Der belgische Außenminister Vandervelde schien Presseäußerungen zufolge einen solchen Gedanken zu unterstützen (und damit die Vorstellung von der Unabänderlichkeit der deutschen Westgrenzen selber zu korrigieren): »Wenn in Belgien solche Erwägungen bestehen sollten, wird auch für uns die Frage entstehen, inwieweit wirtschaftliche Belastungen durch politische Erfolge aufgewogen werden, und ich habe Ihnen meine Ansicht darüber ja vorhin zum Ausdruck gebracht, daß nach meiner Meinung die Außenpolitik hier durchaus den Vorrang hat und daß wir dieses ganze Opfer auf uns nehmen könnten, schon weil ich glaube, daß eine erstmalige Revision deutscher Grenzen von der allergrößten moralischen Bedeutung für die ganze künftige Entwicklung in Europa sein könnte.«

Das langfristige politische Programm Stresemanns wurde öffentlich und für jedermann verständlich wohl nirgendwo sonst so klar umrissen wie in den beiden folgenden Abschnitten seiner Rede: »Meine Herren, ich denke auch in bezug auf die Ostfragen, wo das Selbstbestimmungsrecht der Völker in unerhörter Weise vergewaltigt worden ist, nicht an kriegerische Auseinandersetzungen. Was ich mir aber vorstelle, ist das, daß, wenn einmal Verhältnisse entstehen, die den europäischen Frieden oder die wirtschaftliche Konsolidierung Europas durch die Entwicklung im Osten bedroht erscheinen lassen, und wenn man

---

133 Offensichtlich konnte damit nur Frankreich gemeint sein.
134 Das bezog sich wohl auf England, gegebenenfalls aber auch auf die Sowjetunion.
135 So auch in der Reichstagsrede vom 24. November 1925. A. a. O., S. 4531 f. Stresemann konnte sich dabei sogar auf den Versailler Vertrag (Art. 19) berufen. Ebda., S. 4532 f.

zur Erwägung kommt, ob diese ganze Nichtkonsolidierung Europas nicht ihren Grund in unmöglichen Grenzziehungen im Osten mit hat, daß dann Deutschland auch die Möglichkeit haben kann, mit seinen Forderungen Erfolge zu erzielen, wenn es sich vorher mit den ganzen Weltmächten, die darüber zu entscheiden haben, politisch auf einen freundschaftlichen Verständigungsfuß (sic!) und auf eine wirtschaftliche Interessengemeinschaft auf der anderen Seite gestellt hat. Das ist meiner Meinung nach die einzige praktische Politik.«

Die andere Textstelle, die sich auf die wirtschaftlichen, finanziellen und politischen Probleme Polens bezieht (von ihnen erwartete Stresemann die große Wende zugunsten seiner territorialen Revisionspolitik), akzentuiert noch stärker: »Alles das wirkt sich natürlich aus. Dann kommt eben die Frage, ob man im gegebenen Moment den Zipfel des Gewandes ergreift. Dazu ist aber, wenn man nicht in der Lage ist, selber Machtmittel zu haben, notwendig, daß man sich Freundschaften oder Bündnisse oder wirtschaftliche Verbundenheiten schafft.« (!)

Auf wen konnte der letzte Satz mehr gemünzt sein als auf Frankreich? Die Nichtanerkennung der Ostgrenzen zwang geradezu die politische Führung des Reiches, den (kooperativen) Beziehungen mit Frankreich die eindeutige Priorität einzuräumen. Von Polen reden hieß also für Stresemann immer zugleich und zuerst von Frankreich reden. Die in Locarno fixierte vertragliche Sicherung besonders der deutsch-französischen Grenze war ja nicht als Selbstzweck gedacht, sie diente vielmehr, was Stresemann nicht verheimlichte, einer revisionistischen Zielsetzung: »Was stand denn einer Stärkung Deutschlands gegenüber? Es stand gegenüber die ewige Besorgnis: Wenn dieses 60-Millionen-Volk zu einem 70-Millionen-Volk wird, sind wir in Frankreich bedroht, das können wir nicht wegen der Gefährdung unserer politischen Lebensinteressen. In dem Augenblick, wo der Gedanke eines ewigen (Friedens) [136] an der Westgrenze besteht, kann man dieses Argument nicht mehr geltend machen. Infolgedessen sind auch hier die Aussichten nach dieser Richtung unbedingt für uns günstig.« Bei solchen Entwicklungstendenzen kam es entscheidend darauf an, daß in Frankreich selbst die Kräfte sich durchsetzten, die eine deutsch-französische Zusammenarbeit bejahten. Stresemann vergaß nie, daß seine Politik in Pariser Regierungskreisen immer noch viele Gegner hatte.

Eine Zusammenfassung aller bisherigen Analysen bringt folgendes Ergebnis: Die »Verständigungspolitik« gegenüber Frankreich war von Stresemann inhaltlich als Ausgleichspolitik konzipiert, hatte aber

---

136 Im Originaltext steht: Krieges (!)

vorrangig einen instrumentalen bzw. funktionalen Charakter. Ihr taktisches Ziel richtete sich auf die Befreiung der Rheinlande, die Rückgabe Eupen-Malmedys und die Vorverlegung der Abstimmung im Saargebiet — insgesamt also auf die Wiederherstellung der deutschen Souveränität (die ebenso eine weitere Reduzierung der Reparationsverpflichtungen wie eine Liquidierung der alliierten Militärkontrolle einschließen sollte) und damit der außenpolitischen Bewegungsfreiheit des Reiches; ihr strategisches Ziel ging dahin, in Frankreich (ebenso natürlich bei den übrigen Westmächten) die Bereitschaft für eine Revision der deutschen Ostgrenzen, d. h. für eine territoriale Verkleinerung Polens (und dann auch für den Anschluß Deutsch-Österreichs) zu fördern.

Grundsätzlich konnten entsprechende Erfolge nur bei einer außenpolitischen Isolierung Polens und einer entschlossenen Ausnutzung seines inneren Schwächezustandes erwartet werden. Das eine sollte die deutsche Diplomatie, das andere (damit verbunden) die deutsche Wirtschaft bewerkstelligen. Die beabsichtigte Isolierung Polens durfte von vornherein mit der Unterstützung Rußlands rechnen (mit dem Deutschland daher enge Kontakte pflegen mußte). Entgegengesetzt verhielt es sich mit Frankreich, das nur dann — gegebenenfalls auch bloß partiell, aber eben doch ausschlaggebend — für die deutsche Sache gewonnen, richtiger wohl: von einer alles in Frage stellenden Gegenaktion abgehalten werden konnte, wenn es Polen nicht mehr zur militärischen Eindämmung des Deutschen Reiches brauchte. Daraus folgte mit immanenter Logik: Das französische Sicherheitsbedürfnis mußte deutscherseits voll und ganz befriedigt, die politisch-wirtschaftliche Zusammenarbeit mit Frankreich (unter Auswertung der guten deutsch-russischen und der noch besseren deutsch-englischen sowie deutsch-amerikanischen Beziehungen) auf den ersten Platz der deutschen Außenpolitik gesetzt werden.

Diese so definierte und auch praktizierte Politik mochte — das bedeutete jedoch keinen Widerspruch — im Laufe der Zeit und aufgrund bestimmter Faktoren (etwa das persönliche Verhältnis Stresemanns zu Briand) eine relative Eigenständigkeit bekommen und damit zweifellos einer friedlichen Entwicklung Europas dienlich sein, insgesamt blieb sie aber bei aller Doppelpoligkeit an den revisionistischen Zielvorstellungen Stresemanns orientiert. Locarno sollte den architektonischen Rahmen formen, von dem aus der strategische Durchbruch mit Aussicht auf Erfolg versucht werden konnte — und zwar mit der Tendenz, möglich zu machen, was als notwendig angesehen wurde: die Organisation einer europäischen Friedensordnung auf neuer, Versailles aufhebender, Deutschland begünstigender Basis. Wenn Stresemann den Frieden bejahte und auf (begrenzte) deutsche Revisionsforderungen (im Osten und Südosten Europas) nicht verzichten wollte, dann gab es für eine intensive deutsch-französische »Verständigungspolitik« keine Alternative. Ohne Frankreichs Zustimmung war die (künftige) Großmachtposition und territoriale Arrondierung des Deutschen Reiches auf friedlichem Wege nicht zu verwirklichen.

6. Kapitel

Völkerbund und Thoiry

Aus der Sicht von heute müssen die Locarno-Verträge [1] als ein großer Erfolg der Politik Stresemanns gewertet werden: sie dokumentieren, wie stark damals die Machtstellung des Deutschen Reiches tatsächlich und im Bewußtsein der Zeitgenossen immer noch war. 1925 wurde das jedoch von den meisten Deutschen, Stresemann eingeschlossen, nicht voll erkannt, d. h. es erschien als selbstverständlich — und weit von dem entfernt, was in der Vergangenheit (vor noch nicht einmal einem Jahrzehnt) angestrebt worden war und was andererseits in der Zukunft (dem Wunsche nach in wenigen Jahren) politische Wirklichkeit werden sollte. Unter dem Vorzeichen weitgespannter Revisionsforderungen galt — geradezu zwangsläufig — jeder Schritt nach vorn als eine Vorstufe zum eigentlichen Ziel und verlor eben deshalb viel von seiner positiven Wirkung. Die Frage, ob nicht auf diese Weise die Möglichkeiten der deutschen Außenpolitik grundsätzlich überschätzt und die Tendenzen zur innenpolitischen Konsolidierung der Weimarer Republik — entgegen der eigenen Absicht — systematisch gefährdet wurden, stellte sich Stresemann allerdings nicht. Gänzlich außerhalb jeder Reflexion und öffentlichen Debatte stand die Alternative, auf bestimmte Zielvorstellungen (besonders in der Grenzfrage) zu verzichten. Was immer deren Befürworter an historischen und rechtlich-moralischen Argumenten zur Begründung vorbrachten, ungeklärt blieb das zentrale Problem, mit welcher realistischen politischen Strategie diese Intentionen durchgesetzt werden sollten. [2]

Obschon nicht alle Hoffnungen erfüllt worden waren, hatte Stresemann um die Jahreswende 1925/26 genügend Anlaß, mit den unmittelbaren und weiterreichenden Auswirkungen von Locarno zufrieden zu sein. [3] In einer veränderten europäischen Konstellation konnte Deutschland als nunmehr gleichberechtigter (wenn auch nicht gleich-

---

1 Über die russischen bzw. amerikanischen Stellungnahmen zum Ergebnis der Locarno-Konferenz vgl. M. Walsdorff, a. a. O., S. 151 ff., und W. Link, Die amerikanische Stabilisierungspolitik, a. a. O., S. 345 ff.

2 Dazu bes. M. Broszat, a. a. O., S. 171 ff. Wenig überzeugend dagegen die — persönlich gefärbte — Kritik Brünings. Memoiren 1918—1934, Stuttgart 1970, bes. S. 111.

3 Vgl. auch v. Hoesch mit Telegramm Nr. 3 vom 2. Januar 1926. (Der Schlußabsatz lautet: »Wenn auch schon bei vorigem Neujahrsempfang Atmosphäre sehr wesentlich geklärt war, so konnte doch allgemeine freundliche Stimmung bei diesjährigem Empfang insbesondere auf jemand, der wie ich bei derartigen offiziellen Angelegenheiten hier so manches Böse miterlebt hat, Eindruck nicht verfehlen.«) AA Frankreich, Politik 2, Bd. 13.

rangiger) internationaler Vertragspartner bei beträchtlich verbesserter Ausgangslage außenpolitisch aktiv werden. Die Reichsregierung durfte erwarten, daß die Einschränkungen, denen Deutschland noch unterlag, Zug um Zug abgebaut würden. Das betraf nicht zuletzt die Räumung der Kölner Zone (seit Ende November 1925) sowie die Verminderung der Besatzungstruppen und die Milderung des Besatzungsregimes im übrigen Rheinland. [4] Der entscheidende Impuls richtete sich indessen nach wie vor auf die Wiedergewinnung der vollen Souveränität des Reiches und auf die Veränderung des territorialen Status quo im Osten. Darin einbezogen war auch die Beendigung der alliierten Militärkontrolle und die gesamte Entwaffnungsfrage, zu der Stresemann in seiner Rede vor der »Arbeitsgemeinschaft deutscher Landsmannschaften in Groß-Berlin« (am 14. Dezember 1925) erklärte: »Und wenn ich selbst keine Armee habe und sie nicht aufrüsten kann, muß ich verlangen, daß andere abrüsten, damit wir in eine vernünftige Relation kommen.« [5] Jeder der Anwesenden wußte, daß diese Sätze vor allem auf Frankreich gemünzt waren.

Der Gedanke der Abrüstung der alliierten Mächte bzw. der Aufrüstung Deutschlands [6] hatte schon bei den Locarno-Verhandlungen (im Zusammenhang mit Art. 16 der Völkerbundssatzung) eine wesentliche Rolle gespielt. Stresemann war bekanntlich mit seinen Über-

---

4 Mitte Januar 1926 geriet jedoch die deutsche Außenpolitik in der Frage der Truppenreduzierung (aus der zweiten und dritten Besatzungszone) in eine ernste Krise. Am 13. Januar schrieb Stresemann an Lord d'Abernon: »Morgen tagt in Berlin der Auswärtige Ausschuß. Ich werde in diesem Ausschuß insbesondere wegen der Truppenstärke interpelliert werden. Wenn die Opposition damit rechnen kann, daß die Botschafterkonferenz dem Beschluß des Unterausschusses zustimmt (für diesen Fall war nach den Informationen, über die Stresemann verfügte, mit einer Gesamtzahl von 81000 Mann gegenüber bisher 81950 Mann(!) zu rechnen — Anm. d. Verf.), dann ist meiner Meinung nach die Außenpolitik der Regierung gefährdet, wenn nicht erledigt ... Wir alle haben mit einer erheblichen Verminderung der Besatzung gerechnet. Während der ganzen letzten Monate kämpfe ich gegen die deutschnationale Agitation, die mir vorwirft, daß ich dem deutschen Volk irreführende Angaben über die Auswirkungen des Vertrages von Locarno gemacht hätte. Ich habe mich bisher mit gutem Gewissen dagegen verteidigen können. Dieses gute Gewissen besitze ich nicht mehr, wenn tatsächlich trotz aller Friedensversicherungen eine derartige Besatzung in der 2. und 3. Zone verbleibt ... Wir haben, wenn das Tatsache bleibt, nicht einmal die Regierungsparteien hinter uns, und es bleibt mir nichts übrig, wenn diese Ziffern das letzte Wort sein sollten, als meine Demission als Außenminister einzureichen.« NL Bd. 34: Akten 28. Dez. 1925 — 31. Jan. 1926; ebenso Akten I, 1, a. a. O., Dok. 37, S. 109 f.
5 A. a. O.
6 Zur politischen Linie des Auswärtigen Amtes in dieser Frage vgl. die (vertraulichen) Ausführungen des Ministerialdirektors Köpke auf der Ressortbesprechung vom 19. Januar 1926 »betreffend die Tagung des Vorbereitenden Ausschusses für die Abrüstungskonferenz in Genf«. Akten I, 1, a. a. O., Dok. 45, bes. S. 121 f. Vgl. auch W. Link, Die amerikanische Stabilisierungspolitik, a. a. O., S. 346 f.

legungen nicht durchgedrungen, hatte aber auch seinerseits westliche »Angebote« (wegen ihrer antirussischen Spitze) abgelehnt. Die vertragliche Regelung, daß Deutschland an Sanktionen des Völkerbundes lediglich entsprechend seiner militärischen sowie geographischen Lage mitzuwirken brauchte [7], besagte in concreto sehr wenig, bedeutete jedoch (gerade deshalb) einen wichtigen Vorteil für die Revisionspolitik Stresemanns, besonders in ihrer Relevanz für die deutsch-polnischen Beziehungen. »Polen mußte hinfort damit rechnen, daß es im Falle eines Krieges mit Rußland auf sich allein gestellt sein würde, da es Deutschland in der Hand hatte, den Freunden Polens durch Verweigerung des Durchmarsches eine Hilfeleistung unmöglich zu machen. Es mußte sich darüber hinaus fragen, ob es überhaupt zu einem Sanktionsbeschluß gegen Rußland würde kommen können, wenn erst einmal Deutschland Mitglied des Völkerbundsrates war.« [8]

Diese — wenngleich faktisch begrenzte — Entscheidungsfreiheit der Reichsregierung gehörte zu den elementaren Bausteinen der außenpolitischen Konzeption Stresemanns. Sie setzte die Mitgliedschaft Deutschlands im Völkerbund voraus, wie das ja auch im Artikel 10 des Locarno-Vertrages festgelegt worden war. Erst dann eröffnete sich die Möglichkeit, die strategische Mittellage des Deutschen Reiches politisch auszunutzen — gegenüber dem bolschewistischen Rußland, das vermeiden mußte, bei einem bewaffneten Konflikt mit einem dritten Staat als Angreifer deklariert zu werden, und gegenüber den Westmächten sowie Polen, die an den nationalen Interessen Deutschlands nicht vorbeigehen konnten, wenn sie bereits erfolgten oder eventuellen russischen Aktionen wirtschaftspolitisch bzw. militärisch wirkungsvoll begegnen wollten. Für Stresemann bot sich damit die Chance, partiell mit der Sowjetunion zu kooperieren und nur in dem Maße eine engere Bindung an den Westen einzugehen, wie dieser sich (als Preis dafür) zu einer Korrektur der deutschen Ostgrenzen, zur (allmählichen) Wiederbewaffnung des Deutschen Reiches und zur Verminderung oder gar Beendigung der Reparationen bereit finden mochte. Um so mehr kam es darauf an, für Deutschland die politische Souveränität (bezüglich des besetzten Rheinlandes) in naher Zukunft zurückzugewinnen. Der Weg dahin führte zweifellos über Genf. [9]

Nach Bildung des 2. Kabinetts Luther [10] ergriff Stresemann, der

---

7 Vgl. Anlage F zum Schlußprotokoll, a. a. O. Ausführlich dazu M. Walsdorff, a. a. O., S. 141 ff.
8 K. D. Erdmann, Ost- oder Westorientierung, a. a. O., S. 144; vgl. auch S. 147.
9 Über die Voraussetzungen und Begleitumstände des Eintritts Deutschlands in den Völkerbund vgl. bes. J. Spenz, Die diplomatische Vorgeschichte des Beitritts Deutschlands zum Völkerbund 1924—1926, Ein Beitrag zur Außenpolitik der Weimarer Republik, Göttingen 1966.
10 Dazu H. Heiber, a. a. O., S. 176 f.

trotz mancher Angriffe Außenminister geblieben war, die Initiative in der Beitrittsfrage. Als günstig erwies sich dabei, daß am 31. Januar 1926 die Räumung der Kölner Zone beendet worden war. Am 3. Februar notierte Stresemann:»Lord d'Abernon teilte mir bei seinem heutigen Besuch mit, daß ich dem Kabinett sagen könnte, daß es sich bei der Festsetzung der endgültigen Truppenstärke, die in der zweiten und dritten Zone verbleibt, höchstens um 55 000 Mann handeln könne.«[11] Am 8. Februar billigte die Reichsregierung das deutsche Aufnahmegesuch.[12] Schon wenige Tage später (am 19. Februar) mußte jedoch Stresemann dem Auswärtigen Ausschuß über die Komplikationen berichten, die sich aus den Forderungen anderer Staaten (Brasilien, Spanien, Polen) nach Vermehrung der Ratssitze ergeben hatten.[13] Insbesondere die Ambitionen Polens, von Frankreich lebhaft unterstützt, liefen den Absichten Stresemanns zuwider.[14] Das Ergebnis der Frühjahrssitzung des Völkerbundes ist bekannt: Wegen der unüberbrückbaren politischen Differenzen und der dadurch bedingten Krise des Völkerbundes mußte der Aufnahmeantrag Deutschlands auf die Herbsttagung verschoben werden.[15] Das alte Spiel der Blockbildung hatte (aufgrund konträrer Interessen) auch in den Völkerbund Eingang gefunden, Stresemanns Politik aber nach innen und nach außen

---

11 NL Bd. 35: Akten 1. Febr. — 16. Febr. 1926. Vgl. auch die Aufzeichnung Stresemanns vom 4. Februar 1926 über eine Unterredung mit dem französischen Botschafter am selben Tag, die ebenfalls dieses Problem berührte. (Hier die interessanten Sätze:»Schließlich kam der Botschafter auf die Pressemeldungen über eine Zusammenkunft zwischen Herrn Briand und mir zu sprechen. Er fragte mich, ob eine solche Zusammenkunft in Aussicht genommen sei, worauf ich ihm mitteilte, daß ich einmal mit Herrn Briand in Locarno hierüber gesprochen und daß Herr Briand mich aufgefordert hätte, den Weg nach London über Paris zu machen, und daß ich zweitens mit Herrn Professor Hesnard von der Französischen Botschaft darüber mich unterhalten hätte, der mir sagte, daß es bedauerlich sei, daß man in London nur so kurze Zeit gehabt hätte, sich über die großen europäischen Fragen zu unterhalten, und daß ich Herrn Hesnard gesagt hätte, ich sei sehr gern bereit, diese Unterhaltung mit Herrn Briand zu führen ... Der Botschafter sprach sich zunächst nur in etwas allgemeinen Ausdrücken über diese Zusammenkunft aus, wurde aber plötzlich sehr viel positiver und sagte, er habe die Empfindung, als wenn doch nach dem Eintritt Deutschlands in den Völkerbund der Termin recht günstig sei, um eine Besprechung herbeizuführen, und fragte im Anschluß daran in mich überraschender Weise, ob mir eine Zusammenkunft in Paris oder an einem anderen Orte wünschenswerter erschiene. Ich erwiderte ihm darauf, daß es mir lieber sein würde, in einem kleineren Orte mit Herrn Briand zusammenzutreffen.«) Ebenda; ebenso Akten I, 1, a. a. O., Dok. 80, S. 193. Vorteilhaft für die deutschfranzösischen Beziehungen war auch das am 12. Februar 1926 abgeschlossene (auf 4 Monate befristete) Handelsabkommen. Vgl. den Briefwechsel zwischen Hoesch und Stresemann vom 16. bzw. 18. Februar. Ebenda.
12 Es wurde noch am selben Tage nach Genf weitergeleitet. Akten I, 1, a. a. O., Dok. 88, S. 219.
13 Vgl. dazu J. Spenz, a. a. O., S. 127 ff., und M. Oertel, a. a. O., S. 89 ff.
14 Vgl. dazu L. Zimmermann, a. a. O., S. 307 ff.
15 J. Spenz, a. a. O., S. 139 ff.

einen schweren Rückschlag erlitten.[16] Am 27. März 1926 kritisierte er die Genfer Entscheidung — natürlich auch aus taktischen Erwägungen — als eine offene Verletzung des »Geistes von Locarno«: »Man hört von Pakten und Bündnissen, die zwischen verschiedenen Ländern — Serbien, Italien und Frankreich, den Randstaaten und Polen — geschlossen werden sollen und die alle nach deutscher Auffassung sich mehr oder minder gegen Deutschland richten.«[17] Die Gefahr einer politischen Isolierung Deutschlands war in der Tat nicht einfach auszuschließen. Sympathiekundgebungen einiger neutraler Staaten — z. B. Schwedens — konnten da wenig helfen.[18] Stresemanns gesamte außenpolitische Konzeption war grundsätzlich in Frage gestellt. Es gelang ihm jedoch, die innerdeutsche Protestwelle einzudämmen und die internationale Position des Reiches durch eine (wenn auch nicht ganz freiwillige)[19] diplomatische Aktivität zu verbessern, d. h. eine außerordentlich wirksame (und in Deutschland populäre) Trumpfkarte auszuspielen: den Abschluß eines Neutralitätsabkommens mit Rußland.[20] Die Vertragsunterzeichnung am 24. April 1926 signalisierte den Westmächten[21], daß Deutschland nicht gewillt

---

16 In seiner Reichstagsrede am 22. März 1926 sagte Stresemann: »Deutschland steht vor der Entscheidung, ob es angesichts der Krisis, in der sich der Völkerbund befindet, und angesichts des Ausganges von Genf seine grundsätzliche Einstellung gegenüber dem Völkerbund ändern soll oder nicht.« Verhandlungen des Reichstags, Bd. 389, Stenogr. Berichte, Berlin 1926, S. 6449. Trotz aller Hindernisse bekannte sich Stresemann (im weiteren Verlauf seiner Rede) zur Mitgliedschaft Deutschlands im Völkerbund — wegen Locarno, wegen der politischen Aufwertung des Reiches durch einen ständigen Ratssitz und wegen der Prämisse der deutschen Außenpolitik im allgemeinen: »Meine Herren, die weltwirtschaftliche Verbindung der Völker war die Grundlage des Versuches auch für eine politische Verständigung. Der Versuch, sie aufzugeben, weil der Mechanismus des Völkerbundes versagte, wäre töricht.« Ebda., S. 6451. Vgl. auch W. Link, Die amerikanische Stabilisierungspolitik, a. a. O., S. 347 f., und M. Walsdorff, a. a. O., S. 169 f.
17 Lord d'Abernon, Bd. III, a. a. O., S. 282. Vgl. auch Stresemanns Rede in Annaberg am 1. April 1926. W.T.B. Nr. 574 vom 2. April 1926.
18 Dasselbe gilt für das »lebhafte Bedauern«, das Briand am 2. April (1926) gegenüber Hoesch im Zusammenhang mit dem Genfer Mißerfolg äußerte. Hoesch (Paris) an das Auswärtige Amt. Telegramm Nr. 308 (»streng vertraulich«) ebenfalls vom 2. April. Akten I, 1, a. a. O., Dok. 188, S. 453.
19 Vgl. Th. Eschenburg, a. a. O., S. 203 ff.
20 Text des Vertrages und Notenwechsels Krestinski — Stresemann (ebenfalls am 24. April) Michaelis — Schraepler, Ursachen und Folgen, Bd. VI, S. 645 ff.; ebenso Akten zur deutschen auswärtigen Politik 1918—1945. Serie B: 1925—1933. Bd. II, 1: Dezember 1925 bis Juni 1926. Deutschlands Beziehungen zur Sowjet-Union, zu Polen, Danzig und den Baltischen Staaten, Göttingen 1967, Dok. 168, S. 402 f. Zur Vorgeschichte dieses Vertrages detailliert und abgewogen im Urteil M. Walsdorff, a. a. O., S. 157 ff.; vgl. auch L. Zimmermann, a. a. O., S. 329 ff., und L. Kochan, a. a. O., S. 101 ff.
21 Über deren (negative) Reaktion vgl. M. Walsdorff, a. a. O., S. 176 f., und H. W. Gatzke, Rapallo, a. a. O., S. 24. Vgl. auch Telegramm Nr. 332 von Hoesch an Staatssekretär v. Schubert vom 11. April 1926. (Hoesch berichtet hier über seine Unterredung mit Briand und Berthelot.) AA, Büro RM, Frankreich 7, Bd. 8; ebenso Telegramm Nr. 424 von Botschaftsrat

war, sich die Möglichkeiten eigenständiger Politik aus der Hand nehmen zu lassen, und daß es dabei auf die russische Unterstützung rechnen durfte. Andererseits vermied der sog. Berliner Vertrag jeden Affront gegen die Westmächte und war insofern in seiner politischen Qualität ein Eckpfeiler der Unabhängigkeit Deutschlands zwischen Ost und West. [22] Darüber hinaus diente er als Wink an die Locarnostaaten, den Beitritt des Deutschen Reiches zum Völkerbund nicht an Sonderwünschen scheitern zu lassen. [23]

Der genaue »Stellenwert« des Berliner Vertrages läßt sich gleichwohl nur im Diagramm der langfristig konzipierten deutschen Außenpolitik zutreffend bestimmen. Am 26. April 1926 kommentierte Stresemann (auf dem Presseempfang) das deutsch-russische Abkommen folgendermaßen: »Der Vertrag beruht, wie erwähnt, auf der Grundlage des Rapallovertrages, und dieser soll die Grundlage unserer Beziehungen zu der Sowjetunion bleiben, um damit anzudeuten, daß etwas Neues hier nicht geschaffen wird ... Zweierlei wäre deshalb bei der Beurteilung des Vertrages völlig abwegig, nämlich die Auffassung, daß dieser Vertrag eine Schwenkung der deutschen Außenpolitik darstelle, oder die Auffassung, daß er auf einem Kausalzusammenhang mit dem Ausgang

---

Rieth (Paris) an das Auswärtige Amt vom 9. Mai 1926. (»In Unterredungen, die ich letzter Tage mit leitenden Beamten Außenministeriums ... in anderen Angelegenheiten hatte, wurde ich regelmäßig auf Frage deutschrussischen Vertrags angeredet. Zusammenfassender Gesamteindruck dieser sich meist in gleichen Gedankengängen bewegenden Unterhaltungen, daß der Abschluß Vertrags nach wie vor hier äußerst unangenehm empfunden wird, so daß man gern etwas unternehmen möchte, um dessen unerwünschte Wirkungen zu beseitigen oder abzuschwächen ...«) Akten I, 1, a. a. O., Dok. 213, S. 509. Zur (recht günstigen) Haltung der US-Regierung vgl. R. Gottwald, a. a. O., S. 67 ff.
22 Vgl. auch A. Schwarz, a. a. O., S. 123.
23 Die militärische Bedeutung des Vertrages schätzte Stresemann offensichtlich gering ein. Wichtiger war ihm dessen wirtschaftliche, politische und psychologische Wirkung, die mindestens das eine garantierte, daß Rußland sich nicht gegen Deutschland verbündete. Vgl. die Niederschrift über die Ministerbesprechung vom 24. Februar 1926. AA, Büro RM, 3 b: Kabinett-Protokolle, Bd. 4. Die beste Zusammenfassung der deutschen Überlegungen zum Neutralitätsproblem (beim Vertrag mit Rußland) gibt M. Walsdorff, a. a. O., S. 182: »Zum einen durfte die Neutralität nicht so weit gehen, daß sie in Widerspruch zu Deutschlands Verpflichtungen im Völkerbund geraten konnte; zum anderen wünschte aber Deutschland eine möglichst weitgehende Neutralitätszusage an die Sowjetunion. Deutschland war daran interessiert, daß die Sowjetunion im Falle eines russisch-polnischen Konfliktes damit rechnen konnte, daß Deutschland weder direkt noch indirekt Polen unterstützen, sondern wohlwollende Neutralität wahren werde. Aber auch Polen sollte wissen, daß es im Falle eines Konfliktes mit Rußland keine Entlastung über deutsches Territorium zu erwarten habe; galt es doch auch, jede Risikominderung in der außenpolitischen Stellung Polens zu verhindern und damit seine durch übermäßigen Rüstungsaufwand bedingte wirtschaftliche Labilität aufrechtzuerhalten.« Wichtig auch S. 188 f. mit Hinweis auf Stresemanns Äußerungen vor dem Auswärtigen Ausschuß (zum Problem der deutschen Neutralität gegenüber Rußland) am 27. 4. 1926.

der Genfer Tagung fuße... Es stellt sich der (Berliner) Vertrag neben die Verträge von Locarno, er stellt sich als eine Fortsetzung der Friedenssicherungspolitik dar, indem er die Friedenspolitik nach dem Westen durch die Locarnoverträge nunmehr nach dem Osten fortsetzt. Uns liegt daran, das deutlich zum Ausdruck zu bringen.« [24]

In seiner Rundfunkrede am 1. Mai 1926 sagte Stresemann u. a.: »Der Vertrag ist eher eine Selbstverständlichkeit als eine Sensation. Zwischen Deutschland und Rußland besteht eine jahrhundertelange traditionelle Freundschaft... Letzten Endes erscheint es, als wenn manche Kritik im Ausland wesentlich ausgeht von der Überraschung über die selbständige Politik, die Deutschland mit diesem Schritt offenbart. Aber die Politik, die nach Locarno führte, war auch selbständige Politik. Man muß sich daran gewöhnen, daß Deutschland die Gestaltung des deutschen Geschicks selbst in die Hand nimmt und nicht unter Vormundschaft irgendwelcher Mächte oder Mächtegruppierungen, sei es im Osten oder Westen... Wir haben ein ganz bestimmtes Ziel europäischer Entwicklung vor Augen. Wir verfolgen es geradlinig und ohne Schwanken. Wir wissen, daß wir Machtpolitik nicht treiben können, aber wir wollen in der Politik der Friedenssicherung unseren eigenen Weg gehen. Wer guten Willens in der Welt dasselbe Ziel verfolgt, kann und muß uns unterstützen. Er möge nur Verständnis dafür aufbringen, daß neben dem Wunsch der Friedenssicherung für alle Völker dieser Weg gekennzeichnet ist durch die Lebensinteressen Deutschlands.« [25]

Die beiden Textbelege lassen drei Grundzüge der politischen Strategie Stresemanns deutlich erkennen: erstens die Absicht, Deutschland weder nach Westen noch nach Osten definitiv zu binden; zweitens die Aufforderung, den »Lebensinteressen Deutschlands« Rechnung zu tragen; drittens die Bereitschaft, auch zukünftig eine Friedenspolitik zu verfolgen. Alle drei Momente waren jedoch an derselben revisionistischen Zielsetzung orientiert. Insofern ist es nicht verwunderlich, daß Stresemann zwar von einer Friedenspolitik »nach dem Osten« sprach, damit aber nur die Sowjetunion meinte, keineswegs auch Polen. [26] Das heißt allerdings nicht, daß er einen bewaffneten Konflikt mit Polen geplant oder gar auf einen solchen hingearbeitet hätte. Stresemann wußte, daß eine solche Politik (allein schon aus Gründen der finanziellen Abhängigkeit von den Vereinigten Staaten) zum Scheitern verurteilt war, daß sich jeder europäische Krieg rasch zu einem neuen Weltkrieg ausdehnen konnte, dem Deutschland militärisch nicht gewach-

24 NL Bd. 37: Akten 31. März — 15. Mai 1926.
25 Ebenda. Vgl. auch W.T.B. Nr. 749 vom 2. Mai 1926.
26 Vgl. auch H. Graml, Europa, a. a. O., S. 216 f., der zu Recht den nach Locarno beginnenden Bau der Maginot-Linie in seine historische Bewertung mit einbezieht.

sen war (auch nicht bei einem etwaigen Vertragsbruch Frankreichs), und daß ein solcher Krieg darüber hinaus, wie es die vergangenen Jahre bewiesen hatten, für jeden der unmittelbar Betroffenen (auch für den nominellen Sieger) ein ökonomisches und soziales »Verlustgeschäft« sein würde.

Das Problem der — wirtschaftspolitisch untermauerten — Diplomatie Stresemanns bestand nichtsdestoweniger darin, wie es gelingen sollte, den Frieden als Ziel der deutschen Außenpolitik auszugeben und ihn zugleich für die nationalen Zwecke (mittelbar) zu nutzen, beides so miteinander verknüpfend, daß am Ende (d. h. schon in wenigen Jahren) die übrigen Großmächte — gerade auch die Militärmacht Frankreich — um eben dieses europäischen Friedens willen Zugeständnisse zu machen bereit waren. Die Erweiterung der Machtbasis des Deutschen Reiches, die Begrenzung der Revisionsforderungen auf ein realistisches Maß, die Interdependenz gerade auch der europäisch-amerikanischen Staatenwelt — alles das (und anderes mehr) mußte zusammenwirken, wenn der große Wurf gelingen sollte. Immerhin: »Der Weg zur Revision führte für Stresemann nicht über Österreich und das Sudetenland, und ihr Instrument war nicht der Krieg.« Dieses Urteil Erdmanns [27] wird durch das vorhandene Quellenmaterial zweifellos bestätigt, für die Zeit des Vertragsabschlusses mit Rußland überzeugend durch die (»streng geheime«) Weisung Stresemanns an den deutschen Botschafter in London, Sthamer, vom 19. April 1926. Die entscheidende Passage lautet: »Es ist zu begrüßen, daß sich maßgebende englische Kreise für die deutsch-polnische Grenzfrage interessieren und Verständnis dafür zu gewinnen scheinen, daß die Lösung dieser Frage nicht nur die wichtigste Aufgabe unserer Politik, sondern vielleicht die wichtigste Aufgabe der europäischen Politik überhaupt ist. Die Mitwirkung Englands ist eine unerläßliche Voraussetzung für eine Lösung auf friedlichem Wege, und nur eine solche kommt für uns in Betracht.« [28]

27 Ost- oder Westorientierung, a. a. O., S. 150.
28 NL Bd. 350. Aus dem Nachlaß Stresemann von Konsul Bernhard dem Auswärtigen Amt übergebene Schriftstücke: 14 verschiedene Vorgänge »Ganz geheim« 1924—1930; ebenso Akten II, 1, a. a. O., Dok. 150, S. 363 ff. Stresemann argumentierte gegenüber Sthamer in folgender Weise: »1. Eine friedliche Lösung der polnischen Grenzfrage, die unseren Forderungen (gemeint sind Danzig, Korridor, Oberschlesien und kleinere Gebiete Mittelschlesiens — Anm. d. Verf.) wirklich gerecht wird, wird nicht zu erreichen sein, ohne daß die wirtschaftliche und finanzielle Notlage Polens den äußersten Grad erreicht und den gesamten polnischen Staatskörper in einen Zustand der Ohnmacht gebracht hat. Solange sich das Land noch irgendwie bei Kräften befindet, wird keine polnische Regierung in der Lage sein, sich auf eine friedliche Verständigung mit uns über die Grenzfrage einzulassen. 2. Aber auch ganz abgesehen von der polnischen Einstellung ist die allgemeine politische Stellung Deutschlands, insbesondere im Verhältnis zu den Westmächten (!), einstweilen noch zu schwach, als daß wir unsere

Die Mitwirkung Englands unerläßlich, aber auch wahrscheinlich (gefördert durch eine weitverbreitete Animosität gegenüber Polen), die Reaktion der Vereinigten Staaten zunehmend positiv, die Unterstützung der Sowjetunion sicher — und doch entschied sich, so glaubte Stresemann, in Frankreich, ob seine (territoriale) Revisionspolitik erfolgreich war oder nicht. Die Locarno-Verträge hatten (von dieser Prämisse ausgehend) nicht zuletzt die Bedeutung gehabt, England von Frankreich (mehr als bisher) zu lösen und allgemein von der politischen Gestaltung des Kontinents abzudrängen. [29] Der Berliner Vertrag sollte zusätzlich die Manövrierfähigkeit des Deutschen Reiches vergrößern und eben dadurch die Westmächte insgesamt — vor allem aber Frankreich — zu einem politischen Entgegenkommen veranlassen. Denn Stresemann wollte ja nicht gemeinsam mit Rußland (doch die Chance dazu sollte immer vorhanden sein), sondern zusammen mit England und dem am meisten widerstrebenden Frankreich, bei Zustimmung und Hilfeleistung der Vereinigten Staaten (das jedenfalls war die Hoffnung), Polen wirtschaftlich und politisch in die Enge treiben, d. h. zur Herausgabe der von Deutschland beanspruchten Gebiete »zwingen«. [30] Im Rahmen dieses Programms erfüllte also der Berliner Vertrag eine ganz bestimmte Funktion, nicht mehr, aber auch nicht

---

politischen Wünsche hinsichtlich Polens in einem internationalen Gremium mit einiger Aussicht auf Erfolg geltend machen könnten.« Kein Zweifel, daß in diesen Sätzen der Kern der außenpolitischen Konzeption Stresemanns angesprochen war, zumal er hinzufügte: »Nur ein uneingeschränkter Wiedergewinn der Souveränität über die in Rede stehenden Gebiete kann uns befriedigen.« Vgl. auch M. Walsdorff, a. a. O., S. 171 ff., der mit Recht darauf aufmerksam macht, daß Stresemann zunächst die Westprobleme (vorzeitige Rheinlandräumung u. a. m. auf der Basis finanzieller Gegenleistungen) lösen und sich erst dann (bei beträchtlich verbesserter deutscher Ausgangsposition) den Fragen der Revision der deutsch-polnischen Grenze zuwenden wollte. (Ausführlich dazu Chr. Höltje, a. a. O., bes. S. 98, und M. Oertel, a. a. O., S. 147 ff.) Für die Zwischenphase mußte also Deutschland, »wollte es die Grenzrevision im Osten über eine erforderlich werdende Sanierung der polnischen Wirtschaft erreichen, versuchen, einen Ausgleich Polens vor allem mit Rußland und Litauen zu verhindern«. Ebda., S. 173. Genau diesem Ziel diente der Berliner Vertrag. (Belege dazu Akten II, 1, a. a. O., bes. Dok. 179, S. 430 f., und Dok. 199, S. 462 f.) Die Sowjetunion verfolgte jedoch, wie Walsdorff im einzelnen nachweist, entgegengesetzte Absichten: »Für sie war der Berliner Vertrag nur ein Abkommen unter anderen in ihrem System bilateraler Verträge, mit dem sie sich ein eigenes kollektives Sicherheitssystem schuf. Sie war entschlossen, in dieses Vertragssystem auch Deutschlands östliche Nachbarn einzubeziehen und damit den Status quo an Deutschlands Ostgrenze zu stabilisieren.« S. 189.

29 Vgl. Kapitel 5, S. 187, Anm. 86.
30 Stresemann beabsichtigte, den »Wirtschaftskrieg« mit Polen (50 % des gesamten polnischen Außenhandels entfielen auf Deutschland!) bis zu dem Grade fortzusetzen (verstärkt durch eine öffentliche Kampagne der deutschen Minderheiten), wo die polnische Regierung, um den eigenen Staat überhaupt noch am Leben erhalten zu können, als Kompensation für eine endgültige Sanierung des Zloty durch eine deutsche Stützungsaktion sich zu

weniger. [31] Man kann das Schaukelpolitik nennen, aber sie war genau kalkuliert und hatte Methode. Einen inneren Widerspruch enthielt sie nicht, im Gegenteil — es sei denn, daß man Locarno, wie Erdmann das tut, fälschlicherweise als »Solidarität mit dem Westen« interpretiert. [32] Für Stresemann waren Locarno und Berlin Stationen auf dem Wege nach Genf — alle zusammen aber Voraussetzung einer konsequenten Aufhebung des »Systems von Versailles«.

Hinsichtlich der weiteren Entwicklung hing alles davon ab, wie das Problem des deutschen Beitritts zum Völkerbund gelöst wurde. Nur bei einer Entscheidung im Sinne der »Wilhelmstraße« durfte Stresemann erwarten, seine für die Zukunft der deutschen Außenpolitik grundlegende politische Strategie gegenüber Frankreich verwirklichen zu können, d. h. als Nahziel die Befreiung der Rheinlande (Vorbedingung für jede größere Aktion im Osten) zu erreichen. [33] Die französische Finanzschwäche war beinahe schon eine (natürlich vorteilhafte) Konstante in diesem deutschen Kalkül, ebenso das Interesse einflußreicher Wirtschaftskreise in beiden Ländern, die industrielle Zusammenarbeit zu vertiefen. [34] Ungewiß blieb allerdings, wie stark sich gegebenenfalls das wirtschaftspolitische Engagement der USA (und Großbritanniens) auswirken würde.

---

einer Revision seiner Westgrenzen (zugunsten des Deutschen Reiches) bereit fand. Er mußte aus diesem Grunde eine frühzeitige Einschaltung englischer und amerikanischer Finanzkreise zu verhindern suchen. Vgl. auch K. D. Erdmann, Ost- oder Westorientierung, a. a. O., S. 151, und M. Broszat, a. a. O., S. 172 f. Stresemann am 19. Mai 1926 im Auswärtigen Ausschuß des Reichstages: »Andererseits erscheint mir die Lösung der zwischen Deutschland und Polen schwebenden Fragen nur möglich, im Falle daß Polen wirtschaftlich und politisch zusammenbricht, wenn eine internationale Sanierung wirtschaftlich und finanziell ins Werk gesetzt wird, an der sich auch Deutschland beteiligt. Aber um die Unruhe aus Europa herauszubringen, sind auch die Fragen, die zwischen uns und Polen stehen, dann zu bereinigen. Es gibt weite Kreise in Polen, die der Meinung sind, daß Polen nur dann wieder hochkommen kann, wenn die Korridorfrage und ähnliche andere Fragen dabei gelöst werden. Sind sie das, so besteht kein Anlaß, auch mit diesem Nachbarstaat von Deutschland in sehr guten Verhältnissen zu leben und uns einzusetzen dafür, daß ein lebensfähiges Polen entsteht.« AA, Büro RM, Reden, Interviews und Aufsätze des Herrn Reichsministers, Bd. 5. Vgl. auch M. Oertel, a. a. O., bes. S. 108 ff.
31 Eben deshalb enthielt er wohl auch keine Geheimabmachungen, denn nur so konnten von der (westlichen) Gegenseite, die ja über die Situation nicht im unklaren war, politische Zugeständnisse herausgeholt werden.
32 Ost- und Westorientierung, a. a. O., S. 145. Offensichtlich ist diese These stark vom politischen Bewußtsein der 50er Jahre beeinflußt.
33 Zur Position Briands einerseits und der französischen Generalität andererseits in der Rheinlandfrage vgl. Hoeschs Mitteilung an das Auswärtige Amt vom 8. Juni 1926. AA Frankreich, Politik 2, Bd. 14.
34 Zu den Absprachen über ein internationales Eisenkartell vgl. Akten I, 1, a. a. O., Dok. 157, S. 379 f., und Dok. 273, S. 635 f. Zur ökonomischen Bedeutung der rasch ausdehnenden deutsch-französischen bzw. kontinental-europäischen Kartellbildung vgl. W. Link, Die amerikanische Stabilisierungspolitik, a. a. O., S. 348 f.

Über den Stand der deutsch-französischen Beziehungen äußerte sich Stresemann am 28. Juni 1926 vor der Auslandspresse mit vorsichtigem Optimismus; aber er vergaß auch nicht, auf den »Kampf der Meinungen« in der französischen Öffentlichkeit (nach Locarno) hinzuweisen, »der namentlich in französischen militärischen Kreisen die Sicherheit Frankreichs weniger in den großen internationalen Verträgen als in einem Verbleiben französischer Truppen auf deutschem Gebiete sieht. Andererseits drängen die finanziellen Probleme in Frankreich zu baldigen Maßnahmen auf dem Gebiete der Kooperation mit Deutschland. Ob diejenigen, welche die Notwendigkeit deutsch-französischer Zusammenarbeit empfinden, stark genug sein werden, die gefühlsmäßigen Hemmungen gegen die selbstverständlichen Folgerungen (!) aus diesem Zusammenarbeiten zu überwinden, davon wird ein Stück europäischer Zukunft abhängen, die ihrerseits von dem Verhältnis Deutschland — Frankreich bestimmt wird.«[35]

Diese knappe Analyse des politischen Frankreich dokumentiert in prägnanter Weise, auf welche Faktoren bzw. Kräfte Stresemann seine Hoffnungen setzte, worin er die entscheidende Gefährdung seiner Strategie erblickte — und vor allem: welches zentrale Gewicht (doch wohl für seine Revisionspolitik) er dem deutsch-französischen Verhältnis beimaß. Würde sich Briand jedoch gegen seine innenpolitischen Gegner durchsetzen können? Von ihm wußte Stresemann, daß er einen deutsch-französischen Interessenausgleich ernsthaft bejahte. Die gemeinsame Basis skizzierte er (Stresemann) so: »Mit dem Wort ›europäisch‹, ›Vereinigte Staaten von Europa‹, ›Paneuropa‹ wird heute mancherlei Unfug getrieben. Aber allen diesen Gedanken liegt doch ein sehr bedeutsamer Kern zugrunde. Wenn in diesen Wochen, wie es den Anschein hat, die große Eisenindustrie Deutschlands und Frankreichs, Belgiens und Luxemburgs sich zu gemeinschaftlicher Organisation vereinigt, dann ist das der Anfang einer die Landesgrenzen in Europa überschreitenden wirtschaftlichen Verständigung, der von größter Bedeutung ist. Man kann sich ein Fortschreiten dieser Zusammenarbeit zwischen Deutschland und Frankreich denken.«[36] Ein kritisches historisches Urteil wird nicht behaupten wollen, hier sei das »Europaprogramm« Stresemanns entwickelt; wohl aber ist die Feststellung erlaubt, daß eine Argumentation dieser Art das ausschließlich nationale Selbstbewußtsein der wilhelminischen Ära politisch relativiert hatte und

35 Vermächtnis, Bd. II, S. 455.
36 Stresemann in einem Artikel (»Briand«) für den »Hannoverschen Kurier«, datiert vom 23. Juli 1926. (Briand war wenige Tage zuvor als Ministerpräsident gestürzt worden. Vgl. M. Baumont, Briand, a. a. O., S. 63. Über das Kabinett Poincaré berichtete Hoesch mit Telegramm Nr. 736 vom 23. Juli an das Auswärtige Amt. Akten I, 1, a. a. O., Dok. 284, S. 656 ff.) NL Bd. 41: Akten 17. Juli — 13. Aug. 1926.

durchaus (wenn auch nicht um seiner selbst willen) einem zumindest bilateralen Entwicklungsprozeß förderlich war. [37]

Die bisherige Bestandsaufnahme hat folgendes Ergebnis: Wenn Stresemann Frankreich an Deutschland binden wollte — und für eine Revision des Versailler Vertrages war das unabdingbar —, dann mußte er dessen Furcht vor Deutschland zugleich erhalten und abbauen, d. h. auf jenes erträgliche Maß zurückschrauben, das den Franzosen (wegen der Unterstützung Deutschlands durch Rußland und der Abneigung Englands, sich für die Erhaltung des Status quo in Ostmitteleuropa militärisch zu verwenden) eine doppelte Überlegung aufdrängen sollte: 1. Deutschland ist stark und gesichert genug (darüber hinaus — vor allem gemeinsam mit der Sowjetunion — von seiner ökonomischen und militärischen Kapazität her in Wahrheit der überlegene Partner), um einerseits eine französische Sanktionspolitik nicht mehr befürchten zu müssen, andererseits Frankreich auf lange Sicht (wegen der Nichtanerkennung der Ergebnisse des Weltkrieges) potentiell, obgleich gegebenenfalls nur mittelbar über Polen, »bedrohen«, genauer: politisch in Europa ausmanövrieren zu können. 2. Deutschland ist bereit, Frankreichs Sicherheitsverlangen endgültig und ohne Hinterabsicht zu befriedigen, Frankreich sogar wirtschaftlich durch Verflechtung der beiderseitigen (Montan-)Industrien [38] und finanziell durch deutsche Kre-

---

37 Von Briand sagte Stresemann in demselben Artikel, er sehe Frankreichs Interesse darin, »mit seinem östlichen Nachbarn zusammenzuarbeiten; er glaubt, daß eine Behebung der französischen Wirtschafts- und Finanzkrise nicht möglich ist mit dem Prinzip der Niederhaltung und Niederdrückung Deutschlands, sondern durch eine Form der Kooperation, die beiden Ländern nützt, die in so vieler Beziehung zusammen eine Vollkommenheit bilden, während sie namentlich auf wirtschaftlichem Gebiete als Einzelländer Lücken aufweisen. Wer im Laufe von mehr als einem Jahre die einzelnen Phasen der Verhandlungen mit diesem französischen Staatsmann kennengelernt hat, kann deshalb in bezug auf diese großen grundlegenden Fragen dem Urteil nicht zustimmen, daß es sich hierbei auf seiten Briands um Improvisationen handle, die ihr Urheber selbst nicht ernst gemeint hätte. Im Gegenteil zieht sich dieser Gedanke europäischer Zusammenarbeit, basiert auf einer wirtschaftlichen Verständigung Deutschlands und Frankreichs, wie ein roter Faden durch die Handlungen des jetzt gestürzten Ministerpräsidenten.«
38 Zur Unterzeichnung des provisorischen Handelsabkommens zwischen Deutschland und Frankreich (am 5. August 1926 in Paris), dem eine Woche später ein Vertrag über die Bildung eines deutsch-französischen Eisenkartells folgen sollte, schrieb die Moskauer »Iswestija« am 11. August 1926 in einem anonymen Leitartikel mit der Überschrift »Eine bedeutsame Phase« u. a.: »Diese beiden Tatsachen, die in der Zeit fast zusammenfallen, sind von der größten wirtschaftlichen und politischen Bedeutung. Es wird keine Übertreibung sein, zu behaupten, daß sie nicht nur für die Entwicklung der französisch-deutschen Beziehungen, sondern auch für die politische Geschicke des Nachkriegseuropas eine außerordentlich wichtige Phase bedeuten ... Wenn Deutschland und Frankreich den Weg, den sie gegenwärtig eingeschlagen haben, auch fernerhin verfolgen werden, so wird die Entwicklung Europas in der allernächsten Zukunft einen ganz anderen Charakter annehmen.« Deutsche Übersetzung in: AA Frankreich C, Politik 2, Bd. 2. Aufschlußreich auch der Leitartikel vom 14. August 1926. Ebenda.

dithilfen zu unterstützen, wenn es darin einwilligt, die Deutschland moralisch sowie politisch diskreditierende Kriegsschuldthese fallenzulassen und in der Konsequenz dessen eine vorzeitige Räumung des besetzten Rheinlandes, nachfolgend eine Änderung der politisch-territorialen Verhältnisse in Ostmitteleuropa zugunsten des Deutschen Reiches zu akzeptieren.

In der Perspektive eines national motivierten Revisionismus, wie er deutscherseits (gerade auch bei Stresemann) vorhanden war, stand eigentlich erst bei einer Erfüllung dieser letztgenannten Ziele (andere, wie die Rückkehr des Saargebietes, kamen freilich noch hinzu) ein allgemeiner und langfristiger europäischer Frieden in Aussicht. Erst dann auch war in Deutschland selbst der (nach innen und nach außen extremen) nationalistischen Opposition (mit ihren militaristischen und völkisch-imperialistischen Tendenzen) [39] der Boden entzogen, die parlamentarisch-demokratische Republik stürzen und damit jene Kräfte entmachten zu können, die aufgrund ihrer sozialökonomischen Interessen und ihres politisch-ideologischen Selbstverständnisses — trotz und wegen ihrer verbleibenden Ansprüche — den Ausgleich und die Kooperation mit Frankreich bejahten. Nach der Intention Stresemanns sollte dieses Frankreich durch seine enge Bindung an Deutschland wirtschaftlich und finanziell durchaus gewinnen, aber Deutschland sollte das noch weit mehr tun und auf diese Weise eine vorteilhafte Veränderung des europäischen Kräfteverhältnisses herbeiführen. Insofern war also, was immer an verbaler Beschönigung erfunden werden mochte, die Konzeption bzw. »Verständigungspolitik« Stresemanns darauf angelegt, Frankreich — von anderen Staaten einmal abgesehen — in einen (stark ökonomisch begründeten, aber politisch sich auswirkenden) Zugzwang zu bringen, der als Endergebnis dem Deutschen Reich in relativ kurzer Zeit die führende Rolle in Kontinentaleuropa zurückbringen mußte.

Am 10. September 1926 zog Stresemann an der Spitze einer starken Delegation in den Saal des Völkerbundes ein, von den Anwesenden mit langanhaltendem Beifall begrüßt. [40] Die Rede, die er hielt, entsprach

39 Besonders aktiv waren da die deutschen Wehrverbände, die, von Briand immer wieder gerügt, auch Stresemann und die DVP heftig attackierten (obschon es einige politische Querverbindungen gab). Sehr aufschlußreich dazu die Rede (und der Diskussionsbeitrag) Stresemanns auf der Sitzung des Zentralvorstandes der Deutschen Volkspartei in Köln am 1. Oktober 1926. BA R 45 II/41. Vgl. auch L. Döhn, a. a. O., S. 243 f. und bes. S. 284 ff.
40 Stresemann empfand diesen Vorgang auch als eine moralische Rehabilitierung Deutschlands. Über die näheren Umstände der Aufnahme vgl. J. Spenz, a. a. O., S. 169 ff. — Noch am 13. August 1926 hatte die »Kölnische Zeitung« in ihrem Rückblick auf die drei vorangehenden Jahre der Außenpolitik Stresemanns (»Drei Jahre aufbauende Außenpolitik«) mehr warnend als zustimmend geschrieben: »Im Völkerbund selbst ein Instrument des europäischen Friedens zu sehen, liegt für das deutsche Volk im gegenwärtigen Augenblick nicht der geringste Anlaß vor. Von den Sozialdemokraten abgesehen, die aus dem Völkerbund ein Institut für ihre internationalen Bestre-

der gegebenen Situation; sie sollte daher in ihrem europäisch akzentuierten Inhalt nicht überbewertet werden. [41] Die nationalen Zielsetzungen der deutschen Außenpolitik blieben den aufmerksamen Zuhörern ohnehin nicht verborgen. [42] Die Antwort Briands, der vom Völkerbund als Sprecher auserwählt worden war, stand mit ihrer Zukunftsvision vom geeinten Europa auf der Basis der deutsch-französischen Aussöhnung den von Stresemann (verbal) beschworenen Prinzipien in keiner Weise nach — mehr noch: sie entfesselte einen Sturm der Begeisterung, der irrationale Züge annahm. [43] Stresemann wie Briand waren sich indessen im klaren, daß die Probleme der praktischen Politik, d. h. die immer noch sehr heiklen deutsch-französischen Beziehungen davon nur am Rande berührt wurden. [44]

Ganz anders verhielt es sich mit der schon im August vereinbarten Begegnung der beiden Außenminister in Thoiry. [45] Das (auch sachlich keineswegs improvisierte) Treffen [46] läßt sich — wegen der unterschiedlichen Quellenlage — heute nicht mehr eindeutig rekonstruie-

---

bungen machen wollen, beurteilen die deutschen Parteien die Wirkungsmöglichkeiten und den Wirkungswillen des Völkerbundes äußerst skeptisch ... Die Tätigkeit des Völkerbundes zum Schaden Deutschlands in Danzig, Oberschlesien und an der Saar ist nicht vergessen. Man muß auch in diesen Tagen wieder feststellen, daß trotz aller schönen Grundsätze, die in der Völkerbundsatzung niedergelegt sind, die Kabinettspolitik früherer Zeiten ihre alte Rolle weiterspielt. Die Völkerbundstaaten schließen Bündnisse mit bestimmten aggressiven Absichten ... Der bisherige Verlauf der Abrüstungsbesprechungen im Völkerbund hat bewiesen, daß an eine wirkliche Abrüstung oder auch nur an einen Beginn der im Versailler Vertrag vorgesehenen Rüstungsverringerungen in absehbarer Zeit nicht zu denken ist. Nach allem dem kann Deutschland nicht mit großen Hoffnungen seinen Eintritt in den Völkerbund vollziehen.«

41 Hirsch z. B. geht darauf überhaupt nicht ein. Stresemann, a. a. O., S. 90 f.
42 Vgl. L. Zimmermann, a. a. O., S. 314. Die Rede selbst ist abgedruckt in: Vermächtnis, Bd. II, S. 591 ff.
43 Zur Rede Briands vgl. M. Baumont, Briand, a. a. O., S. 65 f., und G. Suarez, Bd. VI, a. a. O., S. 196 ff.
44 Stresemann war jedoch nach wie vor der Überzeugung, daß Deutschland bzw. die Reichsregierung ohne eine tatsächliche Verständigung gerade auch mit Frankreich keine erfolgreiche Politik treiben konnte. Einen weiteren Hinweis dafür gibt seine (vertrauliche) Äußerung auf der Sitzung des Reichsministeriums am 24. September 1926: »Der Reichsminister des Auswärtigen begründete, warum es weniger im deutschen Interesse läge, im Völkerbund die Rolle des Führers einer Opposition der kleinen Nationen zu übernehmen, als vielmehr mit den großen Mächten zusammenzuwirken. Er belegte im einzelnen, wie wertvoll während der Völkerbundstagung die nebenherlaufenden Verhandlungen mit den einzelnen Nationen seien.« AA, Büro RM, 3 b: Kabinett-Protokolle, Bd. 4. Vgl. dazu J. Spenz, a. a. O., S. 173 f.
45 Die beste Zusammenfassung bzw. wissenschaftliche Aufarbeitung dieses Themas — mit insgesamt positiver Bewertung Stresemanns — bringt H.-O. Sieburg, Das Gespräch zu Thoiry 1926, in: Gedenkschrift Martin Göhring, Studien zur europäischen Geschichte, hrsg. von E. Schulin, Wiesbaden 1968, S. 317 ff.
46 So war z. B. der Plan einer Kommerzialisierung der deutschen Eisenbahnobligationen bereits seit Dezember 1925 im Gespräch gewesen. Darüber R. Gottwald, a. a. O., S. 73 f.

ren. [47] Unbestreitbar ist jedoch die Absicht Stresemanns, der von ihm konzipierten »Verständigungspolitik« zum strategischen Durchbruch zu verhelfen. Schon das Exposé, das er am 5. August 1926 Professor Hesnard, einem engen politischen Vertrauten und Mittelsmann Briands, übergeben hatte, enthielt ein komprimiertes Programm für all die Fragen, deren Diskussion und gemeinsame Lösung er für vordringlich hielt. [48] Dazu gehörte erstens die Verminderung der französischen Besatzung im Rheinland, zweitens das von Brüssel ausgegangene Angebot, die nichtwallonischen Teile Eupen-Malmedys gegen Ersatz der belgischen Aufwendungen sowie eine Kredithilfe der Reichsbank zurückzugeben [49], drittens die Beteiligung Deutschlands bei der Bewältigung der französischen Finanzkrise durch eine (partielle) Verwertung der im Dawes-Plan verankerten Eisenbahnobligationen.

Das Programm zielte, niemand konnte daran zweifeln, hauptsächlich auf eine vorzeitige Räumung der Rheinlande. [50] Es war eigentlich vorauszusehen, daß Briand, unabhängig von seiner persönlichen

---

47 Vgl. dazu L. Zimmermann, a. a. O., S. 316 f., Anm. 27, und H.-O. Sieburg, a. a. O., S. 321 ff. Nach dem Urteil von Sieburg (S. 320) kann immerhin als sicher gelten, »daß die Kerngedanken von Thoiry in den Monaten zwischen Locarno und Genf von französischer Seite entwickelt worden sind«. Er stützt sich dabei vor allem auf Dokumente, die in dem bereits zitierten Band I, 1 der »Akten zur deutschen auswärtigen Politik 1918—1945« (Serie B: 1925—1933) abgedruckt sind. Vgl. besonders Dok. 61, S. 156 (Telegramm Nr. 91 von Hoesch an das Auswärtige Amt vom 26. Januar 1926). Der Band I, 2 (August bis September 1926. Deutschlands Beziehungen zu Frankreich, Großbritannien, Belgien sowie deutsche Entwaffnung, Reparationen, Völkerbund und internationale Abrüstung. Göttingen 1968) setzt die Dokumentation der Westpolitik nach Locarno fort. Hier auch die wichtigsten Quellen zum Problemkreis Thoiry.
48 Aufzeichnung (ohne Unterschrift) über die Unterredung Stresemanns mit Hesnard vom 5. August 1926. NL Bd. 41; ebenso AA, Büro RM, Frankreich 7, Bd. 9, und Akten I, 2, a. a. O., Dok. 11, S. 15 ff. Zu den Vorverhandlungen vgl. auch G. Suarez, a. a. O., Bd. VI, a. a. O., S. 203 ff.
49 Vgl. dazu die Aufzeichnung des Staatssekretärs v. Schubert vom 6. August. Akten I, 2, a. a. O., Dok. 14, S. 23 f.
50 Vgl. auch folgenden Passus der Aufzeichnung: »Von dem Zusammenschluß der Großindustrie Frankreichs, Belgiens, Luxemburgs und Deutschlands verspricht sich der Außenminister (gemeint ist Stresemann) eine sehr große Wirkung in bezug auf die Fortführung der wirtschaftlichen Zusammenarbeit zwischen Frankreich und Deutschland, betont aber, daß gerade angesichts dieses Zusammenschlusses eine lange Fortdauer der Besatzung um so weniger verstanden werden könnte. Entscheidend für die Weiterführung der deutsch-französischen Beziehungen ist die Frage, ob das heutige französische Kabinett noch Wert darauf legt, Deutschland bei der Lösung der französischen Finanzfragen in dem Sinne beteiligt zu sehen, wie dies früher französische Anregungen (im NL steht, unkorrigiert, Angehörige) in bezug auf die Verwertbarkeit der Obligationen zum Ausdruck brachten. Deutschland kann natürlich in dieser Frage keine Initiative ergreifen. Der Außenminister würde aber zur Erörterung dieser Frage nach wie vor bereit sein.« Stresemann überließ also die Entscheidung der französischen Seite, signalisierte sein zentrales Ziel (das er durch den Hinweis auf die wirtschaftliche Zusammenarbeit beider Länder in seinem Gewicht herunterzuspielen versuchte) und bot Hilfe dort an, wo Frankreich sie am nötigsten brauchte.

Entscheidung [51], diese Forderung schwerlich würde erfüllen können — und Stresemann hat das sicher gewußt. [52] Die große Mehrheit der öffentlichen Meinung sowie (wichtiger noch) der politischen und militärischen Führung in Frankreich war für ein solches Tauschgeschäft kaum zu gewinnen. Die (langfristige) nationale Interessenlage sprach allzusehr dagegen; denn ein deutscher Erfolg dieser Größe (nach Locarno und der Position des Reiches im Völkerbund) mußte der 1918/19 errungenen politisch-militärischen Überlegenheit Frankreichs in Kontinentaleuropa endgültig den Boden entziehen, Deutschland dagegen machtpolitisch weiter aufwerten. Das aber heißt: Stresemanns strategisches Konzept, das primär (jedoch keineswegs isoliert) auf Frankreich bezogen war, bewegte sich ständig in dem Dilemma zwischen den gegebenen Realitäten, die Frankreich begünstigten, und den antizipierten Veränderungen, von denen jeder Politiker wußte, daß sie Deutschland — trotz seiner (momentanen) militärischen Schwäche — zu einer wirklichen Großmacht verhelfen würden. [53] Konnte das irgendeine französische Regierung im Jahre 1926 tatsächlich zugestehen?

Geht man von dieser Überlegung aus, dann bedarf es keiner Frage, warum auch in der Angelegenheit Eupen-Malmedy, was immer an Einzelheiten eine Rolle gespielt haben mag, französische Zugeständnisse [54] nicht zu erwarten waren: eine für Deutschland positive Regelung hätte den Einbruch in das Versailler Vertragssystem bedeutet —

51 Zu bedenken ist dabei, daß er im Juli (1926) als Ministerpräsident von Poincaré abgelöst worden war.
52 Vgl. die Aufzeichnung Schuberts vom 3. September 1926 über ein Gespräch, das Stresemann am Tage zuvor mit Hesnard gehabt hatte. (»Aus den Ausführungen des Herrn Hesnard hat der Herr Minister entnommen, daß, was den Ausbau des deutsch-französischen Verhältnisses anlangt, bei Herrn Briand kein allzu großer Optimismus vorherrsche. Mit der Weiterführung einer Verständigungspolitik erkläre sich Herr Briand mit Herrn Stresemann immer noch solidarisch. Er bitte aber Herrn Stresemann, Rücksicht auf seine Stellung zu nehmen, die nicht mehr dieselbe sei wie früher. Im Französischen Kabinett, habe Herr Briand gesagt, befinde er sich der geistigen Elite seiner Gegner gegenüber.«) Akten I, 2, a. a. O., Dok. 73, S. 157.
53 Eschenburg, a. a. O., S. 210, formuliert das so: »Frankreich wollte auf den Preis des Siegers nicht verzichten und Deutschland sich der Lasten der Niederlage entledigen. Was für Frankreich Sicherheit bedeutete, hieß für Deutschland die Aufrechterhaltung des leidigen Status quo. Die Gleichberechtigung der beiden Staaten, wie das Reich sie verstand, mußte in den Augen Frankreichs mit seiner sinkenden Bevölkerungskurve zum Übergewicht des volkreichen, dynamischen Deutschland führen.«
54 Diese waren insofern notwendig, als man auf belgischer Seite großen Wert darauf legte, das französische (und englische) Plazet zur geplanten Vereinbarung zu bekommen. Vgl. »Vertrauliche Mitteilungen über wirtschaftliche und politische Tagesfragen« mit Datum vom 9. August 1926 (ohne Unterschrift). NL Bd. 41. Vgl. auch Aufzeichnung des Staatssekretärs v. Schubert vom 11. August, Akten I, 2, a. a. O., Dok. 25, S. 48, und Drahtbericht von Botschaftsrat Dufour-Feronce (London) an das Auswärtige Amt vom 18. August. Ebenda, Dok. 43, S. 90 ff.

und (als Präzedenzfall) legitimiert. Ein Poincaré konnte das niemals zulassen. [55] Schon vor dem Treffen in Thoiry teilte Briand seinem deutschen Gesprächspartner mit (am 22. August 1926) [56], daß eine solche Vertragsrevision an die Zustimmung der Signatarmächte gebunden sei; auch erweckte er bewußt den Eindruck, als wenn Dawes-Plan und Locarno-Verträge einer territorialen Veränderung des Status quo im Wege stünden [57], eine Version, die Stresemann — von der Möglichkeit friedlich vereinbarter Grenzkorrekturen überzeugt (damit stand und fiel ja seine Variante der nationalen Revisionspolitik) — als indiskutabel zurückwies. [58]

Von einer (vorzeitigen) Räumung der 2. und 3. Zone war bei Briand überhaupt nicht die Rede. Aber genau diese Frage markierte den Dreh- und Angelpunkt der ganzen Frankreichpolitik Stresemanns. Ohne die baldige »Befreiung« der besetzten Rheinlande war die (politische) [59] Souveränität des Reiches nicht wiederhergestellt, blieb eine vorverlegte Abstimmung im Saargebiet uninteressant. Und das Entscheidende: Solange die Souveränität des Deutschen Reiches im Westen

---

55 Stresemann mit Telegramm Nr. 1115 (»streng geheim«) vom 30. August 1926 an die Deutsche Botschaft in Paris: »Alle Anzeichen sprechen dafür, daß Widerstand in erster Linie von Poincaré ausgegangen ist.« AA, Büro RM, Frankreich 7, Bd. 9. Vgl. auch A. Schwarz, a. a. O., S. 124.

56 Aufzeichnung Stresemanns vom selben Tage über seine Unterredung mit dem französischen Geschäftsträger de Laboulaye. NL Bd. 42: Akten 14. Aug. — 6. Sept. 1926; ebenso AA, Büro RM, Frankreich 7, Bd. 9, und Akten I, 2, a. a. O., Dok. 55, S. 109 ff.

57 Der entscheidende Passus der Aufzeichnung lautet: »In bezug auf die Frage Eupen-Malmedy übermittelte Herr Laboulaye mir den Standpunkt des Herrn Briand in folgender Weise: Juristisch sei die Rückgabe von Eupen-Malmedy eine Modifikation des Versailler Vertrages und infolgedessen an die Zustimmung der Signatarmächte des Versailler Vertrages gebunden. Sie berühre aber weiter durch die von Deutschland für die Erwerbung aufzuwendenden Mittel die Möglichkeit der Durchführung des Dawes-Planes und unterliege diesbezüglich auch der Prüfung derjenigen, die für den Dawes-Plan verantwortlich wären. Endlich käme auch der Vertrag von Locarno als ein Abkommen dieser Art in Betracht, da er die Garantierung der Grenzen in sich schlösse und diese Bedingung des Vertrages doch eine Änderung der Grenzen ausschlösse, deren Garantie man übernommen habe.«

58 So erwiderte er u. a.: »Was er (gemeint ist Laboulaye) mir in bezug auf den Locarno-Vertrag gesagt habe, sei aber für mich in höchstem Maße befremdend. Ich müßte ihn dringend bitten, Herrn Briand vorzustellen, daß ich diese Auffassung des Locarno-Vertrages für vollkommen abwegig hielte und als eine Gefährdung des ganzen Werkes ansähe. Ich hätte die Diskussion über hundertmal geführt und könnte ihm aus dem Gedächtnis die einschlägigen Bestimmungen des Vertrages darlegen. Es handle sich nicht um eine ewige Garantie allgemeiner Art, sondern es handle sich darum, die Grenze zu garantieren in der im Vertrag selbst vorgeschlagenen und zum Ausdruck gebrachten Art und Weise. Diese Art und Weise sei dargelegt als der Verzicht auf jede feindliche Handlung und jeden Angriff. In dieser Beziehung würden wir den Vertrag 100%ig erfüllen. Es sei aber geradezu absurd, einen Friedensvertrag, wie es Locarno sein soll, so auszulegen, daß er eine friedliche Verständigung von Nachbarn verhindern soll.«

59 Im Unterschied etwa zur wirtschaftlichen, die der Dawes-Plan (durch sein Kontrollsystem) eingeschränkt hatte.

nicht erreicht war — und das hatte auch militärpolitische Konsequenzen —, sah sich Stresemann außerstande, sein eigentliches Ziel, die Revision der deutschen Ostgrenze, der Verwirklichung näherzubringen. Beide Problemkreise waren darüber hinaus mit einem dritten eng verbunden: dem der (positiven) Neuregelung der deutschen Reparationen, d. h. der Ablösung des Dawes-Plans. [60]

Am 17. September 1926 trafen sich Stresemann und Briand zum persönlichen politischen Gespräch in Thoiry. [61] Beide stimmten darin überein, den Gesamtkomplex der deutsch-französischen Beziehungen zu erörtern; beide hatten zuvor ihre Grundposition abgesteckt. Um so mehr muß Stresemann von der Bereitschaft Briands überrascht worden sein, nun auch, und zwar sofort, eine Gesamtregelung der zwischen Deutschland und Frankreich bestehenden Konflikte ins Auge zu fassen. Jedenfalls hat Briand, daran kann nach dem vorliegenden Quellenmaterial nicht gezweifelt werden, dem Gedanken, das Rheinland (bis zum 30. September 1927) zu räumen, offensichtlich zugestimmt, ebenso der Rückkehr des Saargebietes zu Deutschland (nach Bezahlung von 300 Millionen Goldmark für die Saargruben) und der Beendigung der alliierten Militärkontrolle. [62] Als Gegenleistung, die er von Stresemann erwartete und die von diesem auch — trotz verbaler Einschränkungen — gebilligt wurde, war eine erhebliche finanzielle Zuwendung Deutschlands vorgesehen, genauer: eine Erleichterung der Transferbestimmungen bei der notwendigen Kommerzialisierung von Eisenbahnobligationen. [63] Aus französischer Sicht und ohne eine genaue Kenntnis der komplizierten Zahlungsprozedur [64] mochte Briand glauben, daß der Finanzminister Poincaré über den Ministerpräsidenten Poincaré siegen würde, und die ersten Reaktionen aus Paris gaben ja

60 Vgl. dazu W. Link, Die amerikanische Stabilisierungspolitik, a. a. O., S. 396 ff. (bes. S. 401 ff.).
61 Über Verlauf und Inhalt dieses Gesprächs berichtete aus Genf noch am selben Tage Staatssekretär Pünder mit Telegramm Nr. 26 (»geheim«). AA, Büro RM, 7 Nr. 1: Besprechung in Thoiry, Bd. 1.
62 Nach der Niederschrift Stresemanns vom 20. September 1926 (AA, Büro RM, 7 Nr. 1: Besprechung in Thoiry, Bd. 1; ebenso Akten I, 2, a. a. O., Dok. 94, S. 202 ff.) muß sogar der Eindruck entstehen, daß Briand von sich aus diese Lösung angeboten hat. Sieburg, a. a. O., S. 321, schreibt: »Es waren vor allem elementare finanzpolitische Interessen, die den französischen Außenminister zu dieser Aussprache mit Stresemann und in ihrem Verlauf zu Angeboten veranlaßten, deren Großzügigkeit seinen deutschen Partner keinen Augenblick im Zweifel lassen konnten, ob er zugreifen solle oder nicht.« Allgemein vgl. L. Zimmermann, a. a. O., S. 316 ff., und W. Link, Die amerikanische Stabilisierungspolitik, a. a. O., S. 401, der die Motive der französischen Regierung — speziell Briands und Berthelots — in den drei Stichworten zusammenfaßt: »Sanierung der Staatsfinanzen, Stabilisierung des Franken, Fundierung der amerikanischen und britischen Schulden«. Ebenda.
63 Bei einer Begebung dieser im Dawes-Plan festgelegten Obligationen hätte allerdings Frankreich — wie bisher — nur mit 52 % der Anleihe rechnen können.
64 Vgl. auch J. Bariéty, a. a. O., S. 62.

auch zu (begrenzten) Hoffnungen durchaus Anlaß [65], doch zeigte es sich bald, daß die beabsichtigte Regelung (die Frankreich bestenfalls eine Milliarde Goldmark versprach) nicht nur in Paris auf harten Widerstand stieß. [66]

Hat Stresemann, als er aus Thoiry abreiste, wirklich mit einem so umfassenden und raschen Erfolg gerechnet, wie er nun greifbar nahe schien? Hat er die sachlichen und politischen Schwierigkeiten verkannt, die sich einer deutsch-französischen Verständigung international in den Weg stellten? Oder war er damit zufrieden, daß die Räumung des besetzten Rheinlandes und die Rückkehr des Saargebietes, vom französischen Außenminister einmal zugestanden, künftig die öffentliche Diskussion bestimmen mußten? Verfolgte er vielleicht sogar die Absicht, wie immer die unmittelbaren Ergebnisse von Thoiry aussehen mochten, im Zusammenhang mit der (nun auf der Tagesordnung stehenden) Rheinlandfrage das ganze Reparationsproblem aufzurollen, auch und gerade dann, wenn jene nicht in der geplanten Weise gelöst werden konnte?

Eines wird man mit Sicherheit sagen dürfen: Stresemann kalkulierte von Anfang an ein, daß Briand (und mit ihm die gesamte französische Außenpolitik) nach Thoiry gegenüber den deutschen Forderungen nicht mehr dieselbe feste Position beziehen konnte wie vorher. Das aber heißt: Nicht mehr das Argument der Sicherheit stand von nun an im Mittelpunkt der Debatte, sondern die Überlegung, welche wirtschaftlichen bzw. finanziellen Kompensationen bei einer vorzeitigen Räumung des Rheinlandes zu entrichten waren. *Diese* Ebene entsprach indes ganz der wirtschaftspolitisch fundierten Konzeption Stresemanns. Sollte es überdies gelingen, das Saargebiet (was Briand in Thoiry bejaht hatte) ohne Volksabstimmung an Deutschland wieder anzugliedern, dann war der Versailler Vertrag in einem wichtigen Punkt revidiert — und bot damit neue (realistische) Chancen für eine Rückgabe auch von Eupen-Malmedy. Gerade diese Konsequenz (mit ihrer Perspektive für die deutsch-polnische Grenze) konnte jedoch der französischen Regierung nicht verborgen bleiben.

Abgesehen von der (entscheidenden) Frage, ob die westlichen Großmächte (Italien mitgerechnet) von ihrer — keineswegs einheitlichen — politischen Interessenlage her bereit sein würden, eine so wesentliche Veränderung der europäischen Machtstrukturen in Kauf zu nehmen, bestand von Anfang an die sachliche Schwierigkeit, wie denn die geplante Mobilisierung eines Teils der Eisenbahnobligationen erfolgen

65 Vgl. Telegramm Nr. 938 von Rieth an Stresemann vom 21. September 1926. AA, Büro RM, 7 Nr. 1: Besprechung in Thoiry, Bd. 1; ebenso Akten I, 2, a. a. O., Dok. 98, S. 236 ff.
66 Über Stresemanns Bemühungen, die Ergebnisse von Thoiry in Deutschland durchzusetzen, vgl. H.-O. Sieburg, a. a. O., S. 325 ff.

sollte. Eigentlich kamen dafür nur die Vereinigten Staaten und Großbritannien in Betracht. Der Verkauf der Obligationen erforderte darüber hinaus die Zustimmung sämtlicher Signatarmächte des Londoner Abkommens von 1924 und — wegen der interalliierten Schulden — insbesondere das Einverständnis der amerikanischen Regierung. Auch konnte es keine französische Sonderbehandlung geben, so daß folglich das, was zunächst als eine deutsch-französische Angelegenheit erscheinen mochte, in Wahrheit ein weltwirtschaftliches und weltpolitisches Problem darstellte — jedenfalls von dem Moment an, da Frankreich, und etwas anderes war überhaupt nicht denkbar, für die Räumung der besetzten Gebiete eine finanzielle Gegenleistung Deutschlands verlangte. [67]

Bei Poincaré und seinen Anhängern konnte die Initiative zu einem solchen »Handel« kaum mit Beifall rechnen, es sei denn, Deutschland wäre in der Lage (und willens) gewesen, eine Kredithilfe von 2—3 Milliarden zu erbringen, und zwar zusätzlich zu den Zahlungen im Rahmen des Dawes-Plans. Das aber war ganz außerhalb jeder Realität. Während man also auf französischer Seite mehrheitlich (und damit gegen Briand) in der Besetzung des Rheinlandes die faktisch einzige Garantie sowohl für die deutschen Reparationsleistungen als auch für die militärische Sicherheit Frankreichs erblickte [68] und eben deshalb eine vorzeitige Aufgabe dieses »Faustpfandes« zu verhindern suchte, erstrebte Stresemann gleich beides: die Räumung des besetzten Rheinlandes (innerhalb eines Jahres) *und* die Neuregelung der Reparationsfrage (möglichst im Jahre danach). Es spricht viel dafür, daß allein schon diese Interessenkollision genügt hätte, um Thoiry zum Scheitern zu verurteilen; auf jeden Fall war sie dazu angetan, die Woge des Optimismus, die Stresemann zunächst ergriffen hatte [69], rasch wieder zusammensinken zu lassen. Poincaré war da viel erfolgreicher: ihm glückte in der Folgezeit die Stabilisierung des französischen Franken auch ohne die deutsche Finanzhilfe. [70]

In der ersten Phase nach dem Treffen von Thoiry dominierten in der öffentlichen Meinung Deutschlands Zustimmung und drängende Erwartung. Auch mit der Reaktion der Reichsregierung konnte Strese-

67 Vgl. dazu vor allem W. Link, Die amerikanische Stabilisierungspolitik, a. a. O., S. 348 ff. und S. 400 ff.
68 Vgl. L. Zimmermann, a. a. O., S. 318, bes. Anm. 29.
69 Kennzeichnend dafür seine Ansprache (»Gambrinus-Rede«) vor der deutschen Kolonie in Genf am 21. September 1926. Akten I, 2, a. a. O., Anhang II, S. 665 ff; ebenso Vermächtnis, Bd. III, S. 26 ff. (Hier auch die Bemerkung, daß Deutschland als nunmehr gleichberechtigtes Mitglied des Völkerbundes vor der Zukunftsaufgabe stehe, »die Souveränität auf deutschem Boden wieder herzustellen« und »im Zusammenwirken mit anderen Nationen über dem Selbstbestimmungsrecht der Völker zu wachen«.)
70 Vgl. dazu M. Baumont, Briand, a. a. O., S. 67 ff.

mann durchaus zufrieden sein.[71] Am 26. September 1926 schrieb er
an den Reichsgerichtspräsidenten (und ehemaligen Außenminister) Dr.
Simons: »Ich glaube Ihnen meinerseits versichern zu können, daß gerade bei Herrn Briand der ehrliche Wunsch besteht, positiv an einer
Lösung der Frage zu arbeiten, die ein friedliches Zusammenarbeiten
Deutschlands und Frankreichs sicherstellt, und daran mitzuarbeiten,
daß ein solches Zusammenarbeiten beider Nationen an Voraussetzungen geknüpft ist, die in einer baldigen Befreiung der noch besetzten
Gebiete und einer Rückgabe des Saargebietes an Deutschland bestehen.
Herr Briand und ich glauben den Weg vor uns zu sehen, und wir
sind uns auch durchaus der Schwierigkeiten bewußt, die hierfür noch
zu überwinden sind. Wir glauben aber doch, daß der gesunde Gedanke
der Verständigung sich durchsetzt und daß damit das Ziel der Befreiung des noch besetzten deutschen Gebiets in greifbare Nähe rückt.[72]
    Die Hoffnung, sein entscheidendes Nahziel in unmittelbarer Zu-
kunft verwirklichen zu können, teilte Stresemann auch noch (wenngleich gedämpfter), als er am 1. Oktober 1926 auf der Sitzung des
Zentralvorstandes der Deutschen Volkspartei in Köln zur innen- und
außenpolitischen Lage Stellung nahm. Mit Bezug auf Thoiry sagte er:
»In der außenpolitischen Situation stehen wir vor sehr großen Entscheidungen, und man wird sich den Blick für diese großen Entscheidungen nicht trüben lassen dürfen durch alle die Rückschläge, Zwi-
schenfälle, Auseinandersetzungen, die sich sicherlich noch anschließen
werden an die Kämpfe, die jede dieser Auseinandersetzungen begleiten.
Ich verstehe unter dieser großen Auseinandersetzung die zwischen
Frankreich und Deutschland über die Frage der Räumung des gesamten
Rheinlandes und der Rückgabe des Saargebietes an Deutschland. Zu
diesen Fragen hat der französische Ministerrat erklärt, daß er ihre
Weiterverhandlung als im Interesse Frankreichs liegend ansehe und daß
ihm diese Weiterverhandlung nützlich erschiene, und die französische
Presse hat auch jetzt bereits die Parole ausgegeben, daß das alles ja im
Rahmen des Vertrages von Versailles liege...«[73] Das klang in der
Tat hoffnungsvoll. Aber Stresemann machte auch darauf aufmerksam,
daß es im französischen Kabinett zwei rivalisierende Tendenzen gab.

---

71 Vgl. folgenden Passus aus dem Protokoll über die Sitzung des Reichskabinetts am 24. September 1926: »Das Reichskabinett erklärte nach einer aus-
   führlichen Aussprache sein grundsätzliches Einverständnis mit dem Bestreben, die zwischen Deutschland und Frankreich bestehenden Fragen einer
   befriedigenden Lösung im Sinne der Besprechung der beiden Außenminister
   zuzuführen, und erklärte es in diesem Sinne für wünschenswert, die Besprechungen fortzuführen.« NL. Bd. 43: Akten 7. Sept. — 28. Sept. 1926.
72 NL Bd. 278a: Politische Akten 1926/III. Vgl. auch das Interview, das
   Stresemann am 27. September dem Außenpolitiker des »Matin«, Jules Sauerwein, gab. AA, Büro RM, 7 Nr. 1: Besprechung in Thoiry, Bd. 1.
73 BA R 45 II/41. Über das Meinungsspektrum der französischen Presse nach
   Thoiry vgl. H.-O. Sieburg, a. a. O., S. 328 ff.

Die eine, so meinte er, werde von Tardieu repräsentiert und sei der traditionellen Rheinpolitik verhaftet, die andere — mit Briand an der Spitze — habe (anders als die französische »Militärkaste«) erkannt, »daß Frankreich trotz der Stellung, die es zunächst politisch im Weltkrieg erlangt hat, durch die Folgewirkungen des Weltkrieges so geschwächt ist, daß es für seine Zukunft besser ist, mit Deutschland als gegen Deutschland zu gehen«.

Mehr zu fordern, als man realiter für durchsetzbar hält, war für Stresemann stets eine politische Binsenwahrheit gewesen. Das bestätigte er auch jetzt wieder seinen Zuhörern. Andererseits ließ er keinen Zweifel daran, daß die politische Entwicklung der nächsten Wochen und Monate von der allergrößten Tragweite sein würde: »Es kommt nicht darauf an, daß man in schnellen Abständen jeweils etwas erreicht, sondern daß einem Ruhe gelassen wird, um etwas Großes zu erreichen ... Und glauben Sie mir, es geht jetzt wirklich um sehr große Entscheidungen, bei denen man einmal wünschen könnte, daß man auch denjenigen, die sie zu treffen haben, nicht eine zu große Nervenprobe auferlegt.« Warum diese dramatischen Worte? War denn die »Befreiung« der Rheinlande und die Rückkehr des Saargebietes so sehr eine Terminfrage? Gewiß mußte jeder deutsche Außenminister die Souveränität des Reiches so bald wie möglich zurückzugewinnen suchen — jede Minderung der politischen Bewegungsfreiheit bedeutet eine Schwäche gegenüber anderen Staaten —, aber Stresemann kalkulierte offensichtlich noch weit mehr ein: Am Scheitelpunkt der deutschen Außenpolitik nach dem Kriege wurde über Erfolg oder Mißerfolg seines strategischen Konzepts, seiner »nationalen Realpolitik« entschieden — und also auch darüber, ob im Zusammenhang mit der Rheinlandräumung die Reparationsfrage zugunsten Deutschlands neu geregelt wurde [74], was doch zweifellos Voraussetzung war (wegen der damit verbundenen wirtschaftlichen und politischen Implikationen), um die Revision der deutschen Ostgrenzen bewerkstelligen zu können, und zwar *ohne* militärischen Zwang. [75]

---

74 Vgl. folgende Textstelle aus dem Diskussionsbeitrag Stresemanns, bezogen auf die in Thoiry verabredete Transferregelung: »In diesem Augenblick, wo die Obligationen in Bewegung kommen, kommt die Gesamtlösung in Bewegung — die Obligationenschaffung ist ja schließlich das, worauf sich die ganze Kriegsschuld Deutschlands, d. h. die Endsumme aufbauen soll —, und zwar, glaube ich, unter Bedingungen, die wesentlich anders sind als das, was man früher von Deutschlands Kriegsschuld gesagt hat.«

75 Über die von der Konzeption Stresemanns doch erheblich abweichende, d. h. militärpolitisch akzentuierte und Weltmachtambitionen nicht verbergende außenpolitische Zielvorstellung der Reichswehrführung, wie sie etwa Joachim von Stülpnagel, Oberst in der Abrüstungsabteilung des Reichswehrministeriums, in seiner Denkschrift vom 6. März 1926 (Akten Bd. I, 1, a. a. O., Dok. 144, S. 341 ff.) formuliert hatte, vgl. A. Hillgruber, Kontinuität, a. a. O., S. 18 ff.; ebenso F. L. Carsten, a. a. O., S. 227 f., und W. Link, Die amerikanische Stabilisierungspolitik, a. a. O., S. 351 f., wobei jedoch

Als politische Großmacht im Völkerbund prinzipiell anerkannt — »aufgenommen nach den von uns früher abgegebenen Erklärungen gegen die Kriegsschuld, für unsere koloniale Betätigung« [76] —, als wirtschaftliche Großmacht (wenngleich noch immer geschwächt) schon zuvor von niemandem bestritten, sollte Deutschland, so war es von Stresemann beabsichtigt, nach Thoiry — wenn das Treffen hielt, was es versprach, d. h. wenn (nach Rheinlandräumung, Saarrückkehr und Neuregelung der Reparationen) die politische und wirtschaftliche Souveränität (= Handlungsfreiheit) wiedererlangt war — zur diplomatischen Ostoffensive übergehen. »Wenn Polen seine Sache allein vertreten muß (durch seine Wahl in den Völkerbundsrat, der sich aus taktischen Erwägungen auch die deutsche Delegation angeschlossen hatte — Anm. d. Verf.) und zwischen Frankreich und Deutschland bessere Beziehungen herrschen, wird das für die Sache Polens kaum so wünschenswert sein als der bisherige Zustand ... Ich bitte Sie, das besonders unseren Freunden im Osten zu sagen, die, was ich durchaus verstehe, sich zunächst über diese Dinge wundern, die aber vielleicht doch auch das eine überlegen sollten, daß der Weg der Bereinigung von gewissen östlichen Fragen nur über die Verständigung mit dem Westen geht, die vorher erfolgen muß (!), und daß auch in dieser Beziehung gilt, die Dinge sich entwickeln zu lassen und nicht zu glauben, daß man alle Wünsche auf einmal erfüllt bekommen kann.« [77] »Verständigung mit dem Westen«: das bezeichnete, wie schon im vorigen Kapitel ausgeführt, natürlich nicht nur Frankreich, aber es bezeichnete Frankreich zu allererst [78], nicht aus »europäischen«, geschweige denn sentimentalen

---

kritisch anzumerken ist, daß die Forderungen der *Reichswehr* nicht pauschal mit der Außenpolitik *Deutschlands,* für die eben Stresemann bestimmend war, identifiziert werden können. Wichtig allerdings der Hinweis auf die im Auswärtigen Amt vorhandene Absicht, mit Amerika zusammen eine Verminderung der französischen Rüstung und vielleicht sogar eine »bescheidene Wiederaufrüstung« Deutschlands zu erreichen.

76 So in der Rede vor dem Zentralvorstand der DVP, a. a. O.
77 Ebenda.
78 Am 7. Oktober 1926 erklärte Stresemann vor dem Auswärtigen Ausschuß des Reichstages: »Ich würde es aber auch für falsch halten, jetzt die Initiative zu ergreifen, um gewissermaßen alle Hasen auf einmal zu jagen. Ich habe es auch abgelehnt, in Thoiry die Ostfragen oder die Kolonialfragen zu erörtern. Diese Dinge können ja nur schrittweise vor sich gehen. Wenn aber einmal die Zeit kommt, in der diese Ostfragen in irgendeiner Form zur Debatte stehen, dann muß man sich in Deutschland darüber klar sein, daß diese Frage nur mit Frankreich zu lösen ist und daß die Verständigung mit Frankreich der erste Schritt ist, der einmal getan sein muß, und daß weiterhin auch in den Verhältnissen zwischen beiden Völkern und Mächten diejenige Atmosphäre herrschen muß, die die Möglichkeit gibt, weitergehende Dinge in Angriff zu nehmen ... Daß wir zunächst mit den Franzosen unsere Rechnung begleichen müssen, ist klar. Der Grund dafür ist unsere Grenze mit Frankreich, um die es sich handelt (Stresemann bezieht sich hier auf das besetzte Rheinland und das Saargebiet, darüber hinaus wohl auch auf Eupen-Malmedy — Anm. d. Verf.). Darum ist das für uns die entschei-

Motiven, sondern weil Frankreich von seiner geographischen Lage, machtpolitischen Basis und nationalen Interessenpolitik her als das größte Hindernis auf dem Wege zur Revision von Versailles erscheinen mußte.

Schon vor Thoiry war sich Stresemann bewußt gewesen (und sehr wahrscheinlich war es auch genau so von ihm gewollt), daß die Verwertung von Industrie- oder Eisenbahnobligationen eine Modifizierung, wenn nicht gar eine Revision des Dawes-Plans zur Folge haben und damit vitale wirtschaftliche und politische Interessen Englands sowie — stärker noch — Amerikas berühren würde. [79] Seit seiner Kanzlerschaft hatte er darüber hinaus nie und niemandem einen Zweifel daran gelassen, daß eine deutsche Außenpolitik, wie sie ihm vorschwebte, gegen Washington und London nicht in Frage kam. Wenn die (steigende) Wirtschaftskraft des Deutschen Reiches nicht nur wegen der Reparationen unabdingbar war, sondern auch — strategisch eingesetzt — zum Vehikel der deutschen Revisionspolitik gemacht werden sollte, dann war (wegen der benötigten Kredite) die finanzielle bzw. wirtschaftspolitische Bindung an die Vereinigten Staaten (und Großbritannien) eine unumgängliche Konsequenz; dann unterlag die deutsche Außenpolitik aber auch einer angelsächsischen Kontrolle, deren Grenzen im Einzelfall schwer zu bestimmen waren. [80] Stresemann jedenfalls, der in guten deutsch-amerikanischen Beziehungen den zweiten Brennpunkt (neben Frankreich) seiner gleichsam als »Ellipse« konstruierten politischen Konzeption erkannt hatte, war entschlossen, d. h. faktisch gezwungen, einen Kollisionskurs insonderheit gegenüber den

---

dende Frage.« NL Bd. 44: Akten 1. Okt. — 12. Okt. 1926; ebenso AA, Büro RM, 1c: Reden, Interviews und Aufsätze des Herrn Reichsministers, Bd. 6. Die These, daß die deutsch-französische »Verständigung« einen der beiden Pfeiler der politischen Konzeption Stresemanns bildete (jedenfalls soweit sie langfristig angelegt war) und daß unter diesem Aspekt die Verbesserung der Beziehungen mit der Sowjetunion, Großbritannien und den Vereinigten Staaten auch — ja sogar sehr wesentlich — die Funktion hatte, eben jene »Verständigung« (im deutschen Sinne) herbeizuführen, wird durch diese beiden Textbelege in pointierter Weise bestätigt.

79 Vgl. R. Gottwald, a. a. O., S. 73 f., und W. Link, Die amerikanische Stabilisierungspolitik, a. a. O., S. 348 ff. und S. 400 ff.

80 W. Link, ebda., S. 350 f., schreibt dazu: »Es entfaltete sich in der Locarno-Thoiry-Phase gerade auch im Verhältnis zu Deutschland der grundlegende Widerspruch der amerikanischen Europapolitik: Die Vereinigten Staaten wünschten einerseits im eigenen Interesse eine politische und wirtschaftliche Stabilisierung in Europa und einen friedlichen Ausgleich der nationalen Antagonismen, weil dies die Voraussetzung für ein finanzielles Engagement und für die wirtschaftliche Expansion Amerikas war; andererseits beharrten sie (wie am deutlichsten in der Handels- und Schuldenpolitik dokumentiert wurde!) auf einer separaten, bilateralen Regelung ihrer Beziehungen zu jedem einzelnen europäischen Staat und wähnten hinter jeder europäischen Gemeinschaftsaktion oder Blockbildung antiamerikanische oder doch zumindest die amerikanischen Interessen beeinträchtigende Tendenzen.«

USA unbedingt zu vermeiden. Das änderte allerdings nichts an seiner Absicht, vorhandene Gegensätze zwischen den Westmächten politisch zu nutzen. Genau diese Konstellation war mit Thoiry gegeben. Würden sich aber die französischen und angelsächsischen Interessen so miteinander verbinden lassen, daß die deutschen dabei gleich zweimal zum Zuge kamen?

Am 27. September 1926 berichtete Botschaftsrat Dieckhoff von der Deutschen Botschaft in Washington (mit Telegramm Nr. 604) über die allgemeine und offizielle Reaktion der Vereinigten Staaten auf das Treffen von Thoiry. Wichtig sind vor allem die folgenden Sätze: »Amerikanische öffentliche Meinung zu Thoiry: 1. Man in the street schon seit langer Zeit der Ansicht, daß Europa endlich zur Ruhe kommen, daß namentlich Weg für deutsch-französischen Ausgleich gefunden werden sollte. Insofern Thoiry Schritt auf diesem Wege, wird es ehrlich begrüßt. Dabei kommt aber starkes Mißtrauen durch, daß Deutschland und Frankreich letzten Endes Amerika Zeche zahlen lassen wollen . . . 2. Politisch interessierte Kreise überwiegend skeptisch. Viele vermögen an so sehr raschen Wandel der Dinge, zumal unter Poincaré, nicht zu glauben . . . Viele halten eingeschlagenen Weg überhaupt nicht oder jedenfalls jetzt noch nicht für gangbar. Kernstück der Abmachung sei Flüssigmachung deutscher Eisenbahnobligationen; diese sei nicht möglich ohne amerikanischen Markt. Technische Schwierigkeiten (Zinsfuß etc.) wären vielleicht zu beheben, amerikanische Finanzierung zugunsten Frankreichs sei aber vor Ratifikation Schuldenabkommens politisch völlig unmöglich. Wann Ratifikation erfolgen werde, sei ungewiß. Erst wenn diese Voraussetzung erfüllt sei, werde sich weiter sprechen lassen. Auch dann halte mancher den Augenblick noch nicht für gekommen; Deutschland sei wirtschaftlich noch zu schwach . . . Dawes-Plan sei noch nicht genügend erprobt, und Weltmarkt sei für größere Tranche nicht aufnahmefähig . . . Man ist hier gewöhnt, in allen europäischen Fragen zuerst nach London zu schauen. Schweigen Englands wird hier weitgehend dahin gedeutet, daß zu intime deutsch-französische Annäherung dort aus politischen und wirtschaftlichen Gründen nicht gewünscht wird. Das würde mit Einstellung bestimmter hiesiger Industriekreise, die eine zu enge wirtschaftliche Kooperation zwischen Deutschland und Frankreich ungern sehen würden, parallel laufen.« [81]

Am 29. September 1926 berichtete Botschaftsrat Dufour-Feronce (London) an das Auswärtige Amt (»Ganz geheim«): »Ich besuchte heute Mr. Montagu Norman in der Bank von England. Das Gespräch kam u. a. auch auf die Unterredung des Herrn Reichsministers mit

81 AA, Büro RM, 7 Nr. 1: Besprechung in Thoiry, Bd. 1; ebenso Akten I, 2, a. a. O., Dok. 116, S. 274 f.

Briand in Thoiry und die Möglichkeit, Frankreich finanzielle Hilfe zu leisten durch Anwendung der Reichseisenbahnobligationen. Norman sprach sich ganz außerordentlich gegen eine derartige Finanzaktion zugunsten Frankreichs aus, und er glaube bestimmt sagen zu können, daß die gesamte Londoner und New Yorker Hochfinanz denselben Standpunkt einnehmen würde wie er. Norman sagte, wie kommen wir Engländer und Amerikaner dazu, Frankreich zur Hilfe zu eilen, solange es sich nicht bereit erklärt, seinen Verpflichtungen uns gegenüber durch Ratifikation der schwebenden Schuldenabkommen nachzukommen. Wenn er, Norman, diesen Standpunkt einnehme, so dürfe Deutschland dies nicht als einen unfreundlichen Akt ansehen, sondern überzeugt sein, daß er tatsächlich den Wunsch habe, eine Gesamtregelung auf lange Sicht durchzuführen, anstatt einen Momentanerfolg zu erzielen ... Er glaube, daß Parker Gilbert seine Ansicht teile, und sei der Überzeugung, daß letzten Endes der Plan, Frankreich zu zwingen, radikale Mittel zu gebrauchen (gemeint ist eine Stabilisierungsperiode — Anm. d. Verf.), auch für Deutschland von Nutzen sein würde, und zwar von viel größerem Nutzen, als wenn jetzt Hilfe geleistet würde, lediglich um das Rheinland zu befreien, was er natürlich je eher je lieber sehen würde.« [82]

Beide Telegramme verdeutlichen in einprägsamer Weise die Komplexität und auch Widersprüchlichkeit der politischen Situation nach Thoiry. Die Absicht Frankreichs, »mit Hilfe Deutschlands auf Kosten der USA seine finanziellen Probleme zu lösen, und der Versuch Deutschlands, mit Hilfe der USA auf Kosten künftiger Reparationszahlungen die eigene politische Lage im Westen des Reiches weiter zu verbessern« [83], waren nicht nur (nicht einmal entscheidend) deshalb zur Erfolglosigkeit verurteilt, weil sich in beiden Ländern (besonders natürlich in Frankreich) [84] eine starke Opposition gegen die getroffene Regelung erhob, sondern weil sich sehr bald herausstellte, daß eine selbständige europäische Politik nach dem Weltkrieg und nach dem

---

82 Ebenda; ebenso Akten I, 2, a. a. O., Dok. 120, S. 283 f. Gottwald, a. a. O., S. 75, macht zu Recht darauf aufmerksam, daß der Widerstand von dieser einflußreichen Seite in Großbritannien für Stresemann unerwartet gekommen sei, da Chamberlain bei den Unterrichtungen über das Gespräch den vorgesehenen Weg grundsätzlich begrüßt hatte. Dazu Stresemann eingehend vor dem Auswärtigen Ausschuß am 7. Oktober 1926. A. a. O. Vgl. auch Telegramm Nr. 702 von Rieth (London) an das Auswärtige Amt vom 22. September 1926. Akten I, 2, a. a. O., Dok. 100, S. 239 f. Auch das Gespräch Schubert — Lord d'Abernon vom 28. September 1926 wäre in diesem Zusammenhang zu nennen. AA, Büro RM, 7 Nr. 1: Besprechung in Thoiry, Bd. 1. Es hatte also anfangs den Anschein gehabt, als ob die englische Regierung zwar ein (von Stresemann keineswegs gewünschtes) deutsch-französisches Fait accompli ablehnen, ansonsten aber der Abmachung von Thoiry seine politische Zustimmung geben würde.
83 R. Gottwald, a. a. O., S. 73.
84 Vgl. M. Baumont, Briand, a. a. O., S. 68 ff.

Dawes-Plan nicht mehr praktiziert werden konnte. Gewiß war der Zeitpunkt für eine »Gesamtlösung« des deutsch-französischen Verhältnisses insofern günstig, als die außerordentlich prekäre Finanzlage die französische Regierung dazu zwang, jeden möglichen Ausweg zu prüfen [85], aber erstens bestand in Frankreich die allgemeine Auffassung, daß — falls überhaupt — die Räumung des Rheinlandes und die Rückgabe des Saargebietes an Deutschland nur dann erfolgen könnten, wenn dem wirklich gleichwertige (finanzielle) Vorteile gegenüberstünden (wozu Deutschland gar nicht in der Lage war), und zweitens setzte eine Kommerzialisierung von deutschen Eisenbahnobligationen (auch im Werte von »nur« $1^1/_2$ Milliarden Mark), weil dafür allein der angelsächsische Markt in Frage kam, die Ratifizierung der Schuldenabkommen zwischen Frankreich und den USA bzw. England [86] voraus.

Mit anderen Worten: Über welche Summe sich auch Paris und Berlin einigen mochten, am längeren Hebel saßen eindeutig Großbritannien und die (dominierende) Weltmacht Amerika, denn weder konnte Deutschland nennenswerte eigene finanzielle Leistungen erbringen (allenfalls, doch das war nicht ausreichend, eine wirtschaftliche Zusammenarbeit anbieten) noch Frankreich im Endeffekt auf ausländische Kredithilfen verzichten. Nur eine völlige Tilgung der gesamten interalliierten Schulden, die indes ganz irreal war, hätte diesen Gordischen Knoten zugunsten Frankreichs und Deutschlands lösen können. So aber mußte das offensichtliche Bemühen der französischen Regierung (gerade auch Poincarés) [87], durch eine (wirtschaftliche und politische) Annäherung an Deutschland den angelsächsischen finanziellen Druck zu vermindern, die Ratifizierung der Schuldenabkommen zu umgehen (oder doch zu verschleppen) und vorerst einmal den Franc zu stabilisieren [88], nach allen Regeln der politischen Logik das englisch-amerikanische Veto hervorrufen, das letztlich ein amerikanisches war, weil es allein von der US-Regierung abhing, wie das Problem der interalliierten Schulden und damit, ob gewollt oder nicht [89], auch der deutschen Reparationen geregelt wurde. An einer engen wirtschaftlichen Verflechtung und politischen Abstimmung zwischen Frankreich und Deutschland konnte Washington jedoch — allein schon aus Gründen ökonomischer Konkurrenz — nicht gelegen sein.

---

85 Im Juli 1926· war der französche Franc auf ein Zehntel seines normalen Wertes gesunken!
86 Vgl. auch L. Zimmermann, a. a. O., S. 317.
87 Vgl. den Bericht der deutschen Botschaft Paris vom 28. September 1926. AA, Büro RM, 7 Nr. 1: Besprechung in Thoiry, Bd. 1.
88 Erst dann wollte Poincaré, aus einer Position neugewonnener Stärke heraus, Deutschland im Rheinland tatsächlich, wenngleich vorsichtig abgestuft, entgegenkommen.
89 Über die Haltung Amerikas zu dieser Frage vgl. R. Gottwald, a. a. O., S. 79.

Die bisherige Analyse und Interpretation läßt sich wie folgt zusammenfassen: Die eigentliche Grundlage der Außenpolitik Stresemanns, nämlich die wirtschaftliche Macht des Reiches, erwies sich im Konfliktfalle als nicht tragfähig, da sie im entscheidenden Teil nur geliehen war. Anders formuliert: Das wirtschaftspolitische Engagement der Vereinigten Staaten (von einem Isolationismus kann, wie Gottwald und — mehr noch — Link eindeutig nachgewiesen haben, in den 20er Jahren keine Rede sein) wirkte sich für Stresemann als ein Plus aus, solange es um die Abwehr nationalistischer Bestrebungen (von seiten Frankreichs) oder sozialrevolutionärer Tendenzen ging; es kehrte sich aber zu einem Minus um, wenn von ihm selbst (und von Briand) ein — auch nur partielles — Ausscheren aus den amerikanischen Kapital- und damit indirekt auch politischen Interessen versucht wurde. Mit einem Wort: Thoiry bewies, daß der Frankreich-Konzeption bzw. der Außenpolitik Stresemanns bestimmte, nicht überschreitbare Grenzen gesetzt waren. Die von ihm erstrebte Großmachtposition des Deutschen Reiches befand sich offensichtlich jenseits dieser Grenzen.

Was aber Frankreich anbelangt, so war Poincaré ohnehin ein Gegner deutscher Großmacht und Briand, der sie — weil auf die Dauer doch unabwendbar — für die eigene Politik nutzen wollte, nicht in der Lage, gegen den Willen der Vereinigten Staaten durchzusetzen, was Bedingung der beabsichtigten Zusammenarbeit war: die deutsche Zahlungsfähigkeit. Entschloß sich indessen Frankreich zur Ratifizierung des Mellon-Bérenger-Abkommens (vom 29. 4. 1926) — und die eigene Finanz- bzw. Wirtschaftssituation ließ praktisch keine andere Wahl —, so stellte sich die Frage, ob Frankreich die Bindung (die ja zugleich auch Abhängigkeit bedeutete) an Deutschland überhaupt noch brauchte, da dann Anleihen in England und Amerika leicht zu erhalten waren. Wie sollte also unter diesen Umständen die baldige Räumung des Rheinlandes (und des Saargebietes) erfolgen, der Dawes-Plan abgelöst und die Korrektur der deutschen Ostgrenzen in Angriff genommen werden?

Die einzelnen Phasen der politischen Entwicklung nach dem 29. September 1926 können im Rahmen dieser Studie nicht nachgezeichnet werden; sie sind inzwischen durch die Arbeiten von Sieburg und Gottwald auch hinlänglich bekannt. Es bleibt jedoch die Aufgabe, nachzuprüfen, wie Stresemann die Leitlinien seiner Politik in der Krise nach Thoiry reflektiert und festgelegt hat. Schon bald nach dem Parteitag der DVP in Köln (am 2. Oktober), auf dem Stresemann in einer breitangelegten Rede noch einmal um die Unterstützung der Vereinigten Staaten und Großbritanniens für das Abkommen von Thoiry öffentlich geworben hatte [90], verstärkte sich bei ihm der Eindruck, daß der

---

90 Text der Rede W.T.B. Nr. 1660 vom 2. Oktober 1926. Über die Aufnahme dieser Rede in den USA vgl. R. Gottwald, a. a. O., S. 76.

große Anlauf gescheitert war. Das geht vor allem aus den beiden Unterredungen hervor, die Stresemann am 8. Oktober 1926 mit Professor Hesnard und Parker Gilbert geführt hat. [91]

Hesnard berichtete, daß die Stimmung im französischen Kabinett »vollkommen durcheinandergehe«. Man werfe Briand vor, er habe durch sein Angebot das starke Pfand der Rheinlandbesetzung und des Saargebietes völlig entwertet, während der deutsche Außenminister keinen Pfennig deutscher Belastung auf sich genommen habe. Der Gedanke sei infolgedessen aufgetaucht, ob man nicht über die 1½ Milliarden Goldmark hinaus doch das ganze Problem einer Revision des Dawes-Plans angehen solle. Stresemann bemühte sich zwar, der Argumentation in der Rheinlandfrage zu begegnen, er hielt auch eine Revision des Dawes-Plans nicht für unmöglich und berechnete für diesen Fall eine Gesamtschuld Deutschlands von 16 Milliarden Mark (entsprechend der Summe der Obligationen aus dem Dawes-Plan), es war ihm aber klar, daß eine solche Regelung mehrere Jahre brauchte, nur mit der Zustimmung der anderen Mächte durchgeführt werden konnte und zunächst einmal die Hoffnungen von Thoiry zerstörte. Das anschließende Gespräch mit Parker Gilbert mußte ihn gerade in dieser Auffassung vollauf bestätigen. [92]

Obschon also am 8. Oktober 1926 die Würfel praktisch gefallen waren, ließ sich Stresemann in seiner Überzeugung (d. h. einem Rest von Optimismus) und seiner politischen Strategie nicht erschüttern. [93] Am 7. Oktober hatte er vor dem Auswärtigen Ausschuß geradezu emphatisch erklärt: »Ich betrachte die Verständigung zwischen Frankreich und Deutschland als die Kernfrage der europäischen Verständigung.« [94] Etwas anderes als die Fortsetzung seiner Konzeption war bei Stresemann auch nicht zu erwarten, denn das hätte entweder die Aufgabe der

---

91 Aufzeichnung Stresemanns vom 9. Oktober 1926. AA, Büro RM, Frankreich 7, Bd. 9; ebenso Akten I, 2, a. a. O., Dok. 136, S. 311 ff.

92 Der wesentliche Teil der Aufzeichnung lautet: »Parker Gilbert, der darauf zu mir kam, äußerte sich auf die Frage, wie er über die gesamte Revision des Dawes-Planes dächte, folgendermaßen: Er möchte betonen, daß seiner Meinung nach die Zeit für eine Revision des Dawes-Planes noch nicht reif sei, das werde erst in 2 bis 3 Jahren der Fall sein. Gegenwärtig ständen einer solchen Revision sehr große Hindernisse entgegen. Es sei notwendig, daß zunächst einmal Frankreich seine Schulden gegenüber den Vereinigten Staaten anerkenne. Wenn dieser Schritt geschehen sei, käme anderes in Betracht. Die Revision des Dawes-Planes sei doch eine starke Reduktion der deutschen Schulden gegenüber den Alliierten. Er glaube nicht, daß die Alliierten bereit sein würden, zum mindesten England und Italien nicht, in eine solche Reduktion einzuwilligen, wenn nicht gleichzeitig Amerika einwillige, seine Ansprüche gegenüber England, Frankreich und Italien ebenfalls herabzusetzen. Erst wenn dieses Zusammenspiel möglich wäre, könne man an eine Revision des ganzen Dawes-Planes denken.« Zur Position von Parker Gilbert vgl. W. Link, Die amerikanische Stabilisierungspolitik, a. a. O., S. 402.

93 Vgl. H.-O. Sieburg, a. a. O., S. 331, und R. Gottwald, a. a. O., S. 80.

94 NL Bd. 44.

bisherigen (nationalen) Ziele oder die Abkehr von den bisherigen (wirtschaftspolitischen) Mitteln bedeutet, und nichts von beidem wäre mit seinem nationalliberalen Interessenstandpunkt vereinbar gewesen. Zugespitzt formuliert kann man sagen: Wenn Stresemann Deutschland eine (ökonomische) Machtbasis verschaffen wollte, um überhaupt außenpolitisch aktiv werden zu können, dann brauchte er die Unterstützung Amerikas (und Englands); wenn er aber in Europa die vollgültige Großmachtposition des Deutschen Reiches wiederherstellen wollte, dann war er unausweichlich auf die Zusammenarbeit mit Frankreich angewiesen. Das erste war die Voraussetzung des zweiten und insofern die primäre Konstante in der Politik Stresemanns, das zweite aber betraf das eigentliche Ziel seiner Politik und darf deshalb als die qualitativ entscheidende Konstante betrachtet werden.

Wenn Stresemann weder mit Frankreich noch mit den USA eine Kollision riskieren durfte, jene aber teilweise konträre Interessen verfolgten, dann geriet, unabhängig von persönlichen Fähigkeiten und Neigungen des Außenministers, die deutsche Frankreichpolitik in eine Zwickmühle, aus der (kurzfristig) schwer herauszukommen war. Eines jedenfalls war sicher: Es konnte keinen deutsch-französischen Alleingang geben [95], schon gar nicht einen kontinentalen Block mit antiamerikanischer bzw. antibritischer Spitze. [96] Daß es in Frankreich solche Strömungen gab, geht u. a. aus dem Schreiben hervor, das am 9. Oktober 1926 Botschaftsrat Rieth (Paris) an das Auswärtige Amt richtete. [97] Anlaß dieses Schreibens war ein Gespräch, das er am Tage zuvor mit Seydoux, dem Leiter der Wirtschaftsabteilung im französischen Außenministerium, geführt hatte.

Die beiden entscheidenden Passagen lauten: »Seydoux bekannte sich rückhaltlos zu der Notwendigkeit einer weitgehenden deutsch-französischen Annäherung. Er sagte, in der ganzen Geschichte Frankreichs sei England und nicht Deutschland der Erbfeind gewesen. Trotzdem sei es 1904 gelungen, die jahrhundertealten Gegensätze zu überbrücken und jahrelang eine gemeinsame Politik zu führen. Die Möglichkeit, daß Frankreich und England zusammen weiterhin die Geschicke Europas bestimmen würden, sei nach dem Kriege verpaßt worden. Heute sei dies nicht mehr möglich, und die alten Gegensätze träten wieder offen zutage. Wenn sich hingegen Frankreich und Deutschland in den großen europäischen Fragen einigten, so würden sie so stark sein, daß niemand gegen sie angehen könne. Auch die wirtschaftlichen Fragen

---

95 So Stresemann am 7. Oktober (1926) vor dem Auswärtigen Ausschuß. A. a. O. Das war selbstverständlich auch aus Rücksicht gegenüber England zu vermeiden, das die Forderung nach einer vorzeitigen, d. h. baldigen Räumung des Rheinlandes politisch unterstützte. Ebenda.
96 Vgl. dazu R. Gottwald, a. a. O., S. 80 f.
97 AA Frankreich, Politik 2 C, Bd. 3; ebenso Akten I, 2, a. a. O., Dok. 138, S. 318 ff.

und die des Kredites dieser Länder würden dadurch ein ganz anderes Aussehen erhalten ... Er denke hierbei nicht daran, eine Politik gegen England zu betreiben. Der Kontinent müsse sich aber dagegen wehren, in die Abhängigkeit übermächtiger Kapitalkräfte der Welt zu geraten. Um dies durchführen zu können, müßten — darüber sei er sich vollkommen klar — sukzessiv die noch bestehenden Interessengegensätze zwischen Frankreich und Deutschland aus der Welt geschafft werden. Selbstverständlich müsse hierfür das Rheinland geräumt, die Saarfrage gelöst werden, und er sei sogar der Ansicht, daß die Danziger Frage eine andere als die bisherige Lösung erfahren müsse.«

Besonders die Schlußsätze waren geeignet, Stresemann auch für das zuvor Gesagte zu gewinnen, denn inhaltlich stimmten sie ganz mit dem überein, was er als Ziel seiner Frankreich-Konzeption eingeplant hatte. Aber er wußte zugleich, daß die weltpolitische Lage insgesamt und daß vor allem die internationale Position des Deutschen Reiches es schlechterdings nicht gestattete, die deutsch-französischen Beziehungen in der vorgeschlagenen Weise zu »europäisieren«. Für Frankreich, das immer noch eine koloniale Weltmacht war und eine aktive (allerdings auch kostspielige) Mittelmeer- und Nahost-Politik betrieb, mochte die wirtschaftspolitische Konfrontation mit den beiden angelsächsischen »Imperien« eine praktikable Möglichkeit sein, für Deutschland wäre diese Alternative tödlich gewesen.

Stresemann vergaß keinen Augenblick, daß sich das globale Kräfteverhältnis nach 1917/18 grundlegend geändert, daß sich das weltpolitische Machtzentrum nach den USA verlagert hatte. Und selbst in Europa hatte sich ja in den 20er Jahren das strategische Gleichgewicht (ganz im Sinne der Revisionspolitik Stresemanns) zugunsten Englands verschoben: Der Krieg war (1918/19) zwar in Paris bzw. Versailles beendet, der Frieden aber (1924/25) in London besiegelt worden. Eine deutsch-französische Interessengemeinschaft hätte 1926 neue Akzente setzen können — und war eben deshalb (weil ökonomisch abhängig) ohne reale Chance. Am 14. Oktober gab Stresemann auf der 2. Sitzung des Thoiry-Ausschusses unmißverständlich zu bedenken: »Unter allen Umständen müsse im Ausland der Eindruck vermieden werden, als ob wir uns zu einem Zusammengehen mit Frankreich gegen Amerika bereit finden würden. Bei der ausschlaggebenden praktischen Bedeutung der Mitwirkung der Vereinigten Staaten könnten wir im Gegenteil nur im engsten Einvernehmen mit diesen vorgehen.« [98]

Wenn auch die USA bezüglich Thoiry die eigentliche Schlüsselstellung innehatten, so war doch weiterhin die Reaktion der französischen Regierung auf das Nahziel Stresemanns, die Räumung des Rheinlandes, von eminenter Bedeutung. Immer noch hoffte er ja auf die Gesprächs-

---

98 Akten I, 2, a. a. O., Dok. 144, S. 334.

und Kompromißbereitschaft Briands. Nach wie vor stellte sich indessen die Frage, welche deutschen Gegenleistungen (und zwar materielle und nicht nur »atmosphärische«) angeboten werden konnten. Wenn es keine finanziellen sein durften, politische aber nicht zu erwarten waren (und eine wirtschaftliche Zusammenarbeit beiden zugute kam), geriet die deutsch-französische »Verständigungspolitik« in eine fast ausweglose Sackgasse. Am 22. Oktober 1926 telegraphierte Hoesch an Stresemann: »Hatte gestern ausführliche Unterredung mit Berthelot und heute kürzere allgemeine Unterhaltung mit Briand . . . In beiden Unterhaltungen wurde mir klar, daß auch französische Regierung Mobilisierung bewußten Bruchteils deutscher Obligationen kaum mehr als genügende Kompensation ansieht, andererseits aber nicht recht weiß, was sie eigentlich fordern soll. Berthelot erzählte mir hierzu, bewußte Anfrage in Washington, ob mit Mobilisierungsbereitschaft gerechnet werden könne, habe schließlich auf Drängen Poincarés gegen Abraten Quai d'Orsay doch stattgefunden, und zwar als französische Einzeldemarche ohne jede Unterstützung durch andere Regierungen mit dem Erfolg, daß amerikanische Regierung Mobilisierung vor Ratifizierung abgelehnt, ja sogar von Notwendigkeit vorheriger Stabilisierung des Franken gesprochen habe. Praktisch sei demnach festzustellen, daß Angelegenheit Mobilisierung nicht eher würde gefördert werden können, als Ratifizierungsfrage in irgendeiner Form aus der Welt geschafft sei. Berthelot sah auf diese Weise für den Augenblick keine rechte Diskussionsbasis für uns.« [99]

Die Mitteilung Hoeschs besiegelte nicht nur die Niederlage von Thoiry, sondern ließ auch erkennen, daß die von Stresemann (und Briand) intendierte »Gesamtlösung« des deutsch-französischen Verhältnisses ferner war denn je. Die von der Reichsregierung angebotene Summe erschien der Mehrheit der französischen Partner bzw. Kontrahenten als nicht ausreichend [100] und war, wie sich zeigte, selbst in dieser »geringen« Höhe politisch und finanztechnisch nicht zu bekommen. Bei solcher Sachlage konnte es nicht ausbleiben, daß gerade die Kreise in Frankreich, die (mit kontinentaleuropäischer Akzentuierung) eine wirtschaftspolitische Zusammenarbeit mit Deutschland bejahten, von Stresemann französische Zugeständnisse im Westen (des Reiches) durch deutsche im Osten honoriert haben wollten. Deutschland hätte also gegenüber den französischen Bündnispartnern (territoriale) Revisionsziele aufgeben und gegenüber Frankreich selbst, damit dieses nicht in eine ungünstige machtpolitische Relation zu Deutschland gelangte, auf

---

99 Telegramm Nr. 1064 (»streng vertraulich«). AA, Büro RM, Frankreich 7, Bd. 9; ebenso Akten I, 2, a. a. O., Dok. 156, S. 363 ff.
100 Immerhin hätte eine Verwertung der vorgesehenen Eisenbahnobligationen Deutschland das Risiko auferlegt, aus eigener Kraft jährlich 90—120 Millionen Mark bar zu transferieren.

den (späteren) Anschluß Österreichs verzichten müssen. In Frankreich war es namentlich Jules Sauerwein, der — wohl nicht ohne Unterstützung vom Quai d'Orsay — solchen Plänen Publizität verschaffte. [101] Kein Zweifel, daß an diesem Punkt der zentrale Nerv der politischen Konzeption Stresemanns angesprochen war. Das Ziel seiner »Verständigungspolitik« gegenüber Frankreich wurde geradezu auf den Kopf gestellt. Was als Voraussetzung einer territorialen Revision gedacht war, sollte nun Mittel zur Stabilisierung (und Garantierung) des Status quo werden. Für Stresemann kam ein solches »Angebot« dem Verzicht auf seine politische Existenz gleich.

Die offizielle Antwort der Reichsregierung konnte niemanden überraschen. Am 26. Oktober (1926) wurden alle deutschen Auslandsmissionen in einem Runderlaß (Brieftelegramm) über die Maximen der von Stresemann beharrlich fortgesetzten Frankreichpolitik informiert. [102] Die entscheidenden Sätze der Instruktionen lauten: »Wir hal-

101 Vgl. Telegramm Nr. 1106 von Rieth vom 11. Oktober 1926. AA, Büro RM, 7 Nr. 1: Besprechung in Thoiry, Bd. 1; ebenso Akten I, 2, a. a. O., Dok. 142, S. 325 ff. Wichtig vor allem folgende Sätze: »Sauerwein sagte, jetzige Räumung Rheinlandes würde hier nicht nur aus militärischen Gründen als bedenklich angesehen — er persönlich sei geneigt, über diese Bedenken hinwegzugehen —, man erblicke aber darin die Aufgabe eines politischen Machtmittels, das der Friedensvertrag Frankreich zugebilligt habe. In diesem Zusammenhang sagte er, die hiesigen Juristen hinwiesen auf letzten Absatz Artikels 429 Friedensvertrages, demgemäß Besatzungsdauer sogar über 15 Jahre ausgedehnt werden könne, wenn Sicherheit gegen nicht herausgeforderten Angriff Deutschlands nicht hinreichend sei. Wenn diese Sicherheit auch im Westen durch Locarno und Genf mehr gesichert sei als bisher, so könne die Sicherheit Frankreichs aber auch im Osten Deutschlands gefährdet werden. Deutschland mache aber keinen Hehl daraus, daß es mit der Regelung verschiedener wichtiger Fragen an seinen übrigen Grenzen nicht zufrieden sei und diese zu geeignetem Zeitpunkt aufgreifen wolle, ohne daß man wisse, in welcher Weise dies geschehen werde. Eine französische Regierung, die das Rheinland räume, ohne daß versucht worden sei, hierüber mehr Klarheit zu schaffen, würde sich großen Vorwürfen aussetzen. Auch die Verbündeten Frankreichs, insbesondere Polen und die Tschechei, erblickten in der in Versailles vorgesehenen 15jährigen Besatzungsdauer eine Frist für ihre innere Konsolidierung, während deren sie deutschen Absichten auf Änderung des Status quo gegenüber sicherer seien, als nachdem französische Armee sich vom Rhein zurückgezogen habe.« Die Darlegungen Sauerweins bestätigen indirekt die Absicht Stresemanns, möglichst rasch die Rheinlandräumung zu erreichen, um anschließend die Ostfragen aufrollen zu können.

102 Zum Entwurf von Gaus und den Korrekturen Stresemanns vgl. R. Gottwald, a. a. O., S. 81. Schon am 20. Oktober hatte Stresemann an die Deutsche Botschaft in Paris telegraphiert: »Frankreich wird sich .., wenn es nicht seine ganze Politik der letzten Zeit verleugnen und sich in Gegensatz zu der Weltmeinung bringen will, auf alle Fälle früher oder später doch zur Räumung entschließen müssen. Wenn also Frankreich die Gedanken von Thoiry jetzt durchführt, bekommt es eine reale Kompensation (durch die angebotene Teilmobilisierung der deutschen Obligationen — Anm. d. Verf.) für eine Leistung, der es sich auf die Dauer entziehen kann und die in ihrem realen Wert natürlich von Jahr zu Jahr sinkt. Wie man das Verhältnis von französischer und deutscher Leistung aber auch beurteilen mag, so kann es für uns keinesfalls in Frage kommen, in den Plan von

ten an dem in Thoiry entworfenen Plane Gesamtverständigung mit
Frankreich fest, da es unser erstes Ziel sein muß, wieder in Vollbesitz
unserer Souveränität über westliche Landesteile zu gelangen. Über
schnellen Erfolg machen wir uns keine Illusionen, da derartig großes
und schwieriges Problem nicht von heute auf morgen zu lösen ist. Weiterer Verlauf wird wesentlich von innerpolitischer Lage in Frankreich
abhängen. Französischer Tendenz, daß deutsche Gegenleistung zu ge-
ringfügig, muß entgegengewirkt werden ... Überhaupt scheint es uns
verfehlt, deutsch-französische Verständigung als reines Handelsge-
schäft nach Prinzip do ut des zu beurteilen. Es kann sich nicht um
Schachergeschäft, sondern nur um großes politisches Ziel handeln, an
dem beide Länder in gleichem Maße interessiert sind. Wenn Frankreich
anstelle in Thoiry erörterter finanzieller Leistungen andere Vorschläge
zu machen hat, werden wir sie prüfen. Allerdings kann für uns keine
Regelung in Betracht kommen, die uns in direkten Gegensatz mit Amerika brächte. Von Kompensationen politischer Art kann keine Rede
sein. Insbesondere ist Sicherheitsfrage, auch soweit Polen in Betracht
kommt, durch Locarno endgültig geregelt (!).« [103]

Thoiry in irgendeiner Form die Ostfragen hineinzuziehen. Die französischen Interessen in der Sicherheitsfrage sind, auch soweit Polen in Betracht
kommt, nach unserer Auffassung restlos und endgültig durch Locarno befriedigt. Wir können nicht anerkennen, daß Frankreich legitimiert sei, die
Besetzung des Rheinlandes zugunsten Polens aufrechtzuerhalten ... Es
kann in diesem Zusammenhang ganz dahingestellt bleiben, ob eine Lösung
der polnischen Frage für uns nur mit oder auch ohne Frankreich möglich
ist. Auf jeden Fall scheint es mir völlig unmöglich zu sein, in dieser Hinsicht
irgendeine vertragliche Bindung gegenüber Frankreich einzugehen.« Telegramm Nr. 1043. AA, Büro RM, 7 Nr. 1: Besprechung in Thoiry, Bd. 1;
ebenso Akten I, 2, a. a. O., Dok. 154, S. 360 f.
103 AA, Büro RM, 7 Nr. 1: Besprechung in Thoiry, Bd. 1; ebenso Akten I, 2,
a. a. O., Dok. 159, S. 373 ff. Am 28. Oktober drahtete Hoesch (Telegramm
Nr. 1088) an Stresemann (»streng vertraulich«), Briand habe ihm gegenüber (am gleichen Tage) geäußert, »daß schon im Laufe Herbstdebat-
ten Parlaments Möglichkeit und Notwendigkeit Ratifizierung (des Schuldenabkommens — Anm. d. Verf.) sich klar herausstellen würden, so daß
Aussicht dafür bestehe, daß Mobilisierungsidee nicht allzu lange als unreali-
sierbar zu gelten haben werde. Für Augenblick aber feststellte er die tatsächlichen Verhältnissen entsprechende Unmöglichkeit, praktisch auf Basis
Mobilisierungsidee zu verhandeln ... Am Schluß Unterredung bekämpfte
ich bekannte französische Gedanken, von Deutschland Anerkennung der
Ostgrenzen, Bereitwilligkeit zu Ausgleichsverhandlungen mit Polen bzw.
formelle Kundgebung gegen Anschluß Österreichs zu verlangen, und hatte
Genugtuung, daß Briand alle diese Ideen glattweg von sich wies. (!) Er
erklärte, bezüglich Ostproblem sei Locarno-Lösung maßgebend und genügend. Idee Beschwerung deutsch-französischer Verständigung mit deutsch-
polnischen Ausgleichsversuchen sei absurd und würde deutsch-französischen
Ausgleich nur hemmen oder verhindern. Anschlußfrage endlich sei nicht
akut und bleibe gegenwärtig am besten gänzlich unbeachtet.« Ebenda;
ebenso Akten I, 2, a. a. O., Dok. 167, S. 389 ff. (Diese Haltung Briands
entsprach genau der Absicht Stresemanns: Frankreich sollte im Konflikt
zwischen seiner Bindung an Polen einerseits und seinem weltpolitisch
sowie wirtschaftlich begründeten Wunsch nach Zusammenarbeit mit Deutsch-

Stresemann blieb unter den gegebenen Umständen keine andere Wahl, als immer von neuem seine Intentionen so mit den politischen Realitäten zu verknüpfen, daß (aus deutscher Sicht) positive Entwicklungsmöglichkeiten nicht vollends blockiert wurden. Ziel und Weg der »nationalen Realpolitik« Stresemanns, die an der Revision von Versailles orientiert war, machten es weiterhin notwendig, sowohl mit Frankreich (trotz Poincaré und anderen Nationalisten) als auch (zugleich) mit den angelsächsischen Staaten gute Beziehungen zu pflegen, obwohl diese nicht zugestanden, was jenes (vielleicht) dazu hätte bewegen können, das Rheinland vorzeitig zu räumen. Praktikabel schien jetzt nur noch die Aufhebung der interalliierten Militärkontrolle. [104] Auf keinen Fall wollte Stresemann die politische Manövrierfähigkeit des Deutschen Reiches beschneiden lassen, d. h. den Anspruch und das Bemühen, die Ostfragen in seinem (nationalen) Sinne zu regeln. [105] An der Tatsache, daß Thoiry endgültig und unwiederholbar gescheitert war, konnte allerdings nicht mehr gedeutet werden. [106] Stresemann sah sich genötigt, gegen alle Opposition (besonders der Deutschnationalen) einen zermürbenden Kleinkrieg um die »Rückwirkungen von Locarno« zu führen. [107] Spektakuläre Erfolge waren indessen in den nächsten Jahren kaum noch zu erwarten. [108]

---

land andererseits dieser Zusammenarbeit den Vorzug geben, d. h. dem deutschen Revisionismus [im Osten] zustimmen.) Sehr aufschlußreich auch der Privatbrief Hoeschs an Stresemann vom 30. Oktober. AA, Büro RM, 7 Nr. 1: deutsch-französische Verständigung (Nachfolgeband von »Besprechung in Thoiry«), Bd. 2; ebenso Akten I, 2, a. a. O., Dok. 173, S. 400 ff.

104 Vgl. die Aufzeichnung Stresemanns vom 1. November 1926 über sein Gespräch mit Breitscheid zwei Tage zuvor. AA, Büro RM, 7 Nr. 1: deutschfranzösische Verständigung, Bd. 2; vgl. auch Stresemann gegenüber de Margerie am 1. November, Akten I, 2, a. a. O., Dok. 176, bes. S. 415 f.

105 Erneut wandte er sich jedoch — entsprechend seiner Konzeption — am 2. November 1926 vor dem Auswärtigen Ausschuß gegen alle Bestrebungen einer deutsch-französischen Allianz. AA, Büro RM, 1 c: Reden, Interviews und Aufsätze des Herrn Reichsministers, Bd. 6. Vgl. auch Stresemanns Darlegungen auf der Pressekonferenz am 4. November, ebenda, und allgemein R. Gottwald, a. a. O., S. 82 f.

106 Vgl. Hoesch mit Brief vom 5. November an Staatssekretär v. Schubert. NL Bd. 46: Akten 2. Nov. — 19. Nov. 1926; ebenso Akten I, 2, a. a. O., Dok. 182, S. 426 ff. Zu diesem Brief H.-O. Sieburg, a. a. O., S. 322.

107 Vgl. auch L. Zimmermann, a. a. O., S. 323.

108 Insofern besagte es inhaltlich sehr wenig, wenn Briand in der französischen Kammer am 30. November 1926 den wohlklingenden Satz formulierte: »J'estime qu'à défaut d'un rapprochement entre l'Allemagne et la France, il n'y a pas de possibilité d'une paix durable en Europe.« (Zitiert nach Telegramm Nr. 1204 von Hoesch an das Auswärtige Amt vom 1. Dezember 1926. AA Frankreich, Politik 2, Bd. 14.) Mit Worten war der deutsch-französische Gegensatz nicht aus der Welt zu schaffen.

7. Kapitel

Letzte Erfolge

Thoiry hatte zweifellos den Beweis dafür geliefert, daß Stresemanns strategische Gesamtkonzeption (zunächst einmal) gescheitert war: die Reichsregierung sah sich aus objektiven Gründen außerstande, das deutsche Wirtschaftspotential — wie beabsichtigt — in politische Macht umzusetzen, d. h. als Mittel nationaler Revisionspolitik wirksam werden zu lassen. Es fehlte an der notwendigen finanziellen Masse, es fehlte aber noch mehr an der eigenen wirtschaftspolitischen Entscheidungsfreiheit. Unter diesen Umständen blieb Stresemann, falls er nicht auf die Ziele oder Grundlagen seiner Außenpolitik verzichten wollte — und beides kam für ihn nicht in Frage —, keine andere Wahl, als möglichst bald die administrative Verfügungsgewalt über die deutsche Wirtschaft (und damit Finanzkraft) zurückzuerlangen. Die Priorität einer solchen Aufgabe ergab sich zwingend aus einem Vergleich zwischen politischer Absicht und tatsächlicher Erfahrung. Denn wie sonst sollte Frankreich (als Konzession für entsprechende Kapitalhilfen) zu einer vorzeitigen Räumung des Rheinlandes bzw. des Saargebietes, wie Polen zu einer Änderung seiner Westgrenzen veranlaßt werden?

Das aber heißt: In der politischen Kalkulation Stresemanns stellte sich um die Jahreswende 1926/27 (und in der Folgezeit) der Dawes-Plan, der drei Jahre zuvor die Rettung der Nation bedeutet hatte, als das gravierendste Hindernis auf dem Wege zur Aufhebung des »Versailler Systems« dar. Nur die Wiedergewinnung der Souveränität des Reiches auch auf ökonomischer Ebene konnte die deutsche Außenpolitik aus der (hemmenden) Kontrolle fremder Mächte — besonders der Vereinigten Staaten — genügend befreien. [1] Die bei einer Neuregelung zu erwartende Endsumme der auferlegten Reparationen war demgegenüber nicht entscheidend, jedenfalls nicht für die nahe Zukunft, wohl aber die Höhe der Jahresraten, weil sie — in Verbindung mit der jeweiligen Wirtschaftskapazität — die finanzielle Manövrierfähigkeit des Reiches quantitativ bestimmte. Erneut mußte jedoch das Problem auftauchen, wie es praktisch gelingen sollte, die Westmächte zu einer sol-

---

1 Diese Kontrolle ergab sich nicht nur aus dem Dawes-Plan und den deutschen Kreditbedürfnissen, sondern mittelbar auch aus der amerikanischen Weigerung, die interalliierten Schulden zu reduzieren. Weder Großbritannien noch Frankreich konnten deshalb zu größeren reparationspolitischen Zugeständnissen bereit sein — und unterlagen insofern selber dem Einfluß des US-Finanzkapitals (vgl. das Mellon-Bérenger-Abkommen). Genauere Hinweise dazu bei R. Gottwald, a. a. O., S. 74, S. 77 und S. 79; vgl. auch Kapitel 6, S. 230 ff.

chen — im Ergebnis allen voraussehbaren — Politik zu bewegen. Welches eigene Interesse konnte bei den Siegerstaaten angesprochen werden? Und vor allem: Wenn Frankreich und Polen als die vorrangigen Adressaten wirtschaftlich keineswegs (oder doch nur sehr begrenzt) auf Deutschland angewiesen waren, zudem aus sicherheitspolitischen Gründen das enge Einvernehmen fortsetzten, wie sollte da Stresemanns »nationale Realpolitik« konkrete Chancen zum Erfolg haben?

Unter solchen Vorzeichen besagte es faktisch sehr wenig, daß Stresemann am 10. Dezember 1926 (zusammen mit Briand und Chamberlain) der Friedensnobelpreis verliehen wurde. Während seine Bemühungen um die »Befriedung« Europas vor aller Welt Anerkennung fanden [2], war er als Außenminister auf eine Position zurückgeworfen, die nur noch eine »Politik der kleinen Schritte« erlaubte — enttäuschend für ihn, ungenügend für seine innerdeutschen Gegner und doch ständig fordernd für seine »Partner« jenseits des Rheins. [3] Die taktische Marschroute wurde indessen nicht verändert: im Verhältnis zu Frankreich mußte es nach wie vor darum gehen, Entscheidungen zu beschleunigen, die der Versailler Vertrag — spätestens für das Jahr 1935 — selber vorgesehen hatte. [4]

---

2 Vgl. A. Rosenberg, a. a. O., S. 431 f., und E. Eyck, a. a. O., Bd. 2, S. 113.
3 Am 4. Januar 1927 berichtete Hoesch in einem längeren Schreiben, daß Briand wegen seiner Verständigungspolitik gegenüber Deutschland von der französischen Rechtspresse heftig angegriffen werde: »Die Polemik der chauvinistischen Presse gegen Briand hat nach und nach einen Grad erreicht, der auf außenpolitischem Gebiet für Frankreich ungewöhnlich ist. Unkenntnis, Unfähigkeit, Faulheit, Verschlissenheit, ferner Unaufrichtigkeit, ja Verräterei werden dem Außenminister vorgeworfen. Dabei stellen die gemäßigteren Organe fest, daß sie an sich die Locarno-Politik nicht verurteilten, wohl aber Protest erheben müßten gegen die Art und Weise, wie Briand die Locarno-Politik allein zugunsten Deutschlands und unter dauernden Zugeständnissen Frankreichs (!) in die Tat umsetze.« AA, Büro RM, Frankreich 7, Bd. 9; ebenso Akten zur deutschen auswärtigen Politik 1918—1945. Serie B: 1925—1933. Bd. IV: 1. Januar bis 16. März 1927, Göttingen 1970, Dok. 4, S. 6 ff.
4 Darauf machte auch Briand immer wieder aufmerksam, so z. B. während der Sitzung des Kammerausschusses für auswärtige Angelegenheiten am 19. Januar 1927 in Paris. Am 20. Januar telegraphierte Hoesch (Tel.-Nr. 71): »Gestrige Darlegungen Briands ... darstellen ein erneutes klares Bekenntnis zur Politik von Locarno und überhaupt zur Politik der Verständigung mit Deutschland. In der Hauptfrage der Rheinlandräumung hat Briand, kurz zusammengefaßt, folgende Stellung eingenommen ...: ... Deutschland hat an sich das Recht, auf Grund Friedensvertrages Frage vorzeitiger Räumung aufzuwerfen. Frankreich wird seinerseits auf vorzeitige Räumung nur eingehen können, wenn ihm zufriedenstellende Äquivalente auf Gebiet Reparationen und Sicherheit geboten werden.« AA Frankreich, Politik 2, Bd. 15; ebenso Akten IV, a. a. O., Dok. 46, S. 106 f. — Finanzielle Leistungen Deutschlands hatte Stresemann schon in Thoiry angeboten, über zusätzliche Sicherheiten (in Form eines deutsch-französischen Kontrollsystems im Rheinland über das Jahr 1935 hinaus) wollte er allerdings nicht verhandeln.

Denn auch in diesem Falle galt, daß erst nach Wiederherstellung der deutschen Souveränität im Westen des Reiches, wenngleich immer noch eingeschränkt durch die Verträge von Versailles bzw. Locarno, die langfristig konzipierte territoriale Revisionspolitik im Osten (bis zum Anschluß Österreichs) in Angriff genommen werden konnte. Darüber hinaus war vor diesem Zeitpunkt der Anspruch auf militärische Gleichberechtigung Deutschlands völlig ineffektiv. Ökonomische Handlungsfreiheit (abgestützt durch bilaterale Vereinbarungen) und politischmilitärische Gleichberechtigung, beide erst ein *Ergebnis* zäher revisionistischer Politik, sollten jedoch nach dem strategischen Konzept Stresemanns als die entscheidenden materiellen *Voraussetzungen* für eine vorteilhafte Revision der deutschen Ostgrenzen fungieren und insofern die deutsche Außenpolitik schubweise dynamisieren.

Das Thema der militärischen Gleichberechtigung Deutschlands hatte Stresemann schon in seiner Reichstagsrede vom 23. November 1926 unmißverständlich angemeldet. »Wenn ich«, so sagte er, »unseren Willen zur loyalen Innehaltung der Entwaffnungsbestimmungen und unser Einverständnis mit der Durchführung des Investigationsrechts des Völkerbundes nochmals betone, so kann ich das nicht tun, ohne auch bei dieser Gelegenheit darauf hinzuweisen, daß es für Deutschland eine unbedingte Notwendigkeit ist, auf seiner Forderung der allgemeinen Abrüstung zu bestehen. Wir müssen der Welt immer wieder vor Augen halten, daß es auf die Dauer ein unmöglicher und mit der Gleichberechtigung im Völkerbund unvereinbarer Zustand ist, die allgemeine Rüstungsfreiheit fortbestehen zu lassen, dabei aber einem einzelnen Staate die völlige Entwaffnung vorzuschreiben und ihn einseitig zu kontrollieren.« [5]

Die Ausführungen Stresemanns zielten eindeutig auf eine Abrüstung — aber konnte diese tatsächlich erwartet werden? Sprach nicht alles dafür, daß Frankreich — schon seiner weltpolitischen Aktivitäten wegen [6] — zu einer allgemeinen Abrüstung niemals bereit sein würde? War eine Wiederbewaffnung Deutschlands — wie sie vor allem die Reichswehrführung anstrebte — dann nicht die logische Folge? [7] Deutsche Aufrüstung (von den Westmächten vertraglich zu-

5 Verhandlungen des Reichstags, Bd. 391, Stenogr. Berichte, Berlin 1927, S. 8144.
6 Die offizielle These lautete demgegenüber: Erst Sicherheit (im Verhältnis zu Deutschland), dann Abrüstung.
7 Man wird jedoch Stresemann zugestehen müssen, daß er persönlich — und zwar in der Linie seiner für Deutschland günstigeren wirtschaftspolitischen Konzeption — mehr die Abrüstung der anderen Mächte (bzw. eine Nivellierung des Rüstungsstandes) als die Aufrüstung des Reiches wünschte. Als Belege dafür können die Instruktion Stresemanns — an Botschafter Graf von Bernstorff — für die Haltung der deutschen Delegierten bei den Verhandlungen in der Vorbereitenden Abrüstungskommission des Völkerbundes vom 13. März 1927 (Akten IV, a. a. O., Dok. 246, S. 539 ff.), der Brief des

gestanden) oder Abrüstung der anderen: Mußte nicht in der politischen Auswirkung dessen eine — natürlich begrenzte — »Entente« zwischen Berlin und Paris [8], eingeordnet in ein europäisches Interessensystem mit tendenziellen Vorteilen für das Reich, den deutschen (territorialen) Revisionsansprüchen in wenigen Jahren zum Siege verhelfen? Immer noch bestand, so schien es, für Stresemann Anlaß genug, die Perspektiven seiner Politik positiv zu bewerten. Vordergründig mochte sogar der Eindruck entstehen, als seien die erhofften Entwicklungen nur eine Frage der Zeit.

Ein wichtiger Baustein zur vollen politischen Unabhängigkeit des Deutschen Reiches war die Auflösung der interalliierten Militärkontrollkommission am 31. Januar 1927. Stresemann hatte die Regelung dieses langwierigen Streitfalles am 12. Dezember 1926 in Genf aushandeln können [9]; sie fand in Deutschland allgemeine Zustimmung. Auch die Zurücknahme der französischen Truppen aus dem Saargebiet (bis Ende April 1927) [10] ließ sich als ein weiterer Erfolg der Außenpolitik Stresemanns interpretieren. Dennoch zweifelte damals niemand unter den politisch Verantwortlichen daran, daß der Augenblick für einen umfassenden und endgültigen Ausgleich zwischen Deutschland

---

Staatssekretärs v. Schubert an Stresemann vom 31. Dezember 1927 nebst (undatiertem) Memorandum des Auswärtigen Amtes zur Abrüstungsfrage (NL Bd. 351) und die Äußerungen Stresemanns vor dem Reichstag am 29. März 1928 gelten. Verhandlungen des Reichstags, Bd. 395, Stenogr. Berichte, Berlin 1928, S. 13899; vgl. auch A. Hillgruber, Kontinuität, a. a. O., S. 20. Für A. Thimme, Stresemann, a. a. O., S. 97, läuft deutsche Aufrüstung oder Abrüstung der anderen Staaten auf dasselbe (von ihr verurteilte) hinaus: »Vielleicht ging es Stresemann .. nicht um die deutsche Aufrüstung, bestimmt aber ging es ihm um die machtpolitische Verschiebung zugunsten Deutschlands. Die allgemeine Abrüstung sollte in erster Linie nicht um der Sicherung des allgemeinen Friedens erfolgen, sondern weil Deutschland abgerüstet war. Und der Frieden selbst war notwendig zur deutschen Wiedererstarkung.« Allgemein zu diesem Problemkreis H. W. Gatzke, Stresemann and the Rearmament of Germany, Baltimore 1954.

8 Eine solche »Entente« wurde sowohl durch die kooperativen Interessen innerhalb der beiden Volkswirtschaften als auch, mindestens für Frankreich, durch die englisch-italienische Balkan- bzw. Mittelmeerpolitik nahegelegt (vgl. dazu H. Graml, Europa, a. a. O., S. 223 ff.). Die deutsche Außenpolitik verfolgte darüber hinaus das Ziel, die französisch-englischen und mehr noch die französisch-polnischen Beziehungen soweit wie möglich zu lockern, wobei natürlich jede deutsch-englische Krise strikt zu vermeiden war. Kennzeichnend dafür — mit Bezug auf die polnisch-litauischen Spannungen — die (streng geheime) Mitteilung Stresemanns an die Botschaft in Paris vom 3. Februar 1927. Akten IV, a. a. O., Dok. 95, S. 205 ff.

9 Über die entgegenkommende Haltung Briands in der Entwaffnungsfrage vgl. die Aufzeichnung Stresemanns vom 5. 12. 1926. Akten I, 2, a. a. O., Dok. 233, S. 531 ff. Wichtig auch Stresemanns Telegramm (Nr. 38) vom 12. Dezember an Marx und Hindenburg (ebda., Dok. 262, S. 609 f.) und seine Presseerklärung am 14. Dezember in Berlin. NL Bd. 48: Akten 14. Dez. 1926 — 13. Jan. 1927. Weitere Dokumente Akten IV, a. a. O.

10 Abgesehen von einer 800-Mann-Miliz, die als »Bahnschutz« fungierte.

und Frankreich noch nicht gekommen war. [11] Das hatte nicht zuletzt in der schwachen parlamentarischen Stellung Briands seine Ursache. [12] Stresemann hingegen konnte während der Frühjahrstagung des Völkerbundes (in Genf) dem britischen Außenminister in einer Unterredung am 6. März 1927 mitteilen (ein Gespräch mit Briand ging voraus), daß nach der Anerkennung der Locarno-Verträge durch die Deutschnationalen [13] die große Mehrheit der Bevölkerung hinter seiner Außenpolitik stehe, daß es jedoch unmöglich sei, diese weiterzuführen, wenn nicht bald wesentliche Fortschritte in der Frage der Truppenverminderung und bei der Vorbereitung der Räumung des Rheinlandes erzielt würden. Chamberlain zeigte Verständnis, gab aber zu bedenken, daß die britische Regierung, gerade auch um Briand zu stützen, nur im Einverständnis mit Paris die zweite Zone zu räumen beabsichtige. [14] Wenige Tage nach Genf, am 19. März 1927, analysierte Stresemann auf der Sitzung des Zentralvorstandes der DVP in Hannover die internationale Lage. [15] Was er hier (vertraulich) sagte, gehört zu den besten, weil informativsten politischen »Ortsbestimmungen«, die quellenmäßig bei Stresemann nachweisbar sind. Referat und Diskussion waren zwar vornehmlich innenpolitisch orientiert, aber vielleicht fielen gerade

11 Frankreich stand damals vor dem Dilemma, das besetzte Rheingebiet räumen zu sollen und wohl auch zu müssen, ohne sicher zu sein, ob die Preisgabe der bisherigen militärischen Garantie (zugleich ein Hebel für die deutschen Reparationen) die Zusammenarbeit mit Deutschland dauerhaft bewirken würde. Die politische Rechtsentwicklung der Weimarer Republik war geeignet, die französische Position zu verhärten; diese wiederum, die deutschen Rechtskreise nachträglich (scheinbar) zu bestätigen. Vgl. auch K. Dederke, a. a. O., S. 172 f.
12 Selbstverständlich war Stresemann davon unterrichtet. Vgl. in diesem Zusammenhang seinen (ersten) Brief an Reichskanzler Marx vom 14. Januar 1927. NL Bd. 49: Akten 14. Jan. — 30. Jan. 1927; ebenso Akten IV, a. a. O., Dok. 27, S. 57 ff.
13 Ende Januar 1927 war unter Beteiligung der DNVP — bei beträchtlichen Vorbehalten Stresemanns gerade auch wegen seiner Frankreichpolitik (vgl. die kritische Stellungnahme Hoeschs. Telegramm Nr. 31 vom 8. Januar 1927. AA, Büro RM, Frankreich 7, Bd. 9; ebenso Akten IV, a. a. O., Dok. 15, S. 27 ff.) — die vierte Regierung Marx gebildet worden. Dazu H. Heiber, a. a. O., S. 185 ff., F. Hirsch, a. a. O., S. 93, und H. A. Turner, a. a. O., S. 219 ff.
14 AA, Büro RM, Frankreich 7 Nr. 1, Bd. 2; ebenso Akten IV, a. a. O., Dok. 220, S. 478 ff. Vgl. auch Stresemanns Drahtbericht aus Genf vom 7. März 1927 an das Auswärtige Amt in Berlin. AA, Büro RM, Frankreich 7, Bd. 10; ebenso Akten IV, a. a. O., Dok. 225, S. 498 ff. Am 16. März telegraphierte Stresemann an die Deutsche Botschaft in Paris (Tel.-Nr. 294): »Ich verfolge weiter das Ziel Verständigung mit Frankreich, um auf diese Weise Terrain für Räumung Rheinlands, Saargebiets und für Revision Dawes-Plans vorzubereiten. (!) Gerade im Interesse dieses Ziels haben wir in Genf trotz des persönlich wenig freundlichen Verhaltens Briands Opfer Kompromisses in Saarfrage auf uns genommen.« AA, Büro RM, Frankreich 7, Bd. 10. Am 15. März unterrichtete Stresemann die Mitglieder der Reichsregierung (bei Anwesenheit Hindenburgs und anderer) über die Genfer Ratstagung. AA, Büro RM, 3 b: Kabinett-Protokolle, Bd. 5.
15 BA R 45 II/42.

deshalb die außenpolitischen Passagen um so prägnanter aus. Stresemann leitete sie mit dem Hinweis ein, daß die auswärtige Situation Deutschlands seit September vergangenen Jahres (seit Thoiry also) sehr viel schlechter geworden sei, und zwar deshalb, »weil die Aussichten, daß Herr Briand das Kabinett Poincaré stürzen würde, nicht in Erfüllung gingen«. »Nun sieht sich Briand den Herren Barthou, Marin, Poincaré usw. gegenüber, die Sache ist zum Stillstand gekommen, und Herr Briand hat sogar einigermaßen das Gedächtnis verloren für die Dinge, die seinerzeit zwischen uns besprochen wurden. Infolgedessen muß die Taktik geändert werden; anstelle einer Verständigung von Mann zu Mann, die mit Caillaux-Briand möglich gewesen wäre, denn Caillaux wollte auf Grund der Abmachungen mit uns über den Dawes-Pakt das Geld haben, um den Franken zu stabilisieren, sind wir jetzt gezwungen, den Kampf um die Rheinlandräumung aufzunehmen, augenblicklich mit Unterstützung von England und Belgien, getragen unzweifelhaft von einem großen Teil der öffentlichen Meinung in Frankreich, aber auch im Kampfe mit den Leuten, die die Sorge haben vor dem nächsten Revanchekrieg, die glauben, daß die Reichswehr ein Instrument sei, um diesen Krieg trotz aller Verträge vorzubereiten.«

Stresemann wollte keinen Krieg, das ist sicher, sondern tatsächlich Verständigung, aber er wollte diese unter Ausnutzung der (allerdings begrenzt zu haltenden) französischen Furcht vor Deutschland, die er immer aufs neue für unbegründet erklärte (und zwar sachlich völlig zu Recht), wenn Frankreich den deutschen Revisionsansprüchen auf dem Verhandlungswege entgegenkäme. Die Frage war nur, wie diese Verhandlungen initiiert werden konnten. Seinen Parteifreunden gegenüber nahm Stresemann zunächst einmal eine negative Abgrenzung bestimmter Erwartungen vor, die hinsichtlich der deutsch-russischen Beziehungen gehegt wurden. So formulierte er: »Wir werden hier um so mehr geschickt vorgehen müssen, als die europäische Atmosphäre mit allen möglichen Explosionsstoffen geladen ist. Die Dinge im Osten stellen uns unter Umständen vor neue Situationen, nicht in dem Sinne eines Krieges, den Rußland führen könnte; denn Sowjetrußland kann keinen Krieg führen. [16] Sowjetrußland wird bei uns überhaupt außerordentlich stark überschätzt; es kann uns weder wirtschaftlich viel bringen, noch kann es uns militärisch viel bieten, und diejenigen, die glauben, wir kämen aus allem heraus, wenn wir uns Sowjetrußland

<hr>

16 Über die Rückschläge der sowjetischen Außenpolitik in der ersten Hälfte des Jahres 1927 vgl. L. Kochan, a. a. O., S. 112. Für Moskau war unter diesen Umständen die politische Neutralität Deutschlands, die Stresemann ja nicht aufzugeben gedachte, im Ergebnis eine prorussische Haltung. Ebda., S. 114 ff. Vgl. auch M. Walsdorff, a. a. O., S. 197 f.

anschlössen, sind, glaube ich, die törichtsten Außenpolitiker . . . Manche glauben, daß die Weltanschauung des Bolschewismus für Deutschland kämpfen würde. Ich glaube absolut nichts; ich sehe nur die bolschewistische Armee, die uns vielleicht in einem Kampfe helfen würde, in dem wir unsere Existenz verlören. Deshalb werden wir alles tun, um Komplikationen zu verhüten, und wir werden den Faden nach dem Westen, nach England, absolut nicht abreißen lassen dürfen.«[17]

Mit diesen Worten bekundete Stresemann einmal mehr seine Auffassung, daß es für Deutschland nicht darum gehen konnte, der Ostpolitik dasselbe Gewicht einzuräumen wie der Westpolitik[18], sondern daß, wenn schon eine Politik der Ost-West-Balance wünschenswert erschien, diese so zu verstehen war, daß die Sowjetunion den Bewegungsspielraum des Reiches zumindest erhalten, gegebenenfalls vergrößern, England aber (und zwar vorrangig politisch, Amerika dagegen wirtschaftlich) Deutschland in den Stand versetzen sollte, von Frankreich jene Zugeständnisse zu erreichen, die geeignet waren, »Versailles« aus den Angeln zu heben. Stresemann zweifelte nicht daran, daß dieses fundamentale Ziel seiner Außenpolitik nur im Prozeß der Geschichte, d. h. schrittweise verwirklicht werden konnte und daß die augenblickliche Situation in Frankreich, konkret: die heterogene Zusammensetzung des Kabinetts Poincaré-Briand, dem nicht gerade förderlich war. In diesem Sinne argumentierte er (seine langfristigen Absichten nicht verbergend): »Ich bin der Meinung, daß jetzt alles getan werden muß, um zunächst erst einmal die Rheinlandräumung durchzusetzen. Ich bin der Meinung, wenn wir das erreicht haben, daß wir uns dann überlegen müssen, ob die Ostfrage wichtiger ist als die Kolonialfrage[19], daß ferner zu überlegen ist, ob und wann es wünschenswert und erfolgreich ist, die österreichische Sache zu betreiben.

---

17 Ähnlich äußerte sich Stresemann in seiner Reichstagsrede am 22. März (1927). Es war wohl mehr als rhetorische Schönfärberei, wenn er in diesem Zusammenhang sagte: »Für Deutschland kommt eine Politik der Sonderbündnisse nicht in Betracht, sondern nur eine Politik, die den Gedanken der Verständigung und des Ausgleichs widerstreitender Interessen fördert. Es ist für uns eine glückliche Tatsache, daß sich in dieser Beziehung das wohlverstandene gesamteuropäische Interesse mit dem individuellen Interesse Deutschlands völlig deckt.« Verhandlungen des Reichstags, Bd. 392, Stenogr. Berichte, Berlin 1927, S. 9814. Es läßt sich also die These aufstellen, daß nach dem Urteil bzw. dem politischen Selbstverständnis Stresemanns am ehesten ein starkes Deutschland einen (militärischen) Konflikt zwischen Ost und West vermeiden und durch seine beiderseitig guten Wirtschaftsbeziehungen (nicht nur selber profitieren, sondern auch) zu einer sozialen Stabilisierung sowie friedlichen Entwicklung des Kontinents Wesentliches beitragen konnte.
18 Die Formulierung »Westpolitik mit östlicher Rückendeckung« trifft diesen Tatbestand wohl am besten. So F. A. Krummacher — H. Lange, Krieg und Frieden. Geschichte der deutsch-sowjetischen Beziehungen. Von Brest-Litowsk zum Unternehmen Barbarossa, München — Eßlingen 1970, S. 155.
19 Sie war in der Diskussion angesprochen worden.

Denn wenn ich in meinen Reden und Kundgebungen und in meinem Auftreten in Genf zu erkennen gäbe, daß ich das *alles* wünschte, dann würde man Herrn Briand sagen: ›Da haben wir es ja! Wenn wir den Rhein räumen, dann greifen sie Polen an, dann wollen sie Österreich, dann wollen sie Kolonien haben!‹ — und dann würde Herr Poincaré ausrufen: ›Das ist der Imperialismus Deutschlands, gegen den Ihr armen Franzosen Euch verteidigen müßt!‹ Deshalb habe ich mich jetzt auf das eine konzentriert und glaube, daß wir die Dinge nacheinander machen müssen.«

Mochte die vorsichtig kalkulierte Strategie Stresemanns noch so überzeugend klingen, mochte Genf die deutsche Delegation politisches Prestige und die (zukunftsträchtige) Möglichkeit erfahren lassen, bei europäischen, sogar weltpolitischen Konflikten vermittelnd einzugreifen [20] — das Drängen nach einer vorzeitigen Räumung der besetzten Gebiete [21] und umgekehrt die (zunächst kompromißlose) Weigerung Großbritanniens sowie Frankreichs, dem zu entsprechen, markierte erneut die neuralgische Stelle im politischen Konzept Stresemanns, genauer: seine objektiv, d. h. durch die europäischen Machtstrukturen bedingte Unfähigkeit, in der Frage der Souveränität des Deutschen Reiches praktisch voranzukommen. Ein geeignetes Druckmittel war nicht vorhanden, und die bloße Argumentation bezüglich der erforderlichen »Rückwirkungen« [22] konnte allenfalls im Laufe von Jahren Anerkennung finden — Grund genug, daß in Deutschland die nationalistische Rechtsopposition nun zur permanenten Attacke (letztlich gegen die Republik insgesamt) überging.

Stresemann war sich der kritischen Situation durchaus bewußt. Am 23. April 1927 schrieb er (mit der Weisung, Briand davon zu unterrichten) an den Botschafter v. Hoesch: »Kernpunkt meiner Außenpolitik ist die Verständigung mit Frankreich. Diese Politik wird auf das ernsteste gefährdet, ja, sie wird in das Lächerliche gezogen, wenn nicht bald etwas geschieht, was als Beweis dafür angesehen werden kann, daß auch die französische Regierung diese Politik weiterverfolgen will. Wir müssen über die Stagnation dieser politischen Entwicklung hinwegkommen. Wenn Herr Briand jetzt nicht in der Lage ist, die Räumungsfrage vorwärtszubringen, so kann und muß ich daraus den Schluß ziehen, daß es auf französischer Seite an den Voraussetzungen einer Annäherung zwischen Deutschland und Frankreich vollständig fehlt...«

20 Vgl. auch den recht optimistischen Brief Stresemanns vom 16. April 1927 an J. E. Sterrett, New. York. NL Bd. 287: Politische Akten 1927/I.
21 Zu unterscheiden von einer — schon in Locarno zugesagten — Truppenverminderung.
22 So z. B. in seinen beiden Reichstagsreden am 22. und 23. März 1927. Verhandlungen des Reichstags, Bd. 392, a. a. O., S. 9812 ff. und S. 9876 ff.

»Ich kann dem Reichstag, wenn er wieder zusammentritt, unmöglich noch weiter mit vagen, hinhaltenden Versprechungen kommen; ich muß wissen, wie sich Herr Briand die weitere Behandlung der Rheinlandfrage denkt, und namentlich, welche konkreten Maßnahmen von ihm jetzt zur Herabsetzung der Truppenstärke eingeleitet worden sind. Kann er uns eine einigermaßen befriedigende Antwort hierauf nicht geben, so nehme ich das lieber hin als die Ungewißheit über die Lage. Ist meine Politik der Verständigung mit Frankreich zum Scheitern verurteilt, so ist es mir lieber, daß ich jetzt die Konsequenzen daraus ziehe, als daß ich mir den Vorwurf machen muß, das deutsche Volk mit irgendwelchen trügerischen Hoffnungen noch länger hinzuhalten.«[23]

Ob nun Stresemann mit seiner (zweifellos auch taktisch gemeinten) pessimistischen Bilanz recht hatte oder nicht[24] — für die Planung seiner Außenpolitik war damit kaum etwas gewonnen, denn es gab für sie keine realistische Alternative: die enge Zusammenarbeit mit Frankreich war und blieb unerläßlich, wenn Versailles auf »friedlichem« Wege revidiert werden sollte. Stimmte der Hinweis, daß Briand, dessen Position im Kabinett der »Nationalen Union« seit der Franc-Stabilisierung immer schwächer geworden war, vor den Wahlen im Mai 1928 keine Entscheidung in der Räumungsfrage fällen konnte[25], dann war das aus deutscher Sicht selbstverständlich zu bedauern und in der öffentlichen Diskussion zu bekämpfen — eine Modifizierung der bisherigen Frankreichpolitik wurde dadurch aber um nichts wahrscheinlicher. Mit anderen Worten: Es gab kein Instrumentarium, um die allen sichtbare Krise in den deutsch-französischen Beziehungen von Berlin aus zu beenden.[26]

Zu einem gewissen Höhepunkt in der internationalen Anerkennung Stresemanns gestaltete sich die Tagung des Völkerbundsrates vom 13. bis 17. Juni 1927 in Genf.[27] Erstmalig demonstrierte die Rückkehr

23 AA, Büro RM, Frankreich 7, Bd. 10.
24 In der Sache war es ja keinesfalls ganz fair, der französischen Regierung nur deshalb eine Politik der Verständigung mit Deutschland abzusprechen, weil diese (nach deren Absicht) prinzipiell auf dem Boden des Status quo erfolgen sollte.
25 So die Mitteilung von Professor Hesnard am 24. Juli 1927 in Bad Wildungen. NL Bd. 56: Akten 1. Juli — 30. Juli 1927; ebenso AA, Büro RM, Frankreich 7, Bd. 11. Vgl. auch den Brief Stresemanns an W. Jänecke, Hannover, vom 25. Juli (1927). NL Bd. 286: Politische Akten 1927/II.
26 Daran konnte auch der dann endgültig im August 1927 erfolgende Abschluß eines Handelsvertrages (nach fast dreijährigen Bemühungen) kaum etwas ändern, obwohl er von beiden Seiten als ein starkes Plus gewertet wurde.
27 Der Abbruch der diplomatischen Beziehungen zwischen Großbritannien und der UdSSR im Mai (1927) mußte die Position des Reiches erschweren, dessen Gewicht auf dem politischen Waagebalken zwischen Ost und West aber erhöhen. Allerdings wurde deutscherseits (besonders von Brockdorff-

des Deutschen Reiches in den Kreis der Großmächte politische Wirkung: mit Litauen gelang Stresemann ein Kompromiß in der Frage der parlamentarischen Vertretung der deutschen Bevölkerung des Memellandes; darüber hinaus erreichte er die Aufnahme Deutschlands in die Mandatskommission des Völkerbundes. [28] Deutschland erhielt dadurch ein anerkanntes und jederzeit anwendbares Mitspracherecht über seine ehemaligen Kolonien, ein Anliegen, das seit der Unterzeichnung des Versailler Vertrages die Außenpolitik aller Reichsregierungen nicht unerheblich motiviert hatte. [29]

Trotz dieser Teilerfolge (besonders in der Minderheitenfrage) zeichnete sich jedoch, ganz abgesehen von der Verzögerung der Rheinland-

---

Rantzau) nachfolgend ein russisch-französisches Einvernehmen befürchtet. Am 24. September 1927 telegraphierte Stresemann (Tel.-Nr. 85, »ganz geheim«) an den deutschen Botschafter in Moskau: »Gegen den Abschluß eines russisch-französischen Non-aggression-Vertrages, der auch der Ausdruck einer gewissen positiven politischen Einstellung gegenüber dem Vertragspartner ist, hätten wir keinen Anlaß, Einspruch zu erheben, da gegen die formelle Seite — die Bekundung friedlicher Absichten — Bedenken nicht geltend gemacht werden können und uns in materieller politischer Hinsicht eine russisch-französische Annäherung, soweit sie sich nicht auf unsere Kosten vollzieht, nur willkommen sein kann. Hinsichtlich der formellen Seite gilt dasselbe für einen russisch-polnischen Non-aggression-Vertrag (einen *Garantievertrag* glaubte Stresemann ausschließen zu können, »da ein solcher Garantievertrag den Grundlagen der deutsch-russischen politischen Beziehungen — Rapallo- und Berliner Vertrag — widersprechen würde«), in materieller Beziehung dagegen könnte ein solcher Vertrag insofern eine für uns nachteilige Rückwirkung haben, als er den Polen in ihren Beziehungen zu Deutschland den Rücken stärken würde.«(!) AA, Büro RM, Frankreich 7, Bd. 11. — Für Stresemann kam es offensichtlich darauf an, sowohl die russische als auch die (entscheidende) französische Karte in der Hand zu behalten und sich von keinem der beiden Kontrahenten ausspielen zu lassen. Vgl. auch seine Unterredung mit Briand vom 26. September. Ebenda. Allgemein M. Walsdorff, a. a. O., S. 194 ff., und M. Oertel, a. a. O., S. 129 ff.
28 Vgl. dazu A. Schwarz, a. a. O., S. 129.
29 Einen ersten Bericht über die Tagung gab Stresemann auf dem Presseempfang am 20. Juni 1927. NL Bd. 55: Akten 15. Juni — 30. Juni 1927; ebenso NL Bd. 286. Aufschlußreich die folgende Passage: »Wir dürfen unsere koloniale Erfahrung nicht verlieren, ganz gleichgültig, ob wir die Kolonien als Mandatare verwalten oder ob wir sie mit beaufsichtigen. Wie sollen wir auf die Dauer unsere Aufgaben erfüllen, ohne daß wir an der Rohstoffgewinnung der Welt wieder beteiligt werden? Mir ist das unklar.« Auf der Sitzung des Zentralvorstandes der DVP am 19. März, a. a. O., hatte Stresemann allerdings erklärt, »daß (zwar) ein Wiederbesitz von Kolonien wünschenswert« sei und »unsere Bedeutung nach außen«, hatte aber hinzugefügt: »Was unsere Wirtschaft anlangt, so unterliegt es einigem Zweifel, ob der Zeitpunkt der richtige ist, jetzt in einzelnen Erdteilen in die Entwicklung einzugreifen, die unsere Feinde herbeigeführt haben. Meiner Ansicht nach kann dies jetzt nicht diskussionsfähig sein; denn ich glaube, die Kolonialfrage muß doch auch unter der Erwägung betrachtet werden, ob ohne eine ganz starke (gemeint ist wohl: politisch-militärische) Autorität Kolonien heute noch so zu verwalten sind wie früher.« Die Wiedergewinnung der ehemaligen Kolonien war für Stresemann damals (und bis 1929) also kein »aktuelles Ziel der deutschen Politik«. Im Widerspruch zu A. Thimme, Stresemann, a. a. O., S. 99.

räumung [30], spätestens seit dem Sommer 1927 deutlich die Tendenz ab, daß eine der wichtigsten Prämissen der politischen Kalkulation Stresemanns mehr und mehr ins Wanken geriet: Polen verblieb (nach dem Militärputsch Pilsudskis) keineswegs in dem inneren Schwächezustand, auf den man deutscherseits gesetzt hatte; seine politische und wirtschaftliche Regenerationskraft war — gerade auch von Stresemann — offensichtlich unterschätzt worden. [31] Insofern entsprach es durchaus den veränderten Bedingungen, wenn dieses »neue« Polen auf der Herbsttagung des Völkerbundes den überraschenden Vorstoß unternahm, auf dem Wege über ein System von Nichtangriffspakten doch noch zu einem »Ost-Locarno« zu gelangen. [32] Stresemann hatte die Genugtuung, daß diese Bemühungen wiederum erfolglos blieben [33], aber er mußte zur Kenntnis nehmen, daß die innere Stabilisierung Polens [34] eine Revision der deutschen Ostgrenzen, mindestens in der beabsichtigten Größenordnung (Danzig, Korridor, Oberschlesien, Teile Mittelschlesiens), in weitere Ferne rückte als je zuvor. [35] In Wahrheit hatte die deutsche Polenpolitik seit dem Jahre 1927, auf eine kurze Formel gebracht, faktisch nur noch die Wahl zwischen einem Verzicht auf die bisherigen Grenzforderungen (aber keine Partei wollte das)

---

30 Vgl. auch Stresemanns Reichstagsrede (»Gallia quo vadis?«) am 23. Juni 1927. Verhandlungen des Reichstags, Bd. 393, Stenogr. Berichte, Berlin 1927, bes. S. 11006 ff. Am 23. August 1927 schrieb Hoesch an Stresemann: »Was die größere und wichtigere Frage der Räumung (Hoesch berichtet zuvor über eine eventuelle Verminderung der Besatzungstruppen um 10000 Mann) anlangt, so scheinen mir augenblicklich Aussichten für die Erzielung praktischer Ergebnisse kaum zu bestehen. Eine Verhandlung über Räumung wäre ja überhaupt nur denkbar, wenn wir bedeutende politische Gegenleistungen anbieten könnten und wollten, was bekanntlich nicht der Fall ist. Auch dann aber erscheint es mir sehr fraglich, ob man mit dem jetzigen französischen Kabinett, in dem die außen- und innenpolitischen Gegensätze naturgemäß sich immer mehr geltend machen, überhaupt eine Verhandlung von derartiger Tragweite noch erfolgreich führen könnte.« NL Bd. 285: Politische Akten 1927/III.

31 Vgl. dazu K. D. Erdmann, Ost- oder Westorientierung, a. a. O., S. 151, und (trotz des polemischen Untertones) W. Ruge, Stresemann, a. a. O., S. 187 f.; ebenso M. Broszat, a. a. O., S. 174 f., und M. Walsdorff, a. a. O., S. 194 ff.

32 Vgl. L. Zimmermann, a. a. O., S. 327 und S. 342, sowie H. L. Bretton, a. a. O., S. 122 f.

33 Die Übereinstimmung der Locarnomächte in dieser Frage — vgl. die Aufzeichnung Stresemanns vom 3. September über seine Unterredung mit Briand (AA, Büro RM, Frankreich 7, Bd. 11) — konnte Stresemann zu Recht als ein Ergebnis seiner Politik (und der guten persönlichen Beziehungen zu Briand und Chamberlain) bezeichnen. Vgl. auch seinen Brief an Reichskanzler Marx vom 21. September. NL Bd. 59: Akten 15. September — 1. Oktober 1927.

34 Finanzpolitisch bedeutsam war insbesondere die Bereitschaft englischer und amerikanischer Banken, eine Stützungsaktion für den Zloty einzuleiten.

35 Auch in der Frage der Rheinlandräumung mußte sich Stresemann auf den psychologisch besseren Zeitpunkt nach den französischen Wahlen (Mai 1928) vertrösten lassen. Aufzeichnung vom 15. September 1927. AA, Büro RM, Frankreich 7, Bd. 11.

und dem offensichtlichen Scheitern dieser Forderungen an den machtpolitischen Realitäten — oder sie richtete sich (gegen die Absicht Stresemanns) [36] langfristig darauf ein, unter Androhung bzw. Anwendung
von Gewalt (einschließlich der damit verbundenen Risiken) ihre territorialen Ziele durchzusetzen. Zwar gab es weiterhin theoretisch die
Möglichkeit, daß Polen wirtschaftlich doch noch zusammenbrach, praktisch war das aber höchst unwahrscheinlich.

Stresemann kann diese Situation nicht verborgen geblieben sein,
denn es war in der Tat mehr Zweckoptimismus als begründete Überzeugung [37], wenn er in einem Rückblick auf die Entwicklung der
deutsch-polnischen Beziehungen bis zum Ende des Jahres 1927 am
16. Dezember gegenüber führenden Persönlichkeiten der ostpreußi-
schen Bevölkerung im Königsberger Rathaussaal — vertraulich — erklärte (lt. Protokoll, von Stresemann abgezeichnet): »Eine Beseitigung
des Korridors durch Krieg sei unmöglich. Wir hätten keine Machtmittel. Es sei daher die Frage zu prüfen, ob ein Rückerwerb des Korridors auf friedlichem Wege möglich sei. Das sei eine Frage, die ganz
Europa angehe. Eine Möglichkeit in dieser Richtung böte sich nur auf
dem Wege über Paris und London. Eine Lösung sei nur möglich durch
Fortsetzung der Locarnopolitik, durch enge Verbundenheit von Berlin
mit London und Paris. In England herrsche lebhaftes Friedensbedürf-
nis, unterstützt durch die schwierige soziale und wirtschaftliche Lage
des Landes und die Furcht vor einer weiteren Unterhöhlung durch den
Bolschewismus. Nach den Erfahrungen bei der Einschiffung englischer
Truppen nach China sei es für England unmöglich, auf absehbare Zeit
Truppen ins Ausland zu schicken . . .«

»Es bleibe uns nichts weiter übrig, als unsere Beziehungen, insbesondere zu Frankreich, weiter auszubauen. Frankreich müsse zunächst
die Angst vor deutscher Bedrohung verlieren, sodann die Unhaltbar-
keit der jetzigen Grenzziehung erkennen und sich schließlich zu einer
Änderung dieser Grenzführung gegen gewisse Gegenleistungen von
uns auf finanziellem Gebiet verstehen. Wir seien jetzt schon so weit,
daß maßgebende französische Politiker keinen Widerspruch gegen die
Darlegung der Unmöglichkeit der jetzigen Grenzen erhöben. [38] Der

---

36 Aber in Übereinstimmung mit den Intentionen Seeckts. Vgl. Fr. L. Carsten,
   a. a. O., bes. S. 257/259. — Seeckt war allerdings im Oktober 1926 durch
   General Heye abgelöst worden. Ebda., S. 267 ff. Vgl. auch Michaelis —
   Schraepler, Ursachen und Folgen, Bd. VII, S. 484 f.
37 Vgl. L. Zimmermann, a. a. O., S. 341, Anm. 30. Das geht auch aus der
   Aufzeichnung Stresemanns vom 19. Dezember 1927 hervor. Vermächtnis,
   Bd. III, S. 243 ff.
38 Einem Bericht (vom 28. April 1927) des Konsuls Carl René zufolge war
   selbst Poincaré der Ansicht, »daß der ›Korridor‹ in der heutigen Form ein
   Unding sei. Nur sei es sehr schwer, diesbezüglich mit den Polen zu einer friedlichen Verständigung zu kommen. Er — Poincaré — hätte sich ebenfalls eingehend mit dieser Frage beschäftigt und glaube, daß sich, durch französi-

früher übliche Einwand von der Heiligkeit der geltenden Verträge werde nicht mehr ins Feld geführt.« [39]

Mit diesen Sätzen war, programmatisch verdichtet, ein weiteres Mal die Intention der »Europa-« und speziell der Frankreichpolitik Stresemanns angesprochen, aber es blieb (nach seinen eigenen Worten) gänzlich ungewiß, wann und unter welchen Umständen die »große« Lösung der Ostfragen erfolgen sollte. Das allerdings war sicher: Ohne eine enge deutsch-französische »Verständigung« — sie setzte mindestens die vorzeitige Rheinlandräumung voraus — bestand für das anvisierte Ziel überhaupt keine Aussicht, jemals verwirklicht zu werden. Von Großbritannien erwartete Stresemann, daß es wie bisher eine (vertragliche) Garantie der territorialen Verhältnisse Ostmitteleuropas ablehnte und sich dem Standpunkt der Reichsregierung (hinsichtlich einer Grenzrevision) mehr und mehr annäherte; von der Sowjetunion, daß sie keinen Nichtangriffspakt mit Polen abschloß und allgemein Deutschland in der außenpolitisch relevanten Abrüstungsfrage unterstützte. [40] Beides war mit der Interessenlage der europäischen Flügelmächte durchaus zu vereinbaren. [41]

Ganz anders verhielt es sich jedoch mit Frankreich und Polen. Von ihnen wurde zweifellos mehr verlangt, als sie freiwillig geben konnten. [42] Nur eine außergewöhnlich günstige Konstellation, die, wenn schon nicht die Wiederbewaffnung, so doch die volle Souveränität,

---

sche Vermittlung, wohl eine Einigung mit Warschau herbeiführen ließe.« NL Bd. 282: Konsul Carl René 1927/28.

39 NL Bd. 62: Akten 4. Dez. — 24. Dez. 1927. Ähnlich — wenngleich weniger konkret— hatte Stresemann am 11. Dezember vor der Presse argumentiert und dabei erneut festgehalten, daß die Korridorfrage, »soweit wenigstens mein Verstand reicht, von uns nicht kriegerisch gelöst werden kann, daß das das Ende Deutschlands wäre. Wir können nicht gegen Polen kämpfen, denn Frankreich würde sich sofort auf die Seite Polens stellen.« Ebenda.

40 Vgl. dazu L. Zimmermann, a. a. O., S. 242 f., und L. Kochan, a. a. O., S. 118 f. Darüber hinaus erwartete Stresemann — und zwar gerade als Gegner jeder bolschewistischen Agitation —, »Rußland werde durch Evolution allmählich zu einem Land vernünftiger Methoden und gesunder Kaufkraft werden«. So in einem Telegramm (Nr. 1197) an die Deutsche Botschaft in Paris vom 15. Oktober 1927. AA, Büro RM, Frankreich 7, Bd. 12.

41 Es kommt hinzu, daß der in den 20er Jahren beträchtlich anwachsende Osthandel die Abhängigkeit des Deutschen Reiches vom angloamerikanisch beherrschten Weltmarkt partiell aufhob, d. h. einer politisch verwertbaren ökonomischen Stärkung förderlich war. Nach Aussage Stresemanns — am 16. Dezember in Königsberg (a. a. O.) — mußte Deutschland es allerdings vermeiden, »vor der Revision des Dawes-Plans (!) den Eindruck eines kapitalreichen Landes zu machen«. Zur Entwicklung des deutsch-sowjetischen Außenhandels von 1924—1932 vgl. A. Anderle, a. a. O., S. 170.

42 Auch Briand war weder willens noch fähig, die Grundlagen von Versailles aufzuheben. Alle Bekenntnisse zur deutsch-französischen Verständigung — so etwa am 13. November 1927 in Nantes (vgl. Hoesch mit Telegramm Nr. 1214 vom 14. November. AA Frankreich, Politik 2, Bd. 16) — vermochten daran nichts zu ändern. Allgemein dazu M. Oertel, a. a. O., bes. S. 152 ff. und S. 169 ff.

d. h. die von außen (USA) nicht beschränkte wirtschaftspolitische Bewegungsfreiheit Deutschlands voraussetzte, mochte der Strategie Stresemanns vielleicht noch zum Siege verhelfen, aber sie war, wie schon erwähnt, höchstens als Grenzwert des Wahrscheinlichen zu definieren. Bis zum Jahre 1929 glückte der deutschen Polenpolitik jedenfalls kein entscheidender Durchbruch; die anhaltenden Querelen — sie entzündeten sich vor allem am Minderheitenproblem [43] — waren nicht dazu angetan, die Bereitschaft für ein dauerhaftes Arrangement zu fördern. Danzig und Kattowitz lagen für Stresemann weiter entfernt, als er es sich (zumindest aber der deutschen Öffentlichkeit) eingestehen wollte. An den Machtverhältnissen, wie sie der verlorene Weltkrieg verursacht hatte, ging kein politischer Weg vorbei; auch die beste diplomatische Aktivität im Völkerbund konnte daran grundlegend nichts verändern. [44]

Rheinlandräumung, Reparationsregelung und Abrüstungsverhandlungen waren in den beiden letzten Jahren der Ministertätigkeit Stresemanns die zentralen Themen im Verhältnis zwischen Deutschland und Frankreich. [45] Anfang 1928 erhielt die Wilhelmstraße glaubwürdige Informationen, daß nunmehr (aus wirtschaftspolitischen Erwägungen) [46] auch Poincaré die Absicht verfolge, die Prinzipien des Thoiry-Gespräches neu zu beleben; bei Briand durfte das ohnehin vorausgesetzt werden. [47] Am 20. Januar berichtete Hoesch aus Paris [48]: »Die franzö-

43 Ein Beispiel dafür ist die Rede Stresemanns auf der Tagung des Völkerbundsrates am 6. März 1929. Michaelis — Schraepler, Ursachen und Folgen, Bd. VI, S. 724 ff. Vgl. auch M. Broszat, a. a. O., S. 175 ff.
44 Das ist natürlich post festum geurteilt. 1927 durfte Stresemann wohl noch auf eine günstige Regelung hoffen. Vgl. seine Unterredung mit Briand am 11. Dezember 1927 in Genf. Aufzeichnung vom selben Tage. AA, Büro RM, Frankreich 7, Bd. 12. Stresemann erklärte sich zu einem »Ost-Locarno« mit Polen bereit, »wenn die zwischen uns stehenden Grenzfragen erledigt würden«, und besprach mit Briand »die Möglichkeit etwaiger Kompensationen für Polen: Freihafen in Danzig, evtl. Freihafen in Memel. Herr Briand war ganz enthusiasmiert bei dem Gedanken, daß evtl. eine solche Lösung möglich wäre.(!) Er sprach davon, daß der Friede in Europa dann gesichert wäre, und sprach gegen den Gedanken der Grenzänderung nicht ein Wort der Kritik aus.« — Ähnlich verlief die Unterredung mit Chamberlain am folgenden Tage. Aufzeichnung vom 12. Dezember. Ebenda. Vgl. auch M. Oertel, a. a. O., bes. S. 148 ff. Einleuchtend die These, Stresemann sei von 1927 an überzeugt gewesen, daß nur eine Verbesserung der deutsch-polnischen (wirtschaftlichen und politischen) Beziehungen die Aussicht auf eine Grenzrevision eröffnete.
45 Am 26. Juni 1928 schrieb v. Schubert an Stresemann: »Die drei großen außenpolitischen Probleme von allgemeiner Bedeutung, die vor uns liegen, sind Rheinland, Reparationen und Abrüstung.« NL Bd. 351.
46 Das Schuldenabkommen mit den Vereinigten Staaten war französischerseits immer noch nicht ratifiziert worden.
47 Dem Prälaten Kaas schrieb Stresemann am 12. Januar (1928): »Briand drängt jetzt darauf, im Jahre 1928 die Entscheidung über die Rheinlandräumung herbeizuführen ... Ich bin aber überzeugt, daß Briand wie gewöhnlich die Widerstände zu gering einschätzt. Auch v. Hoesch ist dieser Meinung.« NL Bd. 63: Akten 25. Dez. 1927 — 27. Jan. 1928.
48 Ebenda.

sische öffentliche Meinung und die französischen Politiker zerfallen jetzt hinsichtlich ihrer Stellungnahme zu dem Räumungsproblem in zwei Teile: einen Teil, der von vorzeitiger Räumung überhaupt nichts wissen will und diese mit mehr oder minder großer Schärfe bekämpft, und einen anderen Teil, der sich zu der Überzeugung der Notwendigkeit der baldigen Räumung durchgerungen hat, diese aber gegen irgendwelche Vorteile aushandeln will.« Es sei, so argumentierte er nachfolgend, trotz der »für uns unannehmbaren Bedingungen« als ein Fortschritt anzusehen, daß die radikalsozialistische und die sozialistische Partei die Räumung bei Zusage einer deutschen Gegenleistung in ihr Wahlprogramm aufgenommen hätten. Hoesch empfahl, aus diesem Grunde und damit nicht die rechten Gruppierungen (die die »Aufrechterhaltung der gegenwärtig gegebenen effektiven Sicherheitsgarantien« betonten) Oberwasser bekämen, von Berlin aus öffentliche Verlautbarungen der Art, »daß für uns nur die alsbaldige bedingungslose Räumung Interesse habe«, möglichst zu vermeiden. [49]

Während Stresemann in seiner Etatsrede am 30. Januar [50] zwar die französische Sicherheitsthese (ein Sonderkontrollsystem am Rhein über den Artikel 213 des Versailler Vertrages hinaus) ablehnte [51] und sehr kritisch den Widerspruch zwischen Locarnopolitik und fortdauernder Rheinlandbesetzung herausstellte, zugleich aber auch die Bereitschaft der Reichsregierung zu Verhandlungen über eine Gesamtregelung der beiderseitigen Fragen signalisierte [52], beharrte Poincaré (jedenfalls nach außen) auf seiner bekannten Maxime: »Die Franzosen haben ein Recht darauf, bezahlt zu werden. Vorher können sie das Rheinland nicht räumen.« [53] Ähnlich äußerten sich damals alle maßgebenden Vertreter der hinter der Regierung stehenden Parteien; auch Briand machte da keine Ausnahme. [54]

---

49 Erst nach den Kammerwahlen rechnete Hoesch mit einer »annehmbaren Lösung«, »insbesondere dann, wenn Briand noch das Außenministerium verwaltet und er alsdann zeigen muß, ob er seine Verheißung einer leichten Einigung wahrmachen kann«.

50 Verhandlungen des Reichstags, Bd. 394, Stenogr. Berichte, Berlin 1928, S. 12490 ff.

51 Nach dem Urteil Stresemanns, S. 12491, hatte »bisher kein Staat mehr oder auch nur ebensoviel zur Lösung der Sicherheitsfrage beigetragen .. als Deutschland«.

52 Für Stresemann war und blieb, wie er das auch in seiner Reichstagsrede am 1. Februar ausdrücklich betonte, die baldige Rheinlandräumung »der große Moment einer wirklichen, dauernden Verständigung zwischen Frankreich und Deutschland«. Ebda., S. 12559.

53 So Professor Hoetzsch nach einem Besuch in Paris. Aufzeichnung v. Schuberts über sein Gespräch mit Hoetzsch vom 27. Februar 1928. NL Bd. 65: Akten 23. Febr. — 22. März 1928.

54 Zur Senatsrede Briands am 2. Februar 1928 vgl. G. Suarez, Bd. VI, a. a. O., S. 231 ff.; ebenso Hoesch mit Telegramm Nr. 133 vom 3. Februar. AA Frankreich, Politik 2, Bd. 18. (Wichtig der Hinweis, daß Briand im Zusammenhang mit der vorzeitigen Räumung des Rheinlandes die »Möglichkeit der

Das politische Junktim zwischen vorzeitiger Rheinlandräumung (französischerseits) und finanzieller Gegenleistung (deutscherseits) deckte sich 1928 zwar nicht mehr ganz mit der Konzeption Stresemanns — er hielt nunmehr den Augenblick für gekommen, das eine ohne das andere erreichen (mindestens fordern) zu können —, aber es entsprach doch der Gesamttendenz seiner bisherigen Politik und war insofern nicht einfach abzulehnen. Zudem mußten bei einer kritischen Bewertung der Situation der französische Wahlkampf [55], der Interessenkonflikt in der Regierungskoalition, die Absicht der Militärs, Zeit für den Ausbau der Maginot-Linie zu bekommen (andererseits ein Plus für die Regelung des Sicherheitsproblems) [56], und der Widerstand in einflußreichen Publikationsorganen gegen den Grundgedanken von Thoiry (der indessen im Senat allgemeine Zustimmung fand) berücksichtigt werden. Das also heißt: Die Rheinlandräumung — offensichtlich ein Trumpf der französischen Politik — war und blieb, wenn sie überhaupt erfolgte, ein Geschäft auf Gegenseitigkeit. [57] Die deutsche Rechtsopposition, namentlich Hugenberg, griff jedoch gerade ein solches (international ganz selbstverständliches) Verfahren immer heftiger an. [58]

Gesamtregelung unter Einschluß Reparations- und Schuldenproblems noch im Jahre 1928« angedeutet habe.) Eine erste Antwort von Stresemann erfolgte auf seiner Pressekonferenz am 3. Februar. NL Bd. 64: Akten 28. Jan. — 20. Febr. 1928. In seinem Telegramm (Nr. 138) vom 4. Februar zitierte Hoesch nach einem Gespräch mit Berthelot dessen entscheidende Interpretation der Rede Briands: »Worauf es ankomme, sei eben Herstellung eines gemeinschaftlichen Vorgehens zwischen Deutschland, England, Frankreich und Amerika unter Mitwirkung Zahlungsagenten mit dem Ziele, durch einen gemeinsamen Akt Schulden-, Reparations- und Besatzungsfragen zu erledigen.« AA, Büro RM, Frankreich 7, Bd. 12. — Es liegt auf der Hand, daß Stresemann nicht daran interessiert sein konnte, die vorzeitige Räumung der Rheinlande mit einer Lösung des interalliierten Schuldenproblems zu verquicken.
55 Vgl. dazu Hoesch mit Telegramm Nr. 335 vom 26. März 1928. AA Frankreich, Politik 2, Bd. 19.
56 Dazu W. S. Shirer, Der Zusammenbruch Frankreichs. Aufstieg und Fall der Dritten Republik, München — Zürich 1970, S. 186 ff.
57 Der Wahlsieg Poincarés mußte dem Prinzip des »Do ut des« vollends zum Siege verhelfen. Vgl. das Interview, das der außenpolitische Redakteur des »Vorwärts«, Victor Schiff, Ende April mit Poincaré führte. NL Bd. 67: Akten 27. April — 22. Juni 1928. (Interessant — und von Stresemann durch Unterstreichungen besonders hervorgehoben — die Bemerkung Poincarés, daß in Wahrheit er 1926 Thoiry initiiert habe.) Vgl. auch den Leitartikel der »Vossischen Zeitung« vom 27. Mai (1928) mit der Überschrift: »Ist Poincaré zur Verständigung bereit?«
58 Wenn Stresemann, so am 15. April 1928 beim Landesparteitag der DVP in Leipzig, seinen deutschnationalen Widersachern entgegenhielt: »Es gibt keine parteipolitische Außenpolitik, es gibt nur eine deutsche Außenpolitik! Wenn jemand nichts hinter sich hat und auf den Tisch schlägt, macht er sich lächerlich!« (»Leipziger Neueste Nachrichten« vom 16. April 1928) —, dann entsprach das zwar allen Regeln und Erfahrungen politischer Vernunft, konnte aber ideologisch motivierte Machtinteressen (bei permanenter Selbstüberschätzung) in keiner Weise erschüttern.

Reichstagswahlen (am 20. Mai) und Schwierigkeiten bei der Regierungsbildung [59] taten ein übriges, die Position Stresemanns (zwischen Frühjahr und Sommer 1928) noch mehr zu belasten. [60] In dieser Lage war es »ein Glück, daß Stresemanns Politik durch das Eingreifen der Vereinigten Staaten einen neuen Anstoß erhalten hatte«. [61] Schon im Juni 1927 war von Briand (nach einer ersten Ankündigung im April) [62] der US-Regierung ein (bilaterales) Abkommen zur Friedenssicherung, genauer: ein Neutralitäts- und Freundschaftsvertrag vorgeschlagen worden. Staatssekretär Kellogg hatte den Plan (im Dezember 1927) [63] mit dem Gegenvorschlag eines umfassenden Kriegsächtungspaktes beantwortet. [64] Am 13. April 1928 lud die amerikanische Regierung neben anderen Staaten auch Deutschland ein, sich dem Vertrag, der in seiner inzwischen modifizierten Formulierung eigentlich nur den (inhaltlich kaum bestimmbaren) Angriffskrieg verurteilte, anzuschließen. [65] Um die deutsche Friedens- und Verständigungsbereitschaft weltweit zu bekräftigen, setzte sich Stresemann nachdrücklich für einen Beitritt des Reiches ein. [66] Diese Entscheidung

59 Vgl. dazu A. Rosenberg, a. a. O., S. 457 ff., H. Heiber, a. a. O., S. 193 ff., und H. A. Turner, a. a. O., S. 225 ff. Allgemein zur Bildung und politischen Tätigkeit der neuen Regierung Akten der Reichskanzlei, Weimarer Republik, Das Kabinett Müller II, 28. Juni 1928 bis 27. März 1930, 2 Bde., bearbeitet von M. Vogt, Boppard 1970.
60 Aus dem Rundschreiben Stresemanns an die deutschen Auslandsmissionen vom 18. April 1928 geht hervor, daß man in Berlin vor dem Amtsantritt des neuen amerikanischen Präsidenten (März 1929) weder in der Reparationsnoch in der Räumungsfrage wesentliche Entscheidungen erwartete. AA Frankreich, Politik 2, Bd. 19. — In Frankreich selbst wurde der Ausgang der Reichstagswahlen überwiegend positiv bewertet. Hoesch mit Telegramm Nr. 565 vom 22. Mai 1928. AA, Büro RM, Frankreich 7, Bd. 13.
61 L. Zimmermann, a. a. O., S. 355. Die kritische Anmerkung von R. Gottwald, a. a. O., S. 158, Fußn. 50, ist deshalb nicht ganz überzeugend, weil in der Tat, wie er selber auf S. 95 schreibt, die Initiative dieses Mal (anders als 1922 und vor Locarno) von Washington ausging.
62 Vgl. R. Gottwald, a. a. O., S. 88.
63 Vgl. ebda., S. 89 f.
64 Am 12. Januar 1928 telegraphierte Staatssekretär v. Schubert an mehrere deutsche diplomatische Vertretungen (darunter London, Rom und Moskau) »zur vertraulichen Information«: »Frankreich verfolgte mit seinem ersten Vorschlage zweifellos das Ziel, ein französisch-amerikanisches Sonderverhältnis zu schaffen, dessen Auswirkungen ihm bei etwaigen europäischen Konflikten (also besonders bei einem deutsch-polnischen Grenzkonflikt — Anm. d. Verf.) einseitig zugute gekommen wären... Die Ablehnung eines bloß bilateralen Paktes seitens der Amerikanischen Regierung ist vom deutschen Standpunkt aus natürlich sehr zu begrüßen, ebenso wie die politische Wiederannäherung der Vereinigten Staaten an europäische Probleme.« AA, Büro RM, Frankreich 7, Bd. 12. Vgl. auch R. Gottwald, a. a. O., S. 90 ff.
65 Note des amerikanischen Botschafters in Berlin, J. G. Schurman, an Stresemann. Michaelis — Schraepler, Ursachen und Folgen, Bd. VII, S. 4 f.
66 Antwortnote Stresemanns an Schurman am 27. April (1928). Ebda., S. 5 ff. (Die Note betonte ausdrücklich »das souveräne Recht eines jeden Staates zur Selbstverteidigung«.) Vgl. auch R. Gottwald, a. a. O., S. 95 f., und W. Link, Die amerikanische Stabilisierungspolitik, a. a. O., S. 352 f. Am 10. Juli erfolgte die Zustimmung der Reichsregierung zum nochmals revidierten Ver-

wurde wesentlich durch die politische Absicht mitbestimmt, die Bindungen an die USA (allein schon wegen der beabsichtigten Endregelung der Reparationen) zu verstärken, umgekehrt das französische Bündnissystem zu schwächen [67], einer Erneuerung der englisch-französischen Entente, wie sie sich im Flottenabkommen der beiden Staaten (Juni 1928) anzeigte [68], entgegenzuwirken und die günstige Gelegenheit des internationalen Treffens für eine neue Initiative in der Räumungsfrage zu nutzen. [69]

Obwohl bereits schwer leidend, reiste Stresemann am Abend des 25. August (1928) zur Vertragsunterzeichnung nach Paris. [70] Es war

---

tragsentwurf. Text des »Briand-Kellogg-Paktes«, den am 27. August 1928 15 Staaten in Paris unterzeichneten, s. Michaelis — Schraepler, Ursachen und Folgen, Bd. VII, S. 7 ff. Nach dem Urteil von M. Baumont, Briand, a. a. O., S. 72, war der »Briand-Kellogg-Pakt« »ein theatralischer Sieg des Friedensgedankens, so recht geschaffen, um in seiner Unschuld die Phantasie der Massen zu beeindrucken«. R. Gottwald, a. a. O., S. 102, gibt dagegen folgende politische Analyse: »Die deutsche Politik gegenüber den USA, die seit Locarno möglich geworden war, hatte zugleich mit der wiedergewonnenen Freiheit auch das Risiko mitübernehmen müssen, das in einem freien Spiel der Interessen eingeschlossen lag. Der Erfolg der deutschen Politik, gemeinsam mit den USA handeln zu können, war davon abhängig, welche Interessen die Vereinigten Staaten mit den übrigen europäischen Staaten verbanden. Das Zusammenspiel hatte auf einer Interessenkoalition auf Zeit beruht, deren Dauer von den USA und dem Charakter der Beziehungen zu den europäischen Großmächten, vor allem Frankreich, abhängig war. Diese Grenzen wird man bei der Beurteilung der Bedeutung des Kellogg-Paktes für die deutsch-amerikanischen Beziehungen zuerst sehen müssen. Trotzdem hatten sich in den Verhandlungen die Möglichkeiten einer gegenseitig fördernden Zusammenarbeit angedeutet, die auszubauen Deutschland durch die Krankheit und den frühen Tod Stresemanns vielleicht verhindert worden ist.«

67 R. Gottwald, a. a. O., S. 92 f. und S. 95.
68 Vgl. dazu W. Deist, Internationale und nationale Aspekte der Abrüstungsfrage 1924—1932, in: Locarno und die Weltpolitik 1924—1932, a. a. O., S. 69 f.
69 Am 12. Juli 1928 telegraphierte Hoesch (Tel.-Nr. 755) über seine Unterredung mit Poincaré: »Ministerpräsident eingehend nun auf Diskussion und ausführte: er würde es nach Locarno nicht mehr für verfechtbar halten, Fortdauer Besetzung mit Gründen der Sicherheit zu motivieren. Er würde es auch nicht für loyal ansehen, wollte man Räumung von vorheriger Fertigstellung geplanten Defensivsystems französischer Ostgrenzen abhängig machen . . . Einzig wirklicher Grund für Fortdauer Besetzung sei deutsche Reparationsverpflichtung.« AA Frankreich, Politik 2, Bd. 19. — Am 13. Juli berichtete der deutsche Gesandte in Warschau, Rauscher, über die Bemühungen des polnischen Außenministers Zaleski, Frankreichs Bereitschaft zur vorzeitigen Rheinlandräumung an ein »Ost-Locarno« zu binden. NL Bd. 293: Politische Akten 1928/III. Stresemann durfte erwarten, daß Briand ein solches Junktim ablehnte, aber es blieb die (auch zeitlich drängende) Aufgabe, der polnischen Strategie entgegenzuarbeiten, d. h. die eigene Position in Paris durchzusetzen.
70 Zum Kellogg-Pakt hatte sich Seeckt in seinem Memorandum (mit der Leitfrage: Wo stehen wir? — gemeint ist: bei der Abrüstung) vom 18. August 1928 folgendermaßen geäußert: »Seine Aufnahme seitens der europäischen Mächte war eine durchaus andere als die, welche der russische Entwaffnungsvorschlag gefunden hatte. Das lag nicht nur an der internationalen Stellung des Staates, von dem der Vorschlag ausging . . ., sondern mehr noch an dem Um-

der erste offizielle Besuch eines Mitgliedes der Reichsregierung nach dem Kriege in der französischen Hauptstadt. Von der Pariser Bevölkerung bekam Stresemann einen wohlwollenden Empfang, später (bei Unterzeichnung des Paktes) von Briand eine demonstrative Begrüßung. [71] Viel wichtiger als dergleichen Höflichkeiten war jedoch das (zeitlich knapp bemessene) Gespräch der beiden Außenminister am späten Nachmittag des 26. August. [72] Zum Räumungsproblem sagte Briand, daß es keinen Sinn habe, eine Teillösung anzustreben: »Wir müssen die Frage in ihrer Gesamtheit anfassen mit dem festen Willen, die Lösung herbeizuführen.« Das bedeutete zweifellos die von Stresemann gewünschte Gesamträumung, die Briand (nach einem offiziellen Antrag der deutschen Regierung auf der Septembertagung des Völkerbundes) in Aussicht stellte, »wenn man eine bilaterale Lösung fände«. Stresemanns Frage (bei kritischer Erinnerung an Thoiry), was darunter — angesichts einer bevorstehenden Neuregelung der Reparationen — zu verstehen sei, wich Briand (lt. Protokoll) indessen aus. Offensichtlich wollte er sich weder in der Sache festlegen lassen noch Poincaré vorgreifen.

Die — in der Presse spektakulär herausgestellte — Begegnung (am folgenden Tage) zwischen Stresemann und Poincaré, von dem auch Briand zuvor erklärt hatte, daß er eine weitere deutsch-französische Annäherung befürworte, war denkwürdig für die Zeitgenossen, aber folgenlos für die politische Zukunft beider Staaten. Das lag nicht an irgendwelchen persönlichen Animositäten (eine gewisse Einschränkung der Erfolgsaussichten bedeutete allenfalls die wegen Stresemanns Krankheit von vornherein begrenzte Unterredungsdauer), sondern war ein Ergebnis des »objektiven« Interessengegensatzes zwischen Deutschland und Frankreich, dem beide Politiker (trotz aller Freundlichkeiten) nicht einmal verbal ausweichen konnten. Tatsächlich kam

---

stand, daß die Bestimmungen des amerikanischen Vorschlags keinerlei praktische Folgerung, keinen tatsächlichen Verzicht, kein Opfer verlangten, ... sondern sich an die internationale Gesinnung wandten ... Deutschland beeilte sich, unumwunden Beifall zu rufen, wie es allen Bestrebungen zustimmt und zustimmen muß, die auch nur eine entfernte Aussicht auf Besserung seiner kläglichen machtpolitischen Lage bieten ... Es ist vielleicht nicht ohne Wert, festzustellen, daß der Kellogg-Pakt, den Deutschland unterschrieb, das Recht auf Selbstverteidigung anerkennt, also die Möglichkeit für sie voraussetzt ... Um die Ausübungsmöglichkeit dieses Rechts sind wir gebracht; wir werden um dieses Recht kämpfen müssen.« NL Bd. 293.
71 Vermächtnis Bd. III, S. 351 u. S. 354. Schon am 13. August hatte selbst der »Paris Soir« anläßlich des 5. Jahrestages der Ministertätigkeit Stresemanns einen sehr positiv gehaltenen Leitartikel veröffentlicht. NL Bd. 69: Akten 23. Juli — 26. Aug. 1928.
72 Niederschrift Stresemanns vom 27. August. NL Bd. 293; ebenso AA, Büro RM, Frankreich 7, Bd. 13.

ein vorzeitiger Abzug der französischen Truppen aus dem Rheinland ohne finanzielle Gegenleistungen des Reiches für Paris nicht in Frage, diese aber waren erst bei einer Revision des Dawes-Plans zu erreichen — und überschritten damit die Kompetenz des einen wie des anderen. Mit einem Wort: Thoiry fand keine Wiederholung. Poincaré blieb bei seiner zentralen These, daß die Rheinlandbesetzung »mit Locarno und dem Kellogg-Pakt nichts zu tun« habe, »vielmehr eine Garantie für die (deutschen) Reparationszahlungen« sei und deshalb »nur im Zusammenhang mit der Reparations- und Schuldenfrage« beendet werden könne. [73]

Weit erfolgreicher war die Außenpolitik Stresemanns (darin allerdings in Anpassung an die amerikanischen Interessen und Initiativen) [74] auf der Herbsttagung des Völkerbundes in Genf. [75] Am 16. September kam eine Vereinbarung zwischen Deutschland und den vier »Ententemächten« sowie Japan (als den Hauptreparationsgläubigern) zustande, die — neben dem grundsätzlichen Einverständnis über die Einsetzung einer Feststellungs- und Schlichtungskommission für das Rheinland — erstens offizielle Verhandlungen über die vorzeitige Räumung der besetzten Gebiete vorsah und zweitens die Notwendigkeit einer abschließenden Regelung der Reparationen sowie der Einberufung eines Ausschusses von Finanzsachverständigen (bei gleichberechtigter Teilnahme seiner deutschen Mitglieder) anerkannte. [76]

Obschon mit dieser Entscheidung — gegen die ursprüngliche Absicht Stresemanns — faktisch eine Interdependenz von Reparationsregelung (also neuen Zahlungsverpflichtungen des Reiches) und Rhein-

---

73 Aufzeichnung des Dolmetschers Dr. Schmidt vom 27. August 1928. NL Bd. 350; ebenso AA, Büro RM, Frankreich 7, Bd. 13. — Bemerkenswert an diesem Gespräch auch, daß Poincaré sich dezidiert gegen einen eventuellen (von Stresemann allerdings auch nicht »jetzt« bzw. »gegenwärtig« geforderten) Anschluß Österreichs an Deutschland aussprach.
74 Vgl. W. Link, Die amerikanische Stabilisierungspolitik, a. a. O., bes. S. 427 ff.
75 Stresemann selber hielt sich damals zur Kur in Baden-Baden auf. — Als zu Beginn der Tagung Briand auf Vorwürfe des Reichskanzlers Müller (hinsichtlich der französischen Haltung in der Entwaffnungsfrage) mit einer heftigen Antwortrede reagierte, kabelte Hoesch am 11. September nach Genf (Tel.-Nr. 986): »Ich glaube, wir haben alles Interesse daran, uns die Genfer Vorfälle sachlich zu erklären und die Situation nicht zu verschärfen. Dabei müssen wir uns darüber klar sein, daß Frankreich eben noch nicht so weit ist, wie wir es haben möchten, und daß es eine naturgegebene Tatsache ist, daß wir mit unseren wohlberechtigten und wohlbegründeten Wünschen eben zunächst immer auf Frankreich stoßen. Das Ziel der sogenannten Verständigungspolitik ist es aber gerade, diese unvermeidlichen Zusammenstöße, die bei einer anderen Politik zu schweren Hemmungen der Wiederaufrichtung Deutschlands führen müßten, im Wege des möglichst wechselseitigen Verstehens so zu lösen, daß der Weg zur Freiheit und zum Aufstieg für uns geöffnet bleibt.«(!) AA Frankreich, Politik 2, Bd. 19.
76 Aufzeichnung des Dolmetschers Dr. Schmidt vom 16. September 1928. NL Bd. 292: Politische Akten 1928/IV.

landräumung hergestellt war [77], bestand für jenen Grund genug, die Genfer Weichenstellung, die vielen in Deutschland keineswegs genügte, als den strategischen Wendepunkt seiner gesamten Außenpolitik zu bewerten. Denn intern ließ sich die Rechnung ja auch umkehren: Die von Briand geforderten finanziellen Leistungen (ausgehend von der Situation des Jahres 1928) waren schließlich nur dann zu erbringen, wenn die Zahlungsfähigkeit Deutschlands auf eine realistische, d. h. die expansive deutsche Wirtschaft nicht überfordernde (und die Gesellschaftsstruktur nicht gefährdende) Basis gestellt wurde. War das schon ein Vorteil gegenüber der bisherigen Praxis, so bot darüber hinaus die Auslandsverschuldung Frankreichs die günstige Gelegenheit (ohne daß Deutschland damit zu Sonderleistungen verpflichtet wurde), die ohnehin fällige Änderung des Dawes-Plans als Hebel für erhebliche politische Zugeständnisse der Pariser Regierung zu nutzen. Nach Genf durfte Stresemann jedenfalls erwarten, daß entscheidende Voraussetzungen seiner nationalen Revisionspolitik in greifbare Nähe geraten waren, daß die deutsch-französische »Verständigung« endlich die ihr zugedachte Funktion erfüllen würde. [78]

Es kann nachfolgend nicht darum gehen, die als umstritten geltende Vor- und Entstehungsgeschichte des Young-Plans einer genauen Analyse zu unterziehen [79]; wohl aber stellt sich auch in diesem Fall die Aufgabe, zu prüfen, von welchen konkreten Zielvorstellungen Stresemann damals ausging und wie er sie in die politische Wirklichkeit umzusetzen gedachte. Wenn schon eine Gesamtlösung erreicht werden sollte, dann hatte sich — und zwar völlig unabhängig von der Person des Außenministers — die deutsche Außenpolitik im wesentlichen immer wieder die eine Frage vorzulegen: Versprach die jeweils neue Si-

---

77 Auf die Notwendigkeit einer solchen Kopplung hatte Briand während der entscheidenden Unterredung (am 16. September) ausdrücklich hingewiesen: »La question de l'évacuation est liée à ces négotiations financières et si l'accord se fait dans ce domaine financier nous pourrons donner satisfaction aux demandes d'évacuation du gouvernement Allemand.« A. a. O. Vgl. auch M. Duroselle, Les relations franco-allemandes de 1914 à 1939, a. a. O., S. 89.

78 Selbst Hjalmar Schacht beurteilte in einem Brief an Stresemann vom 20. September 1928 das Gesamtresultat der Genfer Tagung recht positiv. Abschrift des Briefes NL Bd. 292. Stresemann war von folgender Position nicht weit entfernt: »Irgendeine vorläufige oder teilweise Lösung muß von uns unter allen Umständen abgewiesen werden. Es ist jetzt der psychologische Moment gekommen, um aufs Ganze zu gehen. Wichtiger fast als die auszuhandelnde Summe ist die Wiedererlangung unserer absoluten außenpolitischen Freiheit.(!) Jeder Rest von Bindungen, Kontrollen und offenbleibenden Fragen muß verschwinden.« Vgl. auch J. Curtius, Der Youngplan. Entstellung und Wahrheit, Stuttgart 1950, S. 28 f.

79 Ausführlich W. Link, Die amerikanische Stabilisierungspolitik, a. a. O., S. 411 ff., und L. Zimmermann, a. a. O., S. 361 ff.; allgemein: Die Entstehung des Youngplans, dargestellt vom Reichsarchiv 1931—1933, bearbeitet von M. Vogt, Boppard 1971.

tuation qualitativ bessere Chancen als bisher, die seit Jahren intendierte Revisionspolitik im Westen (vorzeitige Rheinlandräumung bzw. Rückkehr des Saargebietes, Wiedergewinnung von Eupen-Malmedy) und im Osten (Korrektur der deutsch-polnischen Grenze, nachfolgend Anschluß Österreichs) der Realisierung näherzubringen?

Ökonomische Vorteile der in Aussicht genommenen »endgültigen« Reparationsregelung (Beseitigung der ausländischen Kontrollen, Herabsetzung der Jahresleistungen) mochten mit entsprechenden Nachteilen (Aufhebung des Transferschutzes) verglichen und gegeneinander abgewogen werden — ausschlaggebend mußten für Stresemann trotz allem die politischen Perspektiven sein. Sie motivierten sowohl seine Absicht, der deutschen Wirtschaft zu unabhängiger Entfaltung zu verhelfen, als auch — in der Konsequenz dessen — seine deutliche Kritik an der schnell anwachsenden Auslandsverschuldung der Länder und Gemeinden des Reiches. [80] Eine Außenpolitik, die sich in ihren Methoden (und partiell auch Inhalten) an der wirtschaftlichen Kapazität Deutschlands ausrichtete, hatte keine andere Wahl, als darauf zu dringen, daß der eigene Aktionsradius — ganz abgesehen von den negativen psychologischen Wirkungen in den benachbarten Staaten [81] und den sich verstärkt auswirkenden depressiven Konjunkturtendenzen — nicht unnötigerweise verengt wurde; in dieselbe Richtung zielten die Bemühungen bei der Vorbereitung der Sachverständigenkonferenz. [82]

Zu den Aussichten einer Ablösung des Dawes-Plans in naher Zukunft äußerte sich Stresemann — die Bedeutung Frankreichs dabei hervorhebend — am 14. November 1928 vor der Presse folgendermaßen: »Poincaré hat ein gewisses französisches Mindestprogramm aufgestellt, das er seinen Delegierten zu der Sachverständigenkonfe-

80 Vgl. dazu A. Rosenberg, a. a. O., S. 433 ff., und D. Keese, Die volkswirtschaftlichen Gesamtgrößen für das Deutsche Reich in den Jahren 1925—1936, in: Die Staats- und Wirtschaftskrise des Deutschen Reichs 1929/33, hrsg. von W. Conze und H. Raupach, Stuttgart 1967, bes. S. 65 ff.
81 So verlangte die belgische Regierung hartnäckig die Einlösung der 6 Milliarden Mark, die während des Krieges von den deutschen Besatzungstruppen ausgegeben worden waren.
82 Vgl. Stresemanns Gespräch mit Parker Gilbert am 13. November 1928. Protokoll der Unterredung mit Datum vom 22. November. NL Bd. 291: Politische Akten 1928/V. Für den Fall einer Kündigung der kurzfristigen Kredite befürchtete Stresemann — zu Recht, wie sich nach 1929 zeigte — den »Zusammenbruch eines großen Teils der deutschen Wirtschaft«. Vor einer zu breiten Kreditpolitik Deutschlands besonders gegenüber Amerika (die aber andererseits die Voraussetzung dafür war, um die Dawes-Raten pünktlich entrichten zu können) hatte Parker Gilbert (als Generalagent für die Reparationen) schon 1927 gewarnt und in diesem Zusammenhang eine befriedigende, d. h. endgültige Lösung der Reparationsfrage gefordert. Nachweis bei Michaelis — Schraepler, Ursachen und Folgen, Bd. VI, S. 194 ff. Vgl. auch W. Link, Die amerikanische Stabilisierungspolitik, a. a. O., S. 413 ff., und A. Schwarz, a. a. O., S. 154 f.

renz mitgeben will. [83] ... Nach den Depeschen, die wir heute erhalten haben, ist (aber) anzunehmen, daß sich das neue französische Kabinett nicht so festlegen wird, wie Poincaré als Finanzminister glaubte, das frühere Kabinett festlegen zu können. Außer Frankreich hat sich kein anderer Staat auf die französischen Forderungen festgelegt. Es ist nicht so, daß ihm andere dabei Gefolgschaft versprochen haben ... Das Entscheidende wird die Stellung des amerikanischen Beobachters sein und die Frage, ob er vielleicht den Vorsitz übernimmt ... Poincaré hat sich interessiert, wieviel die Amerikaner mobilisieren können, und er ist entsetzt gewesen über die Antwort, die er aus New York und dem übrigen Amerika erhalten hat. Wenn jemand bei uns der Ansicht ist, daß Amerika in unbeschränktem Maße unsere Reparationsverpflichtungen mobilisieren könne, dann irrt er sich gewaltig. Das muß zum großen Teil in Europa geschehen, besonders in Frankreich, das daran vor allem interessiert ist ... Ich habe vor zwei Jahren einmal in der Pressekonferenz einen Vortrag gehalten über Thoiry, in welchem ich gesagt habe, es gebe den Gedanken eines sog. Groß-Thoiry. Diese Situation ist jetzt eingetreten. Es lassen sich nicht alle unsere Zahlungen mobilisieren, sondern lediglich so viel, wie die Welt überhaupt aufnehmen kann.« [84]

Trotz dieser (gedämpft optimistischen) Analyse und trotz der letztlich doch erfolgreichen Verhandlungen der vergangenen Monate war Stresemann mit dem politischen Ertrag des Jahres 1928 keineswegs zufrieden, neigte auch er immer mehr dazu, von einer Krise der Locarnopolitik zu sprechen, die in Wahrheit eine Krise der deutsch-französischen Beziehungen war. [85] Baldige Rheinlandräumung ja oder nein — das mußte die Entscheidung bringen, ob Locarno sich revisionspolitisch gelohnt hatte. Für die Propaganda hüben und drüben wurde das so zubereitet: »Durch den Locarno-Vertrag ist der Friede zwischen Frankreich und Deutschland gesichert. Warum bleiben dann die Truppen im Rheinland? Durch den Kellogg-Pakt haben die Nationen auf den Krieg als politisches Instrument verzichtet. Warum bleiben dann die Truppen im Rheinland? Im Völkerbund gibt es nur gleichberech-

83 Stresemann war in dieser Frage von Hoesch eingehend informiert worden. Telegramm Nr. 1123 vom 31. Oktober und Telegramm Nr. 1129 vom 1. November 1928. AA Frankreich, Politik 2, Bd. 20. Im wesentlichen forderte Poincaré, daß die deutschen Zahlungen (die Annuitäten der interalliierten Schuldentilgung waren auf 62 Jahre bemessen!) Frankreich von seinen Kriegsschulden befreien und zusätzlich einen Teil der Kriegsschäden wiedergutmachen sollten.
84 NL Bd. 73: Akten 10. Nov. — 21. Nov. 1928.
85 So z. B. in seiner Reichstagsrede am 19. November 1928. Verhandlungen des Reichstags, Bd. 423, Stenogr. Berichte, Berlin 1929, S. 414 f. Vgl. auch die (nicht signierte, offensichtlich aber von Dolmetscher Dr. Schmidt angefertigte) Aufzeichnung vom 10. Dezember 1928 über Stresemanns Unterredung mit Briand in Lugano am Tage zuvor. AA, Büro RM, Frankreich 7, Bd. 14.

tigte Nationen. Warum ist das Land einer der Mächte besetzt, die ihren ständigen Sitz im Völkerbundsrat haben? ... Deutschland hat in den Londoner Dawes-Abmachungen alle von den Gläubigerstaaten gewünschten Garantien für die Reparationen gegeben. Warum hält Frankreich noch die Garantie der Gebietsbesetzung für notwendig?« [86] Für Stresemann war, fern aller Polemik, die vorzeitige Rheinlandräumung (und zwar ohne finanzielle Sonderbelastungen) [87] nicht nur der Kern seiner Außenpolitik (denn erst nach einer Bereinigung der sog. Westfragen wurde eine »Freundschaft« zwischen Deutschland und Frankreich möglich — und damit eine »friedliche« Lösung zumindest des Korridorproblems) [88], sondern sie erschien ihm auch immer dringlicher als das entscheidende Mittel für eine dauerhafte Integration der divergierenden politischen Kräfte innerhalb Deutschlands, soweit diese einerseits die Verfassung der Weimarer Republik, andererseits die Prinzipien der Verständigungspolitik des Reiches bejahten. [89]

Am 9. Februar 1929 wurde in Paris die internationale Sachverständigenkonferenz eröffnet; ihr Vorsitzender war Owen D. Young, der schon dem Dawes-Ausschuß angehört hatte. Die deutschen Mitglieder [90] — Schacht an der Spitze — versuchten, die Leistungsfähigkeit der deutschen Wirtschaft und (davon abhängig) das Aufkommen der Reichsfinanzen zur Grundlage des Berichtes zu machen [91] — nicht ohne Erfolg, wie dann das Endergebnis auswies. Während der Verhandlungen [92] wurde dem deutschen Interessenstandpunkt auch dadurch Rechnung getragen, daß die amerikanische Regierung es weiterhin kategorisch ablehnte, eine Verbindung zwischen der (interalliierten) Schuldenfrage und den Reparationszahlungen herzustellen. [93]

---

86 Text eines Zeitungsartikels, datiert »Dezember 1928«. NL Bd. 75: Akten 19. Dez. — 31. Dez. 1928.
87 Vgl. seine Ausführungen vor dem Auswärtigen Ausschuß am 25. Januar 1929. AA, Büro RM, 1 c, Bd. 11.
88 Das war, wie Hoesch in seinem Brief vom 29. Januar 1929 an Staatssekretär v. Schubert schrieb, auch die Meinung Berthelots. AA, Büro RM, Frankreich 7, Bd. 14.
89 Zu verweisen wäre in diesem Zusammenhang auf die Probleme, die mit der Großen Koalition gegeben waren. Dazu K. Dederke, a. a. O., S. 183 ff. Über die Schwierigkeiten Stresemanns mit seiner eigenen Partei vgl. Th. Eschenburg, a. a. O., S. 213 ff., und H. A. Turner, a. a. O., S. 229 ff.
90 Stresemann beurteilte sie zunächst sehr positiv. Vgl. seine Ausführungen auf der Sitzung des Zentralvorstandes der DVP am 26. Februar 1929 in Berlin. BA R 45 II/43.
91 Vgl. H. Heiber, a. a. O., S. 200 f.
92 Am 5. März erklärte Briand gegenüber Stresemann in Genf, »er hoffe, daß die Verhandlungen bald zum Abschluß gelangten, damit man dann, wie es den französischen Wünschen entspräche, zur Gesamtliquidierung (der zwischen Frankreich und Deutschland bestehenden Nachkriegsprobleme — Anm. d. Verf.) schreiten könnte.« Aufzeichnung des Dolmetschers Dr. Schmidt. AA, Büro RM, Frankreich 7, Bd. 15.
93 Vgl. L. Zimmermann, a. a. O., S. 368 f., und R. Gottwald, a. a. O., S. 107 f. — Das Festhalten an den Schuldenforderungen bedeutete natürlich anderer-

Als nachteilig, jedenfalls für die weitere Entwicklung der Weimarer Republik, mußte sich hingegen der Konflikt zwischen Schacht und Stresemann bezüglich der Opportunität bestimmter politischer »Bedingungen« (Rückgabe des Korridors und der ehemaligen bzw. neuer Kolonien) [94] auswirken, die jener (nach geheimen Vorgesprächen) am 17. April — ohne genaue Information des Auswärtigen Amtes — der Konferenz (nur leicht verklausuliert) vorgelegt hatte. [95] Nicht, daß Stresemann solche Ziele inhaltlich verurteilte, ganz im Gegenteil, aber er sah voraus, daß sie eine strikte Ablehnung erfahren und dadurch die Verhandlungen nur gefährden würden. Schacht wollte zugleich mit der Neufestlegung der Reparationsverpflichtungen (aufgrund einer Überschätzung seiner und allgemein der deutschen Machtbasis) [96] die politische Offensive erzwingen, was bei Lage der Dinge (im Jahre 1929) unmöglich war. Stresemann, der damit rechnen durfte, daß auch der (dann so bezeichnete) Young-Plan im weiteren geschichtlichen Prozeß nicht sakrosankt bleiben würde, setzte — in der Linie seiner Gesamtstrategie — auf die politischen »Rückwirkungen« des Gutachtens, die letztlich mehr erbringen sollten als bloß die vorzeitige Räumung des Rheinlandes. Weil das aber nicht öffentlich propagiert werden konnte, geriet Stresemann in eine höchst widersprüchliche, dazu auch nervlich aufreibende Position: Was die ehemaligen Kriegsgegner forderten, war immer noch sehr viel; was sie zugestanden, wurde in Deutschland weithin für zu leicht befunden; was sie aber (nach der Erwartung Stresemanns) zukünftig geben sollten, blieb für die Allgemeinheit unausgesprochen.

In seinem Brief an Paul Löbe, geschrieben am 19. März 1929, skiz-

---

seits, daß für eine Reduzierung der Gesamtsumme der deutschen Reparationen kaum noch ein Spielraum bestand. Trotzdem drängte Stresemann aus den genannten politischen Gründen auf einen positiven Abschluß der Beratungen, denn anders war weder die gewünschte deutsch-französische Wirtschaftsverflechtung noch eine langfristig konzipierte politische Abstimmung mit Frankreich (und England) zu erreichen. Über ähnliche Zielsetzungen Briands vgl. Hoesch mit Brief vom 5. Mai 1929. AA, Büro RM, Frankreich 7, Bd. 15.

94 Über die immer noch starke Kolonialbegeisterung des deutschen Bürgertums, die Schacht auf seiner Seite wissen konnte, vgl. K. Hildebrand, Vom Reich zum Weltreich. Hitler, NSDAP und koloniale Frage 1919—1945, München 1969, S. 204 ff.

95 Text des Memorandums K. Mielcke, Dokumente, a. a. O., S. 89 ff. Vgl. auch W. Link, Die amerikanische Stabilisierungspolitik, a. a. O., S. 451 f. und S. 458., Th. Eschenburg, a. a. O., S. 220 f., und E. Eyck, a. a. O., Bd. 2, S. 237 ff.

96 Tatsächlich mußte Stresemann als Erfolg buchen, wenn ihm v. Hoesch nach einem Gespräch mit Briand am 4. April telegraphierte (Tel.-Nr. 269), daß dieser eine — deutscherseits befürchtete — »englisch-italienisch-französische Kombination« entschieden ablehnte und erneut der Politik der deutschfranzösischen Verständigung — auf der Basis von Locarno — den (zumindest verbalen) Vorzug gab. AA, Büro RM, Frankreich 7, Bd. 15.

zierte Stresemann die zweifellos schwierige Situation der deutschen Außenpolitik. [97] Pessimistisch äußerte er sich über Briand: »Auch darauf, daß er (Briand) eventuell der Nachfolger Poincarés wird, setze ich eine sehr geringe Hoffnung, denn ich glaube nicht, daß er in der Lage ist, seine Politik, an die er innerlich wohl glaubt, durchzuführen, weil er nicht genügend politische Courage besitzt, um einen Mehrheitswillen zu brechen.« Noch krasser fiel das Urteil über Chamberlain aus. Sicher veranlaßte persönliche Enttäuschung Stresemann zu solcher Stellungnahme, aber man wird, um ihn zu verstehen, berücksichtigen müssen, daß die internationale Konstellation im Frühjahr 1929 für Deutschland tatsächlich wenig günstig war und Stresemann vor allem zum Abwarten verurteilte.

Politische Skepsis, dabei präziser formuliert (weil als Mittel zum Zweck gedacht), bestimmte auch seinen Brief vom 30. März (1929) an Lord d'Abernon. Es heißt da: »Ich würde mich freuen, wenn die Staatsmänner Europas den Rückweg zu jenem Geist von Locarno fänden, der unzweifelhaft vorhanden war, als wir diesen Vertrag schlossen. Aber es scheint mir, daß es, wenn dies nicht durch ein Wunder bald geschieht, zu spät sein wird. Wenn die Pariser Verhandlungen zu einem positiven Ergebnis führen und wenn sie zugleich mit der finanziellen Auseinandersetzung die Beseitigung der Besatzung, die Rückgabe des Saargebietes herbeiführen, kann noch einmal eine Wiedergeburt dieses Geistes erfolgen. Wenn es nicht der Fall ist, wird es nichts anders als eine Episode sein und bleiben.« [98] Die Ereignisse nach 1933 haben Stresemanns Befürchtungen weitgehend bestätigt, aber 1929 war die spätere Entwicklung weder negativ festgelegt noch einseitig auf die deutsch-französischen Beziehungen konzentriert.

Ende Mai 1929 gelang die grundsätzliche Einigung der Sachverständigenkonferenz. Am 7. Juni unterzeichneten alle Beteiligten — also auch Schacht — den monatelang umkämpften Plan. Seine Bestimmungen sind bekannt. [99] Daß in Deutschland besonders die Dauer (aber auch die Gesamtsumme) der vereinbarten Zahlungen (bis 1988) heftige Kritik hervorrufen würde, war vorauszusehen. Dennoch kam für die Reichsregierung eine Ablehnung praktisch nicht in Frage. Dagegen sprach erstens die Wiederherstellung der wirtschaftspolitischen Souveränität des Reiches, d. h. der Wegfall der ausländischen Kontrollen und Aufsichtsorgane, zweitens die Ermäßigung der Reparationsraten in

---

97 NL Bd. 302: Politische Akten 1929/I; ebenso NL Bd. 78: Akten 13. März — 8. April 1929.
98 NL Bd. 302.
99 Textauszug bei Michaelis — Schraepler, Ursachen und Folgen, Bd. VII, S. 593 ff. Vgl. auch W. Link, Die amerikanische Stabilisierungspolitik, a. a. O., S. 469 ff.

den nächsten Jahren (durchschnittlich 700 Millionen Mark weniger als nach dem Dawes-Abkommen) [100] und drittens das eigentlich entscheidende Argument, daß anders die vorzeitige Räumung des Rheinlandes (und damit die politische Voraussetzung für eine aktive Ostpolitik) nicht zu erreichen war. Das alles hinderte die Deutschnationalen jedoch nicht daran, am 24. Juni im Reichstag von der »Katastrophenpolitik« Stresemanns zu reden, die es mit allen Mitteln zu beenden gelte. [101] Der am 9. Juli (1929) von den Führern der sog. nationalen Opposition gegründete »Reichsausschuß für das deutsche Volksbegehren gegen den Young-Plan und die Kriegsschuldlüge« [102] war unter diesen Umständen nicht nur eine totale Absage an jede rational konzipierte Außenpolitik des Deutschen Reiches, sondern zugleich auch ein Symptom für die bislang verdeckte Krise der Weimarer Republik. [103]

Nach dem Beschluß der Reichsregierung (am 21. Juni 1929), den Young-Plan als Basis für die Verhandlungen der geplanten internationalen (politischen) Konferenz anzunehmen [104], glaubte Stresemann Grund zu neuem — wenngleich begrenztem — Optimismus zu haben. Seine Gespräche mit Briand in Madrid (während der Tagung des Völkerbundsrates vom 10. bis 15. Juni) waren insgesamt positiv verlaufen [105]; darüber hinaus erklärte Arthur Henderson, Außenminister

100 Die (unbefristeten) Zahlungen nach dem Dawes-Plan hatten 1928 ihren Höchststand von 2,5 Milliarden Mark pro Jahr erreicht.
101 So der Abgeordnete Frhr. v. Freytagh-Loringhoven. Verhandlungen des Reichstags, Bd. 425, Stenogr. Berichte, Berlin 1929, S. 2871. In zwei Reden am selben Tag betonte Stresemann die Vorteile des Young-Plans und verwahrte sich gegen die von rechts erhobenen Vorwürfe und Drohungen. Ebda., S. 2810 ff. und S. 2877 ff.
102 Vgl. dazu K. Buchheim, a. a. O., S. 111 f., und H. Heiber, a. a. O., S. 202 ff.
103 Um so mehr mußte Stresemann, gerade weil er die Gefährlichkeit des antidemokratischen »Rechtskartells« erkannte, auf einen raschen und sichtbaren Erfolg seiner »Verständigungspolitik« drängen. Vgl. auch sein Interview mit Jules Sauerwein vom 8. Juli 1929. NL Bd. 82: Akten 25. Juni — 13. Juli 1929; ebenso AA, Büro RM, 1 c, Bd. 12. (Nach F. Hirsch, a. a. O., S. 95, soll Stresemann zu Sauerwein in größter Aufregung gesagt haben: »Wenn Briand jetzt keine Konzessionen macht, bin ich erledigt. Dann kommt ein anderer. Gehen Sie nach Nürnberg und sehen Sie sich Hitler an!«) Pointiert zu dieser Frage G. Mann, a. a. O., S. 752 f.
104 Vgl. dazu K. Mielcke, a. a. O., S. 99.
105 Am 11. Juni bekräftigte Briand gegenüber Stresemann, es sei »jetzt soweit, an die Einberufung einer Konferenz zu denken, die sämtliche noch schwebende Fragen zu lösen hätte ... Sie solle, wie gesagt, alle aus dem Kriege hervorgegangenen Fragen, die noch einer Lösung harrten, regeln und eine Art Liquidation des Krieges bilden. Wenn dann durch diese Liquidation (für Stresemann schloß das auch die Saarfrage mit ein — Anm. d. Verf.) die Lage in Europa stabilisiert sei, so sei die nächste Aufgabe, daran zu denken, wie man die europäischen Verhältnisse sowohl politisch als auch wirtschaftlich konsolidieren könne... Es müsse jedenfalls dringend eine Zusammenarbeit der europäischen Länder ins Auge gefaßt werden: politisch, um den Frieden zu stabilisieren, und vor allen Dingen wirtschaftlich, um sich vor der amerikanischen Übermacht zu schützen.«(!) Aufzeichnung des Dolmetschers Dr. Schmidt vom 11. Juni 1929. AA, Büro RM, Frankreich 7, Bd. 15.

der neuen Labour-Regierung MacDonald, am 5. Juli vor dem britischen Unterhaus, daß Deutschland die Bedingungen des Versailler Vertrages im wesentlichen erfüllt habe, die Räumung des Rheinlandes daher möglichst bald (in Übereinstimmung mit Frankreich) vorgenommen werden sollte [106] — und am 26. Juli erfolgte der Rücktritt Poincarés. [107] Nachdrücklich hatte er noch in den Wochen davor den Young-Plan befürwortet. [108] Sein Nachfolger Briand (es war sein elftes Kabinett) stand dem gewiß nicht nach, aber er besaß — wegen seiner Abhängigkeit von der parlamentarischen Rechten — nicht die starke politische Stellung, die für eine klare Zusage in der Rheinlandfrage (ganz abgesehen von einer Lösung des Saarproblems) [109] von Vorteil gewesen wäre.

Die Regierungskonferenz im Haag (6. — 31. August 1929) mußte die Entscheidung bringen. [110] Stresemann war nicht in der Lage, zu verhindern, daß — wie es der französischen These entsprach — eine vorzeitige Rheinlandräumung von dem positiven Abschluß der Finanzgespräche (im Rahmen der Finanzkommission), d. h. von der formellen Zustimmung zum (nur wenig modifizierten) Young-Plan abhängig gemacht wurde. [111] Als Briand — aus innenpolitischer Rücksichtnahme (besonders gegenüber den Militärs) — dennoch zögerte, definitiv über den Räumungstermin bzw. über den letzten Tag der Besetzung zu befinden [112], schrieb Stresemann ihm, veranlaßt durch dessen vertrau-

---

106 Nach L. Zimmermann, a. a. O., S. 377.
107 Am 22. Juli war von der französischen Kammer (allerdings mit sehr knapper Mehrheit) das Mellon-Bérenger-Abkommen ratifiziert worden.
108 Erich Eyck schreibt dazu: »Es mag als kennzeichnend für die Änderung der internationalen Atmosphäre betrachtet werden, daß der Mann, der Deutschland 1923 am schwersten bedrängt hatte, sechs Jahre später seine politische Wirksamkeit mit einem Akt beschloß, welcher den Weg zur französisch-deutschen Verständigung offenhalten sollte.« A. a. O., Bd. 2, S. 261.
109 Nach dem Bericht von Hoesch (Tel.-Nr. 727 vom 31. Juli 1929) war Briand zwar bereit, während der kommenden Konferenz in Den Haag mit Stresemann persönlich das Saarproblem getrennt zu behandeln, er lehnte es jedoch ab, das Ergebnis dieser Besprechungen — wie deutscherseits gewünscht — schriftlich zu fixieren und damit doch der Konferenz zuzuordnen. AA, Büro RM, Frankreich 7, Bd. 16.
110 Zum Ablauf der — durch krisenhafte Zuspitzungen mehrfach gefährdeten — Verhandlungen vgl. L. Zimmermann, a. a. O., S. 377 ff.
111 Auf der Pressekonferenz am 10. August (in Scheveningen) hatte er sich noch darum bemüht, der deutschen Position, die die Räumung auch für den Fall forderte, daß eine Einigung in den Finanzverhandlungen nicht erzielt werden sollte, zur Anerkennung zu verhelfen. NL Bd. 301: Politische Akten 1929/II.
112 Vgl. die (von Stresemann teilweise korrigierte) Aufzeichnung des Dolmetschers Dr. Schmidt über die Unterredung zwischen Stresemann und Briand am 8. August im Haag. AA, Büro RM, Frankreich 7, Bd. 17. Noch schwieriger gestaltete sich die Saarfrage. Am 10. August erklärte Briand, »daß er den allergrößten Wert darauf lege, daß die Konferenz als solche nicht mit der Saarfrage befaßt würde, da es ja eine rein deutsch-franzö-

liche Information, daß die Räumung erst Ende Oktober 1930 abgeschlossen werden könnte[113], am 19. August jenen berühmten persönlichen Brief (den einzigen dieser Art), der noch einmal die Grundlagen und Zielvorstellungen seiner Frankreichpolitik zusammenfaßte. Die entscheidende Passage lautete: »Ich, der ich nicht Finanzminister bin, der die Ziffern studiert, sondern Außenminister, der unsere ganzen Verhandlungen unter dem Gesichtspunkt eines großen europäischen Ereignisses, als den Endpunkt einer seit Jahren von Ihnen und mir verfolgten Politik einer deutsch-französischen Verständigung angesehen hat, — ich fühle mich nicht imstande, diese Politik persönlich weiterzuführen, wenn ich in einer Frage, in der, wie ich weiß, Ihre Auffassung seit Jahren ebenso wie die meinige dahin gerichtet war, der Besetzung deutschen Landes ein Ende zu bereiten, einen in der Zeit so offenbaren Mißerfolg erziele.«[114]

Kein Zweifel: Nur die Wiedergewinnung der (durch die Entmilitarisierung auch dann noch eingeschränkten) Souveränität des Deutschen Reiches im Westen konnte der von Stresemann konzipierten Außenpolitik das Instrumentarium verschaffen, das notwendig war, um durch den Einsatz von wirtschaftlicher und politischer Macht die beabsichtigte Revision des Versailler Vertrages — d. h. vor allem die Revision der deutschen Ostgrenzen — mit konkreten Chancen in die Wege leiten zu können. Wurde die Rheinlandräumung jetzt nicht erreicht, dann war eigentlich (nicht nur aus der Sicht Stresemanns) alles verloren, denn das bisher Gewonnene wurde ja hauptsächlich als Vorbereitung für das Zukünftige bewertet, also stets an der antizipierten Groß-, wenn nicht sogar Weltmachtposition des Deutschen Reiches gemessen. Für Frankreich konnte das keine Einladung zu besonderem Entgegenkommen sein. Ein Scheitern der Haager Verhandlungen hätte aber, für jeden politischen Sachkenner voraussehbar, zugleich das Fundament der parlamentarisch-demokratischen Republik in Frage gestellt, und auch daran konnte Frankreich keineswegs interessiert sein.[115] Insofern wird verständlich, warum Briand — über die Wir-

---

sische Angelegenheit wäre«, stimmte aber mit Stresemann darin überein, »daß die beiderseitigen Sachverständigen hier im Haag bereits über die Saarfrage in Verbindung treten sollten«. Ebenda. — Stresemann war es ersichtlich darum zu tun, das Gespräch überhaupt erst einmal offiziell zu beginnen und dabei schon zu einigen konkreten Ergebnissen zu kommen.
113 Aufzeichnung des Dolmetschers Dr. Schmidt vom 19. August 1929. AA, Büro RM, Frankreich 7, Bd. 17.
114 NL Bd. 84: Akten 9. Aug. — 24. Aug. 1929.
115 Zudem hatte sich die britische Regierung (am 13. August) bereit erklärt, auf jeden Fall die 2. und 3. Zone binnen kurzem zu räumen. A. Schwarz, a. a. O., S. 158.

kung der persönlichen Intervention Stresemanns hinaus [116] — die Entscheidung fällte bzw. gegen militärische Widerstände durchsetzte, das besetzte Rheinland spätestens bis zum 30. Juni 1930 zu räumen. [117] Stresemann empfand das Ergebnis der Haager Konferenz als den größten Erfolg seiner politischen Laufbahn [118], und er war sicher, die überwiegende Mehrheit des deutschen Volkes würde das spätestens am Tage der endgültigen Befreiung des Rheinlandes anerkennen. [119] Aber Stresemann war nicht gewillt, bis dahin zu warten und sich zunächst einmal mit dem Erreichten zufrieden zu geben. Gerade seine letzte große (vermeintlich »europäische«) Rede vor dem Völkerbund am 9. September 1929 ließ keinen Zweifel daran, in welche Richtung er die deutsche Außenpolitik nun zu steuern gedachte. Vier Tage zuvor hatte Briand der Genfer Versammlung einen Plan für die Vereinigung Europas vorgetragen [120]; sicherheits- und wirtschaftspolitische Erwägungen (letztlich die Absicht, den machtpolitischen Status quo in Europa zu befestigen) bestimmten die Perspektiven dieses Vorschlages, der vielen Zuhörern zwar nicht mehr überraschend kam, aber — in dieser Weise proklamiert — trotzdem noch als internationale Sensation erschien. Nicht so Stresemann; er griff (in seiner Rede) die Idee Briands auf, wobei er vor allem die wirtschaftlichen Aspekte betonte. [121] Auf dieser Ebene war praktische Politik möglich, war auch am ehesten eine »euro-

---

116 Wiederholt in der Unterredung mit Briand am 21. August in Scheveningen. Aufzeichnung des Dolmetschers Dr. Schmidt. AA, Büro RM, Frankreich 7, Bd. 17. Vgl. auch F. Hirsch, a. a. O., S. 102 f.
117 Am 30. August 1929 wurde das Räumungsabkommen notifiziert. Michaelis — Schraepler, Ursachen und Folgen, Bd. VII, S. 600 ff. — Die belgischen und britischen Truppen sollten innerhalb von drei Monaten nach der schon im September zu beginnenden Operation zurückgezogen werden; den französischen Truppen wurde auferlegt, die zweite Zone im gleichen Zeitraum, die dritte längstens bis zum 30. Juni 1930 zu verlassen. Allgemeine Vorbedingung dieser Regelung war die Ratifizierung des (am 31. August grundsätzlich angenommenen) Young-Plans durch das französische sowie deutsche Parlament.
118 Vgl. auch seinen Brief an den Parteifreund Riesser vom 3. September 1929. NL Bd. 85: Akten 25. Aug. — 9. Sept. 1929. Eine Bestätigung für dieses Urteil ist bei J. Bariéty zu finden, und zwar im Diskussionsbeitrag des ehemaligen Staatssekretärs v. Rheinbaben. A. a. O., S. 47 ff.
119 Über Stresemanns Beurteilung der Haager Konferenz vgl. sein Gespräch mit Theodor Wolff vom »Berliner Tageblatt« am 11. September 1929. Vermächtnis, Bd. III, S. 563 ff.
120 Derselbe Gedanke war von ihm schon am 10. Juli gegenüber einigen Journalisten und am 11. Juli in der französischen Kammer geäußert worden. Vgl. »Berliner Tageblatt« vom 11. Juli 1929 (»Paneuropa-Plan Briands«). Ausführlich zu diesem Fragenkreis W. Lipgens, Europäische Einigungsidee 1923—1930 und Briands Europaplan im Urteil der deutschen Akten, 1. Teil, in: Hist. Zeitschrift, Bd. 203 (1966), bes. S. 62 f. und S. 71—82; ebenso J. W. Ewald, Die deutsche Außenpolitik und der Europaplan Briands, Phil.-Diss. Marburg 1961.
121 Text W.T.B. Nr. 1812 vom 9. September 1929; ebenso Vermächtnis, Bd. III, S. 571 ff.

päische« Kooperation (mit einem Schwerpunkt Deutschland—Frankreich) zu bewerkstelligen. [122]

Nichtsdestoweniger machte Stresemann Regierungen und Öffentlichkeit eindringlich darauf aufmerksam, daß das Werk der Liquidation des Krieges erst dann vollendet wäre, wenn auch die inzwischen aufgenommenen Verhandlungen über die Rückgliederung des Saarlandes zum positiven Abschluß gebracht und darüber hinaus die Prinzipien der internationalen Abrüstung sowie des Minderheitenschutzes allgemein beachtet würden. [123] Das alles aber besagt doch: die Revisionspolitik ging weiter und sollte auch weitergehen. Stresemann reflektierte nicht ein künftiges Europa, sondern er plante nach wie vor die wirtschaftliche und (macht-)politische Größe des Deutschen Reiches — durch Verständigung mit Frankreich, gewiß, aber doch mit dem Ziel, den nationalen Interessen des eigenen Landes (wie er sie interpretierte) damit um so besser zu entsprechen. [124]

Die vom Ziel her entscheidende Frage, ob die neue Situation nach Young-Plan und Rheinlandräumung ausreichen würde, um jene politische und finanzielle Manövrierfähigkeit zu gewinnen, ohne die seine revisionistische Gesamtkonzeption gleichsam versanden mußte, konnte Stresemann selber nicht mehr beantworten. Am frühen Morgen des 3. Oktober 1929 starb er, 51 Jahre alt. In der Welt wurde er als großer

---

122 Einer antiamerikanischen Linie der europäischen Staaten erteilte Stresemann jedoch (aus den bekannten Gründen) eine klare Absage: »Politische Gedanken, namentlich mit irgendeiner Tendenz gegen andere Erdteile, lehne ich mit aller Entschiedenheit ab, ebenso alles, was wie eine wirtschaftliche Autokratie Europas aussehen könnte.« Auf eine Kurzformel gebracht, heißt das doch: europäische Zusammenarbeit (der je unabhängigen Nationen bzw. Staaten) ja — integriertes Europa (mit supranationalen Institutionen) nein.

123 Über die Reaktion der französischen Presse auf die Rede Stresemanns vgl. den zusammenfassenden Bericht in der »Kölnischen Zeitung« vom 11. September 1929.

124 Dem Reichstagspräsidenten Löbe schrieb Stresemann am 19. September: »In den Haager Verhandlungen sehe ich einen gewissen Abschluß, und ich hoffe, daß er eine Etappe der Außenpolitik abschließt und uns die Möglichkeit gibt, frei und unabhängig von den ewigen Kämpfen um die Reparationsfrage und das besetzte Gebiet eine großzügige Verständigungspolitik in Zukunft zu treiben.« NL Bd. 86: Akten 10. Sept. — 2. Okt. 1929. Nach dem Urteil von Th. Eschenburg, a. a. O., S. 221 f., hatte Stresemann seit dem Frühjahr 1929 die Absicht, den deutschen Gesandten in Warschau, Ulrich Rauscher, zum neuen Staatssekretär zu machen und mit ihm zusammen die geplante Korrektur der Ostgrenzen zu betreiben. Als Gegenleistung für die Rückgabe Danzigs, des Korridors und der polnischen Teile Oberschlesiens wollte Stresemann — in Übereinstimmung mit den Westmächten — Polen eine großzügige Finanzhilfe (nach dem Young-Plan von außen nicht mehr zu verhindern), aber auch (den polnisch-russischen Gegensatz dabei ausspielend) einen Garantie- und Nichtangriffspakt anbieten. Vgl. ebda., S. 223, und M. Walsdorff, a. a. O., S. 50.

272

europäischer Staatsmann betrauert. [125] Der Kranz Briands trug die pathetische Aufschrift: »Briand, der Soldat des europäischen Friedens, hat diesen Kranz auf den Sarg seines Waffenbruders niedergelegt.« [126]

125 Vgl. die Tagebuch-Eintragung von H. Graf Kessler, Tagebücher 1918—1937, hrsg. von W. Pfeiffer-Belli, Frankfurt 1961, S. 595: »Paris, 4. Okt. 1929. Alle Pariser Morgenzeitungen bringen die Nachricht vom Tode Stresemanns in größter Aufmachung. Es ist fast so, als ob der größte französische Staatsmann gestorben wäre. Die Trauer ist allgemein und echt. Man empfindet, daß es doch schon ein europäisches Vaterland gibt.«
126 Zit. nach W. Görlitz, a. a. O., S. 282.

Zusammenfassung

Das historische Urteil über Stresemann wird, wenn es gerecht und zugleich kritisch sein soll, mehreres zu berücksichtigen haben: einmal die gesellschaftlichen Verhältnisse, die vorgegebenen Bedingungen und das verschiedene System der internationalen Beziehungen zwischen 1914/18 und 1919 — 1929; sodann den individuellen politischen Werdegang Stresemanns, seine konkreten Zielvorstellungen und seine persönliche Bewertung der wechselnden Situationen; schließlich — der zentralen Thematik dieser Studie entsprechend — sein besonderes Verhältnis zu Frankreich: die allmähliche Entwicklung seiner (seit 1920/21 in den Grundzügen festgelegten) Frankreich-Konzeption und der — am Ergebnis ablesbare — Erfolg oder Mißerfolg seiner politischen Strategie. Gerade der engagierte Historiker, der die Erfahrungen vor und nach 1945 sowie die Kontinuität bestimmter Strukturen der deutschen Geschichte des letzten Jahrhunderts in die Reflexion mit einzubeziehen versucht, wird es sich gefallen lassen müssen, an diesen drei Kriterien seinerseits gemessen zu werden.

Stresemann wurde in eine Epoche der Weltgeschichte hineingeboren, deren Kennzeichen die imperiale Machtpolitik der europäischen Großstaaten war. Auch das Deutsche Reich wurde durch seine industrielle Entwicklung in den Rang einer wirtschaftlichen Weltmacht gehoben. Daß es — auf dem europäischen Kontinent ohnehin der militärisch stärkste Faktor — bei solchen Vorzeichen wie die anderen Welt- bzw. Weltmachtpolitik zu treiben hatte, galt in der Wilhelminischen Ära als selbstverständlich. Vielfach wurde jedoch vergessen, daß von der Reichsgründung an Deutschlands Lage — zwischen Frankreich und Rußland und ohne maritime Sicherheit — bei weitem nicht so günstig war, wie es den Anschein hatte. Die Überzeugung, zur Weltmacht berufen zu sein, wurde nicht nur von den Machteliten verbreitet — sie war Gemeingut des deutschen Bildungsbürgertums, ja fast des ganzen deutschen Volkes. In dieser weltpolitischen Situation, in diesen Vorstellungen von deutscher Macht und Größe wuchs Stresemann auf. In seinem Empfinden und in seinen Absichten wurde er von Jugend an von seiner Zeit und ihren Gegebenheiten in starkem Maße beeinflußt. Auffallend war schon früh seine Polarität zwischen Romantik und Nüchternheit (auch als Außenminister konnte er sich davon niemals ganz befreien), ebenso seine Abneigung gegen die satte Selbstzufriedenheit jener Generation, die das neue Kaiserreich geschaffen hatte. Dem entsprach seine Vorliebe für den idealistischen Schwung des deutschen Liberalismus der Revolution von 1848. Dennoch bewunderte Stresemann den Glanz des Bismarckschen Reiches: seine militärische Stärke und seine entschiedene Kolonialpolitik. Machtentfaltung des Reiches nach außen und freiheitliche Verfassungsentwicklung im Innern waren für ihn keine Gegensätze, sondern zwei Seiten derselben politischen Orientierung. Da er sowohl von der militärischen als auch von der geistig-moralischen Überlegenheit Deutschlands gegenüber seinen Nachbarn überzeugt war, sah Stresemann keinen Grund, dem herrschenden deutschen Frankreichbild dieser Jahre zu widersprechen, das die Vormachtstellung des Reiches gegenüber dem »Erbfeind« im Recht meinte. Frankreich stand auch gar nicht im Vordergrund seiner Interessen; die Verehrung für Napoleon änderte daran kaum etwas, doch lassen sich ebensowenig persönliche Vorurteile oder Aversionen nachweisen.

In seinem Berufsleben fand Stresemann schnell und sicher den Übergang von jugendlicher Romantik zu weltbezogener Nüchternheit: er machte seinen Weg in der Industrie. 1906 Delegierter auf dem Parteitag der Nationalliberalen in Goslar, benutzte er die erste Möglichkeit in der politischen Arena zu einem Angriff gegen die »gouvernementale« Praxis der Partei. Politik und Wirtschaft verhalfen Stresemann zu einer realistischen Einschätzung seiner sozialen Umwelt und ließen ihn — besonders im Verhältnis zur Sozialdemokratie — schon damals zum Verfechter einer Politik des Ausgleichs werden, allerdings nur des Ausgleichs im Innern, denn außenpolitisch zeigte er in der Frühzeit seiner politischen Tätigkeit eine betont nationalistische Haltung und vertrat Gedanken, wie sie — wenngleich zumeist vergröbert — auch der Alldeutsche Verband propagierte. Es war systembedingt, daß Stresemann als Parlamentarier des kaiserlichen Deutschland über die außenpolitischen Vorgänge nur unzureichend informiert war; es war eine Konsequenz seiner nationalliberalen Orientierung (und seiner Freundschaft mit Bassermann), daß der Wunsch, das Reich Bismarcks durch den Ausbau seiner wirtschaftlichen und militärischen Stärke weltpolitisch zu sichern, vorrangig wurde. Dabei waren die politischen Zielsetzungen Stresemanns, von ideologischen Prämissen abgesehen, von Anfang an eine Schlußfolgerung aus seiner Analyse der wirtschaftlichen und sozialen Situation Deutschlands.

Als entscheidendes Problem erkannte Stresemann die Frage, wie der für Deutschland lebensnotwendige Export erreicht und für die Zukunft verbürgt werden konnte. Bei diesen Überlegungen war er sich sowohl der ungünstigen strategischen Lage als auch der relativ schmalen Rohstoffbasis des eigenen Landes voll bewußt. Beide Momente veranlaßten ihn, um so nachdrücklicher eine imperialistische Weltpolitik des Deutschen Reiches zu fordern, die somit, wie er es jedenfalls sah, mehr eine vorhandene Schwäche überwinden als vermeintliche Stärke demonstrieren sollte; beide Momente erklären wohl auch, warum er während des Krieges so weitgespannten Kriegszielen anhing. Dennoch wird man sagen müssen, daß Stresemann vor 1914 insgesamt für eine »friedliche« Wirtschaftsexpansion plädierte: Deutschland konnte davon nur profitieren, ein Krieg dagegen mußte viele Positionen gefährden. Wenn Stresemann an die Zukunft der deutschen Wirtschaft und an deren Konkurrenten dachte, hatte er vornehmlich die Weltmacht England im Auge. Frankreich war für Stresemann in jenen Jahren nur eine Macht minderen Ranges und fand daher bei ihm keine vergleichbare Aufmerksamkeit. Persönlich sah er in Frankreich weder ein Vorbild noch einen Feind. Eine harte Sprache führte er jedoch immer dann, wenn er den volkswirtschaftlichen Nerv des Deutschen Reiches (seine Stellung auf dem Weltmarkt) bedroht glaubte: da war von handelspolitischen Repressalien (wegen der französischen Zoll- und Marokko-Politik) ebenso die Rede wie von der gebotenen Machtdemonstration der deutschen Hegemonie auf dem Kontinent.

Immerhin blieb als Grundtendenz die Bereitschaft Stresemanns bestehen, Konflikte mit England und Frankreich (erst recht mit den Vereinigten Staaten) nicht kriegerisch, sondern mit diplomatischen Mitteln zu lösen. Die Frage, wie die als zwingend angesehene Weltpolitik des Reiches zum Zuge kommen, zugleich aber die dadurch vermehrte Kriegsgefahr vermieden werden sollte, beantwortete er allerdings nicht. Hier schon zeigt sich das vielleicht entscheidende Dilemma im politischen Selbstverständnis Stresemanns vor und nach dem Ersten Weltkrieg: auf der einen Seite galten ihm bestimmte außenpolitische Ziele, die letztlich wirtschaftlich motiviert waren, als unaufgebbar (man kann das eine subjektive Identifikation mit objektiven »Sachzwängen« nennen), auf der anderen Seite hatten eben diese Ziele (praktisch, nicht grundsätzlich) die Ablehnung des Krieges zur Folge — aber immer ausgehend von einer »gesicherten« Großmachtstellung des Deutschen Reiches. Insofern war Stresemann niemals ein eigentlich doktrinärer Nationalist, der ausschließlich in den Kategorien deutscher (militärischer) Macht hätte denken können, — und schon gar nicht deckte sich sein liberaler Imperialismus (ähnlich der Position Max Webers) mit völkischen Eroberungstendenzen, vielmehr verstand sich Stresemann auch und gerade unter außenpolitischen Aspekten als ein Mann der Wirtschaft, der am Handel, nicht am Kriege interessiert war. *Das ist die wahre Kontinuität in seiner politischen Laufbahn, und sie kann nur bei einer genauen Analyse seiner schon *vor* 1914 entwickelten Gesamtkonzeption erschlossen werden.

Stresemann wurde vom Beginn des Krieges überrascht; er hatte ihn zu diesem Zeitpunkt nicht erwartet. Nachdem er aber »ausgebrochen«

war, gab es für ihn keinen Zweifel, Kaiser und Reich von der Heimat aus voll und ganz zu unterstützen. Seine Zuversicht in die militärische Führung war vorerst (und noch jahrelang) unerschütterlich. Die Rückkehr in den Reichstag (Dezember 1914) bedeutete für ihn einen unverhofften Aufstieg. In der nationalliberalen Reichstagsfraktion war Stresemann in den ersten drei Kriegsjahren nun der wirkliche »Kronprinz«, faktisch Bassermanns Stellvertreter. Beide stimmten in ihren Maximen und Zielvorstellungen weitgehend überein; vor allem hatten sie kein Vertrauen zu Bethmann Hollweg, den sie für einen politischen Schwächling und diplomatischen Versager hielten. Beide bauten sie auf die Stärke des deutschen Heeres. Stresemann war der Auffassung, daß es in diesem Kriege nun »ums Ganze« ging. »Feind Nr. 1« war für ihn nicht Frankreich (schon gar nicht Rußland), sondern England, das er wegen seiner Möglichkeiten, gegen Deutschland einen zermürbenden Wirtschaftskrieg zu führen, und seiner Absicht, das auch zu tun, am meisten fürchtete — und dem er vielleicht gerade deshalb die Hauptverantwortung am Ausbruch des Krieges zuschob. Damals wie auch später in den 20er Jahren war er überzeugt, daß sich Deutschland 1914/18 in einem Verteidigungskrieg befand bzw. befunden hatte und daher eine Untersuchung der Kriegsschuldfrage nicht zu scheuen brauchte. Das Wort vom »aufgezwungenen Krieg« war bei Stresemann ehrlich gemeint. Es zeigt, daß er das politisch-militärische Selbstverständnis der deutschen Nation unkritisch teilte. Die Forderung nach einem dauernden Frieden (im Unterschied zu einem »faulen Frieden«) mochte von daher gerechtfertigt erscheinen, inhaltlich bedeutete das jedoch die Erzwingung der uneingeschränkten deutschen Vorherrschaft auf dem europäischen Kontinent bzw. ein von Deutschland geführtes Mitteleuropa als »dritter Kraft« zwischen dem atlantischen und dem russisch-eurasischen Weltmachtblock der Zukunft.

Die entscheidenden Konsequenzen des deutschen Rückzuges an der Marne wurden von Stresemann nicht erkannt. Das lag nicht allein an seinem überschwenglichen, aber kurzsichtigen Optimismus. Denn obgleich der politischen und militärischen Führung des Reiches der Ernst der Lage Deutschlands seit Mitte November 1914 bewußt war, tat sie nichts, um die deutsche Öffentlichkeit auf die veränderten Gegebenheiten vorzubereiten. Zu den größten Illusionisten dieser (und der folgenden) Monate gehörte Stresemann. Hatte ursprünglich seiner Vorstellung vom »größeren Deutschland« die territoriale Angliederung »nur« Belgiens und der russischen Ostseeprovinzen zugrunde gelegen, so nahm gegenüber Frankreich sein imperialistischer Nationalismus nunmehr extreme Züge an. England sollte — das war das zentrale Motiv aller annexionistischen Ambitionen — auf dem Wege über Frankreich geschlagen, Deutschland auf Kosten Frankreichs zur defini-

tiven Weltmacht erhoben werden. Dem entsprach die Forderung —
und hier war Stresemann (als Interessenvertreter) Wirtschafts- und
Machtpolitiker zugleich — nach einer von Deutschland geführten bzw.
beherrschten mitteleuropäischen Zoll- und Wirtschaftsunion, der auch
Frankreich angehören sollte. Nimmt man alle diese Pläne zusammen
(die einer maßlos übersteigerten Selbsteinschätzung entsprangen), so
wird deutlich, daß Stresemann in seinem außen- und weltpolitischen
Konzept, solange ihm die Kriegslage hoffnungsvoll erschien, Frankreich nicht mehr als nur eine (politisch, wirtschaftlich und militärisch)
zweitrangige Stellung in Abhängigkeit von Deutschland zuzugestehen
bereit war.

Entscheidender Gesichtspunkt der Zielvorstellungen Stresemanns war
und blieb die von ihm als kritisch angesehene Situation des deutschen
Außenhandels nach Beendigung des Krieges, denn er ging zwar von
der Erwartung aus, daß Deutschland im Osten und Westen des Kontinents militärisch siegen würde, aber er hielt es für unwahrscheinlich,
daß das auch gegen England erreicht werden könnte. In Wahrheit
(aber gegen alle Gesetze der historischen Erfahrung) wollte Stresemann
den Widerspruch zur politischen Leitidee erheben: ein handelspolitisches Diktat gegenüber Frankreich und dennoch freundlichere Beziehungen als vor 1914, Deutschlands Hegemonie in Mitteleuropa und
dennoch ein friedliches Nebeneinander. In seiner Sicht waren das keine
Gegensätze, wenn nur Deutschlands Vormacht auf dem Festland und
damit seine Weltmachtstellung anerkannt wurde. Die damit verbundene Herausforderung der anderen Großmächte scheint ihm nicht —
oder nicht genügend — bewußt gewesen zu sein. Daß Stresemann
Frankreich gegen dessen nationale Interessenlage in eine von Deutschland — d. h. der überlegenen deutschen Industrie — beherrschte Zollunion zwingen wollte, bestätigt seinen an Sicherheitsvorstellungen
orientierten Wirtschaftsimperialismus. Hätte er erreicht, was er glaubte
erreichen zu müssen, so wäre von Frankreichs Souveränität und Großmachtposition kaum etwas übriggeblieben. Zu einer solchen Selbstabdankung konnte Frankreich unter den gegebenen Umständen niemals seine Zustimmung geben.

Will man verstehen, was Stresemann bewog, im Hinblick auf Frankreich einer Politik der Stärke und des massiven Druckes das Wort zu
reden, so wird man die schon vor dem Kriege ungünstige handelspolitische Lage Deutschlands zu berücksichtigen haben. Zur Knappheit
an Rohstoffen und der Notwendigkeit wachsender Exporte, für die
Märkte im (kapitalistischen) Konkurrenzkampf erst noch erschlossen
werden mußten, kamen nicht unbedeutende Gefahren eines Warenboykotts, prohibitiver Zollerhöhungen und gegen Deutschland gerichteter Vorzugsbündnisse. Es fehlte ein großes geschlossenes Wirtschafts-

gebiet, das demjenigen Rußlands, mehr noch aber dem der USA und des englischen Imperiums vergleichbar gewesen wäre. Stresemann hatte diese wirtschaftspolitische Schwäche des Reiches schon früh erkannt. Sie im kommenden Friedensvertrag ein für allemal aufzuheben, war für ihn deshalb das Alpha und Omega jeder deutschen Außenpolitik. Das aber heißt: Der Annexionist Stresemann und lautstarke Verfechter des »Siegfriedens« wurde tatsächlich mehr von der Angst vor der wirtschaftspolitischen Zukunft des Deutschen Reiches bestimmt als von alldeutsch-imperialistischem Eroberungsdrang, seine »Mitteleuropa-Konzeption« war mehr defensiv als offensiv gedacht, was allerdings für Frankreich faktisch auf dasselbe hinauslief. Sind die Motive Stresemanns auch aus heutiger Sicht begreifbar, so gilt das nicht in gleicher Weise für das Ausmaß seiner Annexionswünsche und handelspolitischen Forderungen. Auch damals schon hätte er wissen können, wissen müssen, daß die Sprache der Macht nicht ausreicht, vielleicht sogar verhindert, den notwendigen und für alle Beteiligten vorteilhaften internationalen Güteraustausch zu erreichen und zu erhalten. Persönlich sehr entgegenkommend, ja sentimental gestimmt, konnte Stresemann volkswirtschaftlich und politisch unerbittlich sein. Bei einem deutschen Sieg hätte das kein Land mehr zu spüren bekommen als gerade Frankreich.

Solange die Oberste Heeresleitung die militärische Situation positiv beurteilte, forderte Stresemann, deutscherseits alles zu unterlassen, was geeignet war, der (ebenfalls nicht friedenswilligen) Entente als Zeichen deutscher Schwäche zu erscheinen. In der Tat war das Dilemma gegenseitig: Die politisch und militärisch bestimmenden Kräfte in allen kriegführenden Ländern waren nicht bereit, zur Ausgangslage zurückzukehren, sondern verlangten vom Gegner, was dieser freiwillig niemals hergeben konnte. Zweifellos war also der Status quo ante unerreichbar, aber Stresemann übersah, daß damit keine politische Rechtfertigung gegeben war, am eigenen Utopismus festzuhalten. Eine politische Strategie, die die Gegner Deutschlands vor der Weltöffentlichkeit ins Unrecht setzte, wenn sie auf effektive Angebote nicht eingingen, d. h. also eine gezielte Kombination von militärischen und diplomatischen Mitteln blieb Stresemann in diesen Jahren fremd. Er dachte in der Alternative des Entweder-Oder. Letztlich bedeutete das die Abdankung der politischen Vernunft gegenüber einer bloß militärischen Zweckrationalität. Das nicht erkannt zu haben, ist, wie immer man es wenden mag, als das entscheidende politische Versagen Stresemanns während des Krieges zu bezeichnen. Alles auf dem Wege über militärische Erfolge erhoffen, hieß alles verlieren, wenn sich ein militärischer Zusammenbruch ankündigte. Die Wende, das Erwachen aus fixierten Träumen kam im September/Oktober 1918. Stresemann mußte sich eingestehen (das immerhin tat er, und er lernte daraus), daß die Verkennung der tatsächlichen Machtverhältnisse Deutschlands größter Fehler gewesen war. Trotzdem blieb es ihm lange unfaßbar, daß von Berlin aus nicht eine letzte Anstrengung unternommen wurde, eine Art levée en masse (wie von Rathenau gefordert), um die Niederlage doch noch zu verhindern. Der politisch-psychologische Schock, der aus dieser Erfahrung resultierte, wirkte lange nach.

Am 9. November 1918 erreichte die deutsche Revolution Berlin; sie beendete die Monarchie. Am 11. November 1918 wurde in Compiègne der Waffenstillstand unterzeichnet; er beendete den Krieg. Das kaiserliche Deutsche Reich, das »Weltmacht« hatte sein wollen, war nun eine geschlagene Republik: die parlamentarische Demokratie kam mit der Niederlage. Viele konnten oder wollten sich mit der neuen Situation nicht abfinden; sie weigerten sich, »1918« anzuerkennen, und beharrten darauf (einer politischen Wahnvorstellung gleich), »1914« als die eigentlich angemessene Ausgangsstellung Deutschlands in der Welt anzusehen. In Wirklichkeit aber war durch den Zusammenbruch des Deutschen Reiches, die Auflösung Österreich-Ungarns, das Eingreifen der USA in den Weltkrieg und die Oktoberrevolution in Rußland die weltpolitische Konstellation grundlegend verändert. Was sich in den Monaten Oktober und November 1918 ereignete, mußte den Politiker und Menschen Stresemann zutiefst erschüttern. Militärische Niederlage, Sturz der Monarchie, Revolution, Waffenstillstand, Auseinanderfallen der Nationalliberalen Partei — alles das kam, zumindest in dieser Kombination und Eile, unerwartet und erschien unbegreifbar. Für Stresemann brachen Welten zusammen. Die (wilhelminisch gefärbten) Ideale der 48er-Revolution hatten sich endgültig nicht in die politische Realität umsetzen lassen; der Traum vom »größeren Deutschland« und von einer liberalen Monarchie war ausgeträumt, besser: er mußte beendet werden. Wenigen fiel das leicht, Stresemann aber besonders schwer. Nur mühsam war er in der Lage, sich den raschen außen- und innenpolitischen Szenenwechsel bewußt zu machen; nur zum Teil konnte er ihn verstehen.

Von Anfang an war klar gewesen, daß gerade Frankreich nach mehr als vier Jahren härtester militärischer und wirtschaftlicher Anstrengungen nun darauf bestehen würde, den einige Monate zuvor noch gefährdeten Sieg voll zu nutzen. Das deutsche Interesse verlangte vor allem eine kritische Beobachtung des Verhaltens der alliierten Besatzungsmächte in den linksrheinischen Gebieten und den Brückenköpfen rechts des Rheins. Aufgrund des allseits propagierten Selbstbestimmungsrechtes erwartete Stresemann zwar keine direkte Annexion, wohl aber den Versuch, durch eine gezielte und langdauernde Besatzungspolitik die dortige Bevölkerung zu einem Votum im Sinne

Frankreichs zu veranlassen. Bedenkt man, welche Kriegsziele er selber jahrelang verfochten hatte, so mußte als paradoxe Ironie erscheinen, wenn er jetzt Wilson dazu aufforderte, den »französischen Imperialismus« in die Schranken zu weisen. Mochte die Polemik davon profitieren, ein Ansatz zu praktischer Politik, zur Einflußnahme auf die Entschlüsse der Siegermächte war solcherart nicht zu gewinnen. Von einem Programm für die Lösung der entstandenen Fragen mußte Stresemann so lange weit entfernt bleiben, als er nicht realistisch genug die Folgen der Niederlage Deutschlands vor sich selber und in der Öffentlichkeit zu bedenken bzw. zu artikulieren vermochte. Aber auch wenn er dieses Programm gehabt hätte, es hätte wenig genutzt, einem auferlegten, vom französischen Interesse akzentuierten Frieden vorzubeugen. Deutschland war 1918/19 nicht mehr Subjekt, sondern fast nur noch Objekt der Weltpolitik.

Die Einheit des Reiches nach innen und nach außen erschien Stresemann ebenso gefährdet wie notwendig. Für dieses Ziel glaubte er alle Kräfte anstrengen, alle Potenzen des deutschen Volkes mobilisieren zu müssen. Monarchischer und nationaler Gedanke sollten dem die Basis und die Klammer geben, und es spricht deshalb viel dafür, daß Stresemann dem Hohenzollernhaus nicht so sehr aus sentimentaler Anhänglichkeit verbunden war, sondern wegen des Kalküls, daß nur die Erinnerung an die Großtaten der preußisch-deutschen Geschichte die Bereitschaft zur Fortsetzung des Bismarckreiches und seiner außenpolitischen Tradition in breiten Teilen des deutschen Volkes neu beleben würde. Entscheidend war ihm die Zukunft des Deutschen Reiches, nicht die Restauration der Monarchie. Insofern er sich darum bemühte, innerhalb Deutschlands den politischen und gesellschaftlich-ökonomischen Liberalismus (allerdings — wie schon in der Vorkriegszeit — mit einem deutlichen sozialen Impetus) und für die Außenpolitik des Reiches das nationale Selbstinteresse (wie er es definierte) zur Richtschnur seiner Politik zu machen, bewies Stresemann in eigener Person am eindringlichsten die nationalliberale Kontinuität in Theorie und Praxis. Von daher ist verständlich, daß er sich der Monarchie zwar innerlich verbunden fühlte, jedoch zum »Vernunftrepublikaner« werden konnte, wenn das die Belange des Deutschen Reiches erforderten.

Außenpolitisch war Stresemann nach dem verlorenen Weltkrieg von Anfang an (darin also ungebrochen) von der Intention bestimmt, Deutschland wieder in das internationale System der Großmächte einzubringen. An militärische Operationen, an einen Revanchekrieg also, dachte er dabei zu keinem Zeitpunkt, wohl aber an den wirtschaftlichen und damit auch politischen Wiederaufstieg Deutschlands, des Deutschen Reiches, das ihm als politische »Qualität« — gleichrangig den übrigen »großen« Nationalstaaten — nie zweifelhaft war. Damit setzte

Stresemann auch auf dieser Ebene eine Linie fort, die ihren Ursprung in der Zeit *vor* dem Weltkrieg hatte und damals — trotz aller imperialistischen Deformation — prinzipiell von der Absicht getragen gewesen war, die deutsche Großmacht militärisch zu sichern, wirtschaftlich jedoch durch freien Welthandel, der den Frieden voraussetzt, auszubauen, so daß der Aufstieg zur »Weltmacht« über kurz oder lang als Konsequenz sich hätte ergeben müssen. Ein solches Maximalprogramm war *nach* 1918 natürlich in die weiteste Ferne gerückt, und Stresemann wußte das; aber er war fest entschlossen, dieselbe Richtung der Außenpolitik wieder einzuschlagen, und seine Hoffnung ruhte wie früher auf der wirtschaftlichen Kapazität, dem territorialen Umfang und der Bevölkerungszahl Deutschlands. Jede Aktivität mit einer so motivierten Perspektive verlangte indessen, diese drei Hauptfaktoren für eine künftige Großmachtposition des Reiches dem Zugriff der Alliierten soweit wie irgend möglich zu entziehen. Denn darauf kam es zunächst an: Sollte eine Politik der Revision des Status quo 1918/19 je erreichbar sein, dann mußte, wo immer eine Chance sich bot, diese genutzt werden, damit Deutschland nicht auf Dauer geschwächt wurde.

Seit 1920/21 wollte Stresemann für den Fall einer Regierungsbeteiligung ein Doppeltes vollbringen: die Anerkennung (als notwendiges Ergebnis des verlorenen Krieges) *und* die Revision (als wünschenswertes Ziel jeder nationalen deutschen Außenpolitik) des Versailler Vertrages. Eine solche Strategie spiegelte weniger eine innere Wandlung als eine national-liberal orientierte Anpassung an die gesellschaftlichen und außenpolitischen Realitäten; von einem »Damaskus« läßt sich keineswegs reden. Gewaltpolitik war faktisch unmöglich und unverantwortlich dazu. In einer Zeit globaler wirtschaftlicher Verflechtung bedurfte es neuer Methoden, neuer Wege, um gerade in der Außenpolitik dauerhafte Erfolge zu erzielen. Über die politische und militärische Ohnmacht des Reiches gab sich Stresemann keinen Illusionen hin (das unterschied ihn von den meisten lernunfähigen »Rechten«), aber er hatte die deutschen Möglichkeiten auf ökonomischem bzw. finanziellem Gebiet erkannt und war entschlossen, sie für eine Verbesserung des (äußerst gespannten) Verhältnisses zwischen Berlin und Paris zu nutzen. Anders formuliert: Da Stresemann zum Völkerbund keinerlei Vertrauen hatte (»Welttrust zur Beherrschung der Welt«), war nach seiner Meinung Deutschland gehalten, selber Einfluß auf die politische Willensbildung der Siegerstaaten zu nehmen. Vier Komponenten wollte er dabei beachtet sehen: 1. die direkten deutsch-französischen Beziehungen; 2. die neubelebte Tradition der englischen Gleichgewichtspolitik; 3. das vitale Interesse der USA an einem (kaufkräftigen) europäischen Großmarkt; 4. die Gefährdung der westlichen Staaten durch das bolschewistische Rußland. Schon zu Beginn der 20er Jahre hatte also

Stresemann die fundamentalen Bausteine seines außenpolitischen Koordinatensystems zusammen, das einen weltweiten Horizont für sich beanspruchen durfte, allerdings zu diesem Zeitpunkt noch kein ausgearbeitetes Programm beinhaltete. //

Wenn Stresemann schon im Sommer 1920 von einer für beide Seiten vorteilhaften deutsch-französischen Wirtschaftsgemeinschaft sprach, so waren das in der damaligen Situation mutige Gedanken; praktisch bestand allerdings keine Aussicht, daß sie in naher Zukunft verwirklicht wurden: Zum einen waren die französischen Nationalisten an solchen wirtschaftlichen Verbindungen nicht interessiert, ja sie sahen darin ein Ablenkungsmanöver gegenüber den eigentlichen machtpolitischen und erst in deren Gefolge finanziellen Fragen, und zum anderen mußte eine solche Wirtschaftsgemeinschaft, die Gleichberechtigung voraussetzte oder doch nach sich zog (und das hieß auch politische Gleichberechtigung), Deutschland wirtschaftlich (also auch politisch) erstarken ① lassen, ihm folglich seine außenpolitische Bewegungsfreiheit zurück- ② geben — beides zuungunsten Frankreichs. Dieser Interessengegensatz war objektiv unaufhebbar und stellte sich den Intentionen Stresemanns, der natürlich voll bejahte, was die französischen Extremisten befürchteten, auch in den späteren Jahren hemmend entgegen. Immerhin war schon zu diesem Zeitpunkt (d. h. 1920/21) seine Frankreich-Konzeption in den Grundzügen entwickelt. Ihre Leitgedanken waren: 1. Abwehr aller französischen Aktionen, die die Sicherheit, den Bestand und die Einheit des Reiches gefährden; 2. Vereinbarungen wirtschaftspolitischer Art, die sowohl der Reparationspflicht als auch der deutschen Leistungsfähigkeit Rechnung tragen; 3. deutsch-französische Wirtschaftsverflechtung auf der Grundlage der vollen Gleichberechtigung; 4. allmähliche Revision der als unerfüllbar und unehrenhaft angesehenen Artikel des Versailler Vertrages; 5. Abbau und (vertragliche) Regelung der verbleibenden politischen Konflikte. Erst bei einem weitgehenden Erfolg in diesen Fragen durfte Stresemann erwarten — dann jedoch mit aller Sicherheit —, daß Deutschland seine Großmachtstellung zurückgewinnen würde.

Vorläufig dachte indessen die französische Regierung nicht daran, sich den Gesetzen der wirtschaftspolitischen Vernunft zu beugen. Während Stresemann bereit war, ihr auf halbem Wege entgegenzukommen — also auch da die Mitte zwischen bloßer Ablehnung und gänzlicher Unterwerfung, zwischen »Katastrophenpolitik« und »Erfüllungspolitik« zu beschreiten —, suchte diese, gestützt auf ihre militärische Macht und ihren politischen Einfluß auf dem Kontinent, in der Reparationskommission und bei multilateralen Verhandlungen die Weichen so zu stellen, daß wegen der Höhe der Summe Deutschland entweder auf unabsehbare Zeit — über seine militärische Bedeutungslosigkeit und politische Schwäche hinaus — ein tributpflichtiger Vasall Frankreichs wurde oder, da es seine Verpflichtungen nicht erfüllen konnte, militärische Sanktionen, vielleicht sogar Gebietsverluste (Rhein-Ruhr-Gebiet, ganz Oberschlesien) über sich ergehen lassen mußte. Aus deutscher Sicht war nicht immer auszumachen, welcher Alternative Frankreich den Vorzug gab. Daher kam es nach dem Urteil Stresemanns darauf an, die zweite Lösung unbedingt zu vermeiden und die erste — mittels konkreter Vorschläge und dauernder Angriffe gegen die Grundlagen (Art. 231) des Versailler Vertrages — den deutschen Interessen soweit wie möglich anzugleichen. Nicht recht wahrhaben wollte er jedoch, daß die Nationalisten links *und* rechts des Rheins sich gegenseitig stützten. Tatsächlich war es weder gerecht noch klug, vor den eigenen Extremisten die Augen zu verschließen und nur jene auf der anderen Seite ins Visier zu nehmen, im übrigen aber auf die Eigengesetzlichkeit gemeinsamer deutsch-französischer Wirtschaftsinteressen zu bauen. Dieser Hebel zur Veränderung der Konstellation in Europa mußte untauglich bleiben, solange er nur genannt, nicht aber — unterstützt durch ergänzende Maßnahmen — in Bewegung gesetzt wurde. In der Opposition war Stresemann dazu allerdings nicht in der Lage.

Für Poincaré hatte der Vertrag von Versailles, einmal rechtsgültig geworden, als unantastbares politisches Dogma gegolten. Im Sommer und Herbst des Jahres 1922 war er fest entschlossen, die Reparationsfrage nicht weiter durch Moratorien und eventuelle internationale Anleihen zugunsten Deutschlands verschleppen zu lassen. Die große Mehrheit der Franzosen betrachtete dieses Deutschland als einen zwar zahlungsfähigen, aber zahlungsunwilligen Schuldner. Poincaré zielte deshalb auf eine Politik der »produktiven Pfänder«, die erzwingen sollte, was bisher nicht gegeben wurde. Stresemann war sich über den Ernst der Lage durchaus im klaren. Immerhin hatte — und das bewertete er positiv — Rapallo bewiesen, daß Deutschland nicht länger Objekt der internationalen Politik zu sein gedachte; vor allem war ein russisch-französisches Abkommen (der »Alptraum« Bismarcks) zunächst einmal abgewehrt worden. Das bot Chancen für die Zukunft, verschärfte aber die Krise der Gegenwart. Im Januar 1923 machte Poincaré wahr, was er zuvor angedroht und Stresemann am meisten befürchtet hatte. Im Vertrauen auf die moralische Überlegenheit der deutschen Position und auf die Hilfe Englands riskierte die Regierung Cuno, gefördert vom Ausbruch patriotischer Leidenschaften, die Machtprobe. Es stellte sich jedoch von Anfang an die Frage, wie lange der Widerstand finanziell und (innen)politisch durchgehalten werden konnte; auf lange Sicht mußte jedenfalls die »nationale« Politik der Reichsregierung erfolglos bleiben.

Aus politischen, ökonomischen und menschlichen Erwägungen suchte Stresemann — und zwar schon in den Monaten, bevor er (am 13. August) Reichskanzler und Außenminister wurde — eine Bewältigung der inneren und äußeren Konfliktsituation vorzubereiten. Der finanzielle Fehlschlag der Ruhraktion für Frankreich und Belgien, aber auch für die unbeteiligten Staaten (wie etwa Italien), die Geschlossenheit des deutschen nationalen Widerstandes und die exponierte Position, in die sich Frankreich begeben hatte, waren in seinen Augen Aktivposten für die Wendung zum Besseren. Auch gegen direkte deutsch-französische Verhandlungen — allerdings *vor* Abbruch des passiven Widerstandes — sperrte er sich nicht. Eine Verständigung sollte vor allem verhindern, daß die Rheinlande in der einen oder anderen Weise vom Deutschen Reich bzw. Preußen abgetrennt wurden; sollte zudem die ganze Ruhraktion auch in der (kritischen) französischen Öffentlichkeit ins Zwielicht rücken und England (das eine französische Hegemonie in Kontinentaleuropa nicht wünschen konnte) sowie die Vereinigten Staaten (die an Deutschland wirtschaftlich interessiert waren) von der Bereitschaft der Reichsregierung überzeugen, »vernünftige« Regelungen jederzeit zu akzeptieren. Stresemann hatte entschieden, für die *politische* Zukunft Deutschlands, die die Einheit des Reiches im bisherigen Rahmen voraussetzte, große wirtschaftliche Opfer zu bringen.

Nur eine Aufhebung des passiven Widerstandes konnte (als Grundlage jeder positiven Regelung) die deutsche Währung sanieren, Poincaré zur Nachgiebigkeit veranlassen und — wegen Englands Distanzierung vom französischen Vorgehen — die Gelegenheit zu einer politisch-diplomatischen Offensive der Reichsregierung eröffnen. Aus Einsicht in die Notwendigkeit war Stresemann gewillt, diesen außen- wie innenpolitisch gleichermaßen gefährlichen Verzicht gegen heftige Kritik von links und rechts auf sich zu nehmen. Er bewies damit, daß er als Kanzler (später als Außenminister) keine anderen politischen Maximen verfochte und keine anderen Prioritäten setzte, als er das zuvor als Parteipolitiker und außerhalb der Regierung getan hatte. In der Tat formten nicht subjektive Wünsche oder prinzipielle Erwägungen seine politischen Entscheidungen, sondern nationale Zielprojektionen auf der Basis der jeweiligen Machtverhältnisse im System eines Staatengeflechts, für das ihm die Begriffe Nation und Souveränität Leitbilder und Wirklichkeit zugleich waren. Es kommt hinzu, daß Stresemann wegen der übergeordneten Interessenlage des Reiches persönlich und von der äußeren Situation her Außenpolitik auch als Methode verstand, sich vorgegebenen Bedingungen anzupassen und dadurch den Kompromiß möglich zu machen, kurz: er verband eine Kontinuität der politischen Zwecke (letztlich die gesicherte Großmachtstellung Deutschlands) mit der Fähigkeit zu variablen Mitteln.

Im Herbst 1923 sah sich Stresemann einer Situation gegenüber, in der allein die folgenden drei Faktoren für den weiteren politischen Prozeß ausschlaggebend waren: 1. deutscherseits die Entwicklung und Entscheidung im besetzten Gebiet; 2. in Frankreich selbst der Druck, der von den fiskalischen Erfordernissen (und zu einem Teil auch von der Absicht, außenpolitisch nicht gänzlich in die Isolierung zu geraten) ausging; 3. das Ja oder Nein der angelsächsischen Mächte, sich in den Konflikt, der immer deutlicher auch die eigenen Interessen berührte, einzuschalten. Das Ersuchen der Reichsregierung (24. Oktober 1923) an die Reparationskommission, Deutschland einen vorläufigen sowie allgemeinen Zahlungsaufschub zu gewähren und durch Experten die vorhandene Leistungsfähigkeit feststellen zu lassen, war bei Lage der Dinge die einzige Möglichkeit, multilaterale Verhandlungen in die Wege zu leiten. In diesem Kernpunkt seiner Konzeption unterschied sich Stresemann ebenso vom Rheinstaat-Programm Adenauers wie von der »Versackungstheorie« des Reichsinnenministers Jarres; anders als jener wollte er seine Außenpolitik nicht vorrangig (und betont kooperativ) auf Frankreich stützen, sondern vom partiellen Gegensatz zwischen Frankreich und den angelsächsischen Mächten her entwickeln.

Mit der Einberufung eines internationalen Sachverständigengremiums bekam der von Stresemann längst erhoffte Umschwung seine entscheidende Grundlage. Von diesem Datum an war die Waffe der Reparationspolitik praktisch Frankreichs Händen entwunden; sie wurde — besonders durch die amerikanische Beteiligung — ein Instrument der internationalen Finanzwirtschaft sowie der großen Politik aller Länder, die daran interessiert waren, die Stabilität und materielle Wohlfahrt (des »kapitalistischen«) Europas wiederherzustellen. Gewiß war — gerade Stresemann vergaß das nicht — Frankreich das wichtigste Land, mit dem Deutschland (auch in Zukunft) zu rechnen hatte, aber wenn es gelang, den Beschlüssen der Sachverständigen bei den Regierungen Englands, Amerikas und Italiens Anerkennung zu verschaffen, was selbstverständlich auch deutsche Opfer verlangte, dann war es aufgrund der inneren Verhältnisse und auswärtigen Abhängigkeiten Frankreichs beinahe sicher, daß sich auch in Paris wirtschaftliche Überlegungen gegenüber politischen Ambitionen durchsetzen würden — für das Deutsche Reich wegen der damit verbundenen Konsequenzen ein Politikum ersten Ranges. Mit einem Wort: die Rückkehr zum Versailler Vertrag durfte unter den gegebenen Umständen als ein großer Erfolg deutscher Außenpolitik gewertet werden. War einmal die Ausgangssituation von 1919 gesichert, dann konnte nachfolgend eine deutsch-französische »Verständigungspolitik« — die Stresemann niemals als Selbstzweck begriff, sondern (aus deutscher Sicht) als das von den politischen Realitäten gebotene, vom Nutzeffekt wirksamste und für das menschliche Zusammenleben beste Mittel — jene Bewegung in die europäischen Machtstrukturen bringen, die es erlaubte, schrittweise zwar, aber doch stetig das Deutsche Reich aus den bedrückenden und ja auch keineswegs sakrosankten »Fesseln« des Vertrages zu befreien.

Insgesamt läßt sich das Diagramm der deutschen Politik (im Frühjahr 1924) folgendermaßen skizzieren: England war wirtschaftlich und auch noch finanziell zwar sehr stark, politisch und militärisch aber zu schwach, als daß es — infolge der Spannungen mit Frankreich — die Situation in Europa hätte ändern können. Umgekehrt: Frankreich war politisch und militärisch zwar sehr stark, so daß es den (partiellen) Gegensatz zu England nicht zu fürchten brauchte, wirtschaftlich und (mehr noch) finanziell aber zu schwach, als daß es in der Lage gewesen wäre, selbständig und auf Dauer die (kontinental-)europäischen Verhältnisse — damit auch das Schicksal Deutschlands — zu entscheiden. Stresemanns außenpolitisches Kalkül wurde jedoch vorrangig weder von England noch von Frankreich bestimmt, sondern von den Vereinigten Staaten, die er als die primäre Weltmacht begriff. Eine engere Bindung an Amerika (in der Konsequenz des Dawes-Plans) mußte sich gleichermaßen wirtschaftlich wie politisch zugunsten Deutschlands auswirken, Frankreich dagegen im Vergleich zu den ersten Nachkriegsjahren relativ schwächen. Das Ergebnis der Londoner Konferenz (Juli/August 1924) gab diesen Zukunfterwartungen das erste tragfähige Fundament; auch Frankreich hatte sich Deutschland um einiges genähert.

Schon im Sommer 1924 war abzusehen, daß der Weg zum Wiederaufstieg des Deutschen Reiches am Völkerbund nicht vorbeigehen konnte. Auch diese Frage gedachte Stresemann nicht grundsätzlich, sondern pragmatisch zu entscheiden, d. h. nach dem Gesichtspunkt des nationalen Interesses und der politischen Nützlichkeit. Conditio sine qua non sollte die Bereitschaft der Völkerbundstaaten sein, Deutschland einen ständigen Ratssitz einzuräumen — und eben damit seine Großmachtstellung formell anzuerkennen bzw. mit herbeizuführen. Eine gleichzeitige Mitgliedschaft Rußlands hätte Stresemann (der politischen Manövrierfähigkeit des Deutschen Reiches wegen) sehr begrüßt; denn nach seinem Urteil hingen weitere Erfolge der deutschen Außenpolitik wesentlich davon ab, daß eine Wiederholung der Isolierung Deutschlands, wie sie sich während des Ruhrkampfes gezeigt hatte, verhindert, Deutschland vielmehr von allen seinen Partnern bzw. Kontrahenten zur Stärkung, mindestens jedoch zur Sicherung der eigenen wirtschaftlichen und politischen Macht gebraucht wurde — eine Situation, die Stresemann (gleichsam als dem allgemeinen Prinzip seiner außenpolitischen Gesamtkonzeption) konsequent zu nutzen beabsichtigte und die er, gerade mit Blick nach Osten, »bismarckisch« nannte.

In der Tat verlangte eine so verstandene »nationale Realpolitik« —
über alle ideologischen und gesellschaftlichen Gegensätze hinweg —
die (begrenzte, d. h. politisch gesteuerte) Zusammenarbeit gerade auch
mit der Sowjetunion. Dadurch konnte vor allem ein etwaiges russisch-
französisches Bündnis verhindert, darüber hinaus die effektive Voraussetzung dafür geschaffen werden, von den Westmächten — wegen
deren Absicht, Deutschland an das eigene »Lager« zu binden — Zugeständnisse einzuhandeln. In seiner politischen Strategie mußte Stresemann, wollte er seine langfristigen Zielvorstellungen in die Wirklichkeit umsetzen, letztlich darauf hinarbeiten, die stärkste kontinentaleuropäische Macht — und das war zweifellos Frankreich — einerseits
durch eine (vornehmlich ökonomisch motivierte) Annäherung Deutschlands an die angelsächsischen Staaten (korrespondierend mit deren
größerer Distanzierung von Frankreich), andererseits durch eine Intensivierung der Außenhandels- und diplomatischen Beziehungen mit
Rußland (die geheimen militärischen Kontakte der Reichswehr fügten
sich dieser Absicht vorteilhaft ein) faktisch ohne Alternativmöglichkeit zu lassen, genauer: aus finanziellen, wirtschaftlichen und sicherheitspolitischen Gründen auf Deutschland hin zu orientieren — einzig
praktikable und überzeugende Basis für eine Revision des Versailler
Vertrages. Tatsächlich war genau das der zentrale Inhalt der deutsch-
französischen »Verständigungspolitik«, wie sie dem Konzept Stresemanns entsprach.

Geht man von der These aus, daß Stresemann 1924/25 und späterhin die Revision des Versailler Vertrages (und das heißt den wirtschaftlichen sowie politischen Wiederaufstieg des territorial arrondierten
Deutschen Reiches) nicht auf dem Wege gewaltsamer Pressionen oder
durch eine Politik der Drohung, sondern durch eine bewußt bejahte
und ständig intensivierte deutsch-französische Zusammenarbeit zu erreichen hoffte (allerdings auf der Grundlage bzw. in der Folge des
wirtschaftlichen Rückhaltes an den USA, der engen politischen Kontakte zu England und der positiven diplomatischen Beziehungen zu
Rußland) — eine Zusammenarbeit, die im Endeffekt mehr als nur den
stets notwendigen und politisch vernünftigen Interessenausgleich zweier
Staaten umfassen sollte —, dann wird überhaupt erst verständlich,
warum er sich nun, nach Inkrafttreten des Londoner Abkommens, so
energisch und unbeirrbar dem entscheidenden Problem zuwandte,
ohne dessen Bewältigung alle deutschen (revisionistischen) Zukunftspläne scheitern mußten: dem Problem der (militärischen) Sicherheit
Frankreichs. Nur bei einer Befriedigung des seit 1919 die französische
Außenpolitik beherrschenden Sicherheitsbedürfnisses durfte er erwarten — indem Frankreich zugleich auf eine Sicherheit nur im *west*-
europäischen Rahmen abgedrängt wurde —, daß durch eine (vertrag-

lich »sanktionierte«) Trennung der Ost- und Westprobleme die Revision der deutsch-polnischen Grenze in den Bereich des Möglichen rückte. Das und nichts anderes war das primäre — schließlich auch erreichte — Ziel Stresemanns in Locarno.

Der Intention, das europäische Kräfteverhältnis zugunsten Deutschlands, was immer im einzelnen darunter verstanden werden mochte, zu verändern, stellte sich indessen von vornherein die politische Antinomie der deutsch-französischen Beziehungen hemmend entgegen. Auf eine knappe Formel gebracht, läßt sie sich so definieren: Frankreich (in der großen Mehrheit seiner politischen Führung) beharrte auf den Ergebnissen des Weltkrieges, war also vital an deren Konsolidierung interessiert — Deutschland (gleichfalls in der großen Mehrheit seiner politischen Führung) drängte auf eine Revision eben dieser Ergebnisse, war also vital an einer Dynamik der europäischen Entwicklung interessiert. Folglich mußte Stresemann die Quadratur des Kreises versuchen: einerseits die Konzipierung und Praktizierung einer grundsätzlich offensiven deutschen Außenpolitik (die, das war abzusehen, auf lange Zeit hinter den eigenen Forderungen bzw. Wünschen zurückbleiben würde), andererseits die Anbahnung und Verstärkung der Zusammenarbeit mit Frankreich, ohne die doch Erfolge (mindestens die Befreiung des Rheinlandes) füglich nicht zu erwarten waren. Für Stresemann kam es unter diesen Vorzeichen entscheidend darauf an, eine politische Plattform zu schaffen, von der aus eine realistisch-konstruktive Außenpolitik verwirklicht werden konnte. Locarno *war* diese Plattform und sollte sie auch sein.

Wenn Stresemann bei der Regelung der Sicherheitsfrage bereit war, den Krieg als Mittel seiner Politik (vertraglich zwar nur im Westen, realiter aber doch auch im Osten) auszuschließen, dann tat er das in erster Linie gewiß deshalb, weil das Deutsche Reich militärisch eine drittrangige Macht war (bei allerdings beträchtlichen Potenzen auch auf diesem Gebiet) und wirtschaftlich (vorerst) auf die Kapitalhilfe des westlichen Auslandes angewiesen blieb. Dennoch bedeutete seine in Locarno praktizierte Konzeption deutscherseits keine Selbstverständlichkeit. Stresemanns Politik muß, würdigt man unter diesem Aspekt alle Faktoren, als eine Politik zwischen Krieg und Frieden (im vollen Sinn des Wortes) verstanden werden, als eine Politik des begrenzten (d. h. politisch kontrollierten) Konflikts — mit allen ihren Chancen und Grenzen, weniger wohl Risiken. Das taktische Instrumentarium mochte vom großzügigen (wenngleich kalkulierten) Entgegenkommen bis zum härtesten wirtschaftlichen und politischen Druck reichen: die militärisch zugespitzte (und so auch gewollte) Eskalation einer Krise zählte unter den gegebenen Umständen nicht dazu. Man wird deshalb sagen können, daß die Realpolitik, von der Stresemann immer wieder

289

sprach, niemals originäre Machtpolitik gewesen ist (und insofern faktisch nur wenig gegen den Willen anderer Staaten bzw. Staatsführungen durchzusetzen vermochte), sondern der Versuch, ausgehend von den (welt-)wirtschaftlichen und politischen Realitäten, die Deutschland immerhin Entwicklungsmöglichkeiten boten, bis zu jener Ebene vorzustoßen, von der aus Machtpolitik eventuell wieder relevant werden konnte. Gerade als Wirtschaftspolitiker wußte er jedoch, daß ein neuerlicher (Welt-)Krieg auf europäischem Boden keine Sieger, dagegen (jedenfalls in Europa) allseits Besiegte zur Folge haben würde. Jenseits des Rheins dachte Briand nicht anders. *aber Poincaré*

Noch während der Verhandlungen von Locarno (Oktober 1925) hatte Stresemann in drängender Weise von den Rückwirkungen des erhofften Paktabschlusses gesprochen. Für ihn umfaßte das vor allem die Erleichterung des Rheinlandregimes, die Verminderung der Besatzungstruppen, die Abkürzung der Besatzungsfristen, die Räumung der Kölner Zone und die Vorverlegung der Abstimmung im Saargebiet. Briand war auf solche Vorstellungen verständlicherweise nicht eingegangen, hatte aber gleichwohl der Räumung der Kölner Zone zugestimmt. Locarno erfüllte also nicht alle deutschen Hoffnungen, die unmittelbar an den Vertragsabschluß geknüpft worden waren. Dennoch konnte am Ende der Konferenz (und bei der Vertragsunterzeichnung in London) mit Recht gesagt werden, daß die deutsch-französische »Erbfeindschaft« wenn schon nicht völlig der Vergangenheit angehörte, so doch immerhin einem Modus vivendi Platz gemacht hatte. Wer, aus welchen Gründen auch immer, eine Verständigung zwischen den beiden Staaten anstrebte, mußte dem tatsächlichen (obwohl nicht expressis verbis formulierten) Verzicht Deutschlands auf Elsaß-Lothringen — gleich Briand — große Bedeutung beilegen. War also Stresemann durch und nach Locarno ein »Europäer«? Oder täuschte er eine »Erfüllungs- und Verzichtpolitik« nur vor? Was war Überzeugung, was Mittel zum Zweck?

Zusammenfassend wird man sagen können: Die »Verständigungspolitik« gegenüber Frankreich war von Stresemann inhaltlich als Ausgleichspolitik konzipiert, hatte aber vorrangig einen instrumentalen bzw. funktionalen Charakter. Ihr taktisches Ziel richtete sich auf die Befreiung der Rheinlande, die Rückgabe Eupen-Malmedys und die Vorverlegung der Abstimmung im Saargebiet — insgesamt also auf die Wiederherstellung der deutschen Souveränität (die ebenso eine weitere Reduzierung der Reparationsverpflichtungen wie eine Liquidierung der alliierten Militärkontrolle einschließen sollte) und damit der außenpolitischen Bewegungsfreiheit des Reiches; ihr strategisches Ziel ging dahin, in Frankreich (ebenso natürlich bei den übrigen Westmächten) die Bereitschaft für eine Revision der deutschen Ostgrenzen — d. h. für eine territoriale Verkleinerung Polens (und dann auch für den Anschluß Deutsch-Österreichs) — zu fördern. Grundsätzlich konnten entsprechende Erfolge nur bei einer außenpolitischen Isolierung Polens und einer entschlossenen Ausnutzung seines inneren Schwächezustandes erwartet werden. Das eine sollte die deutsche Diplomatie, das andere (damit verbunden) die deutsche Wirtschaft bewerkstelligen. Die beabsichtigte Isolierung Polens durfte von vornherein mit der Unterstützung Rußlands rechnen (mit dem Deutschland daher enge Kontakte pflegen mußte). Entgegengesetzt verhielt es sich mit Frankreich, das nur dann — gegebenenfalls auch bloß partiell, aber eben doch ausschlaggebend — für die deutsche Sache gewonnen, richtiger wohl: von einer alles in Frage stellenden Gegenaktion abgehalten werden konnte, wenn es Polen nicht mehr zur militärischen Eindämmung des Deutschen Reiches brauchte. Daraus folgte mit immanenter Logik: Das französische Sicherheitsbedürfnis mußte deutscherseits voll und ganz befriedigt, die politisch-wirtschaftliche Zusammenarbeit mit Frankreich (unter Auswertung der guten deutsch-russischen und der noch besseren deutsch-englischen sowie deutsch-amerikanischen Beziehungen) auf den ersten Platz der deutschen Außenpolitik gesetzt werden.

Diese so konzipierte und auch praktizierte Politik mochte — das bedeutete jedoch keinen Widerspruch — im Laufe der Zeit und aufgrund bestimmter Faktoren (etwa das persönliche Verhältnis Stresemanns zu Briand) eine relative Eigenständigkeit bekommen und damit zweifellos einer friedlichen Entwicklung Europas dienlich sein, insgesamt blieb sie aber bei aller Doppelpoligkeit an den revisionistischen Zielvorstellungen Stresemanns orientiert. Locarno sollte den architektonischen Rahmen formen, von dem aus der strategische Durchbruch mit Aussicht auf Erfolg versucht werden konnte — und zwar mit der Tendenz, möglich zu machen, was als notwendig angesehen wurde: die Organisation einer europäischen Friedensordnung auf neuer, Versailles aufhebender, Deutschland begünstigender Basis. Wenn Stresemann den Frieden bejahte und auf (begrenzte) deutsche Revisionsforderungen (im Osten und Südosten Europas) nicht verzichten wollte, dann gab es für eine intensive deutsch-französische »Verständigungspolitik« keine Alternative. Ohne Frankreichs Zustimmung war die (künftige) Großmachtposition und territoriale Arrondierung des Deutschen Reiches auf friedlichem Wege nicht zu verwirklichen.

Aus der Kenntnis dieser Zusammenhänge heraus müssen die Locarno-Verträge als ein großer Erfolg der Politik Stresemanns gewertet werden: sie dokumentieren, wie stark damals die Machtstellung des Deutschen Reiches tatsächlich und im Bewußtsein der Zeitgenossen immer noch war. 1925 wurde das jedoch von den meisten Deutschen, Stresemann eingeschlossen, nicht voll erkannt, d. h. es erschien als selbstverständlich — und weit von dem entfernt, was in der Vergangenheit (vor noch nicht einmal einem Jahrzehnt) angestrebt worden war und was andererseits in der Zukunft (dem Wunsche nach in wenigen Jahren) politische Wirklichkeit werden sollte. Unter dem Vorzeichen weitgespannter Revisionsforderungen galt — geradezu zwangsläufig — jeder Schritt nach vorn als eine Vorstufe zum eigentlichen Ziel und verlor eben deshalb viel von seiner positiven Wirkung. Die Frage, ob nicht auf diese Weise die Möglichkeiten der deutschen Außenpolitik grundsätzlich überschätzt und die Tendenzen zur innenpolitischen Konsolidierung der Weimarer Republik — entgegen der eigenen Absicht — systematisch gefährdet wurden, stellte sich Stresemann allerdings nicht. Gänzlich außerhalb jeder Reflexion und öffentlichen Debatte stand die Alternative, auf bestimmte Zielvorstellungen (besonders in der Grenzfrage) zu verzichten. Was immer deren Befürworter an historischen und rechtlich-moralischen Argumenten zur Begründung vorbrachten, ungeklärt blieb das zentrale Problem, mit welcher realistischen politischen Strategie diese Intentionen durchgesetzt werden sollten.

Als sich im Frühjahr 1926 der Eintritt Deutschlands in den Völkerbund verzögerte, war die Gefahr einer politischen Isolierung des Reiches nicht völlig auszuschließen. Das alte Spiel der Blockbildung hatte (aufgrund konträrer Interessen) auch in den Völkerbund Eingang gefunden, Stresemanns Politik aber nach innen und nach außen einen schweren Rückschlag erlitten. In dieser Situation gelang es ihm jedoch, die internationale Position des Reiches durch eine (wenngleich nicht ganz freiwillige) diplomatische Aktivität zu verbessern, d. h. eine außerordentlich wirksame (und in Deutschland populäre) Trumpfkarte auszuspielen: Der Abschluß eines Neutralitätsabkommens mit der Sowjetunion (24. April 1926) signalisierte den Westmächten, daß Deutschland nicht gewillt war, sich die Möglichkeiten eigenständiger Politik aus der Hand nehmen zu lassen, und daß es dabei auf die russische Unterstützung rechnen durfte. Andererseits vermied der sog. Berliner Vertrag jeden Affront gegen die Westmächte und war insofern in seiner politischen Qualität ein Eckpfeiler der Unabhängigkeit Deutschlands zwischen Ost und West. Für Stresemann bildeten Locarno und Berlin Stationen auf dem Wege nach Genf — alle zusammen aber die Voraussetzung einer konsequenten Aufhebung des »Systems von Versailles«.

Dreh- und Angelpunkt jeder deutschen Revisionspolitik war und blieb jedoch das deutsch-französische Verhältnis. Wenn Stresemann Frankreich an Deutschland binden wollte — und für eine Revision des Versailler Vertrages war das unabdingbar —, dann mußte er dessen

Furcht vor Deutschland zugleich erhalten und abbauen, d. h. auf jenes erträgliche Maß zurückschrauben, das den Franzosen (wegen der Unterstützung Deutschlands durch Rußland und der Abneigung Englands, sich für die Erhaltung des Status quo in Ostmitteleuropa militärisch zu verwenden) eine doppelte Überlegung aufdrängen sollte: 1. Deutschland ist stark und gesichert genug (darüber hinaus — vor allem gemeinsam mit der Sowjetunion — von seiner ökonomischen und militärischen Kapazität her in Wahrheit der überlegene Partner), um einerseits eine französische Sanktionspolitik nicht mehr befürchten zu müssen, andererseits Frankreich auf lange Sicht (wegen der Nichtanerkennung der Ergebnisse des Weltkrieges) potentiell, obgleich gegebenenfalls nur mittelbar über Polen, »bedrohen«, genauer: politisch in Europa ausmanövrieren zu können. 2. Deutschland ist bereit, Frankreichs Sicherheitsverlangen endgültig und ohne Hinterabsicht zu befriedigen, Frankreich sogar wirtschaftlich durch Verflechtung der beiderseitigen (Montan-)Industrien und finanziell durch deutsche Kredithilfen zu unterstützen, wenn es darin einwilligt, die Deutschland moralisch sowie politisch diskreditierende Kriegsschuldthese fallenzulassen und in der Konsequenz dessen eine vorzeitige Räumung des besetzten Rheinlandes, nachfolgend eine Änderung der politisch-territorialen Verhältnisse in Ostmitteleuropa zugunsten des Deutschen Reiches zu akzeptieren.

In der Perspektive eines national motivierten Revisionismus, wie er deutscherseits (gerade auch bei Stresemann) vorhanden war, stand eigentlich erst bei einer Erfüllung dieser letztgenannten Ziele (andere, wie die Rückkehr des Saargebietes, kamen freilich noch hinzu) ein allgemeiner und langfristiger europäischer Frieden in Aussicht. Erst dann auch war in Deutschland selbst der (nach innen und nach außen extremen) nationalistischen Opposition (mit ihren militaristischen und völkisch-imperialistischen Tendenzen) der Boden entzogen, die parlamentarisch-demokratische Republik stürzen und damit jene Kräfte entmachten zu können, die aufgrund ihrer sozialökonomischen Interessen und ihres politisch-ideologischen Selbstverständnisses — trotz und wegen ihrer verbleibenden Ansprüche — den Ausgleich und die Kooperation mit Frankreich bejahten. Nach der Intention Stresemanns sollte dieses Frankreich durch seine enge Bindung an Deutschland wirtschaftlich und finanziell durchaus gewinnen, aber Deutschland sollte das noch weit mehr tun und auf diese Weise eine vorteilhafte Veränderung des europäischen Kräfteverhältnisses herbeiführen. Insofern war also, was immer an verbaler Beschönigung erfunden werden mochte, die Konzeption bzw. »Verständigungspolitik« Stresemanns darauf angelegt, Frankreich — von anderen Staaten einmal abgesehen — in einen (stark ökonomisch akzentuierten, aber politisch sich auswirkenden) Zugzwang zu bringen, der als Endergebnis dem Deutschen Reich in relativ kurzer Zeit die führende Rolle in Kontinentaleuropa zurückbringen mußte.

Schon vor Thoiry (17. September 1926) war sich Stresemann bewußt gewesen (und sehr wahrscheinlich war es auch genau so von ihm gewollt), daß die Verwertung von Industrie- und Eisenbahnobligationen eine Modifizierung, wenn nicht gar eine Revision des Dawes-Plans zur Folge haben und damit vitale wirtschaftliche und politische Interessen Englands sowie — stärker noch — Amerikas berühren würde. Seit seiner Kanzlerschaft hatte er darüber hinaus nie und niemandem einen Zweifel daran gelassen, daß eine deutsche Außenpolitik, wie sie ihm vorschwebte, gegen Washington und London nicht in Frage kam. Wenn die (steigende) Wirtschaftskraft des Deutschen Reiches nicht nur wegen der Reparationen unabdingbar war, sondern auch — strategisch eingesetzt — zum Vehikel der deutschen Revisionspolitik gemacht werden sollte, dann war (wegen der benötigten Kredite) die finanzielle bzw. wirtschaftspolitische Bindung an die Vereinigten Staaten (und Großbritannien) eine unumgängliche Konsequenz; dann unterlag die deutsche Außenpolitik aber auch einer angelsächsischen Kontrolle, deren Grenzen im Einzelfall schwer zu bestimmen waren. Stresemann jedenfalls, der in guten deutsch-amerikanischen Beziehungen den zweiten Brennpunkt (neben Frankreich) seiner gleichsam als »Ellipse« konstruierten politischen Konzeption erkannt hatte, war entschlossen, d. h. faktisch gezwungen, einen Kollisionskurs gegenüber den USA unbedingt zu vermeiden. Das änderte allerdings nichts an seiner Absicht, vorhandene Gegensätze zwischen den Westmächten politisch zu nutzen. Genau diese Konstellation war mit Thoiry gegeben. Es stellte sich jedoch die Frage, ob sich die französischen und die angelsächsischen Interessen so miteinander verbinden ließen, daß die deutschen dabei gleich zweimal zum Zuge kamen. Die Antwort konnte eigentlich nicht anders als »Nein« lauten.

Die politische Situation nach Thoiry läßt sich daher wie folgt zusammenfassen: Die eigentliche Grundlage der Außenpolitik Stresemanns, nämlich die wirtschaftliche Macht des Reiches, erwies sich im Konfliktfalle als nicht tragfähig, da sie im entscheidenden Teil nur geliehen war. Anders formuliert: Das wirtschaftspolitische Engagement der Vereinigten Staaten (von einem Isolationismus kann in den 20er Jahren keine Rede sein) wirkte sich für Stresemann als ein Plus aus, solange es um die Abwehr nationalistischer Bestrebungen (von seiten Frankreichs) oder sozialrevolutionärer Tendenzen ging; es kehrte sich aber zu einem Minus um, wenn von ihm selbst (und von Briand) ein — auch nur partielles — Ausscheren aus den amerikanischen Kapital- und damit indirekt auch politischen Interessen versucht wurde. Mit einem Wort: Thoiry bewies, daß der Frankreich-Konzeption bzw. der Außenpolitik Stresemanns bestimmte, nicht überschreitbare Grenzen gesetzt waren. Die von ihm erstrebte Großmachtposition des Deutschen Reiches befand sich offensichtlich jenseits dieser Grenzen. Was aber Frankreich anbelangt, so war Poincaré ohnehin ein Gegner deutscher Großmacht und Briand, der sie — weil auf die Dauer doch unabwendbar — für die eigene Politik nutzen wollte, nicht in der Lage, gegen den Willen der Vereinigten Staaten durchzusetzen, was Bedingung der beabsichtigten Zusammenarbeit war: die deutsche Zahlungsfähigkeit.

Nach Thoiry wurde dauernde Erfahrung, daß Stresemanns strategische Gesamtkonzeption (zunächst einmal) gescheitert war: die Reichsregierung sah sich aus objektiven Gründen außerstande, das deutsche Wirtschaftspotential — wie beabsichtigt — in politische Macht umzusetzen, d. h. als Mittel nationaler Revisionspolitik wirksam werden zu lassen. Es fehlte an der notwendigen finanziellen Masse, es fehlte aber noch mehr an der eigenen wirtschaftspolitischen Entscheidungsfreiheit. Unter diesen Umständen blieb Stresemann, falls er nicht auf die Ziele oder Grundlagen seiner Außenpolitik verzichten wollte — und beides kam für ihn nicht in Frage —, keine andere Wahl, als möglichst bald die administrative Verfügungsgewalt über die deutsche Wirtschaft (und damit Finanzkraft) zurückzuerlangen. Das aber heißt: In der politischen Kalkulation Stresemanns stellte sich um die Jahreswende 1926/27 (und in der Folgezeit) der Dawes-Plan, der drei Jahre zuvor die Rettung der Nation bedeutet hatte, als das gravierendste Hindernis auf dem Wege zur Aufhebung des »Versailler Systems« dar. Nur die Wiedergewinnung der Souveränität des Reiches auch auf ökonomischer Ebene konnte die deutsche Außenpolitik aus der (hemmenden) Kontrolle fremder Mächte — besonders der Vereinigten Staaten — genügend befreien. Die bei einer Neuregelung zu erwartende Endsumme der auferlegten Reparationen war demgegenüber nicht entscheidend, jedenfalls nicht für die nahe Zukunft, wohl aber die Höhe der Jahresraten, weil sie — in Verbindung mit der jeweiligen Wirtschaftskapazität — die finanzielle Manövrierfähigkeit des Reiches quantitativ bestimmte. Erneut mußte jedoch das Problem auftauchen, wie es gelingen sollte, die Westmächte zu einer solchen — im Ergebnis allen voraussehbaren — Politik zu bewegen.

Die taktische Marschroute wurde von Stresemann nicht verändert: im Verhältnis zu Frankreich mußte es nach wie vor darum gehen, Entscheidungen zu beschleunigen, die der Versailler Vertrag — spätestens für das Jahr 1935 — selber vorgesehen hatte. Denn auch in diesem Falle galt, daß erst nach Wiederherstellung der deutschen Souveränität im Westen des Reiches, wenngleich immer noch eingeschränkt durch die Verträge von Versailles und Locarno, die langfristig konzipierte territoriale Revisionspolitik im Osten (bis zum Anschluß Österreichs) in Angriff genommen werden konnte. Darüber hinaus war vor diesem Zeitpunkt der Anspruch auf militärische Gleichberechtigung Deutschlands — Stresemann intendierte dabei, und zwar in der Linie seiner für Deutschland günstigeren wirtschaftspolitischen Konzeption, mehr die Abrüstung der anderen Mächte (bzw. eine vertragliche Nivellierung des Rüstungsstandes) als die Aufrüstung des Reiches — völlig ineffektiv. Ökonomische Handlungsfreiheit (abgestützt durch bilaterale Vereinbarungen) und politisch-militärische Gleichberechtigung, beide erst ein *Ergebnis* zäher revisionistischer Politik, sollten jedoch nach dem strategischen Konzept Stresemanns als die entscheidenden materiellen *Voraussetzungen* für eine vorteilhafte Revision der deutschen Ostgrenzen fungieren und insofern die deutsche Außenpolitik schubweise dynamisieren.

Spätestens seit dem Sommer 1927 zeichnete sich indes deutlich die Tendenz ab, daß eine der wichtigsten Prämissen der politischen Kalkulation Stresemanns mehr und mehr ins Wanken geriet: Polen verblieb (nach dem Militärputsch Pilsudskis) keineswegs in dem inneren Schwächezustand, auf den man deutscherseits gesetzt hatte; seine politische und wirtschaftliche Regenerationskraft war — gerade auch von Stresemann — offensichtlich unterschätzt worden. In Wahrheit hatte die deutsche Polenpolitik von diesem Zeitpunkt an faktisch nur noch die Wahl zwischen einem Verzicht auf die bisherigen Grenzforderungen (aber keine Partei wollte das) und dem Scheitern dieser Forderungen an den machtpolitischen Realitäten — oder sie richtete sich (gegen die Absicht Stresemanns) langfristig darauf ein, unter Androhung bzw. Anwendung von Gewalt (einschließlich der damit verbundenen Risiken) ihre territorialen Ziele durchzusetzen. Zwar gab es weiterhin theoretisch die Möglichkeit, daß Polen wirtschaftlich doch noch zusammenbrach, praktisch war das aber höchst unwahrscheinlich. Bis zum Jahre 1929 glückte Stresemann jedenfalls kein entscheidender Durchbruch (der allerdings auch erst *nach* der Rheinlandräumung initiiert werden sollte). Danzig und Kattowitz lagen für ihn weiter entfernt, als er es sich (zumindest aber der deutschen Öffentlichkeit) eingestehen wollte. An den Machtverhältnissen, wie sie der verlorene Krieg verursacht hatte, ging kein politischer Weg vorbei; auch die beste diplomatische Aktivität im Völkerbund konnte daran grundlegend nichts verändern.

Rheinlandräumung, Reparationsregelung und Abrüstungsverhandlungen waren in den beiden letzten Jahren der Ministertätigkeit Stresemanns die zentralen Themen im Verhältnis zwischen Deutschland und Frankreich. Das von Briand formulierte politische Junktim zwischen vorzeitiger Rheinlandräumung (französischerseits) und finanzieller Gegenleistung (deutscherseits) deckte sich 1928 zwar nicht mehr ganz mit der Konzeption Stresemanns — er hielt nunmehr den Augenblick für gekommen, das eine ohne das andere fordern zu können —, aber es entsprach doch der Gesamttendenz seiner bisherigen Politik und war insofern nicht einfach abzulehnen. Das also heißt: Die Rheinlandräumung — zweifellos ein Trumpf der französischen Regierung — war und blieb, wenn sie überhaupt erfolgte, ein Geschäft auf Gegenseitigkeit. Völkerbund und Kellogg-Pakt waren Etappen auf dem Weg zu diesem Ziel — die Entscheidung aber fiel erst im Haag (August 1929). Der Young-Plan bewirkte nicht nur eine verbesserte Reparationsregelung für Deutschland, sondern stellte auch die wirtschaftspolitische Souveränität des Reiches wieder her (beides war unabdingbar, wenn die Konzeption Stresemanns doch noch zum Zuge kommen sollte), — und er hatte vor allem das ausschlaggebende Argument für sich, daß anders die vorzeitige Räumung des Rheinlandes (und damit die *politische* Voraussetzung für eine aktive deutsche Ostpolitik) nicht durchzusetzen war. Die Haager Konferenz bewertete Stresemann als den größten Erfolg seiner politischen Laufbahn, aber er war keineswegs gewillt, sich mit dem Erreichten zufriedenzugeben: nicht ein politisch vereintes Europa war dabei sein Ziel, sondern nach wie vor die wirtschaftliche und (macht-)politische Größe des Deutschen Reiches — durch Verständigung mit Frankreich, gewiß, aber doch mit der Absicht, den nationalen Interessen des eigenen Landes — wie er sie interpretierte — damit um so besser zu entsprechen.

Weil Stresemann seine primären politisch-territorialen Ziele nicht erreichen konnte, haben sich gegen Ende der 20er Jahre viele Deutsche enttäuscht von ihm abgewandt; weil er jene auf dem Wege der Verständigung mit den europäischen Großmächten (insonderheit mit Frankreich) zu erreichen versuchte, haben ihn nach 1945 viele Deutsche zum vorbildlichen »Europäer« machen wollen. Die einen taten ihm so Unrecht wie die anderen. In Wahrheit repräsentierte Stresemann wohl am eindringlichsten (und zugleich beklemmendsten) das fundamentale außenpolitische Dilemma der Weimarer Republik: er weigerte sich — das gilt vor allem für den territorialen Status quo im Osten und Süden des Reiches —, »Versailles« (ein Ergebnis des verlorenen Krieges) als Grundlage der deutschen Politik anzuerkennen, obwohl es als »vorläufige Bedingung« in praxi nicht zu umgehen war, und erstrebte Revisionsziele, die sich jenseits der tatsächlichen Möglichkeiten (der damaligen weltpolitischen Konstellation) befanden. Mit anderen Worten: Stresemanns Gesamtkonzeption orientierte sich *inhaltlich* am Machtanspruch des Deutschen Reiches vor 1914, seine Strategie *methodisch* an den Machtverhältnissen nach 1918. Diese aber ließen nicht zu, daß politische Wirklichkeit wurde, was er — im nationalen Interesse — fordern zu müssen glaubte: die (wenn auch nur schrittweise erfolgende)

Aufhebung aller reparations- und militärpolitischen Einschränkungen der Souveränität des Deutschen Reiches, die Rückkehr Eupen-Malmedys, die Korrektur der deutsch-polnischen Grenze, den Anschluß Österreichs, fernerhin die Wiedererlangung sowohl des Memelgebiets als auch der ehemaligen — oder anderer — Kolonien (ungewiß die Lösung der Sudetenfrage) — allgemein also die politische Großmachtposition Deutschlands auf der Grundlage einer expansionistischen Wirtschafts- und Handelspolitik (zugleich verbindende Klammer zur Integration der divergierenden Kräfte in den Führungsgruppen und insgesamt Garant der »bürgerlichen« Gesellschaftsordnung), letztlich und entscheidend die Zurückgewinnung der (vertraglich gesicherten) halbhegemonialen Stellung des Deutschen Reiches in Europa als Voraussetzung und Basis einer aktiven Weltpolitik.

Diese weitgespannten Ziele, vorbereitet durch eine Politik der Ost-West-Balance und abgestützt durch eine enge finanzielle Anlehnung an Amerika sowie durch eine kooperative Verständigung mit Frankreich (die enge Wirtschaftsverflechtung beider Länder, mit Vorteilen für die deutsche Industrie, lief im Endergebnis auf ein modifiziertes »Mitteleuropa«-Programm hinaus), sollten nach dem Willen Stresemanns auf »friedlichem«, genauer: auf liberal-imperialistischem Wege durchgesetzt werden — und erwiesen sich eben deshalb (aufgrund der vorgegebenen Machtstrukturen) als unerreichbar: mit einem begrenzten (von den USA kontrollierten) wirtschaftspolitischen Instrumentarium waren sie, was immer im einzelnen versucht werden mochte, objektiv nicht zu realisieren — und eine militärische »Lösung« kam für Stresemann (schon aus machtpolitischen Erwägungen) nicht in Frage, ebensowenig aber auch eine Reduzierung seiner Ambitionen. Nichts konnte die Diskrepanz von Idee und Wirklichkeit mehr unterstreichen als die territoriale Situation im Osten des Reiches. Hier mußte Stresemann (bis 1929) die Erfahrung machen, daß Polen — verständlicherweise — alle Grenzforderungen kategorisch ablehnte und daß Frankreich nicht geneigt war, dem zu widersprechen. Die »europäische« Variante der deutschen Revisionsstrategie war damit zur politischen Erfolglosigkeit verurteilt. Ob Stresemann unter veränderten Bedingungen jemals bereit gewesen wäre, im Zweifelsfall doch bzw. auch die militärische Konfrontation (also den Krieg) zu bejahen, ist quellenmäßig nicht endgültig zu beantworten: einiges spricht dafür, mehr jedoch dagegen — und das meiste ist Spekulation. Vielleicht hätte er es getan, vielleicht hätte er aber auch Hitler und folglich den Zweiten Weltkrieg verhindert. Nicht verhindern konnte er allerdings, daß gerade durch seine (offensiv geplante und so auch proklamierte) »Verständigungspolitik« mit Frankreich nationale Revisionsziele in weiten Teilen des deutschen Volkes gefährliche Illusionen lebendig erhielten. *to keep*

Quellen- und Literaturverzeichnis

I. QUELLEN

A. *Ungedruckte Quellen (Archivalien)*

1. Politisches Archiv des Auswärtigen Amtes Bonn (AA)
   a) Politische Abteilung II a: Frankreich, Politik 2
      Bd. 9 — 20
      Beiheft zu Bd. 10: Materialien zur Sicherheitsfrage (mit Anlagen)
   b) Frankreich, Politik 2 C: Bestrebungen zur Herbeiführung einer deutsch-französischen Verständigung
      Bd. 1 — 3
   c) Büro Reichsminister (RM)
      Frankreich 7
      Bd. 2 — 17
      7 Nr. 1: Besprechung in Thoiry
      Bd. 1/2 (deutsch-französische Verständigung)
      3 b: Kabinett-Protokolle
      Bd. 4/5
      1 c: Reden, Interviews und Aufsätze des Herrn Reichsministers
      Bd. 4 — 6 und 11/12
   d) Büro Staatssekretär (St.S.)
      Politische Stimmungsberichte
      Bd. 1
   e) Nachlaß Stresemann (NL)
      In der Studie werden folgende Bände zitiert:
      1, 4, 6, 8/9, 12—19, 22, 24/25, 27—30, 34/35, 37, 41—44, 46, 48/49, 55/56, 59, 62—65, 67, 69, 73, 75, 78, 82, 84—86, 127/28, 133, 135, 138—140, 145, 147, 150, 152/53, 159/60, 164/65, 167—169, 174, 178, 180, 182, 185/86, 194/95, 198, 200/1, 203, 205, 218, 220, 222, 226, 230/31, 239, 242/43, 246, 248, 255, 257, 259—261, 263, 265, 269/70, 272, 274, 276—278a, 282, 285—287, 291—293, 301/2, 350/51.

2. Bundesarchiv Koblenz (BA)
   a) Reichskanzlei
      R 43 I/1387 — 1390: Kabinettsprotokolle
   b) Deutsche Volkspartei — Reichsgeschäftsstelle
      R 45 II/39 — 43: Protokolle der Sitzungen des Zentralvorstandes
      (1924 — 1927, 1929)
   c) Nachlaß Stresemann (Mikrofilm)

B. *Gedruckte Quellen*

1. Editionen

Akten der Reichskanzlei, Weimarer Republik, Das Kabinett Cuno, 22. November 1922 bis 12. August 1923, bearbeitet von K.-H. Harbeck, Boppard 1968.
Akten der Reichskanzlei, Weimarer Republik, Das Kabinett Müller II, 28. Juni 1928 bis 27. März 1930, 2 Bde., bearbeitet von M. Vogt, Boppard 1970.
Akten zur deutschen auswärtigen Politik 1918 — 1945, Serie B: 1925 — 1933, Bd. I, 1: Dezember 1925 bis Juli 1926, Bd. I, 2: August bis September 1926, Deutschlands Beziehungen zu Frankreich, Großbritannien, Belgien sowie deutsche Entwaffnung, Reparationen, Völkerbund und internationale Abrüstung, Göttingen 1966/68.

Akten zur deutschen auswärtigen Politik 1918 — 1945, Serie B: 1925 — 1933, Bd. II, 1: Dezember 1925 bis Juni 1926, Bd. II, 2: Juni bis Dezember 1926, Deutschlands Beziehungen zur Sowjet-Union, zu Polen, Danzig und den Baltischen Staaten, Göttingen 1967.

Akten zur deutschen auswärtigen Politik 1918 — 1945, Serie B: 1925 — 1933, Bd. IV: 1. Januar bis 16. März 1927, Göttingen 1970.

Berber, F. (Hrsg.), Locarno, Eine Dokumentensammlung, Berlin 1936.

Briand, A., Frankreich und Deutschland, Mit einer Einleitung von Gustav Stresemann, Dresden 1928.

Die Entstehung des Youngplans, dargestellt vom Reichsarchiv 1931 — 1933, bearbeitet von M. Vogt, Boppard 1971.

Matthias, E. — Morsey, R., Der Interfraktionelle Ausschuß 1917/18, 2 Teile (Quellen zur Geschichte des Parlamentarismus und der politischen Parteien, Erste Reihe, Bd. 1, I und II), Düsseldorf 1959.

Matthias, E. — Morsey, R., Die Regierung des Prinzen Max von Baden (Quellen zur Geschichte des Parlamentarismus und der politischen Parteien, Erste Reihe, Bd. 2), Düsseldorf 1962.

Michaelis, H. — Schraepler, E. (Hrsg.), Ursachen und Folgen. Vom deutschen Zusammenbruch 1918 und 1945 bis zur staatlichen Neuordnung Deutschlands in der Gegenwart, Eine Urkunden- und Dokumentensammlung zur Zeitgeschichte, Bd. II — Bd. VII, Berlin o. J.

Mielcke, K., Dokumente zur Geschichte der Weimarer Republik, Braunschweig 1959.

Ministerium für Auswärtige Angelegenheiten der DDR (Hrsg.), Locarno-Konferenz 1925, Eine Dokumentensammlung, Berlin 1962.

Reiß, K.-P., Von Bassermann zu Stresemann. Die Sitzungen des nationalliberalen Zentralvorstandes 1912 — 1917 (Quellen zur Geschichte des Parlamentarismus und der politischen Parteien, Erste Reihe, Bd. 5), Düsseldorf 1967.

Ritter, G. A. — Miller, S. (Hrsg.), Die deutsche Revolution 1918 — 1919, Dokumente, Frankfurt/M. 1968.

Schüddekopf, O.-E., Das Heer und die Republik, Quellen zur Politik der Reichswehrführung 1918 bis 1933, Hannover und Frankfurt 1955.

Stresemann, G., Michel horch, der Seewind pfeift..! Kriegsbetrachtungen, Berlin 1916.

Stresemann, G., Macht und Freiheit — Vorträge, Reden, Aufsätze, Halle 1918.

Stresemann, G., Von der Revolution bis zum Frieden von Versailles, Reden und Aufsätze, Berlin 1919.

Stresemann, G., Reden und Schriften. Politik — Geschichte — Literatur (1897 — 1926), hrsg. von R. Frhr. von Rheinbaben, 2 Bde., Dresden 1926.

Stresemann, G., Vermächtnis, Der Nachlaß in 3 Bdn., hrsg. von H. Bernhard, Berlin 1932/33.

Verhandlungen des Reichstags, Stenographische Berichte, Berlin 1907 — 1929.
In der Studie werden folgende Bände zitiert:
227, 231, 233/34, 259/60, 306/7, 310, 327, 330, 333, 344/45, 348/49, 351, 354, 356—59, 361, 381, 384/85, 388/89, 391—395, 423, 425.

2. Memoiren und Tagebücher

d'Abernon, Lord (E. V.), Ein Botschafter der Zeitenwende, Memoiren, 3 Bde., Leipzig 1929/30.

Bethmann Hollweg, Th. v., Betrachtungen zum Weltkriege, Teil II, Berlin 1922.

Brüning, H., Memoiren 1918 — 1934, Stuttgart 1970.

Chamberlain, A., Englische Politik, Erinnerungen aus fünfzig Jahren, Essen 1938.

Curtius, J., Sechs Jahre Minister der deutschen Republik, Heidelberg 1948.

Curtius, J., Der Youngplan. Entstellung und Wahrheit, Stuttgart 1950.

Erzberger, M., Erlebnisse im Weltkrieg, Stuttgart und Berlin 1920.

Heuss, Th., Erinnerungen 1905 — 1933, Tübingen 1963.

Keßler, H. Graf, Tagebücher 1918 — 1937, hrsg. von W. Pfeiffer-Belli, Frankfurt/M. 1961.

Luther, H., Stresemann und Luther in Locarno, in: Politische Studien, Bd. VIII (1957), S. 1 ff.

Mantoux, P., Les Déliberations du Conseil des Quatre (24 mars — 28 juin 1919), Bd. I und II, Paris 1955.

Max von Baden, Prinz, Erinnerungen und Dokumente, Stuttgart — Berlin — Leipzig 1927 (Neuaufl. 1968).

Schmidt, P., Statist auf diplomatischer Bühne 1923 — 45, Bonn 1954.

II. DARSTELLUNGEN

Albertini, R. v., Frankreich: Die Dritte Republik bis zum Ende des I. Weltkriegs (1870 — 1918), in: Handbuch der europäischen Geschichte, hrsg. v. Th. Schieder, Bd. 6, S. 231 ff.

Albertini, R. v., Die Dritte Republik. Ihre Leistungen und ihr Versagen, in: Geschichte in Wissenschaft und Unterricht, 6. Jg. (1955), S. 492 ff.

Anderle, A., Die deutsche Rapallo-Politik, Deutsch-sowjetische Beziehungen 1922 — 1929, Berlin 1962. *Dt-Russ. Handelsbeziehung*

Balfour, M., Der Kaiser Wilhelm II. und seine Zeit, Berlin 1967.

Bariéty, J., Der Versuch einer europäischen Befriedung: Von Locarno bis Thoiry, in: Locarno und die Weltpolitik 1924 — 1932, hrsg. von H. Rößler und E. Hölzle, Göttingen — Zürich — Frankfurt 1969, S. 32 ff.

Bauer, H., Stresemann — ein deutscher Staatsmann, Berlin 1930.

Baumgart, W., Zur Theorie des Imperialismus, in: Aus Politik und Zeitgeschichte, Beilage zur Wochenzeitung »Das Parlament«, B 23/1971, S. 3 ff.

Baumgart, W., Deutsche Ostpolitik 1918. Von Brest-Litowsk bis zum Ende des Ersten Weltkrieges, Wien und München 1966.

Baumgart, W., Brest-Litovsk und Versailles, Ein Vergleich zweier Friedensschlüsse, in: Hist. Zeitschrift, Bd. 210 (1970), S. 583 ff.

Baumont, M., Aristide Briand. Diplomat und Idealist (Persönlichkeit und Geschichte, Bd. 43), Göttingen — Frankfurt — Zürich 1966.

Baumont, M., Die französische Sicherheitspolitik, ihre Träger und Konsequenzen 1920 — 1924, in: Die Folgen von Versailles 1919 — 1924, hrsg. von H. Rößler, Göttingen — Zürich — Frankfurt 1969, S. 115 ff.

Berghahn, V. R., Flottenrüstung und Machtgefüge, in: Das kaiserliche Deutschland. Politik und Gesellschaft 1870 — 1918, hrsg. von M. Stürmer, Düsseldorf 1970, S. 378 ff.

Berghahn, V. R., Zu den Zielen des deutschen Flottenbaus unter Wilhelm II., in: Hist. Zeitschrift, Bd. 210 (1970), S. 34 ff.

Bertram, G., Aspekte der britischen Deutschlandpolitik 1919 — 1922, Phil. Diss. Tübingen 1970.

Böhme, H., Deutschlands Weg zur Großmacht, Studien zum Verhältnis von Wirtschaft und Staat während der Reichsgründungszeit 1848 — 1881, Köln — Berlin 1966.

Böhme, H. (Hrsg.), Probleme der Reichsgründungszeit, 1848 — 1879 (Neue Wissenschaftliche Bibliothek, Bd. 26), Köln — Berlin 1968.

Böhme, H., Politik und Ökonomie in der Reichsgründungs- und späten Bismarckzeit, in: Das kaiserliche Deutschland. Politik und Gesellschaft 1870 — 1918, hrsg. von M. Stürmer, Düsseldorf 1970, S. 26 ff.

Born, K. E., Deutschland als Kaiserreich (1871—1918), in: Handbuch der europäischen Geschichte, hrsg. von Th. Schieder, Bd. 6, Stuttgart 1968, S. 197 ff.

Bracher, K. D., Deutschland zwischen Demokratie und Diktatur, Beiträge zur neueren Politik und Geschichte, Bern — München — Wien 1964.

Bracher, K. D., Die Auflösung der Weimarer Republik, Eine Studie zum Problem des Machtverfalls in der Demokratie, Stuttgart und Düsseldorf ³1960.

Bretton, H. L., Stresemann and the Revision of Versailles. A Fight for Reason, Stanford 1953.

Broszat, M., Zweihundert Jahre deutsche Polenpolitik, München 1963.

Buchheim, K., Das Deutsche Kaiserreich 1871 — 1918, Vorgeschichte, Aufstieg und Niedergang, München 1969.

Buchheim, K., Die Weimarer Republik, Grundlagen und politische Entwicklung, München 1960.

Carr, E. H., International Relations between the two World Wars (1919 — 1939), London ⁴1952.

Carsten, F. L., Reichswehr und Politik 1918 — 1933, Köln — Berlin 1964.

Conze, W., Die Zeit Wilhelms II. und die Weimarer Republik, Deutsche Geschichte 1890 — 1933, Tübingen — Stuttgart 1964.

Conze, W., Deutschlands weltpolitische Sonderstellung in den zwanziger Jahren, in: Vierteljahrshefte für Zeitgeschichte, 9. Jg. (1961), S. 166 ff.

Conze, W. und Raupach, H. (Hrsg.), Die Staats- und Wirtschaftskrise des Deutschen Reichs 1929/33, Stuttgart 1967.

Dederke, K., Reich und Republik. Deutschland 1917 — 1933, Stuttgart 1969.

Dehio, L., Deutschland und die Weltpolitik im 20. Jahrhundert, Frankfurt/M. 1961.

Deist, W., Internationale und nationale Aspekte der Abrüstungsfrage 1924 — 1932, in: Locarno und die Weltpolitik 1924 — 1932, hrsg. von H. Rößler und E. Hölzle, Göttingen — Zürich — Frankfurt 1969, S. 64 ff.

Deuerlein, E., Aristide Briand / Gustav Stresemann, in: Politiker des 20. Jahrhunderts, Erster Band: Die Epoche der Weltkriege, hrsg. von R. K. Hočevar, H. Maier und P.-L. Weinacht, München 1970, S. 117 ff.

Dickmann, F., Die Kriegsschuldfrage auf der Friedenskonferenz von Paris 1919, München 1964.

Döhn, L., Politik und Interesse. Die Interessenstruktur der Deutschen Volkspartei (Marburger Abhandlungen zur Politischen Wissenschaft, hrsg. von W. Abendroth, Bd. 16), Meisenheim am Glan 1970.

Droz, J., Die politischen Kräfte in Frankreich während des Ersten Weltkrieges, in: Geschichte in Wissenschaft und Unterricht, 17. Jg. (1966), S. 159 ff.

Duroselle, J.-B., Die europäischen Staaten und die Gründung des Deutschen Reiches, in: Reichsgründung 1870/71, Tatsachen — Kontroversen — Interpretationen, hrsg. von Th. Schieder und E. Deuerlein, Stuttgart 1970, S. 386 ff.

Duroselle, M., Les relations franco-allemandes de 1914 à 1939, Bd. I/II, Paris 1969.

Edwards, M. L., Stresemann and the Greater Germany 1914 — 1918, New York 1963.

Epstein, K., Matthias Erzberger und das Dilemma der deutschen Demokratie, Berlin — Frankfurt/M. 1962.

Erdmann, K. D., Die Zeit der Weltkriege (B. Gebhardt, Handbuch der deutschen Geschichte, Achte, völlig neubearbeitete Aufl., hrsg. von H. Grundmann, Bd. 4), Stuttgart 1967 (Fünfter verbesserter Nachdruck der Ausg. von 1959).

Erdmann, K. D., Adenauer in der Rheinlandpolitik nach dem Ersten Weltkrieg, Stuttgart 1966.

Erdmann, K. D., Deutschland, Rapallo und der Westen, in: Vierteljahrshefte für Zeitgeschichte, 11. Jg. (1963), S. 105 ff.

Erdmann, K. D., Das Problem der Ost- oder Westorientierung in der Locarno-Politik Stresemanns, in: Geschichte in Wissenschaft und Unterricht, 6. Jg. (1955), S. 133 ff.

Erger, J., Der Kapp-Lüttwitz-Putsch, Düsseldorf 1967.

Eschenburg, Th., Die improvisierte Demokratie, Gesammelte Aufsätze zur Weimarer Republik, München 1964.

Eschenburg, Th., Gustav Stresemann, in: ders., Die improvisierte Demokratie, Gesammelte Aufsätze zur Weimarer Republik, München 1964, S. 143 ff.

Ewald, J. W., Die deutsche Außenpolitik und der Europaplan Briands, Phil. Diss. Marburg 1961.

Eyck, E., Geschichte der Weimarer Republik, 2 Bde., Erlenbach — Zürich und Stuttgart [3]1959/1962.

Fischer, F., Griff nach der Weltmacht. Die Kriegszielpolitik des kaiserlichen Deutschland 1914/18, Düsseldorf [3]1964.

Fischer, F., Weltmacht oder Niedergang. Deutschland im ersten Weltkrieg (Hamburger Studien zur neueren Geschichte, Bd. 1), Frankfurt/M. 1965.

Fischer, F., Krieg der Illusionen. Die deutsche Politik von 1911 bis 1914, Düsseldorf 1969.

Gall, L., Das Problem Elsaß-Lothringen, in: Reichsgründung 1870/71, Tatsachen — Kontroversen — Interpretationen, hrsg. von Th. Schieder und E. Deuerlein, Stuttgart 1970, S. 366 ff.

Gasser, A., Deutschlands Entschluß zum Präventivkrieg 1913/14, Sonderdruck aus: Discordia Concors, Festschrift für Edgar Bonjour, Basel 1968.

Gatzke, H. W., Stresemann and the Rearmament of Germany, Baltimore 1954.

Gatzke, H. W., Von Rapallo nach Berlin. Stresemann und die deutsche Rußlandpolitik, in: Vierteljahrshefte für Zeitgeschichte, 4. Jg. (1956), S. 1 ff.

Geigenmüller, E., Briand, Bonn 1959.

Göhring, M., Stresemann. Mensch — Staatsmann — Europäer, Wiesbaden 1956.

Görlitz, W., Gustav Stresemann, Heidelberg 1947.

Gordon, H. J., Die Reichswehr und die Weimarer Republik 1919 — 1926, Frankfurt/M. 1959.

Gottwald, R., Die deutsch-amerikanischen Beziehungen in der Ära Stresemann, Berlin 1965.

Graml, H., Europa zwischen den Kriegen (dtv-Weltgeschichte des 20. Jahrhunderts, Bd. 5), München 1969.

Graml, H., Die Rapallo-Politik im Urteil der westdeutschen Forschung, in: Vierteljahrshefte für Zeitgeschichte, 18. Jg. (1970), S. 366 ff.

Hallgarten, G. W. F., Imperialismus vor 1914, Die soziologischen Grundlagen der Außenpolitik europäischer Großmächte vor dem ersten Weltkrieg, 2 Bde., München [2]1963.

Hallgarten, G. W. F., Das Schicksal des Imperialismus im 20. Jahrhundert, Drei Abhandlungen über Kriegsursachen in Vergangenheit und Gegenwart, Frankfurt/M. 1969.

Hallgarten, G. W. F., Hitler, Reichswehr und Industrie, Frankfurt/M. 1955.

Hartenstein, W., Die Anfänge der Deutschen Volkspartei 1918 — 1920, Düsseldorf 1962.

Heiber, H., Die Republik von Weimar (dtv-Weltgeschichte des 20. Jahrhunderts, Bd. 3), München 1966.

Hermens, F. A. und Schieder, Th. (Hrsg.), Staat, Wirtschaft und Politik in der Weimarer Republik, Festschrift für Heinrich Brüning, Berlin 1967.

Herzfeld, H., Die moderne Welt. 1789 — 1945, II. Teil: Weltmächte und Weltkriege, Die Geschichte unserer Epoche. 1890 — 1945, Braunschweig [4]1970.

Herzfeld, H., Der Erste Weltkrieg (dtv-Weltgeschichte des 20. Jahrhunderts, Bd. 1), München 1968.

Herzfeld, H., Die Weimarer Republik, Frankfurt/M. 1966.

Herzfeld, H., Die Pariser Friedensschlüsse von 1919/20 und das Problem der dauernden Friedensordnung, in: Der Friede, Festg. für A. Leschnitzer, Heidelberg 1961, S. 131 ff.

Hildebrand, K., Deutsche Außenpolitik 1933 — 1945. Kalkül oder Dogma?, Stuttgart u. a. 1971.

Hildebrand, K., Bethmann Hollweg — der Kanzler ohne Eigenschaften? Urteile der Geschichtsschreibung, Eine kritische Bibliographie, Düsseldorf 1970.

Hildebrand, K., Vom Reich zum Weltreich. Hitler, NSDAP und koloniale Frage 1919 — 1945, München 1969.

Hillgruber, A., Zwischen Hegemonie und Weltpolitik. Das Problem der Kontinuität von Bismarck bis Bethmann Hollweg, in: Das kaiserliche Deutschland. Politik und Gesellschaft 1870 — 1918, hrsg. von M. Stürmer, Düsseldorf 1970, S. 187 ff.

Hillgruber, A., Kontinuität und Diskontinuität in der deutschen Außenpolitik von Bismarck bis Hitler, Düsseldorf 1969.

Hillgruber, A., Deutschlands Rolle in der Vorgeschichte der beiden Weltkriege, Göttingen 1967.

Hirsch, F., Stresemann, Ballin und die Vereinigten Staaten, in: Vierteljahrshefte für Zeitgeschichte, 3. Jg. (1955), S. 20 ff.

Hirsch, F., Gustav Stresemann. Patriot und Europäer (Persönlichkeit und Geschichte, Bd. 36), Göttingen — Frankfurt — Zürich 1964.

Höltje, Chr., Die Weimarer Republik und das Ostlocarno-Problem 1919 — 1934. Revision oder Garantie der deutschen Ostgrenze von 1919 (Marburger Ostforschungen 8), Würzburg 1958.

Hölzle, E., Das Experiment des Friedens im Ersten Weltkrieg 1914 — 1917, in: Geschichte in Wissenschaft und Unterricht, 13. Jg. (1962), S. 465 ff.

Hunziker, O., Das Beneschprotokoll (Genfer Protokoll), Zürich 1924.

Jacobsen, H.-A., Konzeptionen deutscher Ostpolitik 1919 — 1970, Eine Skizze, in: Aus Politik und Zeitgeschichte, Beilage zur Wochenzeitung »Das Parlament«, B 49/1970.

Joachim, H., Vom Bündnisprojekt Moskaus zur neutralen Ausgestaltung des Rapallo-Verhältnisses unter Stresemann, Phil. Diss. Mainz 1964.

Kaelble, H., Industrielle Interessenpolitik in der Wilhelminischen Gesellschaft. Centralverband Deutscher Industrieller 1895 — 1914 (Veröffentlichungen der Historischen Kommission zu Berlin beim Friedrich-Meinecke-Institut der Freien Universität Berlin, Bd. 27), Berlin 1967.

Kaulisch, B., Die Auseinandersetzungen über den uneingeschränkten U-Boot-Krieg innerhalb der herrschenden Klassen im zweiten Halbjahr 1916 und seine Eröffnung im Februar 1917, in: Politik im Krieg 1914 — 1918, hrsg. von F. Klein, Berlin 1964, S. 90 ff.

Keese, D., Die volkswirtschaftlichen Gesamtgrößen für das Deutsche Reich in den Jahren 1925 — 1936, in: Die Staats- und Wirtschaftskrise des Deutschen Reichs 1929/33, hrsg. von W. Conze und H. Raupach, Stuttgart 1967, S. 35 ff.

Kielmannsegg, P. Graf, Deutschland und der Erste Weltkrieg, Frankfurt/M. 1968.

Klein, F. (Hrsg.), Deutschland im ersten Weltkrieg, 3 Bde., Berlin 1968/69 (Bd. 2 inzwischen in einer zweiten, durchgesehenen Aufl. von 1970).

Klein, F. (Hrsg.), Politik im Krieg 1914 — 1918, Studien zur Politik der deutschen herrschenden Klassen im ersten Weltkrieg, Berlin 1964.

Kochan, L., Rußland und die Weimarer Republik, Düsseldorf 1955.

Koszyk, K., Deutsche Pressepolitik im Ersten Weltkrieg, Düsseldorf 1968.

Kotowski, G., Die Weimarer Republik zwischen Erfüllungspolitik und Widerstand, in: Die Folgen von Versailles 1919 — 1924, hrsg. von H. Rößler, Göttingen — Zürich — Frankfurt 1969, S. 143 ff.

Krummacher, F. A. — Lange, H., Krieg und Frieden. Geschichte der deutsch-sowjetischen Beziehungen. Von Brest-Litowsk zum Unternehmen Barbarossa, München und Esslingen 1970.

Krummacher, F. A. und Wucher, A. (Hrsg.), Die Weimarer Republik. Ihre Geschichte in Texten, Bildern und Dokumenten, 1918 — 1933, München — Wien — Basel 1965.

Laqueur, W. und Mosse, G. L. (Hrsg.), Kriegsausbruch 1914, München 1967 (deutsche Buchausgabe des Journal of Contemporary History, Heft 3, London 1966).

Laubach, E., Die Politik der Kabinette Wirth 1921/22 (Historische Studien, Heft 402), Lübeck und Hamburg 1968.

Leonhardt, F. H., Aristide Briand und seine Deutschlandpolitik, Phil. Diss. Heidelberg 1951.

Link, W., Die amerikanische Stabilisierungspolitik in Deutschland 1921 — 1932, Düsseldorf 1970.

Link, W., Die Ruhrbesetzung und die wirtschaftspolitischen Interessen der USA, in: Vierteljahrshefte für Zeitgeschichte, 17. Jg. (1969), S. 372 ff.

Linke, H. G., Deutsch-sowjetische Beziehungen bis Rapallo, Köln 1970.

Lipgens, W., Europäische Einigungsidee 1923 — 1930 und Briands Europaplan im Urteil der deutschen Akten, 1. Teil, in: Hist. Zeitschrift, Bd. 203 (1966), S. 46 ff.

Mann, G., Deutsche Geschichte des 19. und 20. Jahrhunderts, Frankfurt 1966.

Mielcke, K., Geschichte der Weimarer Republik, Braunschweig 1956.

Mommsen, W. J., Das Zeitalter des Imperialismus (Fischer-Weltgeschichte, Bd. 28), Frankfurt/M. 1969.

Mommsen, W. J., Die Regierung Bethmann Hollweg und die öffentliche Meinung 1914 — 1917, in: Vierteljahrshefte für Zeitgeschichte, 17. Jg. (1969), S. 117 ff.

Mommsen, W. J., Die deutsche öffentliche Meinung und der Zusammenbruch des Regierungssystems Bethmann Hollweg im Juli 1917, in: Geschichte in Wissenschaft und Unterricht, 19. Jg. (1968), S. 656 ff.

Oertel, M., Beiträge zur Geschichte der deutsch-polnischen Beziehungen in den Jahren 1925 — 1930, Phil. Diss. Berlin 1968.

Olden, R., Stresemann, Berlin 1929.

Passant, E. J., A Short History of Germany 1815 — 1945, Cambridge University Press 1966.

Puhle, H.-J., Parlament, Parteien und Interessenverbände 1890 — 1914, in: Das kaiserliche Deutschland. Politik und Gesellschaft 1870 — 1918, hrsg. von M. Stürmer, Düsseldorf 1970, S. 340 ff.

Renouvin, P., Die Kriegsziele der französischen Regierung 1914 — 1918, in: Geschichte in Wissenschaft und Unterricht, 17. Jg. (1966), S. 129 ff.

Renouvin, P., Die öffentliche Meinung in Frankreich während des Krieges 1914 — 1918, in: Vierteljahrshefte für Zeitgeschichte, 18. Jg. (1970), S. 239 ff.

Reventlow, Graf E., Minister Stresemann als Staatsmann und Anwalt des Weltgewissens, München 1925.

Riekhoff, H. von, German-Polish Relations 1918 — 1933, Baltimore 1971.

Ritter, G., Staatskunst und Kriegshandwerk. Das Problem des »Militarismus« in Deutschland, Bd. II — IV, München 1960 — 1968.

Rößler, H. (Hrsg.), Ideologie und Machtpolitik 1919. Plan und Werk der Pariser Friedenskonferenzen 1919, Göttingen — Zürich — Frankfurt 1966.

Rößler, H. (Hrsg.), Die Folgen von Versailles 1919 — 1924, Göttingen — Zürich — Frankfurt 1969.

Rößler, H. und Hölzle, E. (Hrsg.), Locarno und die Weltpolitik 1924 — 1932, Göttingen — Zürich — Frankfurt 1969.

Rosenberg, A., Entstehung und Geschichte der Weimarer Republik, hrsg. von K. Kersten, Frankfurt/M. 1955.

Ruffmann, K.-H., Das Gewicht Deutschlands in der sowjetischen Außenpolitik bis 1945, in: Aus Politik und Zeitgeschichte, Beilage zur Wochenzeitung »Das Parlament«, B 2/1970.

Ruge, W., Stresemann, Ein Lebensbild, Berlin ²1966.

Ruge, W., Stresemann — ein Leitbild?, in: Blätter für deutsche und internationale Politik, XIV. Jg. (1969), S. 468 ff.

Schädlich, K.-H., Der »Unabhängige Ausschuß für einen Deutschen Frieden« als ein Zentrum der Annexionspropaganda des deutschen Imperialismus im ersten Weltkrieg, in: Politik im Krieg 1914 — 1918, hrsg. von F. Klein, Berlin 1964, S. 50 ff.

Schickel, A., Der Friedensvertrag von Versailles, in: Aus Politik und Zeitgeschichte, Beilage zur Wochenzeitung »Das Parlament«, B 26/1969.

Schieder, Th. (Hrsg.), Handbuch der europäischen Geschichte, Bd. 6: Europa im Zeitalter der Nationalstaaten und europäische Weltpolitik bis zum Ersten Weltkrieg, Stuttgart 1968.

Schieder, Th., Das Deutsche Reich in seinen nationalen und universalen Beziehungen 1871 bis 1945, in: Reichsgründung 1870/71, Tatsachen — Kontroversen — Interpretationen, hrsg. von Th. Schieder und E. Deuerlein, Stuttgart 1970, S. 422 ff.

Schieder, Th., Die Entstehungsgeschichte des Rapallo-Vertrages, in: Hist. Zeitschrift, Bd. 204 (1967), S. 545 ff.

Schieder, Th., Die Probleme des Rapallo-Vertrags, Eine Studie über die deutschrussischen Beziehungen 1922 — 1926, Köln 1956.

Schieder, Th. und Deuerlein, E. (Hrsg.), Reichsgründung 1870/71, Tatsachen — Kontroversen — Interpretationen, Stuttgart 1970.

Schieder, W. (Hrsg.), Erster Weltkrieg — Ursachen, Entstehung und Kriegsziele (Neue Wissenschaftliche Bibliothek, Bd. 32), Köln — Berlin 1969.

Schücking, W., Das Genfer Protokoll, Frankfurt/M. 1924.

Schulz, G., Revolutionen und Friedensschlüsse 1917 — 1920 (dtv-Weltgeschichte des 20. Jahrhunderts, Bd. 2), München 1967.

Schwabe, K., Deutsche Revolution und Wilson-Frieden. Die amerikanische und deutsche Friedensstrategie zwischen Ideologie und Machtpolitik 1918/19, Düsseldorf 1971.

Schwabe, K., Die amerikanische und die deutsche Geheimdiplomatie und das Problem eines Verständigungsfriedens im Jahre 1918, in: Vierteljahrshefte für Zeitgeschichte, 19. Jg. (1971), S. 1 ff.

Schwarz, A., Die Weimarer Republik, Konstanz 1958.

Schwüppe, H., Grundlagen und Grundzüge britischer Außenpolitik der Kabinette Lloyd George, Bonar Law, Baldwin und MacDonald 1919 — 1924, in: Die Folgen von Versailles 1919 — 1924, hrsg. von H. Rößler, Göttingen — Zürich — Frankfurt 1969, S. 87 ff.

Shirer, W. S., Der Zusammenbruch Frankreichs. Aufstieg und Fall der Dritten Republik, München — Zürich 1970.

Sieburg, H.-O., Grundzüge der französischen Geschichte, Darmstadt 1966.

Sieburg, H.-O., Das Gespräch zu Thoiry 1926, in: Gedenkschrift Martin Göhring, Studien zur europäischen Geschichte, hrsg. von E. Schulin, Wiesbaden 1968, S. 317 ff.

Spenz, J., Die diplomatische Vorgeschichte des Beitritts Deutschlands zum Völkerbund 1924 — 1926, Ein Beitrag zur Außenpolitik der Weimarer Republik, Göttingen u. a. 1966.

Steglich, W., Bündnissicherung oder Verständigungsfrieden, Untersuchungen zu dem Friedensangebot der Mittelmächte vom 12. Dezember 1916, Göttingen — Berlin — Frankfurt 1958.

Steglich, W., Die Friedenspolitik der Mittelmächte 1917/18, Bd. 1, Wiesbaden 1964.

Stern, F., Bethmann Hollweg und der Krieg: Die Grenzen der Verantwortung (Recht und Staat in Geschichte und Gegenwart, Heft 351/352), Tübingen 1968.

Stern, F., Die politischen Folgen des unpolitischen Deutschen, in: Das kaiserliche Deutschland. Politik und Gesellschaft 1870 — 1918, hrsg. von M. Stürmer, Düsseldorf 1970, S. 168 ff.

Stolberg-Wernigerode, O. Graf zu, Die unentschiedene Generation. Deutschlands konservative Führungsschichten am Vorabend des Ersten Weltkrieges, München und Wien 1968.

Stürmer, M. (Hrsg.), Das kaiserliche Deutschland. Politik und Gesellschaft 1870 — 1918, Düsseldorf 1970.

Stürmer, M., Bismarcks Deutschland als Problem der Forschung, in: Das kaiserliche Deutschland. Politik und Gesellschaft 1870 — 1918, hrsg. von M. Stürmer, Düsseldorf 1970, S. 7 ff.

Suarez, G., Briand. Sa vie, son oeuvre avec son journal et de nombreux documents inédits, Bd. 6: L'artisan de la paix 1923 — 1932, Paris 1952.

Thieme, H., Nationaler Liberalismus in der Krise. Die nationalliberale Fraktion des Preußischen Abgeordnetenhauses 1914 — 1918 (Schriften des Bundesarchivs 11), Boppard 1963.

Thimme, A., Flucht in den Mythos. Die Deutschnationale Volkspartei und die Niederlage von 1918, Göttingen 1969.

Thimme, A., Gustav Stresemann, Eine politische Biographie zur Geschichte der Weimarer Republik, Hannover und Frankfurt/M. 1957.

Thimme, A., Gustav Stresemann. Legende und Wirklichkeit, in: Hist. Zeitschrift, Bd. 181 (1956), S. 287 ff.

Thimme, A., Die Locarnopolitik im Lichte des Stresemann-Nachlasses, in: Zeitschrift für Politik, 3. Jg. (1956), S. 39 ff.

Thimme, R., Stresemann und die Deutsche Volkspartei 1923 — 1925 (Histor. Studien, Heft 382), Lübeck und Hamburg 1961.

Turner, H. A., Stresemann — Republikaner aus Vernunft, Berlin — Frankfurt/M. 1968.

Turner, H. A., Eine Rede Stresemanns über seine Locarnopolitik, in: Vierteljahrshefte für Zeitgeschichte, 15. Jg. (1967), S. 412 ff.

Urbanitsch, P., Großbritannien und die Verträge von Locarno, Phil. Diss. Wien 1968.

Vietsch, E. v., Bethmann Hollweg. Staatsmann zwischen Macht und Ethos (Schriften des Bundesarchivs 18), Boppard 1969.

Vogelsang, T., Die Außenpolitik der Weimarer Republik 1918 — 1933, Uelzen und Hannover 1959.

Walsdorff, M., Westorientierung und Ostpolitik. Stresemanns Rußlandpolitik in der Locarno-Ära, Bremen 1971.

Weber, M., Gesammelte Schriften, Tübingen ²1958.

Wehler, H.-U. (Hrsg.), Moderne deutsche Sozialgeschichte (Neue Wissenschaftliche Bibliothek, Bd. 10), Köln — Berlin ³1970.

Wehler, H.-U., Bismarck und der Imperialismus, Köln — Berlin ²1970.

Wehler, H.-U., Krisenherde des Kaiserreichs 1871 — 1918, Studien zur deutschen Sozial- und Verfassungsgeschichte, Göttingen 1970.

Wehler, H.-U. (Hrsg.), Imperialismus (Neue Wissenschaftliche Bibliothek, Bd. 37), Köln — Berlin 1970.

Weidenfeld, W., Die Englandpolitik Gustav Stresemanns, Theoretische und praktische Aspekte der Außenpolitik, Mainz 1972.

Wende, F., Die belgische Frage in der deutschen Politik des ersten Weltkrieges, Hamburg 1969.

Wernecke, K., Der Wille zur Weltgeltung. Außenpolitik und Öffentlichkeit im *p. 110 f.* Kaiserreich am Vorabend des Ersten Weltkrieges, Düsseldorf 1970.

Wüest, E., Der Vertrag von Versailles in Licht und Schatten der Kritik, Die Kontroverse um seine wirtschaftlichen Auswirkungen (Wirtschaft — Gesellschaft — Staat. Zürcher Studien zur allgemeinen Geschichte, Bd. 21), Zürich 1962.

Zechlin, E., Deutschland zwischen Kabinettskrieg und Wirtschaftskrieg. Politik und Kriegführung in den ersten Monaten des Weltkrieges 1914, in: Hist. Zeitschrift, Bd. 199 (1964), S. 347 ff.

Zechlin, E., Friedensbestrebungen und Revolutionierungsversuche, in: Aus Politik und Zeitgeschichte, Beilage zur Wochenzeitung »Das Parlament«, B 20/1961.

Zimmermann, L., Deutsche Außenpolitik in der Ära der Weimarer Republik, Göttingen — Berlin — Frankfurt 1958.

Zimmermann, L., Frankreichs Ruhrpolitik von Versailles bis zum Dawes-Plan, hrsg. von W. P. Fuchs, Göttingen — Zürich — Frankfurt 1971.

Personenregister

Geschichtliche Studien zu Politik und Gesellschaft

Volker R. Berghahn
Der Tirpitz-Plan
Genesis und Verfall einer innenpolitischen Krisenstrategie unter Wilhelm II.
(Geschichtliche Studien zu Politik und Gesellschaft, Bd. 1)
640 Seiten, Leinen
ISBN 3 7700 0258 X

Werner T. Angress
Die Kampfzeit der KPD 1921—1923
(Geschichtliche Studien zu Politik und Gesellschaft, Bd. 2)
Aus dem Amerikanischen von Heinz Meyer
Ca. 528 Seiten, Leinen
ISBN 3 7700 0278 4

Wolfgang Horn
Führerideologie und Parteiorganisation in der NSDAP
(Geschichtliche Studien zu Politik und Gesellschaft, Bd. 3)
452 Seiten, Leinen
ISBN 3 7700 0280 6

Anita Dasbach Mallinckrodt
Wer macht die Außenpolitik der DDR?
Apparat Methoden Ziele
(Geschichtliche Studien zu Politik und Gesellschaft, Bd. 4)
Übertragen aus dem Amerikanischen von Silvia Kuppe
Ca. 432 Seiten, Leinen
ISBN 3 7700 0291 1

Droste Verlag Düsseldorf

Bonner Schriften
zur Politik und Zeitgeschichte

Karl Dietrich Bracher — Hans-Adolf Jacobsen (Herausgeber)
Bibliographie zur Politik in Theorie und Praxis
(Bonner Schriften zur Politik und Zeitgeschichte, Bd. 1)
368 Seiten, Leinen, Paperback
ISBN 3 7700 0241 5

Manfred Funke
Sanktionen und Kanonen
Hitler, Mussolini und der internationale Abessinienkonflikt 1934—1936
(Bonner Schriften zur Politik und Zeitgeschichte, Bd. 2)
Mit einem Vorwort von Hans-Adolf Jacobsen
2. Auflage. 220 Seiten, Leinen
ISBN 3 7700 0230 X

Christian Müller
Oberst i. G. Stauffenberg
Eine Biographie
(Bonner Schriften zur Politik und Zeitgeschichte, Bd. 3)
2. Auflage. 624 Seiten, Leinen
ISBN 3 7700 0228 8

Hans Helmuth Knütter
Die Juden und die deutsche Linke
in der Weimarer Republik
(Bonner Schriften zur Politik und Zeitgeschichte, Bd. 4)
260 Seiten, Leinen, Paperback
ISBN 3 7700 0271 7 (Leinen) · ISBN 3 7700 0272 5 (Paperback)

Patrik von zur Mühlen
Zwischen Hakenkreuz und Sowjetstern
Der Nationalismus der sowjetischen Orientvölker im 2. Weltkrieg
(Bonner Schriften zur Politik und Zeitgeschichte, Bd. 5)
256 Seiten, Leinen
ISBN 3 7700 0273 3

Jörg-Peter Mentzel / Wolfgang Pfeiler
Deutschlandbilder
Die Bundesrepublik Deutschland aus der Sicht der DDR und der Sowjetunion
Mit einem Vorwort von Hans-Adolf Jacobsen
(Bonner Schriften zur Politik und Zeitgeschichte, Bd. 6/7)
Ca. 400 Seiten, Leinen
ISBN 3 7700 0287 3

Droste Verlag Düsseldorf